Neuf parfaits étrangers

Liane Moriarty

Neuf
parfaits étrangers

ROMAN

Traduit de l'anglais (Australie)
par Béatrice Taupeau

Albin Michel

© Éditions Albin Michel, 2020
pour la traduction française

Édition originale australienne parue sous le titre :
NINE PERFECT STRANGERS
Chez Pan Macmillan Australia Pty Ltd en 2018
© Liane Moriarty, 2018

À Kati.
Et pour papa
avec toute mon affection.

« Vous pensez être la peine
En réalité vous êtes le médicament qui la guérit,
Vous pensez être la serrure de votre cœur
En réalité vous êtes la clé qui l'ouvre. »

RUMI

« Juste quand j'ai découvert le sens de la vie, ils
l'ont changé. »

George CARLIN

1

Yao

« Je vais bien, déclare la femme. Je n'ai rien. »

Yao n'a pourtant pas cette impression.

Il fait une formation de secouriste et c'est son premier jour sur le terrain. Sa troisième intervention. Sans être nerveux, il est néanmoins extrêmement vigilant car commettre une erreur, même minime, lui est insupportable. Enfant déjà, il pleurait à chaudes larmes lorsqu'il se trompait et aujourd'hui encore, il en a des crampes d'estomac.

Une goutte de sueur perle sur le visage de la femme, laissant sur son maquillage une traînée luisante d'escargot. Quel besoin les femmes ont-elles de se peinturlurer le visage en orange ? se demande Yao – mais la question n'est pas pertinente.

« Je vais bien. Peut-être juste une gastro », répond-elle avec un léger accent d'Europe de l'Est.

« Observe bien ton patient et son environnement, Yao, lui a conseillé Finn, son référent. Tu dois t'imaginer comme un agent secret à la recherche d'indices de diagnostic. »

Yao examine alors la femme d'âge moyen en surpoids, cernes rouges prononcés soulignant d'incroyables yeux bleu-vert, fins cheveux châtains noués sur la nuque en un petit chignon tristounet. Teint pâle, peau moite, respiration saccadée. Grosse fumeuse, à en juger par son odeur de tabac froid. Elle est assise dans un fauteuil en cuir à haut dossier derrière une immense table. À supposer que la taille de ce somptueux bureau d'angle et ses baies vitrées donnant sur le port témoignent de son statut au sein de l'entreprise, Madame est haut placée. Ils sont au septième étage et les voiles de l'Opéra de Sydney sont si proches que l'on discerne ses tuiles carrelées couleur crème.

Une main sur sa souris, elle fait défiler ses courriels sur son énorme écran d'ordinateur – apparemment les deux secouristes qui l'examinent ne représentent qu'un désagrément mineur, tels deux techniciens venus régler un plantage de PowerPoint. Elle porte un tailleur bleu marine sur mesure comme un carcan, sa veste trop serrée au niveau des épaules.

Yao prend sa main libre et, tandis qu'il glisse un oxymètre de pouls sur le bout de son doigt, remarque une plaque rougeâtre couverte de squames brillants sur son avant-bras. Un signe avant-coureur du diabète ?

« Êtes-vous sous traitement, Masha ? » demande Finn, de cet air décontracté qu'il adopte avec les patients, comme s'il échangeait des banalités autour d'un barbecue, une bière à la main.

Il les appelle toujours par leur prénom, remarque Yao, alors que lui-même n'a pas l'assurance nécessaire pour s'adresser à eux comme à de vieux amis. Mais si cela améliorait les résultats avec les patients, il apprendrait à vaincre sa timidité.

« Je ne prends pas le moindre médicament », répond Masha, sans quitter l'écran du regard. Un clic déterminé, puis elle lève les yeux vers Finn. Des yeux si beaux qu'ils semblent appartenir à quelqu'un d'autre. Sûrement des lentilles de couleur, suppose Yao. « Je suis en bonne santé. Je suis désolée de vous faire perdre votre temps. Ce n'est pas moi qui vous ai fait appeler, croyez-moi.

– C'est moi », dit une très jolie jeune femme aux cheveux bruns en jupe moulante à motifs – des losanges qui ne sont pas sans rappeler ceux de l'Opéra – et talons hauts. La jupe lui va à ravir – observation guère plus pertinente, même si, techniquement, la brunette fait partie de l'environnement que Yao est

censé examiner. Elle mordille l'ongle de son petit doigt puis :
« Je suis son assistante personnelle. Elle… ah… » Elle baisse la
voix comme si elle allait faire une révélation honteuse. « Elle
est devenue toute pâle et ensuite, elle est tombée de sa chaise.

– Je ne suis pas tombée de ma chaise ! s'insurge Masha.

– Disons qu'elle a glissé, reprend l'assistante.

– J'ai été prise de vertige un court instant, rien de plus,
précise Masha à l'intention de Finn. Et je me suis aussitôt
remise au travail. On peut en rester là ? Je veux bien tout
régler, vous savez, payer la totalité des frais, enfin, de ce que
vous facturez pour vos services. J'ai une assurance santé privée,
bien sûr. Je n'ai tout simplement pas le temps, là maintenant. »
Elle se tourne vers son assistante. « Je ne dois pas voir Ryan
à 11 heures ?

– Je vais annuler.

– C'est mon nom que je viens d'entendre ? lance un jeune
homme apparu sur le pas de la porte. Un problème ? » Il entre
d'un air important, muni d'une pile de dossiers en papier kraft.
Il porte une chemise violette trop serrée. À en juger par son
accent britannique emprunté, il se prend pour un membre de
la famille royale.

« Aucun, dit Masha. Asseyez-vous.

– Vous voyez bien que Masha n'est pas disponible, là ! »
s'exclame la pauvre assistante.

Yao compatit. Il n'apprécie pas la désinvolture en matière
de santé et pense que les membres de sa profession méritent
davantage de respect. Il nourrit également une profonde aver-
sion pour les hommes aux cheveux en bataille, qui s'expriment
avec snobisme et portent des chemises une taille trop petite
pour exhiber leurs pectoraux bodybuildés.

« Non, non, asseyez-vous donc, Ryan ! Ça ne prendra qu'une
seconde. Je vais bien. » Masha ponctue ses propos d'un geste
d'impatience.

« Je peux prendre votre tension, s'il vous plaît ? demande

13

Yao. Euh, Masha ? ajoute-t-il courageusement en s'approchant pour lui passer la manchette autour du bras.

— Et si on enlevait d'abord cette veste ? suggère Finn d'un ton amusé. Vous êtes une femme très occupée, Masha.

— J'ai vraiment besoin qu'elle signe ces documents », insiste le jeune homme à voix basse en regardant l'assistante.

La véritable urgence, c'est de prendre les signes vitaux de ta patronne, espèce d'abruti, songe Yao.

Finn débarrasse Masha de sa veste et la pose sur le dossier de son fauteuil. Un vrai gentleman.

« Montrez-moi ces papiers, Ryan. » Masha ajuste les boutons de son chemisier en soie couleur crème.

« Il me faut juste votre signature en haut des deux premières pages, dit-il en lui tendant le dossier.

— Vous plaisantez ? intervient l'assistante en levant les mains d'un air incrédule.

— Vous allez devoir repasser à un autre moment, l'ami », dit Finn d'une voix ferme.

Alors que Ryan bat en retraite, Masha claque des doigts pour qu'il lui donne le dossier. Il s'exécute aussitôt. Il craint manifestement davantage Masha que Finn, ce qui n'est pas peu dire, car Finn est un colosse.

« J'en ai pour quinze secondes tout au plus. » Sa voix s'empâte sur le dernier mot si bien qu'on entend presque « plush ».

Yao, qui a toujours le tensiomètre entre les mains, lance un regard à Finn.

La tête de Masha s'incline d'un côté, comme si elle s'assoupissait. Le dossier en papier kraft lui échappe des doigts.

« Masha ? » dit Finn, d'une voix forte et autoritaire.

Elle s'affaisse vers l'avant, les bras ballants, tel un pantin.

« Voilà ! s'écrie l'assistante d'un air satisfait. C'est exactement ça qui s'est passé tout à l'heure !

— Oh là là ! s'exclame l'homme à la chemise violette en reculant. *Oh là là !* Désolé. Je vais juste…

14

– Allez, Masha, on va vous allonger par terre », annonce Finn.

Il glisse ses mains sous ses aisselles tandis que Yao la prend par les jambes. L'effort lui arrache un grognement. C'est une très grande femme, beaucoup plus grande que lui. Elle mesure au moins un mètre quatre-vingts et c'est un poids mort. Ensemble, ils l'étendent sur le côté sur la maquette grise. Puis Finn plie sa veste et la met derrière sa tête en guise de coussin.

Le bras droit de Masha se lève, raide, au-dessus de sa tête, tel celui d'un zombie, ses poings se ferment autour de ses pouces, comme tétanisés, elle respire de manière saccadée tandis que son corps s'arc-boute.

Elle convulse.

C'est impressionnant, quelqu'un qui convulse, mais Yao sait qu'il faut attendre que la crise passe. Masha n'a rien autour du cou qu'il pourrait desserrer. Un coup d'œil autour d'elle. Aucun risque qu'elle se cogne la tête quelque part.

« Elle a convulsé tout à l'heure ? demande Finn en regardant l'assistante.

– Pas du tout. Elle s'est simplement évanouie, répond-elle, les yeux écarquillés dans un mélange d'épouvante et de fascination.

– Elle est épileptique ?

– Je ne crois pas. Je n'en sais rien. » Elle recule lentement vers le seuil de la porte où plusieurs collaborateurs sont maintenant attroupés. L'un d'entre eux filme la scène avec son téléphone portable comme s'il assistait à un concert de rock.

« Commence le massage cardiaque. » Les yeux de Finn sont froids comme des billes.

Pendant un court instant – une seconde tout au plus, mais une seconde tout de même – Yao ne réagit pas : son cerveau s'efforce de saisir ce qui vient de se passer. Il se souviendra de ce moment d'incompréhension immobile toute sa vie. Il sait parfaitement qu'une personne qui fait un arrêt cardiaque peut présenter les mêmes symptômes qu'une personne qui convulse et, pourtant, il est passé à côté car son cerveau était tout à fait convaincu, à tort, d'une chose : *cette patiente fait une crise d'épilepsie.* Si Finn n'avait pas été là, Yao se serait probablement accroupi pour observer une femme en arrêt cardiaque sans même lever le petit doigt, comme un pilote de ligne qui laisse son avion s'écraser au sol par excès de confiance en ses instruments défaillants. Ce jour-là, l'instrument le plus précieux de Yao, son cerveau, avait été défaillant.

Ils la choquèrent par deux fois sans réussir à rétablir un rythme cardiaque régulier. Le cœur de Masha Dmitrichenko avait bel et bien cessé de battre lorsqu'elle fut évacuée du bureau en angle dans lequel elle ne remettrait plus jamais les pieds.

2

Frances

Dix ans plus tard

Par une journée de janvier chaude et sans nuages, Frances Welty, auteure de romans sentimentaux autrefois auréolée de succès, s'enfonçait dans le bush direction nord-ouest, seule au volant de sa voiture. Elle avait quitté Sydney depuis six heures.

L'autoroute, tel un ruban noir hypnotique, se déroulait devant elle, tandis que les bouches d'aération de la climatisation soufflaient de l'air glacial à pleine puissance sur son visage. Le ciel, d'un bleu profond, formait un immense dôme autour de sa minuscule voiture solitaire. Il y avait beaucoup trop de ciel à son goût.

Elle sourit en repensant à un avis laissé par un internaute grincheux sur TripAdvisor : *Alors j'ai appelé la réception et demandé un ciel plus bas, plus nuageux, plus confortable. Une femme avec un fort accent étranger m'a répondu qu'elle n'avait que celui-là en stock ! D'un ton particulièrement impoli, avec ça ! Ils n'auront plus mon argent. Ne gaspillez pas le vôtre.*

L'idée lui traversa l'esprit qu'elle frisait probablement la folie.

Mais non. Elle allait bien. Elle était parfaitement saine. Aucun doute sur la question.

Elle se dégourdit les doigts, cligna des yeux derrière ses lunettes de soleil et bâilla à s'en décrocher la mâchoire.

17

« Aïe ! » Elle n'avait pourtant pas mal.

Elle soupira, tourna la tête, espérant découvrir quelque chose qui romprait la monotonie du paysage. Ce serait tellement dur, tellement inhospitalier, là-bas. Elle imaginait ça d'ici : le bourdonnement des mouches à viande, le croassement lugubre des corbeaux, et toute cette lumière aveuglante. Le bush, dans toute son implacabilité.

Allez. Donne-moi à voir une vache, du foin, un abri. Devine à quoi je pense... ça commence par...

R. Rien.

Elle changea de position, ce qui lui valut dans les lombaires un élancement si violent, si profond que les larmes lui montèrent aux yeux.

« Nom d'un chien », gémit-elle.

Son mal de dos s'était déclaré deux semaines plus tôt, le jour où elle avait enfin accepté que Paul Drabble avait disparu de la circulation. Elle composait le numéro de la police tout en se demandant comment désigner Paul – son partenaire, son petit ami, son amant, son « bon ami » ? – quand le premier tiraillement s'était fait ressentir. L'illustration parfaite d'une douleur psychosomatique, même si savoir qu'elle somatisait ne réduisait absolument pas sa souffrance.

C'était étrange de regarder sa chute de reins dans le miroir tous les soirs et de constater que cette région de son anatomie semblait aussi douce, blanche et joliment grassouillette que d'ordinaire. Elle s'attendait à avoir une vision d'horreur, comme un amas noueux de racines d'arbre.

Elle regarda l'heure sur le tableau de bord – 14:57. Elle devrait tomber sur l'embranchement d'une minute à l'autre. Lorsqu'elle avait réservé son séjour à Tranquillum House, elle avait annoncé qu'elle arriverait entre 15 h 30 et 16 heures, et elle n'avait pas fait plus de haltes que prévu.

Tranquillum House, un centre confidentiel de bien-être et de soins, lui avait été conseillé par son amie Ellen. « Tu as besoin de te retaper », avait-elle dit à Frances après leur troisième Bellini, un excellent cocktail à base de prosecco et de pêche blanche, au cours d'un déjeuner la semaine précédente. « Tu as une mine de déterrée. »

Ellen avait fait une « cure » à Tranquillum House trois ans plus tôt, lorsqu'elle s'était, elle aussi, retrouvée « épuisée », « à plat », « au bout du rouleau » et...

« Oui, oui, j'ai compris, avait dit Frances.

— C'est assez... étonnant comme endroit. Ils ont une approche, disons... non conventionnelle. Ça m'a changé la vie.

— En quoi ça t'a changé la vie exactement ? » avait-elle voulu savoir, en toute logique. Mais la réponse à cette question était restée vague. Au final, la différence semblait se limiter à ses yeux, dont les blancs étaient devenus vraiment blancs, genre blanc de chez blanc ! Ah, elle avait perdu trois kilos aussi ! Même s'il ne s'agissait pas là-bas de perdre du poids – Ellen n'avait pas ménagé sa peine pour le lui faire comprendre. Non, leur approche était centrée sur le *bien-être* ; mais bon, quelle femme va se plaindre d'avoir perdu trois kilos, hein ? Ellen, certainement pas ! Frances non plus.

En rentrant chez elle, Frances avait consulté le site Internet. Elle n'avait jamais donné dans l'abnégation ni fait de régime, rarement dit non quand elle avait envie de dire oui et inversement. D'après sa mère, son premier mot de gourmande, c'était « encore ». Elle en voulait toujours plus.

Pourtant, les photos de Tranquillum House l'avaient emplie d'un désir impérieux aussi étrange qu'inattendu. Prises à l'aube ou au crépuscule, ou bien rehaussées par un filtre « coucher du soleil », elles illuminaient leur sujet de teintes dorées. Des gens qui portaient la cinquantaine comme un gant faisaient la posture du guerrier dans un jardin planté de rosiers blancs près d'une magnifique maison de campagne. Un couple se relaxait dans une des sources d'eau chaude naturelles qui se trouvaient alentour. Les yeux fermés, la tête en arrière, ils arboraient un sourire béat dans l'eau bouillonnante. Une femme profitait d'un massage aux pierres chaudes sur une chaise longue au bord d'un bassin bleu-vert. Frances s'y voyait déjà, les pierres délicieusement disposées symétriquement le long de sa colonne vertébrale, leur chaleur magique dissipant ses douleurs.

Tandis qu'elle rêvait de sources chaudes et de yoga doux, un message pressant était apparu à l'écran : *Plus qu'une place pour vivre une expérience unique de dix jours avec notre retraite Métamorphose mentale et physique !* Il n'en avait pas fallu davantage pour aiguiser son esprit de compétition et, bêtement, elle avait cliqué sur *Réservez maintenant*. Elle ne croyait pas *vraiment* qu'il ne restait plus qu'une place, mais elle n'avait pas traîné pour entrer son numéro de carte de crédit, juste au cas où.

Apparemment, en à peine dix jours, la « métamorphose » serait « inimaginable ». Au programme : jeûne, méditation, yoga, exercices créatifs de lâcher-prise émotionnel. Exit l'alcool, le sucre, la caféine, le gluten et les produits laitiers. Mais comme elle s'était récemment offert le menu dégustation du Four Seasons, son organisme était repu de toutes ces substances. L'idée de s'en passer ne lui semblait d'ailleurs pas un drame. Les repas seraient « personnalisés » pour répondre à ses « propres besoins ».

Avant que sa réservation ne soit « acceptée », elle dut répondre à un questionnaire franchement long et quelque peu indiscret : statut sentimental, alimentation, antécédents médicaux, consommation d'alcool au cours des semaines précédentes, etc. Elle mentit allègrement tout du long. Après tout, ces informations ne les regardaient pas. Elle dut même joindre une photo datant de moins de deux semaines. Elle en choisit une prise au cours de son déjeuner au Four Seasons avec Ellen, un Bellini à la main.

Il lui fallut ensuite indiquer quels objectifs elle espérait atteindre au cours de ses dix jours de retraite, en choisissant parmi toute une liste allant de « thérapie de couple intensive » à « perte de poids significative ». Frances ne cocha que les cases lui évoquant des choses agréables, par exemple « éveil spirituel ».

Comme souvent dans la vie, sur le moment, l'idée lui avait semblé excellente.

Les avis publiés sur TripAdvisor – qu'elle lut *après* avoir payé un acompte non remboursable – étaient très contrastés. Les gens disaient avoir vécu soit la plus belle, la plus incroyable expérience de leur vie – ils regrettaient de ne pas pouvoir mettre plus de cinq étoiles et étaient dithyrambiques sur la cuisine, les sources d'eau chaude et le personnel –, soit le pire cauchemar jamais imaginé – ils envisageaient d'avoir recours à la justice, évoquaient un état de stress post-traumatique, laissaient des mises en garde funestes du type « À vos risques et périls ».

Frances consulta de nouveau le tableau de bord dans l'espoir de voir l'aiguille avancer vers 15 heures.

Arrête. Concentre-toi. Regarde la route, Frances. C'est toi, la responsable, dans cette voiture.

Elle perçut un mouvement dans sa vision périphérique et se raidit. Au secours, un kangourou allait s'écraser contre son pare-brise dans un bruit sourd.

Mais rien. Ces collisions avec la faune locale n'existaient que dans sa tête. Si l'accident devait arriver, eh bien, il arriverait. Elle n'aurait probablement pas le temps de réagir.

Elle se remémora un lointain périple en voiture avec un petit ami. Ils étaient tombés sur un émeu qui agonisait après avoir été percuté par un véhicule au beau milieu de l'autoroute. Frances n'avait pas bougé du siège passager – l'incarnation de la princesse prostrée – tandis que son copain achevait la pauvre bête avec une pierre. Un coup sec sur la tête. Il avait repris sa place au volant, transpirant et grisé, petit citadin ravi et fier de son pragmatisme plein d'humanité. Frances ne lui avait jamais vraiment pardonné son exaltation dégoulinante. Il avait pris du plaisir à tuer l'émeu.

Aujourd'hui encore, Frances n'était pas certaine de pouvoir

achever un animal mourant, même si ses cinquante-deux ans et sa sécurité financière lui interdisaient de jouer les princesses.

« Mais si, tu pourrais le faire, dit-elle à voix haute. Sans aucun doute. »

Oh là là ! Maintenant qu'elle y pensait, le petit ami en question était mort. Attends, il était mort ou pas ? Oui, mort, assurément. Elle l'avait appris par le bouche à oreille voilà quelques années. De complications après une pneumonie, apparemment. Il est vrai que Gary souffrait toujours de très vilains rhumes. Ce qui n'avait jamais spécialement suscité la compassion de Frances.

À ce moment précis, son nez se mit à goutter comme un robinet mal fermé. Parfait, le timing. Elle s'essuya du dos de la main. Dégoûtant. Probablement une vengeance posthume de Gary. Bien fait pour elle. Fut un temps où ils partaient ensemble à l'aventure et se déclaraient leur amour mutuel, et voilà qu'à présent elle avait du mal à se souvenir qu'il était mort.

Elle présenta ses excuses à Gary, même si, franchement, il devait savoir que ce n'était pas sa faute : s'il avait atteint la cinquantaine, il aurait su qu'on devient extraordinairement distrait et confus. Pas tout le temps. Par moments seulement.

Parfois, j'ai l'esprit super vif, Gary.

Elle renifla de nouveau. Elle avait l'impression de traîner ce rhume de cerveau depuis encore plus longtemps que son mal de dos. N'avait-elle pas déjà le nez qui coulait le jour où elle avait déposé son manuscrit ? Ça remontait déjà à trois semaines. Son dix-neuvième roman. Elle ne savait toujours pas ce que sa maison d'édition en pensait. Au temps jadis, à la fin des années quatre-vingt-dix – son apogée –, son éditrice lui aurait envoyé du champagne et des fleurs dans les quarante-huit heures suivant la remise du manuscrit, le tout accompagné d'un petit mot écrit à la main. *Un nouveau chef-d'œuvre !*

Ses jours de gloire étaient derrière elle, elle le comprenait, mais sa rentabilité la plaçait toujours en milieu de peloton. Un mail démonstratif lui aurait fait plaisir.

Ou ne serait-ce qu'un mail amical.

Voire un mail rapide de quelques mots : *Désolée, je ne m'y suis pas encore mise, mais j'ai hâte de lire ton manuscrit !* Ça aurait été la moindre des politesses.

Une peur enfouie dans son subconscient essaya de se frayer un chemin dans son conscient. Non. Non. Hors de question.

Elle s'agrippa au volant et s'efforça de respirer calmement. Elle avait avalé une bonne dose de comprimés pour décongestionner son nez et, à cause de la pseudoéphédrine, son cœur battait la chamade, comme à l'approche d'un événement fabuleux ou terrible. La même sensation que lorsqu'elle s'était avancée vers l'autel, par deux fois.

Elle avait probablement développé une dépendance à ces médicaments. Elle avait un tempérament addictif. Les hommes. La nourriture. Le vin. D'ailleurs, elle avait très envie d'un verre de vin, là, alors même que le soleil était encore haut dans le ciel. Ces derniers temps, elle avait bu, peut-être pas avec excès, mais avec plus d'enthousiasme que d'ordinaire. Elle était sur la pente glissante, filant à toute vitesse vers l'alcoolisme et la toxicomanie ! C'était excitant de savoir qu'elle pouvait encore changer de manière significative. Elle avait laissé chez elle, sur son bureau, là, à la vue de tous – bon, à la vue de sa femme de ménage, d'accord –, une bouteille à moitié vide de pinot noir. Comme Hemingway. Sacré Ernest ! N'avait-il pas aussi des problèmes de dos ? Que de points communs !

Si ce n'est que Frances avait un faible pour les adjectifs et les adverbes. Apparemment, elle en parsemait ses romans comme on jette des coussins décoratifs çà et là. Qu'est-ce que c'était, cette citation de Mark Twain que Sol se murmurait à lui-même, suffisamment fort pour qu'elle l'entende, quand il lisait ses manuscrits ? *Quant aux adjectifs, dans le doute, biffez-les.*

Sol, lui, était bien réel, et il n'aimait ni les adjectifs ni les coussins décoratifs. Elle le visualisa allongé au-dessus d'elle dans leur lit, jurant de façon comique en jetant un énième coussin de sous sa tête à travers la pièce tandis qu'elle riait sottement. Elle secoua la tête comme pour chasser cette pensée. Des souvenirs agréables de leurs ébats, c'était un peu comme un bon point accordé à son premier mari.

Lorsque tout allait bien dans sa vie, Frances ne souhaitait que le meilleur à ses deux ex-époux. Ainsi qu'une excellente fonction érectile. Mais en ce moment, elle brûlait de voir s'abattre sur leur tête argentée une invasion de sauterelles.

Elle mit son pouce droit à la bouche pour apaiser la minuscule et non moins vicieuse coupure qu'elle s'était faite avec du papier. La douleur se réveillait de temps à autre pour lui rappeler que même l'affection la plus bénigne pouvait lui gâcher la journée.

La voiture dévia sur le bord cahoteux de la route ; Frances lâcha son pouce et s'accrocha au volant. « Oups. »

Elle avait les jambes assez courtes, ce qui l'obligeait à rapprocher le siège du volant. « On dirait que tu pilotes une auto-tamponneuse », disait souvent Henry. Il trouvait ça super mignon. Puis, au bout de cinq ou six ans, plus du tout, si bien qu'il poussait un juron chaque fois qu'il devait reculer le siège pour conduire lui-même la voiture.

Elle aussi avait trouvé son somnambulisme super mignon… pendant cinq ou six ans !

Concentre-toi !

Le paysage défilait. Enfin, un panneau : *Bienvenue à Jarribong, ville verte et fière de l'être.*

Elle ralentit jusqu'à rouler à cinquante – vitesse maximale autorisée – et songea que c'était presque ridiculement lent.

Elle tourna la tête de gauche et de droite, attentive à son environnement. Un restaurant chinois dont la porte arborait un dragon aux teintes rouge et or fanées par le temps ; une station-service visiblement fermée ; un bureau de poste en brique rouge ; un drive-in de vins et spiritueux ouvert ; un commissariat probablement inutile. Elle ne distinguait pas âme qui vive. Ville verte certes, mais post-apocalyptique.

C'était donc ça, la sombre et implacable réalité des petites villes ! Rien à voir avec la charmante localité nichée dans les montagnes qu'elle avait créée dans son dernier roman. On y trouvait un café chaleureux et plein de vie où flottait un parfum de cannelle et, comble de la fantaisie, une *librairie* qui faisait des bénéfices ! Les critiques diraient avec raison que son livre était « cucul », à supposer qu'il fasse l'objet du moindre article, qu'elle ne lirait pas de toute façon.

Bye bye, triste petite ville verte, dit-elle *in petto* en sortant de Jarribong.

Elle appuya sur l'accélérateur et regarda l'aiguille de son compteur de vitesse remonter jusqu'à cent. À en croire le site Internet, elle atteindrait l'embranchement dans les vingt minutes.

Elle aperçut un panneau, plissa les yeux et se pencha sur le volant pour le lire : *Tranquillum House, première à gauche.*

Elle se sentit plus légère. Elle avait réussi. Elle avait roulé pendant six heures sans devenir complètement folle. L'instant suivant, son cœur se serra car, à présent, elle allait devoir aller jusqu'au bout.

« Tournez à gauche dans un kilomètre, ordonna le GPS.

– Je n'ai pas envie », dit Frances d'un air malheureux.

D'abord, elle n'avait rien à faire dans cette partie de la planète en cette saison ! Elle était censée découvrir Santa Barbara, ses domaines viticoles, restaurants et musées, sous le doux soleil d'hiver californien avec son « bon ami » Paul Drabble. Faire connaissance avec Ari, son fils de douze ans. Passer de longs après-midi avec lui et entendre son petit rire sec tandis qu'il lui apprenait à jouer à la PlayStation – un jeu sanglant qu'il adorait. L'idée avait provoqué les rires moqueurs des amies de Frances, celles qui avaient des enfants tout du moins, mais elle s'était réjouie d'avance – les intrigues du jeu semblaient plutôt riches et complexes.

Elle revit le visage sérieux de ce jeune policier. Il gardait de l'enfance quelques taches de rousseur et une écriture laborieuse. Il avait noté tout ce qu'elle disait avec un stylo à bille qui grattait sur le papier. Son orthographe était épouvantable. Deux « m » à demain ! Et il n'avait pas pu la regarder dans les yeux.

À ce souvenir, une violente bouffée de chaleur enveloppa soudain son corps.

L'humiliation ?

Probablement.

Elle fut prise de vertige. Se mit à trembler. Sentit ses mains glissantes sur le volant.

Range-toi sur le côté. Range-toi sur le côté tout de suite.

Elle actionna son clignotant, même s'il n'y avait personne derrière elle, et s'arrêta sur le bas-côté. Elle eut la présence d'esprit d'allumer ses feux de détresse. Son visage dégoulinait de sueur. Sa chemise fut trempée en quelques secondes. Frissonnante, elle décolla le tissu de sa peau et repoussa les mèches de cheveux humides de son front.

Elle éternua, ce qui lui causa une contraction dans le dos. La douleur, proprement apocalyptique, lui arracha un petit rire tandis que les larmes inondaient son visage. Oh oui, elle devenait folle. Assurément.

Submergée par une rage aveugle, primale, incommensurable, elle abattit son poing sur le klaxon, ferma les yeux et, la tête en arrière, se mit à hurler à l'unisson, parce que entre ce rhume, ce mal de dos et ce fichu chagrin d'amour…

« Ohé ! »

Elle ouvrit les yeux et sursauta sur son siège.

Un quidam, en position accroupie, frappait bruyamment sur sa vitre. De l'autre côté de la chaussée, un véhicule, sûrement le sien, stationnait, feux de détresse allumés.

« Ça va ? cria-t-il. Besoin d'aide ? »

Quelle poisse ! Pourquoi fallait-il que quelqu'un soit témoin de ce moment intime de désespoir ? C'était affreusement gênant. Elle actionna le bouton pour baisser la vitre.

L'homme, gros, négligé, mal rasé – en somme, fort déplaisant –, la dévisagea. Il portait sa bedaine de buveur de bière sans complexe au-dessus d'un blue-jean taille basse. Sur son tee-shirt, le logo d'un groupe de musique d'un autre temps avait perdu son éclat. Il avait tout du tueur en série de l'Outback. Sauf que, techniquement, elle n'était pas encore dans le désert. C'était sûrement un tueur en série de l'Outback en vacances dans le bush.

« Un ennui de voiture ?

– Non. » Frances se redressa et esquissa un sourire tout en passant la main dans ses cheveux mouillés. « Merci. Je vais bien. La voiture aussi. Tout va bien.

– Vous êtes *malade* ? demanda-t-il d'un air un peu dégoûté.

– Non. Pas vraiment. Juste un mauvais rhume.

– Une bonne grippe, plutôt. Vous avez *vraiment* l'air malade. » Il fronça les sourcils, jeta un coup d'œil à l'arrière de la voiture puis : « Et vous étiez en train de crier tout en klaxonnant, comme si vous... aviez un problème.

– Oui. Eh bien... je croyais être seule au milieu de nulle part. J'ai juste eu... un mauvais moment. » Elle tâcha de ne pas laisser le ressentiment percer dans sa voix. Après tout, il avait agi normalement, en bon citoyen. « Merci de vous être arrêté, mais je vais bien », ajouta-t-elle gentiment en arborant un sourire des plus doux et des plus apaisants. Quand on croise un colosse un peu étrange au milieu de nulle part, la règle, c'est de l'amadouer.

« Bon, d'accord. » Il se déplia avec un grognement, en poussant sur ses cuisses avec ses mains. L'instant d'après, il tapa sur le toit de la voiture et se baissa de nouveau, l'air résolu. *Je suis un homme, on ne me la fait pas.* « Dites, est-ce que ça va pour conduire ? Parce que si vous n'êtes pas en état de reprendre le volant, si vous représentez un danger pour les autres conducteurs, je n'aurai pas bonne conscience de vous laisser… »

Frances se redressa. Ça suffisait comme ça. « J'ai simplement eu une bouffée de chaleur. »

L'homme blêmit. « Oh ! » Il la dévisagea. « Une bouffée de chaleur.

– Voilà. » Frances en avait déjà eu deux fois. Elle avait beaucoup lu sur le sujet, parlé avec toutes les femmes de plus de quarante-cinq ans qu'elle connaissait, consulté son médecin généraliste – « Mais personne n'a jamais dit que c'était si affreux ! » s'était-elle écriée. Pour le moment, ils suivaient l'évolution de la situation. Elle prenait des compléments alimentaires, réduisait sa consommation d'alcool et d'épices. Réjouissant.

« Donc vous allez bien ? » reprit l'homme. Il regarda de part et d'autre de la route, comme pour chercher de l'aide.

« Je vais parfaitement bien, vraiment », dit Frances. Elle ressentit une gentille petite contraction dans son dos mais elle essaya de supporter la douleur sans sourciller.

« Je n'avais pas conscience que les bouffées de chaleur étaient si…

– Spectaculaires ? Eh bien, ce n'est pas le cas pour toutes les femmes. Nous ne sommes que quelques privilégiées.

– Il n'y a pas de… comment ça s'appelle ? De traitement hormonal substitutif ? »

Je rêve, il continue.

« Vous pouvez me prescrire quelque chose ? » demanda Frances jovialement.

L'homme recula d'un pas et leva les mains dans un geste d'impuissance. « Désolé. C'est juste que… je crois que c'est ce que ma femme… Bref, ça ne me regarde pas. Si tout va bien, je vais y aller.

– Très bien. Merci de vous être arrêté.

– Pas de souci. »

Il leva la main, ouvrit la bouche, mais se ravisa et rejoignit sa voiture. Le dos de son tee-shirt était trempé de transpiration. Un mastodonte. Heureusement, il avait estimé qu'elle ne ferait pas une bonne victime. Il préférait sûrement violer et assassiner des femmes moins dégoulinantes de sueur.

Elle le regarda démarrer et s'engager sur la route. Il la salua d'un signe de la main en partant.

Elle attendit que sa voiture ne soit plus qu'un minuscule point dans son rétroviseur puis prit sur le siège passager le change qu'elle avait prévu pour faire face à ce qui venait de lui arriver.

« La ménopause ? » avait dit sa mère d'un ton distrait au téléphone de l'autre bout de la planète. Âgée de quatre-vingts ans, elle coulait des jours heureux dans le sud de la France. « Oh, ça ne m'a pas beaucoup embêtée, je crois, ma chérie. Si je me souviens bien, ça a duré un petit week-end, et puis plus rien. Ce sera pareil pour toi, j'en suis sûre. Je n'ai jamais eu de bouffées de chaleur. Pour être honnête, je pense que c'est une invention. »

Pfff. Une invention, bien sûr, songea Frances en s'épongeant avec une serviette de toilette.

Elle envisagea d'envoyer une photo de son visage rouge pivoine à son groupe d'amies d'enfance – elle connaissait certaines d'entre elles depuis la maternelle. Ces derniers temps, lorsqu'elles dînaient ensemble au restaurant, elles évoquaient les symptômes de la ménopause avec la même ferveur horrifiée que lorsqu'elles avaient autrefois parlé de leurs premières règles. Frances était la seule à subir ces délirantes bouffées de chaleur. Elle se sacrifiait pour le groupe. Comme d'habitude, leurs réactions à la ménopause variaient en fonction de leur personnalité : Di avouait être dans un état de rage permanent et, si son abruti de gynécologue ne consentait pas à lui faire une hystérectomie rapidement, elle allait l'attraper par le col et lui refaire le portrait ; Monica acceptait la « belle intensité » de ses émotions et Nathalie se demandait anxieusement si cela ne contribuait pas à son anxiété. De l'avis de toutes, c'était du Gillian tout craché de mourir pour échapper à la ménopause. Et de pleurer ensuite dans leur prosecco.

Non, elle ne leur enverrait rien, car elle venait de se rappeler qu'au cours de leur dernier dîner elle avait levé le nez de la carte et surpris un échange de regards qui semblaient dire « Pauvre Frances ». Or elle ne supportait pas la pitié. Ces amies-là, toutes solidement mariées, étaient censées l'*envier* – ou alors elles avaient fait mine de l'envier pendant toutes ces années –, mais il semblait qu'être célibataire sans enfants à la trentaine, ce n'était pas la même chose qu'être célibataire sans enfants à la cinquantaine. Ce n'était plus glamour. C'était devenu tragique.

Tragique mais éphémère, se dit-elle en enfilant un chemisier propre au décolleté vertigineux. Elle jeta l'autre sur la banquette arrière, redémarra la voiture et regarda par-dessus son épaule avant de s'engager sur la voie. *Tragiquéphémère*. Un nom parfait pour un groupe.

Un panneau. Elle plissa les yeux. Il annonçait *Tranquillum House*.

« Tournez à gauche, dit le GPS.

– Oui, *je sais*, il y a un panneau. »

Croisant son regard dans le rétroviseur, elle essaya d'y mettre une pointe d'ironie tout en se disant : *elle n'est pas pleine de surprises, la vie !*

Frances s'était toujours plu à croire en l'existence de mondes parallèles dans lesquels de multiples versions d'elle-même s'essayaient à différentes vies – dans l'un, elle était P-DG plutôt qu'auteure, dans un autre, elle était mère de deux, quatre, voire six enfants, dans un autre encore, elle n'avait pas divorcé de Sol, dans un autre enfin, elle n'avait pas divorcé de Henry. Mais dans l'ensemble, elle s'était toujours satisfaite du monde dans lequel elle vivait, ou du moins, elle l'avait toujours accepté. Sauf en ce moment, parce que précisément, en ce moment, il lui semblait bien qu'un genre d'erreur administrative d'ampleur cataclysmique s'était produite dans les méandres de la physique quantique. Elle avait glissé dans le mauvais univers. Elle était censée se vautrer dans l'amour et la luxure en Amérique, pas être percluse de douleur et de chagrin en Australie. Il y avait une erreur. Inacceptable.

Et pourtant elle était bien là. Il n'y avait rien d'autre à faire, nulle part ailleurs où aller.

« Fait chier », dit-elle en tournant à gauche.

3

Lars

« Et voici le préféré de ma femme. » Le directeur du vignoble, un sexagénaire trapu et jovial qui arborait une moustache rétro, lui montra une bouteille de vin blanc. « Il lui évoque des draps de soie, d'après ce qu'elle dit. Vous apprécierez, je pense, sa fin de bouche crémeuse et veloutée. »

Lars fit tournoyer le vin dans le verre à dégustation et huma ses arômes : pomme, soleil et bois fumé. Un souvenir de jour d'automne se rappela à lui en un instant. Le confort d'une main forte et chaude qui tenait la sienne. Un moment de l'enfance ? Probablement pas. Plutôt une scène empruntée à un livre ou un film. Il prit une petite gorgée de vin, le fit tourner dans sa bouche et se retrouva transporté dans un bar sur la côte amalfitaine. Des feuilles de vigne sur les appliques murales, le parfum de l'ail, la mer. Réminiscence d'un moment de pur bonheur tout à fait réel – il pouvait le prouver, photos à l'appui. Les spaghettis. Agrémentés de persil, d'huile d'olive et d'amandes. Rien d'autre. Il y avait peut-être même une photo de ce plat quelque part.

« Alors ? » demanda le directeur avec un large sourire. Sa moustache semblait un vestige parfaitement conservé des années soixante-dix.

« Il est excellent. » Lars but une autre gorgée pour en apprécier toute la complexité. Le vin pouvait être trompeur : du soleil, des pommes et des spaghettis, puis rien d'autre qu'une amère déception et de vides promesses.

« J'ai aussi un pinot gris qui pourrait vous… »

Lars l'interrompit d'un geste de la main et consulta sa montre. « Je vais en rester là.

– Vous avez beaucoup de route à faire aujourd'hui ?

Quiconque s'arrêtait ici n'était que de passage. Lars avait bien failli rater le petit panneau en bois qui annonçait *Caveau de dégustation*. Il avait donné un grand coup de frein car il était ce genre d'homme : spontané. Quand il y pensait.

« On m'attend dans un centre de soins d'ici une heure. » Lars observa le verre à la lumière et découvrit, admiratif, sa robe dorée. « Pas d'alcool pendant dix jours.

– Ah ! Tranquillum House, c'est ça ? Vous allez faire leur – comment ils l'appellent ? – la cure détox de dix jours, oui, quelque chose comme ça.

– Pour expier mes péchés.

– D'ordinaire, leurs clients s'arrêtent ici à la fin de leur séjour. Nous sommes le premier vignoble sur la route de Sydney.

– Ils racontent des choses sur le centre ? » demanda Lars en sortant son portefeuille. Il voulait se faire livrer du vin chez lui en guise de cadeau de bienvenue quand il rentrerait.

« Honnêtement, certains d'entre eux ont l'air un peu traumatisés. En général, ils ont juste besoin d'un verre de vin et de quelques chips pour retrouver bonne mine. » Le directeur posa la main sur le goulot de la bouteille comme pour se réconforter. « Pour tout vous dire, ma sœur vient de se faire embaucher là-bas, elle travaille au spa ; elle dit que sa nouvelle patronne est un peu… » Il plissa les yeux, comme s'il cherchait à visualiser le mot juste. « … différente.

– Me voilà prévenu », répondit Lars. Il n'était pas inquiet. Accro aux cures, il savait que les gens qui dirigeaient ces centres avaient tendance à être « différents ».

« Elle dit que la maison à proprement parler est incroyable. Elle a une histoire fascinante.

– Construite par des bagnards, je crois. » Lars tapota le coin de sa carte American Express Gold sur le comptoir.

« Oui. Pauvres bougres. Ils n'ont certainement pas profité des sources d'eau chaude, eux. »

Une femme apparut dans l'encadrement de la porte derrière lui en murmurant : « Saleté d'Internet, encore en panne. » Lorsqu'elle vit Lars, elle marqua un temps d'arrêt. Rien d'inhabituel pour lui. Toute sa vie, les gens s'étaient figés en l'apercevant. Elle détourna le regard, troublée.

« Voici mon épouse, dit le directeur avec fierté. Nous étions justement en train de parler de ton Sémillon préféré, ma chérie – le Sémillon draps de soie. »

Elle rougit. « Tu pourrais t'abstenir de raconter ça aux gens. » Son mari sembla déconcerté. « Mais je raconte toujours ça aux gens.

– Je vais en prendre une caisse », annonça Lars.

Il vit la femme glisser la main dans le dos de son mari en passant à côté de lui.

« Non, deux », corrigea-t-il. Parce que son quotidien, c'était de s'occuper des vestiges des mariages brisés et il ne pouvait pas résister à une union réussie.

Il adressa un sourire à la femme. Elle se toucha les cheveux d'un geste nerveux tandis que son homme, qui ne se rendait compte de rien, sortait un carnet de commandes tout écorné portant un stylo attaché par une ficelle, et se penchait sur le comptoir, étudiant la fiche d'une façon qui indiquait que la commande allait prendre un certain temps. « Nom ?

– Lars Lee. » Son portable bipa à l'arrivée d'un texto. Il tapota l'écran.

Tu ne veux pas au moins y réfléchir ? BISOU bisou.

Son sang ne fit qu'un tour, comme s'il venait de voir une araignée noire et velue. Bon sang. Il croyait pourtant qu'ils s'étaient mis d'accord. Le pouce en suspens au-dessus de l'écran, il réfléchit. L'hostilité à peine voilée de ce « au moins ». La mièvrerie de ce « BISOU bisou ». Et pourquoi le premier bisou était écrit en lettres capitales alors que le deuxième était en minuscules ? Ça ne lui plaisait pas du tout. Et il n'aimait pas non plus le fait que ça ne lui plaise pas. C'était une réaction un rien obsessionnelle.

En guise de réponse, il tapa quelques mots en majuscules. Sans prendre de gants. *NON. PAS QUESTION.*

L'instant d'après, il effaça le message et remit son téléphone dans la poche de son jean.

« Faites-moi goûter ce pinot gris finalement. »

4

Frances

Frances se retrouva sur un chemin cahoteux qui secoua la voiture si violemment qu'elle entendit son squelette grincer et son dos hurler de douleur.

Au bout de vingt minutes, elle arriva devant un portail visiblement ultrasécurisé doté d'un interphone. De part et d'autre s'étendait à perte de vue une affreuse clôture de barbelés. Le tout faisait penser à une prison basse sécurité.

Elle s'était imaginé remonter une majestueuse allée bordée d'arbres jusqu'à la demeure « historique » et être accueillie avec un smoothie vert. Franchement, le lieu n'invitait pas à la guérison.

Arrête, se reprit-elle. Si elle entrait dans une logique de consommatrice insatisfaite, rien ne lui plairait. Or elle avait dix jours à passer ici. Mieux valait faire preuve d'ouverture d'esprit et de souplesse. Une cure, c'était comme un voyage à l'étranger, cela supposait d'embrasser une autre culture et de s'accommoder des petits désagréments.

Elle baissa sa vitre. Une bouffée d'air chaud s'engouffra dans sa gorge telle une épaisse fumée tandis qu'elle se penchait au-dehors et appuyait sur l'interphone, dont le bouton brûlant raviva la douleur de son pouce.

Elle suça son doigt et attendit qu'une voix désincarnée lui souhaite la bienvenue ou que le portail en fer forgé s'ouvre comme par magie.

Rien.

Elle regarda l'interphone de plus près et vit un message écrit à la main scotché à côté du bouton. Les caractères étaient si petits qu'elle ne put déchiffrer qu'un mot, le plus important : « Instructions ».

On croit rêver, songea-t-elle en fouillant son sac à main à la recherche de ses lunettes de lecture. Une grande partie des clients devait avoir plus de quarante ans, non ?

Elle chaussa ses lunettes et se concentra sur le message. Elle ne pouvait toujours pas le lire. Elle descendit de la voiture en maugréant. La chaleur l'engloutit tout entière et son crâne fut aussitôt inondé de sueur.

Elle se baissa et lut le message soigneusement écrit en minuscules lettres capitales.

NAMASTÉ ET BIENVENUE À TRANQUILLUM HOUSE OÙ VOUS ATTEND UN NOUVEAU MOI ; MERCI DE COMPOSER LE CODE 564-312 ET D'APPUYER SUR LE BOUTON VERT.

Elle s'exécuta et attendit. Elle avait le dos en nage. Elle allait *encore* devoir se changer. Une mouche à viande vrombit près de sa bouche. Son nez se mit à couler.

« Allez, quoi ! » dit-elle en direction de l'interphone dans un sursaut de colère. Elle se demanda si son visage inquiet et dégoulinant apparaissait sur un écran quelque part à l'intérieur de la maison pendant qu'un expert analysait froidement ses symptômes et le dérèglement de ses chakras. *Voilà un sujet qui a beaucoup à faire. Voyez sa réaction face à l'attente, qui est pourtant une source de stress des plus ordinaires.*

S'était-elle trompée en tapant ce satané code ?

Elle recommença avec humeur, prononçant chaque chiffre avec une pointe de sarcasme comme pour montrer à Dieu sait qui qu'elle faisait bien attention, puis appuya lentement sur le bouton vert et chaud, maintenant la pression pendant cinq secondes pour être sûre.

Voilà. Laissez-moi entrer maintenant.

Elle retira ses lunettes qu'elle laissa se balancer entre ses doigts.

Son cuir chevelu semblait fondre tel du chocolat au soleil. Toujours pas de réponse. Elle jeta un regard mauvais à l'interphone, comme si le couvrir de honte pouvait l'inciter à agir.

Au moins, cela ferait une histoire amusante à raconter à Paul. Elle se demanda s'il avait déjà fréquenté un centre de soins. Il devait plutôt être du genre sceptique. Elle-même n'était pas...

Sa poitrine se serra. Une histoire amusante à raconter à Paul ? Si seulement. Il n'y avait plus de Paul. Comme c'était humiliant de constater qu'il pouvait se glisser ainsi dans ses pensées. Et pourquoi cette tristesse infinie, ce chagrin imaginaire pour une histoire qui n'avait de toute façon jamais existé, quand elle aurait voulu sentir monter en elle une colère incandescente ?

Arrête. N'y pense pas. Concentre-toi sur ton vrai problème.

La solution lui sauta aux yeux. Elle allait leur passer un coup de fil ! Ils seraient mortifiés d'apprendre que leur interphone ne fonctionnait plus et Frances se montrerait calme, compréhensive. « Ne vous excusez pas, ce sont des choses qui arrivent. Namasté. »

Elle remonta dans la voiture et mit la climatisation à fond. Elle trouva ses documents de réservation et composa le numéro qui y était inscrit. Elle n'avait eu avec le centre que des échanges par courriel, c'était donc la première fois qu'elle entendait le message d'accueil qui se déclencha aussitôt.

Bienvenue à Tranquillum House, station thermale historique dédiée à votre bien-être et à votre santé. En raison d'un grand nombre d'appels, nous sommes actuellement dans l'impossibilité de vous répondre. Nous savons que votre temps est précieux, alors laissez un message après le carillon et nous vous rappellerons dès que possible. Merci de votre patience. Et, en attendant de trouver chez nous votre nouveau moi, namasté.

Un tintinnabulement fort agaçant se fit en effet entendre ; Frances s'éclaircit la gorge.

« Oui, bonjour, j'appelle… »

Mais les sons aigus du carillon continuèrent. Elle attendit, ouvrit la bouche, se ravisa. Décidément ! C'était toute une *symphonie* !

Enfin, le carillon se tut.

« Bonjour, Frances Welty à l'appareil. » Elle renifla. « Pardon. Je suis un peu enrhumée. Donc, comme je vous le disais, je m'appelle Frances Welty. Je suis cliente. »

Cliente ? Était-ce bien le mot juste ? Que fallait-il dire ? Patiente ? Pensionnaire ?

« Je cherche à m'enregistrer mais je suis coincée au portail. Il est, euh, 15 h 20, 15 h 25, et je suis… arrivée ! L'interphone n'a pas l'air de fonctionner. J'ai pourtant suivi les instructions. Celles écrites en tout petit. Si vous pouviez juste ouvrir le portail, me laisser entrer… je vous en serais très reconnaissante. » Sur ces derniers mots, sa voix monta dans les aigus, trahissant une pointe d'hystérie qu'elle regretta. Elle abandonna son téléphone sur le siège passager et guetta le portail.

Rien. Vingt minutes. Elle attendrait vingt minutes ; ensuite, elle jetterait l'éponge.

Son téléphone sonna et elle décrocha sans regarder le numéro de l'appelant.

« Bonjour, bonjour ! » lança-t-elle gaiement pour montrer toute l'indulgence et la patience dont elle était capable et compenser le sarcasme de sa remarque sur les instructions « écrites en tout petit ».

« Frances ? » Elle reconnut la voix d'Alain, son agent littéraire. « Tu as une drôle de voix. »

Frances soupira. « J'attendais un autre appel. Je me suis inscrite à cette retraite bien-être dont je t'ai parlé, mais je n'arrive même pas à passer le portail. Leur interphone ne fonctionne pas.

— Bonjour l'incompétence ! Si ce n'est pas un accueil qui laisse à désirer ! » Une qualité de service médiocre mettait facilement Alain hors de lui. « Fais demi-tour et rentre chez toi. Ce n'est pas un centre *alternatif* au moins ? Tu te souviens de ces gens qui sont morts dans cette hutte de sudation ? Les pauvres ! Ils croyaient atteindre l'illumination alors qu'en réalité, ils se faisaient rôtir.

— Ici, c'est plutôt classique. Sources d'eau chaude, massages, art-thérapie. Un genre de jeûne peut-être, mais doux.

— Un jeûne doux. » Alain ricana. « Il faut manger quand tu as faim. C'est un *privilège*, tu sais, de manger quand on a faim. Avec tous ces gens qui crient famine à travers le monde !

— Eh bien, justement – on ne meurt pas de faim par chez nous. » Frances regarda l'emballage de son KitKat sur le tableau de bord de sa voiture. « On mange trop de produits transformés. C'est pour ça que nous, les privilégiés, on doit se détoxifier…

— Oh ! mon Dieu, elle adhère vraiment à ce truc ! Ils l'ont convertie ! Mais ma chérie, la détox, c'est de l'intox ! Zéro bienfait, c'est prouvé ! Tu as un foie pour faire le boulot ! Ou tes reins, peu importe. D'une manière ou d'une autre, ton organisme s'en charge.

— *Bref.* » Frances sentait bien qu'il gagnait du temps.

« Comme tu dis. Tu es enrhumée, non ? » Il semblait assez inquiet de sa santé.

« Oui, j'ai un vilain rhume qui ne me lâche pas. Peut-être même qu'il ne me lâchera jamais. » Pour preuve, elle toussa. « Mais tu serais fier de moi. J'ai pris des *tonnes* de médicaments très puissants. Mon cœur bat à dix mille à l'heure.

— Ah ! C'est bien ! »

Silence.

40

« Alain ? » fit-elle pour l'inciter à en venir au fait. Mais elle savait, elle savait déjà exactement ce qu'il allait lui annoncer.

« J'ai bien peur de ne pas être porteur de bonnes nouvelles.

– Je vois. » Elle contracta ses abdominaux, prête à encaisser le coup, comme un boxeur, ou du moins, comme une romancière qui découvre son relevé de droits d'auteur.

« Euh, comme tu sais, ma belle… »

Mais Frances avait besoin qu'il aille droit au but. Inutile d'adoucir le coup avec des compliments.

« Ils ne veulent pas de mon nouveau livre, c'est ça ?

– Oui, c'est ça, dit-il tristement. Je suis vraiment désolé. Je trouve que c'est un très joli roman, vraiment, c'est juste une question de conjoncture, la littérature sentimentale paie le prix fort, ça ne durera pas éternellement, c'est un genre qui revient toujours à la mode, c'est un mauvais moment à passer, mais…

– Bon, tu le vendras à une autre maison d'édition, l'interrompit Frances. Propose-le à Timmy. »

Un autre silence.

« À vrai dire, reprit Alain, je ne t'en ai pas parlé, mais j'ai laissé ton manuscrit à Timmy il y a déjà plusieurs semaines, parce que j'avais un peu peur qu'on se retrouve dans cette situation et bien sûr une offre de Timmy avant même qu'on entame les négociations m'aurait permis d'avoir l'avantage, alors j'ai…

– *Timmy a refusé ?* » Incroyable. Dans sa penderie se mourait une robe griffée immettable depuis que Timmy l'avait tachée en renversant sa piña colada sur Frances un jour qu'il l'avait coincée dans une pièce au Festival des écrivains de Melbourne, en regardant par-dessus son épaule au cas où quelqu'un viendrait, pour lui murmurer à l'oreille d'une voix chaude et précipitée combien il voulait la publier, c'était son *destin* de l'éditer, personne dans le monde de l'édition ne saurait la faire connaître comme lui, sa loyauté envers Jo était admirable mais mal à propos car cette pauvre Jo croyait comprendre la littérature sentimentale mais elle n'y comprenait *rien*, lui seul comprenait, lui seul pouvait l'amener un cran au-dessus, et blablabla jusqu'à ce que Jo vienne à sa rescousse. « Hé ! Bas les pattes ! C'est mon auteure ! »

C'était quand déjà ? Il n'y a pas si longtemps tout de même. Neuf ans, dix peut-être ? Une décennie. Qu'est-ce que ça filait depuis quelque temps. Il devait y avoir un dysfonctionnement dans la vitesse de rotation de la planète. À présent une décennie équivalait à une année du temps jadis.

« Timmy a beaucoup aimé le livre, dit Alain. Il l'a adoré. Il était presque en larmes. Mais le service des acquisitions n'a rien voulu savoir. Ils tremblent tous dans leurs bottes là-bas. Ils ont fait une très mauvaise année. Ils ont des consignes et en haut lieu, ils n'en ont que pour les thrillers psychologiques.

– Je suis incapable d'écrire un thriller », dit Frances. Elle n'avait jamais aimé tuer ses personnages. Un bras cassé, à la rigueur, mais elle s'en voulait déjà beaucoup.

« C'est évident ! » Alain répondit tellement vite que Frances se sentit quelque peu insultée. « Bon, écoute, c'est vrai que lorsque Jo est partie, j'étais inquiet, d'autant que tu n'avais pas de contrat en cours. Mais Ashlee semblait vraiment être fan de ce que tu fais. »

Frances laissa Alain poursuivre sans vraiment l'écouter. Elle regarda le portail fermé et, le poing serré, se massa le creux des reins.

Que dirait Jo quand elle apprendrait que Frances s'était vu refuser un manuscrit ? Si ça se trouve, elle aurait pris la même décision. Difficile à dire. Frances avait toujours pensé que Jo resterait son éditrice à jamais. Elle avait naïvement imaginé qu'elles tireraient leur révérence en même temps, en organisant ensemble, pourquoi pas, un fastueux déjeuner de départ. Mais en fin d'année dernière, Jo avait parlé de prendre sa retraite. *Sa retraite !* Un truc de grand-mère ! Jo, certes, avait des petits-enfants mais enfin, quand même, ce n'était pas une raison pour arrêter de travailler ! Frances avait le sentiment qu'elle venait à peine de se mettre dans le bain, et tout à coup les gens autour d'elle commençaient à faire des trucs de vieux : devenir grand-parent, partir à la retraite, rapetisser, mourir – pas dans des accidents de voiture ou d'avion, non, ils mouraient tranquillement dans leur sommeil. Elle ne pardonnerait jamais à Gillian pour ça. Même quand elle était à une fête, Gillian s'éclipsait sans dire au revoir.

Frances n'aurait pas dû s'étonner que Jo soit remplacée par une môme. Les mômes n'étaient-ils pas en train de conquérir le monde ? C'est vrai, partout où elle regardait, Frances voyait des mômes – arborant une mine grave derrière des bureaux neufs, faisant la circulation, gérant des festivals d'écrivains, prenant sa tension artérielle, s'occupant de ses impôts, choisissant la bonne taille pour ses soutiens-gorge. La première fois que Frances avait vu Ashlee, elle l'avait prise pour une stagiaire. Vraiment. Elle était à deux doigts de lui dire : « Vous seriez un chou de m'apporter un cappuccino », quand la môme était passée derrière l'ancien bureau de Jo.

« Frances, avait-elle commencé, vous ne pouvez pas savoir ce que ça me fait de vous rencontrer ! Je lisais tous vos livres quand j'avais, genre, *onze ans* ! Je les prenais en cachette dans le sac à main de ma mère. Je lui disais, maman, laisse-moi lire *Le Baiser de Nathaniel*, et elle, pas question, Ashlee, il y a trop de scènes de sexe dedans ! »

Ensuite, Ashlee avait commencé à lui dire qu'il fallait plus de sexe dans son prochain livre, beaucoup plus de sexe, mais qu'elle était certaine qu'elle y arriverait sans problème ! Comme Frances devait le savoir, le marché était en pleine mutation et, « si vous regardez cette ligne sur ce tableau, Frances – non, cette ligne-là, oui, c'est ça –, vous verrez que vos ventes sont, comment dire, euh, désolée, mais il n'y a pas trente-six façons de le dire, *en baisse*, et il faut, euh, eh bien, il faut absolument inverser la tendance, et vite. Oh, j'allais oublier… » Ashlee avait pris un air peiné, comme si elle s'apprêtait à aborder un souci de santé gênant. « Votre présence sur les médias sociaux ! J'ai cru comprendre que ça ne vous emballait pas. Ma mère non plus ! Mais pour vendre aujourd'hui, c'est primordial. Vous devez absolument être visible pour vos fans – sur Twitter, Instagram, Facebook, et c'est un minimum ! On voudrait aussi que vous commenciez un blog, que vous postiez des newsletters régulièrement et pourquoi pas des vlogs ? C'est comme des petits films ! Ce serait tellement amusant !

– J'ai un site web, avait répondu Frances.

– Oui. Oui, j'ai vu, Frances. Mais les sites web, tout le monde s'en moque. »

Elle avait ensuite tourné son écran d'ordinateur vers Frances pour lui citer en exemple d'autres auteurs, plus disciplinés, qui avaient une présence « active » sur les médias sociaux. Frances, qui n'écoutait plus, avait attendu que ça passe, comme un rendez-vous chez le dentiste. (De toute façon, elle ne voyait pas ce qu'il y avait à l'écran ; elle n'avait pas ses lunettes.) Mais pourquoi s'en faire ? À ce moment-là, son petit cœur commençait à battre pour Paul Drabble, et c'était toujours quand elle était amoureuse qu'elle écrivait ses meilleurs livres ! Elle avait aussi les lecteurs les plus gentils et les plus fidèles du monde. Ses ventes connaissaient une baisse, certes, mais jamais ses manuscrits ne seraient *refusés* !

« Je vais trouver la bonne maison d'édition pour ce livre, reprit Alain au bout du fil. Il va peut-être falloir être un peu patient, mais la littérature sentimentale n'est pas finie.

– Vraiment ?

– Loin de là. »

Elle prit l'emballage de KitKat et le lécha dans l'espoir de trouver un peu de chocolat. Comment allait-elle survivre à cet échec sans une once de sucre ?

« Frances ?

– J'ai très mal au dos. » Frances se moucha sans ménagement. « Et j'ai dû me garer sur le bas-côté en plein milieu du trajet à cause d'une bouffée de chaleur.

– Quelle horreur ! dit Alain, compatissant. Je n'imagine même pas.

– Non, tu n'imagines même pas. Et comme je hurlais, un homme s'est arrêté pour voir si j'allais bien.

– Tu *hurlais* ?

– J'ai eu envie.

– Bien sûr, bien sûr, je comprends. J'ai souvent envie de hurler moi aussi. »

Elle touchait le fond. Elle venait de *lécher un emballage de KitKat*.

« Oh là là, Frances, je suis désolé de tout ça, surtout après ce qui s'est passé avec ce type horrible. La police a du nouveau ?

– Non, rien du tout.

– Je te plains de tout mon cœur, ma douce.

– Ce n'est pas nécessaire, dit Frances tout en reniflant.

– Tu as cumulé les coups durs ces derniers temps… À propos, je veux que tu saches que leur décision n'a rien à voir avec cette critique.

– Quelle critique ? »

Silence. Frances le voyait d'ici se mettre des claques.

« Alain ?

– Nom de Dieu, dit-il. Nom de Dieu, nom de Dieu, nom de Dieu.

– Je n'ai pas lu une seule critique depuis 1998. Pas une seule. Tu le sais parfaitement.

– Je le sais, oui. Je suis un imbécile. Un fieffé imbécile.

– Et comment peut-il y avoir une critique alors que je n'ai rien publié ? » Frances se redressa en se tortillant sur son siège. Son dos la faisait tellement souffrir qu'elle en avait la nausée.

« Une affreuse mégère est tombée sur *Les Élans du cœur* à l'aéroport et elle a écrit un article sur l'ensemble de ton travail… une diatribe enragée. Elle a, je ne sais comment, établi une corrélation entre tes livres et le mouvement Balance ton porc, ce qui a accru le référencement de son texte sur les moteurs de recherche. Mais c'était n'importe quoi ! Comme si on pouvait mettre l'existence des prédateurs sexuels sur le dos des romans sentimentaux !

– *Quoi ?*

– Personne ne l'a lu, cet article. Je ne sais même pas pourquoi je t'en ai parlé. Je dois être atteint de démence précoce.

– Tu viens juste de dire qu'il avait eu un bon référencement ! »

Tout le monde l'avait lu, en réalité. Tout le monde.

« Envoie-moi le lien.

– Il n'est pas si horrible… C'est juste ce préjugé contre les romans senti…

– Envoie le lien, je te dis !

– Non. Ne compte pas sur moi. Tu ne lis plus les critiques depuis des années. Tu ne vas pas t'y remettre !

– J'attends », dit Frances de sa voix la plus menaçante qu'elle ne s'autorisait que rarement. Quand elle divorçait par exemple.

« Soit, dit Alain docilement. Je suis tellement navré, Frances. Tellement navré de cet horrible coup de fil. »

Il raccrocha. Frances consulta sa boîte de réception aussi sec. Elle n'avait plus guère de temps. Sitôt enregistrée à Tranquillum House, elle devrait renoncer à son téléphone. Le sevrage numérique allait de pair avec tout le reste. Elle allait se déconnecter, dans tous les sens du terme.

NAVRÉ ! disait l'objet du courriel d'Alain.

Elle cliqua sur le lien.

L'article était signé Helen Ihnat. Un nom que Frances n'avait jamais entendu. Il n'y avait pas de photo. Elle le lut rapidement, arborant un sourire ironique et très digne, comme si cette Helen lui crachait ses mots à la figure. Des mots terribles – *convenu, inepte, sot, banal* – qui émaillaient une critique méchante, sarcastique et dédaigneuse. Étrangement, ils glissèrent sur elle. Frances ne se sentit nullement offensée.

Aucun problème ! On ne peut pas plaire à tout le monde ! Ça fait partie du jeu !

Puis les mots firent leur effet. À retardement.

Comme lorsqu'on se brûle sur une plaque chauffante et qu'au début on se dit, *Oh, ça ne fait pas si mal* ; mais la douleur, de plus en plus vive, finit par devenir intolérable.

Un élancement tout à fait extraordinaire au niveau de la poitrine irradia dans tout son corps. Un autre symptôme étrange de la ménopause ? À moins que ce soit une crise cardiaque. Ce n'était pas réservé aux hommes. Tout de même, une blessure d'amour-propre ne pouvait pas prendre de telles proportions. Voilà pourquoi elle avait cessé de lire les critiques. Elle n'avait pas la peau assez dure. « La meilleure décision de ma vie ! » avait-elle confié à ses confrères au Congrès des auteurs de romances où elle avait prononcé le discours d'ouverture l'année précédente. Ils avaient tous dû penser : *Ah oui ? Eh bien, tu devrais peut-être en lire une ou deux, des critiques, parce que tu es complètement has-been.*

Comment avait-elle pu imaginer que c'était une bonne idée de lire une mauvaise critique juste après avoir essuyé le premier refus de sa maison d'édition en trente ans ?

Et voilà qu'à présent quelque chose se passait en elle. Oh mon Dieu, c'était fascinant à observer, elle était en train de perdre toute notion de son identité.

Ça suffit, Frances, maintenant, ressaisis-toi, tu es trop vieille pour faire une crise existentielle.

Mais il fallait croire que non.

Elle cherchait désespérément à rattraper ce qui la définissait, mais autant recueillir de l'eau avec une écumoire. Si elle n'était plus une auteure publiée, qu'est-ce qui justifiait son existence ? Elle n'était ni mère, ni épouse, ni compagne. Juste une cinquantenaire ménopausée et deux fois divorcée. Une plaisanterie. Un cliché. Invisible aux yeux de la plupart des gens, à l'exception bien sûr des hommes comme Paul Drabble.

Et ce portail qui ne voulait toujours pas s'ouvrir, songea-t-elle, la vue brouillée par les larmes. Ne pas paniquer. Non, tu n'es pas en train de t'évaporer, Frances, ne sois pas si mélodramatique, ce n'est qu'une série noire, une mauvaise passe, tu as des palpitations à cause des médocs – et pourtant elle avait la sensation d'être au-dessus d'un précipice et de l'autre côté l'attendait un abîme hurlant où régnait un désespoir qui ne ressemblait en rien à ce qu'elle avait pu éprouver dans sa vie, même pendant ces périodes de véritable chagrin – et cette fois, en l'occurrence, tâcha-t-elle de se raisonner, ce n'était pas un véritable chagrin, seulement un revers professionnel auquel s'ajoutaient la fin d'une relation, un mal de dos, un rhume et une coupure au pouce. Rien de comparable à la mort de papa, ou de Gillian – mais ça ne l'aidait pas vraiment de penser à la mort de ceux qu'elle avait aimés, ça ne l'aidait pas du tout.

Elle regarda frénétiquement autour d'elle en quête d'une occupation – téléphone, livre, nourriture – puis vit quelque chose bouger dans son rétroviseur.

Qu'est-ce que c'était ? Un animal ? Une illusion d'optique ? Non, il y avait bien quelque chose.

Mais c'était trop lent pour être une voiture.

Quoique. Si, c'était une voiture. Une voiture de sport jaune poussin qui remontait l'allée à si faible allure que c'en était invraisemblable.

Frances se redressa et se passa les doigts sous les yeux pour essuyer les coulures de son mascara.

Elle ne s'intéressait pas aux voitures, pourtant, à mesure que celle-ci approchait, elle se rendait bien compte qu'il s'agissait d'un modèle extraordinairement cher. Rutilant, avec un châssis très bas et des phares futuristes.

L'engin s'arrêta, les deux portières avant s'ouvrirent en même temps et un jeune couple apparut. Frances ajusta son rétroviseur pour les voir plus distinctement. L'homme avait le look d'un artisan plombier tout droit sorti de la banlieue : casquette de base-ball à l'envers, lunettes de soleil, tee-shirt, short et chaussures bateau sans chaussettes. La femme, elle, vacillait sur des talons aiguilles, dans un corsaire très moulant. Ses cheveux bouclés, auburn, étaient extrêmement longs. Elle avait une taille incroyablement fine et une poitrine encore plus improbable.

Mais qu'est-ce que ces deux-là venaient fabriquer dans un centre de bien-être ? Ce genre d'endroit n'était-il pas fait pour les gens en surpoids, au bout du rouleau, perclus de douleurs de dos ou en proie à une crise d'identité d'autant plus pathétique qu'elle survenait la cinquantaine passée ? Les yeux rivés sur son rétroviseur, Frances vit l'homme remettre sa casquette à l'endroit et arquer le dos, le visage tendu vers le ciel comme si lui aussi le trouvait écrasant. La femme lui parla. Plutôt sèchement, à en juger par les mouvements de sa bouche.

Ils se disputaient.

Quelle charmante distraction ! Frances baissa sa vitre. Ces deux-là allaient l'éloigner du précipice, la ramener à la vie. Elle allait retrouver son identité en existant à leurs yeux. Ils verraient en elle une femme vieille, excentrique et peut-être même ennuyeuse, mais peu importait du moment qu'ils la voyaient.

Elle passa maladroitement la tête par la fenêtre et, avec un signe de la main, fit : « Bonjour, bonjour ! »

La fille s'approcha d'un pas incertain.

5

Ben

Ben observa Jessica marcher comme un girafeau vers la Peugeot 308 – un modèle exagérément cher au vu de ses performances – stationnée devant le portail, moteur allumé. Un de ses feux de stop ne fonctionnait plus et le pot d'échappement était tordu, sûrement à cause de cette satanée piste. La femme au volant était penchée par la fenêtre, dangereusement penchée, et elle faisait de grands signes à Jessica comme si rien ne pouvait lui faire plus plaisir que de la voir. Pourquoi ne pouvait-elle pas simplement descendre de sa voiture ?

Le centre avait l'air fermé. Une conduite d'eau éclatée ? Une mutinerie ? Si seulement.

Jessica avait toutes les peines du monde à se déplacer avec ces maudites chaussures. Les talons étaient aussi fins que des cure-dents. Des échasses, en somme ! Une foulure de la cheville, voilà ce qui lui pendait au nez.

Ben s'accroupit près de sa voiture et passa le doigt sur la carrosserie, cherchant d'éventuels éclats de peinture provoqués par les cailloux. Il regarda la route qu'ils venaient d'emprunter et grimaça. Comment l'accès à un lieu de séjour qui coûtait les yeux de la tête pouvait-il être aussi difficile ? Une mise en garde sur le site, c'était trop demander ? Il avait vraiment cru que la voiture allait rester bloquée dans un nid-de-poule.

Pas de rayures visibles – un miracle – mais comment savoir

si le châssis n'était pas endommagé ? Il lui faudrait attendre de pouvoir remettre la voiture sur le pont à l'atelier pour vérifier. Pas avant dix jours.

Peut-être serait-il plus sage de la faire remorquer jusqu'à Melbourne ? Passer un coup de fil à Pete et à ses gars. Ce n'était pas complètement insensé. Bien sûr il en entendrait parler jusqu'à la fin de sa vie si l'un de ses anciens collègues voyait la route qu'il avait empruntée. Il y avait même des chances que Pete en pleure – littéralement – s'il l'apprenait.

Un mois plus tôt, Pete avait eu les yeux étrangement humides après l'épisode de la rayure, que les gars avaient baptisé le « rayuregate ».

« Un fumier qui crève de jalousie », avait dit Pete lorsque Ben lui avait montré la portière passager qu'un infâme personnage avait délibérément rayée avec une clé. Sur toute la longueur. Ben ne comprenait pas où et quand cela s'était produit. Il ne laissait jamais la voiture dans les parkings publics. Il avait l'impression qu'il connaissait forcément le coupable. Il pouvait citer plusieurs personnes qui leur en voulaient peut-être suffisamment pour faire une chose pareille. Il y avait eu un temps où il aurait eu bien du mal à se trouver le moindre ennemi. À présent Jessica et lui en comptaient une ribambelle. Jessica soupçonnait sa sœur Lucy. Elle ne l'avait jamais accusée tout haut mais, quand elle pinçait les lèvres, ce n'était pas difficile de deviner ce qu'elle pensait. Et si elle avait raison ? Ce pourrait être Lucy.

Pete avait réparé la carrosserie avec le soin d'un restaurateur qui remet en état un tableau inestimable et, depuis, Ben avait été très vigilant. Enfin… jusqu'à ce qu'il roule sur cette route épouvantable, prenant un risque énorme et impardonnable.

Il n'aurait jamais dû céder à Jessica. Il avait essayé. Il s'était arrêté et lui avait expliqué, calmement et sans jurer, que c'était faire preuve de négligence de prendre une route non goudronnée avec une voiture comme la sienne, que les conséquences pouvaient être catastrophiques. Ils risquaient par exemple d'arracher le pot d'échappement.

Le pot d'échappement ? Visiblement, elle s'en moquait totalement.

Ils avaient hurlé l'un contre l'autre pendant dix minutes non stop. Ils n'avaient pas fait semblant – postillons, visages rouges, traits déformés. La frustration qu'il avait ressentie pendant cette dispute où il avait bien cru que sa tête allait exploser lui avait évoqué l'enfance, période où l'on ne parvient pas à s'exprimer correctement, où l'on n'a aucun contrôle sur sa vie parce que, justement, on n'est qu'un enfant, alors quand votre mère ou votre père vous dit que non, il n'est pas question de vous acheter la dernière figurine *Star Wars*, celle que vous voulez de tout votre cœur, eh bien… vous pétez complètement les plombs.

Il y avait eu un moment sur ce chemin où il avait serré les poings, où il s'était dit, *Ne la frappe pas*. Il ignorait jusqu'alors qu'il était capable d'avoir envie de frapper une femme. Après ça, il avait cédé. « Très bien. On n'a qu'à esquinter la voiture alors. Pas de problème. »

La plupart des hommes qu'il connaissait ne se seraient même pas donné la peine de se disputer. Ils auraient fait demi-tour, point à la ligne.

Et puis, franchement, un *centre de bien-être*. Yoga et sources chaudes. Ça lui échappait complètement. Mais Jessica avait décrété qu'ils devaient prendre le taureau par les cornes pour arranger les choses. Qu'ils avaient besoin de détoxifier leur esprit et leur corps pour sauver leur mariage. Ils allaient manger de la laitue bio et commencer une thérapie de couple. Dix jours de pure torture, voilà ce qui l'attendait.

Apparemment, un couple de célébrités venu séjourner ici avait finalement évité le divorce. Ils avaient retrouvé la « paix intérieure » et leur « moi profond ». Quel tissu d'inepties ! Pourquoi pas envoyer leur argent aux Yahoo Boys de Lagos tant qu'ils y étaient ! Ben avait la terrible impression que les deux tourtereaux s'étaient rencontrés dans *Bachelorette, belle célibataire, cherche son prince.* Jessica adorait les célébrités. Au début, Ben trouvait ça mignon – une passion idiote chez une fille intelligente. Mais à présent, elle prenait de nombreuses décisions – et pas des moindres – en fonction de ce que ces gens faisaient, ou de ce que la rumeur prétendait qu'ils faisaient. Dans un cas comme dans l'autre, c'était clairement n'importe quoi : ils devaient être rémunérés pour promouvoir des produits sur Instagram. Et dans sa naïveté et son optimisme, Jessica, sa pauvre Jessica, avalait tout.

Elle donnait même l'impression de se prendre pour une de ces célébrités à présent. Elle s'imaginait sur le tapis rouge, participant à tous ces événements à la noix. Quand elle se faisait photographier, elle posait une main sur la hanche, puis elle se tournait et, projetant le menton en avant, décochait ce sourire dément pour un effet des plus étranges. Et il fallait voir le temps qu'elle y passait ! L'autre jour, elle avait mis pas moins de quarante-deux minutes – il l'avait chronométrée – à prendre une photo de ses pieds.

Une de leurs dernières grosses disputes avait éclaté à cause d'une photo qu'elle avait postée sur son compte Instagram. Vêtue d'un haut de bikini, elle était penchée en avant, les bras rapprochés de sorte que ses nouveaux seins semblaient encore plus gros et, les yeux rivés sur l'objectif, elle exhibait ses nouvelles lèvres bouffies dans une moue aguicheuse. Elle lui avait demandé son avis sur la photo et, lisant l'espoir dans son regard, Ben s'était abstenu de dire ce qu'il pensait vraiment, à savoir que l'image ferait une publicité parfaite pour une agence d'escorte bas de gamme. « Pas mal », avait-il dit en haussant les épaules.

Le visage de Jessica s'était assombri. À croire qu'il l'avait insultée. Et, tout d'un coup, elle s'était mise à crier contre lui (ces temps-ci, elle montait dans les tours en une fraction de seconde) ; il ne l'avait tellement pas vue venir qu'il n'avait rien compris à ce qui se passait et était monté à l'étage pour jouer à la Xbox. Il était convaincu que la laisser seule était la bonne réaction. À la fois mature et masculine. Se retirer pour lui donner le temps de se calmer. Mais, comme d'habitude, il s'était trompé. Elle s'était élancée dans l'escalier à sa suite et l'avait attrapé par le tee-shirt avant même qu'il ne soit arrivé en haut.

« Regarde-moi ! avait-elle lancé. Tu ne me regardes même plus ! »

Et ça l'avait tué d'entendre ça, car c'était vrai. Depuis un moment, il évitait de la regarder. Il faisait tout son possible pour que ça lui passe – il pensait à ces hommes qui restaient avec leur femme qu'un accident, une brûlure, une cicatrice ou autre avait défigurée, songeait que cela ne devrait faire aucune différence que Jessica soit seule responsable de ce défigurement. Enfin… elle et sa carte de crédit. Un défigurement délibéré.

Dire que toutes ses amies l'encourageaient ! Quelle bande d'idiotes ! « Oh ! mon Dieu, Jessica, tu es superbe ! »

« Vous êtes aveugles ou quoi ? brûlait-il de leur dire. Elle ressemble à un écureuil ! »

Pour lui, se séparer de Jessica, c'était comme se faire éviscérer, mais ces derniers temps, être marié avec elle lui faisait le même effet.

Si ce séjour loin de tout fonctionnait, si les choses revenaient comme avant, cela valait même la peine d'abîmer la voiture. Et plutôt deux fois qu'une. Jessica était censée être la mère de ses enfants – de ses futurs enfants.

Il repensa au jour du cambriolage, voilà déjà deux ans. Il revoyait son visage – c'était encore son visage à elle à l'époque, son magnifique visage – se décomposer comme celui d'un gosse. La rage qui était montée en lui ! Il n'avait eu qu'une envie : trouver ces sales types et leur envoyer son poing dans la figure.

Sans ce cambriolage, sans ces sales types, ils ne seraient jamais venus ici. Certes, il ne posséderait pas sa magnifique voiture mais au moins il ne serait pas coincé pour les dix prochains jours.

À bien y réfléchir, il avait toujours envie de leur envoyer son poing dans la figure.

« Ben ! »

Jessica lui fit signe d'approcher. Elle était tout sourire, comme si cette horrible dispute n'avait jamais eu lieu. Elle était tellement douée à ce jeu-là. Quand ils allaient à une soirée, ils pouvaient passer tout le trajet à se prendre le bec et monter l'escalier jusqu'à l'appartement de leurs hôtes sans décrocher un mot mais, à la seconde où la porte s'ouvrait, Jessica se métamorphosait. Elle riait, plaisantait, le taquinait, le touchait, immortalisait le moment en prenant des selfies… autant de promesses d'une nuit torride à venir alors qu'en réalité il ne se passerait rien.

Aussitôt installés dans la voiture pour rentrer chez eux, elle reprenait les hostilités, comme si elle avait seulement mis le jeu en pause. Ce qui le mettait hors de lui. « Question de politesse, disait-elle. On ne lave pas son linge sale en public. Ça ne regarde que nous. »

Il se releva, ajusta sa casquette et alla se poster près d'elle, tel un fidèle toutou.

« Voici mon mari Ben. Ben, voici Frances. Elle est inscrite au même programme que nous. Enfin, peut-être pas exactement le même… »

La femme, toujours assise dans sa Peugeot, lui adressa un sourire. « C'est une très belle voiture que vous avez là, Ben. » Elle lui parlait comme si elle le connaissait déjà. Elle avait la voix enrouée et le bout du nez rouge. « Comme on n'en voit qu'au cinéma. » Les yeux de Ben se perdaient dans le gouffre de son décolleté. Ce n'était pas sa faute, il n'y avait littéralement aucun autre endroit où poser le regard. La vue n'était pas désagréable, sans pour autant être agréable – la femme était vieille. Elle portait du rouge à lèvres carmin et avait une masse impressionnante de cheveux bouclés dorés ramassés en queue-de-cheval. Elle lui rappelait l'une des amies de tennis de sa mère. Il les aimait bien – elles n'étaient pas compliquées et elles ne s'attendaient pas à ce qu'il leur fasse la conversation – mais il les préférait sans décolleté.

« Merci, fit-il en essayant de se concentrer sur son regard brillant et avenant. Enchanté.

– Qu'est-ce que c'est, comme voiture ?

– Une Lamborghini.

– Oh là là, une Lamborghini ! » Elle lui adressa un large sourire. « Moi, je roule en Peugeot.

– Euh, ouais, je vois, dit-il d'un ton affligé.

– Vous n'êtes pas fan des Peugeot ? demanda-t-elle en penchant la tête.

– Elles ne valent pas un pet de lapin.

– *Ben !* » s'exclama Jessica.

Frances rit de bon cœur. Puis elle passa doucement la main sur son volant et ajouta d'une voix ronronnante : « J'aime bien ma petite Peugeot.

– Dans ce cas, tout le monde est content.

– Frances dit que personne ne répond à l'interphone, annonça Jessica. Elle attend depuis vingt minutes. »

Jessica s'exprimait de sa nouvelle voix snob, donnant à chacun de ses mots la rondeur d'une pomme. Elle l'adoptait pratiquement tout le temps maintenant, excepté lorsqu'elle était contrariée ou franchement en colère. La veille, par exemple, elle avait oublié d'être distinguée en criant à Ben : « Mais pourquoi tu ne peux pas être heureux tout simplement ? Pourquoi faut-il que tu gâches tout ? »

« Vous les avez appelés ? demanda-t-il à la femme au décolleté. L'interphone est peut-être en panne.

– Oui, j'ai laissé un message.

– Je me demande si ce n'est pas un test, dit Jessica. Cela fait peut-être partie de notre programme de soins. » Elle souleva sa chevelure pour se rafraîchir la nuque. Parfois, lorsqu'elle parlait normalement, lorsqu'elle était simplement elle-même, il parvenait à oublier son front figé, ses lèvres de poisson-globe, ses pommettes trop saillantes, ses cils de chameau – des extensions –, ses faux cheveux – des extensions – et ses faux seins. Pendant un court instant, il retrouvait sa douce Jessica, celle qu'il connaissait depuis le lycée.

« Je me suis dit la même chose ! » s'exclama Frances.

Ben regarda l'interphone de plus près.

« J'ai eu un mal fou à déchiffrer les consignes, commenta Frances. Elles sont tellement petites. »

Lui les lut sans la moindre difficulté. Il entra le code et appuya sur le bouton vert.

« Si ça marche avec vous, je serai verte de rage. »

Une petite voix jaillit de l'interphone. « Namasté et bienvenue à Tranquillum House. En quoi puis-je vous aider ?

– Je rêve », articula Frances en silence, une expression d'incrédulité comique sur le visage.

Ben haussa les épaules. « Il fallait un homme. Question de doigté.

– Oh, *vous* alors ! » dit Frances en lui mettant une petite tape sur le bras.

Jessica s'approcha du micro de l'interphone. « Nous sommes là pour nous enregistrer », dit-elle d'une voix trop forte. Comme la grand-mère de Ben lorsqu'elle parlait au téléphone ! C'était mignon ! « Au nom de Chandler, Ben et Jessica… »

L'interphone émit un bruit parasite et le portail commença à s'ouvrir en grinçant. Jessica se redressa, coinça ses cheveux derrière ses oreilles, toujours soucieuse de son image. Jamais elle ne se prenait au sérieux de la sorte avant.

« Je vous assure que j'ai fait le bon code ! Je l'ai cru en tout cas ! » dit Frances. Elle boucla sa ceinture et fit vrombir son petit moteur poussif. « On se voit à la réception ! dit-elle avec un signe de la main. Et n'essayez pas de me doubler avec votre Ferrari grand luxe !

– C'est une Lamborghini ! »

Frances lui fit un clin d'œil comme si elle le savait très bien et démarra, plus vite que Ben ne l'aurait imaginé, ou recommandé, au vu de la route.

Tandis qu'ils retournaient à leur voiture, Jessica dit : « On n'en parle à personne, on est bien d'accord ? Si on te demande, tu dis qu'elle n'est pas à toi. Qu'un ami te l'a prêtée.

– Ouais, mais je ne mens pas aussi bien que toi », répondit-il pour plaisanter. C'était même un compliment mais charge à elle de l'interpréter comme elle le souhaitait.

« Je t'emmerde », rétorqua-t-elle sans être vraiment fâchée.

La crise était peut-être passée. Mais parfois les tisons d'une dispute repartaient de plus belle sans prévenir. On ne pouvait jamais savoir. Autant rester sur ses gardes.

« Elle a l'air sympa, dit Ben. La dame. Frances. » Une remarque qui ne pouvait pas remettre le feu aux poudres. Frances était vieille. Aucun risque d'attiser sa jalousie. Car la jalousie faisait désormais partie de leur relation. Étrangement, plus elle modifiait son visage et son corps, plus elle manquait de confiance en elle.

« Je crois que je sais qui c'est.

– Ah bon ?

– Je suis presque certaine que c'est Frances Welty, l'auteure. J'adorais ses livres quand j'étais plus jeune.

– Quel genre de livres ? » demanda-t-il en montant dans la voiture.

Elle parla trop bas pour qu'il l'entende. « Qu'est-ce que tu as dit ?

– *Des romans sentimentaux.* » Elle claqua la portière si fort que Ben ne put s'empêcher de grimacer.

6

Frances

Ah, je préfère ça, se dit Frances lorsqu'elle aperçut au loin la majestueuse demeure victorienne. Le long de la route désormais goudronnée – quel soulagement –, la végétation devenait plus verte, plus délicate à mesure qu'elle s'en approchait. Tranquillum House s'élevait sur trois étages et sa façade de grès était surmontée d'une toiture en tôle ondulée rouge et d'une tourelle. Frances eut la délicieuse sensation d'être propulsée à la fin du dix-neuvième siècle, même si le ronron de la Lamborghini jaune poussin derrière elle gâchait quelque peu son voyage dans le temps.

De quoi ces gosses vivaient-ils pour s'offrir une voiture pareille ? Trafic de drogue ? Fonds fiduciaire ? Plutôt la drogue – ni l'un ni l'autre n'avaient cet air mielleux qu'arborent les vieilles fortunes, convaincues que tout leur est dû.

Frances regarda de nouveau dans son rétroviseur. À cette distance, Jessica redevenait la jolie fille cheveux au vent qu'elle aurait dû être, car on ne distinguait plus toutes les interventions chirurgicales qu'elle avait fait subir à son jeune visage. Rien que la tartine de maquillage qu'elle appliquait, c'était affreux, mais juste ciel, son sourire plus blanc que blanc et ses énormes lèvres bouffies ! C'était tellement mal fait. Frances n'avait rien contre la chirurgie esthétique, bien au contraire, mais il y avait quelque chose de si triste, si cru, dans le visage lissé et repulpé de cette douce enfant.

Et tous ces bijoux qu'elle portait ! C'était forcément du toc, sinon ces énormes saphirs qui pendaient à ses oreilles vaudraient… combien ? Frances n'en avait aucune idée. Un joli paquet de fric. Cela dit, la voiture n'avait rien d'une imitation, alors peut-être que les bijoux…

Des malfaiteurs à l'avenir prometteur ? Des Youtubers ?

Le garçon – son « mari », comme l'avait appelé Jessica (c'était un mot de grande personne, bon sang ! à leur âge…) – était à croquer. Frances tâcherait de ne pas flirter avec lui. Au bout de dix jours, ce serait lourdingue. Ça friserait peut-être même… la vulgarité ? *La pédophilie, ma chérie, ça frise la pédophilie*, dirait Alain. Elle frémit à l'idée qu'elle puisse inspirer à Ben le même dégoût que lui avaient inspiré à elle des auteurs plus âgés lorsqu'elle fréquentait les soirées littéraires.

Ils devenaient particulièrement odieux quand ils avaient remporté un prix. Ces messieurs écrivaient des dialogues si puissants, si impénétrables, qu'ils pouvaient se passer de toute ponctuation. Alors pourquoi prendraient-ils la peine de demander l'autorisation pour glisser leurs mains velues sous la chemise d'une jeunette qui donnait dans la littérature grand public ? Dans leur esprit, Frances leur devait presque ses faveurs pour se faire pardonner les ventes indécentes de ses romans de gare.

Arrête. Ne pense pas à cette satanée critique, Frances.

Elle avait participé à la marche des femmes, bon sang ! On ne pouvait pas l'accuser de « porter atteinte au féminisme » sous prétexte qu'elle décrivait la couleur des yeux de son héros ! Comment pouvait-on tomber amoureux de quelqu'un sans connaître la couleur de ses yeux ? Elle bouclait ses intrigues « façon guimauve » ? Elle n'avait pas le choix, enfin ! C'étaient les règles ! Si elle se contentait de dénouements ambigus, ses lecteurs la poursuivraient armés de fourches.

Oublie-la, cette critique. Oublie-la.

Elle essaya de se reconcentrer sur Ben et Jessica. Donc, oui, elle veillerait à adopter une attitude appropriée à l'égard du jeune homme. Ferait comme s'ils étaient parents. Se glisserait dans le rôle de la tante. Et ne le toucherait sous aucun prétexte. Oh ! mon Dieu, si ce n'était pas déjà fait ! Cette fichue critique la faisait douter d'elle dans tous les domaines. Elle resserra les mains sur le volant. Elle avait l'habitude de toucher les gens sur le bras quand elle soulevait un point important, quand elle les trouvait drôles ou attendrissants.

Au moins, parler avec Ben et Jessica l'avait apaisée. Elle s'était fait peur pendant un moment sur ce coup-là. La perte de son identité, vous m'en direz tant. Il fallait toujours qu'elle en fasse des tonnes.

La route décrivait des courbes en direction de la maison. Ben resta à distance respectueuse de la Peugeot, même s'il mourait probablement d'envie d'accélérer avec son bolide.

« Pas mal du tout », murmura-t-elle en regardant les pins imposants qui bordaient l'allée majestueuse.

Elle s'était préparée à trouver une réalité moins opulente que sur les photos du site Internet – mais de près, Tranquillum House s'avérait magnifique. La blancheur des balcons ouvragés resplendissait sous la lumière du soleil. La végétation était luxuriante malgré la chaleur de l'été, et une pancarte annonçant ARROSAGE À L'EAU DE PLUIE semblait prévenir toute critique.

Deux personnes en uniforme blanc sortirent d'un pas vif sur la vaste véranda pour les accueillir. Des adeptes de la spiritualité, à en juger par leur posture impeccable et leur démarche aérienne. Peut-être étaient-ils en pleine méditation lorsque, coincée au portail, Frances avait essayé de les joindre au téléphone. À peine avait-elle immobilisé sa voiture que l'homme lui ouvrait déjà la portière. Jeune – bien sûr, qui ne l'était pas ? –, de type asiatique, il portait une barbe de hipster et un petit chignon, ses yeux étaient brillants et sa peau lisse. Un délicieux homme-enfant.

« Namasté. » L'homme-enfant joignit les mains et inclina la tête. « Soyez la bienvenue à Tranquillum House. »

Tiens donc. Il ménageait une toute petite… pause… mesurée… entre chaque mot.

« Je suis Yao, votre conseiller bien-être personnel.

– Bonjour, Yao. Je suis Frances Welty. Votre nouvelle victime. »

Elle défit sa ceinture de sécurité et le regarda en souriant. Elle se promit de ne pas rire, de ne pas essayer de l'imiter et de ne pas laisser sa voix de yogi la rendre dingue.

« À partir de maintenant, nous nous occupons de tout. Combien de bagages avez-vous ?

– Juste celui-ci, répondit-elle en désignant le sac sur la banquette arrière. Je peux le porter. Il n'est pas lourd. » Pas question de le perdre de vue : elle y avait glissé quelques articles prohibés : café, thé, chocolat (noir, le chocolat – c'était un antioxydant !) et une bonne bouteille de vin rouge, une seule (un antioxydant également !).

« Laissez-le sur la banquette, Frances, ainsi que vos clés sur le contact », dit-il fermement.

Fait chier. Bon… S'il ne pouvait pas deviner rien qu'en regardant son sac qu'elle s'était improvisée contrebandière, elle n'en ressentit pas moins une légère gêne (elle qui d'ordinaire respectait scrupuleusement les règles) qui la fit sortir de sa voiture de manière maladroite et précipitée. Sa nouvelle fragilité se rappela à elle aussitôt.

« Ouille ! » Elle se redressa lentement et croisa le regard de Yao. « Problème de dos.

– Vous m'en voyez navré. Je vais vous prendre un rendez-vous au spa pour un massage en urgence. » Il sortit un petit carnet et un crayon à papier de sa poche pour se le noter.

« Je me suis coupée avec une feuille de papier aussi », ajouta Frances d'un ton grave en montrant son pouce.

Yao prit son doigt. « Ce n'est pas joli joli. Il faut appliquer de l'aloe vera. »

Il était drôlement mignon avec son petit carnet et son air sérieux ! Elle se surprit à observer ses épaules et détourna le regard à la hâte. *Pour l'amour du ciel, Frances.* Personne ne l'avait prévenue qu'à la cinquantaine elle serait assaillie par ces soudaines vagues de désir, affreusement inappropriées, pour des jeunots alors qu'elle n'avait plus d'impératif biologique d'aucune sorte. Se pouvait-il que les hommes ressentent ça toute leur vie ? Pas étonnant alors que les pauvres bougres soient contraints de se délester d'autant d'argent dans des procès.

« Vous êtes inscrite à la cure détox de dix jours, n'est-ce pas ?

– C'est exact.

– Top ! »

Au secours, songea Frances, dont le désir, heureusement, retomba en une seconde. Elle ne pourrait jamais coucher avec un homme qui disait « top ».

« Bon… je peux entrer ? » demanda-t-elle de mauvaise humeur. À présent, elle se sentait assez nauséeuse à l'idée de s'envoyer en l'air avec l'homme-enfant. À l'idée de s'envoyer en l'air tout court d'ailleurs – elle avait beaucoup trop chaud.

Elle remarqua que Yao s'était laissé distraire par la voiture de Ben, à moins que ce soit par Jessica qui se déhanchait tout en enroulant lentement une longue mèche de cheveux autour de son doigt. Ben, lui, s'entretenait avec la collègue de Yao, une jeune femme à la peau si éclatante qu'elle donnait l'impression d'être éclairée de l'intérieur.

« C'est une Lamborghini, dit Frances.

– Je sais bien », répondit Yao, débarrassé de sa voix de yogi. Il fit un pas de côté et, d'un geste de la main, invita Frances à le précéder à l'intérieur.

Elle entra dans un hall immense et attendit un instant que ses yeux s'adaptent à la faible luminosité. Le doux silence propre aux vieilles demeures l'enveloppa tel un bain frais. Où qu'elle regarde, de magnifiques détails s'offraient à sa vue : un parquet couleur miel, des chandeliers anciens, des corniches richement sculptées, des vitraux.

« Comme c'est beau ! s'exclama-t-elle. Oh, regardez-moi cet escalier ! On se croirait dans *Titanic* ! »

Elle s'approcha pour passer la main sur la rampe en acajou. Le palier ruisselait de taches de lumière provenant d'un vitrail.

« Comme vous le savez peut-être, Tranquillum House a été bâtie en 1840 et cet escalier en cèdre rouge et bois de rose est d'origine. Vous n'êtes pas la première à le comparer à celui du *Titanic*. Mais heureusement, nous ne coulerons pas, Frances ! »

Une plaisanterie préparée et maintes fois répétée que Frances accueillit avec un rire plus généreux que mérité.

« La bâtisse est en grès provenant des carrières de la région, récita Yao tel un guide poussiéreux. On la doit à un riche avocat anglais qui voulait construire "la plus belle demeure de la colonie".

– On la doit plutôt à des bagnards, si j'ai bien compris, fit remarquer Frances qui avait lu le site Internet.

– En effet. L'avocat s'est vu attribuer deux cents hectares de terre cultivable et dix forçats, dont deux frères originaires de York, les maçons. Une aubaine, n'est-ce pas ?

– Une des mes ancêtres a été exilée pour avoir volé une robe en soie. Elle venait de Dublin. Elle fait la fierté de la famille. »

Yao fit signe à Frances de s'éloigner de l'escalier – ce n'était clairement pas le moment de monter – puis : « Je me doute qu'après ce long trajet vous avez envie de vous reposer, mais je vais d'abord vous faire visiter les lieux. Ce sera votre maison pour les dix prochains jours.

– À moins que je ne tienne pas la distance », répondit Frances. Tout à coup, dix jours lui parurent une éternité. « Je rentrerai peut-être plus tôt.

– Personne ne rentre plus tôt, dit Yao d'un ton serein.

– Oui, mais... on peut. Si on veut.

– Personne ne rentre plus tôt. Cela n'arrive pas, point. Je dirais même que les gens ne veulent pas rentrer du tout. Frances, vous êtes sur le point de commencer une expérience qui va véritablement changer votre vie. »

Il la précéda dans une grande pièce latérale dont les fenêtres en saillie donnaient sur la vallée. S'y trouvait une longue table de monastère. « Voici la salle à manger. Vous y prendrez vos repas. Les pensionnaires mangent tous ensemble, cela va sans dire.

– Cela va sans dire », répéta Frances d'une voix rauque. Elle s'éclaircit la gorge, puis : « Super.

– Le petit déjeuner est servi à 7 heures, le déjeuner à midi et le dîner à 18 heures.

– Le petit déj' à 7 heures ? » Frances blêmit. Déjeuner et dîner avec les autres, passe encore, mais discuter avec des étrangers au réveil ? Impossible ! « Je suis une couche-tard. À 7 heures du matin, en principe, je suis comateuse.

– Ah, mais vous parlez de l'ancienne Frances ! À 7 heures du matin, la nouvelle Frances aura déjà participé à un cours de tai-chi au lever du soleil et à une séance de méditation guidée.

– J'en doute fort. »

Yao sourit, comme s'il savait mieux qu'elle.

« Une sonnerie de cinq minutes annoncera les repas – ou les smoothies si vous êtes en période de jeûne. Nous vous demandons instamment de rejoindre la salle à manger aussitôt que vous l'entendrez.

– Bien sûr », dit Frances, de plus en plus horrifiée. Les périodes de jeûne. Bizarrement, elle avait oublié ce détail. « Y a-t-il un… room-service ?

– Je crains que non, même si tôt le matin et tard le soir vos smoothies vous seront apportés dans votre chambre.

– Pas de club sandwich à minuit, si je comprends bien ? »

Yao frémit. « Grand Dieu, non. »

Il la précéda ensuite dans une confortable pièce à vivre où

des bibliothèques recouvraient les murs et plusieurs canapés entouraient une cheminée en marbre.

« Voici le Salon lavande. Vous pouvez venir ici quand bon vous semble pour vous détendre, lire ou boire une infusion.

— Ravissant », dit Frances, adoucie par la vue des livres.

Ils passèrent une porte fermée sur laquelle on pouvait lire le mot PRIVÉ écrit au pochoir en lettres dorées, porte que Frances, fidèle à elle-même, eut l'irrésistible envie d'ouvrir. Elle ne supportait pas les salons réservés aux membres de clubs auxquels elle n'appartenait pas.

« Cette porte mène au bureau de notre directrice, situé au dernier étage, dit Yao en touchant la porte doucement. Vous êtes priés de ne l'ouvrir que si vous avez rendez-vous avec elle.

— Bien sûr, répondit Frances avec mauvaise humeur.

— Vous rencontrerez la directrice plus tard dans la journée, poursuivit Yao comme s'il s'agissait là d'un événement qu'elle attendait depuis longtemps. « Lors de votre première méditation guidée.

— Top, marmonna-t-elle.

— Je suppose que vous voulez voir la salle de gym à présent.

— Oh, non, pas spécialement. » Mais déjà Yao revenait dans l'entrée pour l'emmener de l'autre côté de la maison.

« Avant, c'était la salle de réception. Elle a été réaménagée en salle de gym dernier cri, dit Yao en ouvrant une porte vitrée.

— Quel gâchis », déclara Frances en découvrant une pièce baignée de lumière et remplie d'appareils de torture des plus élaborés.

Le sourire de Yao se dissipa. « Nous avons conservé les moulures d'origine », fit-il en montrant le plafond.

Frances fit la moue. *Merveilleux. Comme ça, on peut admirer la rosace tout en se faisant écarteler.*

En voyant sa mine, Yao referma la porte de la salle de gym. « Je vais vous montrer le studio de yoga et de méditation. » Il se dirigea vers une porte, tout au bout de la maison. « Attention à votre tête. »

Elle se baissa plus que nécessaire et descendit un étroit escalier en pierre derrière Yao.

« Ça sent le vin, remarqua-t-elle.

– Ne vous faites pas d'illusions, ce n'est que le fantôme de l'odeur de vin. »

Il poussa non sans mal une lourde porte en chêne et la fit entrer dans une pièce qui rappelait une cave par sa grande taille et son plafond voûté avec poutres en bois. Contre les murs en brique s'alignaient quelques chaises et des tapis souples de couleur bleue étaient disposés à intervalles réguliers sur le sol.

« C'est ici que vous viendrez pour les cours de yoga et toutes vos séances de méditation assise guidée. Ce qui représentera une bonne partie de votre temps. »

Dans le studio silencieux et frais, où le parfum d'encens couvrait l'odeur fantomatique du vin, régnait une atmosphère agréable et paisible. Frances songea qu'elle prendrait du plaisir à y venir même si elle n'aimait pas spécialement le yoga ni la méditation. Voilà plusieurs années, elle avait suivi un cours de méditation transcendantale, en quête d'éveil spirituel, et chaque fois, sans exception, elle s'était assoupie au bout de deux minutes pour se réveiller à la fin de la séance un filet de bave au coin des lèvres et découvrir que tous les autres avaient eu des flashs lumineux, accédé à des souvenirs de vies antérieures, atteint l'extase ou Dieu sait quoi. En gros, elle avait payé une séance hebdomadaire de méditation pour faire une sieste de quarante minutes dans le lycée de son quartier. Il y avait fort à parier qu'elle passerait beaucoup de temps à dormir et à rêver de vin dans ce sous-sol.

« À l'époque où il y avait un vignoble sur la propriété, cette cave pouvait contenir jusqu'à vingt mille bouteilles de vin, dit Yao en montrant les murs, où il n'y avait plus de casiers de rangement. Mais au tout début, elle servait d'entrepôt, ou de cellule pour enfermer les forçats qui se comportaient mal, ou même de refuge pour échapper aux hors-la-loi.

– Si les murs pouvaient parler », commenta Frances.

Un grand téléviseur à écran plat suspendu à une poutre au bout de la pièce attira son attention. « À quoi elle sert, cette télé ? » Sa présence semblait particulièrement incongrue après l'exposé de Yao sur le passé colonial de la maison. « Je croyais que les écrans étaient interdits ici.

– Vous avez tout à fait raison, confirma-t-il en jetant un œil sur l'écran d'un air légèrement désapprobateur. Mais nous avons récemment fait installer un système de sécurité avec interphone pour pouvoir communiquer les uns avec les autres, si nécessaire, depuis les différentes parties du centre. La propriété est plutôt vaste et la sécurité de nos pensionnaires passe avant tout. Suivez-moi, poursuivit-il en se dirigeant vers un coin de la cave. Je vais vous montrer quelque chose qui, j'en suis sûr, vous intéressera. » Il désigna une brique en grande partie dissimulée par une des poutres de la voûte. Frances mit ses lunettes et lut la magnifique inscription écrite en petits caractères à voix haute : *Adam et Roy Webster, tailleurs de pierre, 1840.*

« Les frères dont je vous ai parlé. On suppose qu'ils ont gravé la pierre en secret.

– Tant mieux. Ils étaient fiers de leur travail. À raison. »

Ils contemplèrent l'inscription sans mot dire pendant quelques instants, puis Yao frappa dans ses mains. « Il est temps de remonter. »

Une fois au rez-de-chaussée, Yao s'arrêta devant une autre porte vitrée où l'on pouvait lire un mot unique et plein de promesses : SPA.

« Enfin et surtout, le spa où vous viendrez pour vos massages ou tout autre soin bien-être planifié pour vous. » Yao ouvrit la porte. Par réflexe, Frances renifla, cherchant à identifier le parfum des huiles essentielles.

« C'était aussi une salle de réception, dit Yao d'un ton prudent.

– Ah, je suis certaine que vous avez veillé à garder son cachet d'origine », répondit Frances en lui tapotant le bras. Elle jeta un œil à l'intérieur de la pièce faiblement éclairée. Elle perçut le bruit d'un filet d'eau et une de ces ridicules et non moins divines musiques de relaxation – vagues qui s'échouent sur le littoral et grenouilles qui coassent sur fond de harpe.

« Tous les soins sont offerts, compris dans la formule – vous ne repartirez pas d'ici avec une facture exorbitante ! dit Yao en refermant la porte.

– C'est ce que j'ai lu sur le site, mais je me demandais si c'était vrai ! » plaisanta-t-elle, non sans hypocrisie car, dans le cas contraire, elle ne manquerait pas de saisir la Direction générale de la concurrence et de la consommation sitôt rentrée chez elle. Elle ouvrit de grands yeux reconnaissants car Yao semblait tirer une fierté toute personnelle des merveilles de Tranquillum House.

« Eh bien, c'est *vrai*, Frances, dit Yao avec la tendresse qu'ont les parents quand ils disent à leurs enfants que demain est bel et bien le jour de Noël. Maintenant, suivez-moi, on va faire votre prise de sang et le reste tranquillement.

– Excusez-moi… quoi ? » demanda-t-elle tandis qu'il la faisait entrer dans une pièce qui ressemblait à un cabinet médical. C'était à n'y rien comprendre. N'étaient-ils pas en train de parler de soins et de massages ?

« Asseyez-vous ici. Je vais d'abord prendre votre tension. »

Yao la fit asseoir, puis lui passa un brassard avant d'actionner la pompe avec enthousiasme.

« Il se peut qu'elle soit plus élevée que d'habitude. Les gens sont un peu stressés et nerveux quand ils arrivent. Sans parler de la fatigue liée au voyage. C'est normal. Mais je peux vous dire que personne n'est jamais reparti d'ici sans avoir vu sa tension baisser de manière significative !

– Mmmmm. »

Elle regarda Yao noter le relevé sans poser de questions. Sa tension était souvent basse. On la lui avait déjà contrôlée auparavant car il lui arrivait de s'évanouir. Lorsqu'elle était déshydratée ou fatiguée, ou lorsqu'elle voyait du sang, son champ visuel rétrécissait et le monde basculait.

Yao prit une paire de gants en latex vert qu'il fit claquer en les enfilant. Frances détourna le regard et fixa un point sur le mur. Il lui posa un garrot et tapota son avant-bras.

« Vous avez de bonnes veines. » Frances avait souvent entendu ces mots dans la bouche des infirmières. Elle en tirait toujours fierté, l'espace d'un instant tout du moins car à quoi bon avoir ce genre d'attributs, se demandait-elle, légèrement déprimée.

« Je n'avais pas vraiment compris qu'il faudrait faire une prise de sang.

– Vous en ferez quotidiennement, répondit Yao gaiement. C'est très important, cela nous permet d'ajuster votre protocole de soins.

– Mmmm, je vais peut-être me passer de…

– Je pique. »

Frances tourna la tête et vit le tube se remplir de son sang. Elle n'avait rien senti, mais préféra regarder ailleurs. Envahie par un sentiment d'impuissance tout enfantin, elle se rappela les quelques fois où elle avait dû se rendre à l'hôpital pour des interventions mineures et combien elle avait détesté n'avoir aucun contrôle sur son corps. Les infirmières et médecins avaient le droit de poser leurs mains sur elle comme bon leur semblait, sans amour, sans désir, sans affection – en experts. Elle avait toujours besoin de plusieurs jours pour se réapproprier pleinement son corps.

Ce jeune homme, qui en ce moment même se servait dans ses veines, avait-il la moindre compétence médicale ? S'en était-elle vraiment assurée ?

« Êtes-vous qualifié pour… ? » Ce qu'elle essayait de dire, c'était : « Hé ! Vous savez ce que vous fabriquez, au moins ? »

« J'ai été secouriste dans une vie antérieure », répondit Yao. Elle croisa son regard. Se pouvait-il qu'il soit un peu dingo ? Que voulait-il dire ? Qu'il s'était réincarné ? On ne sait jamais avec ces gens qui ne vivent pas comme tout le monde. « Dans une vie antérieure ? Vous ne dites pas ça… littéralement, si ? »

Yao éclata de rire. D'un rire tout à fait normal. « J'étais secouriste, il y a dix ans maintenant.

— Ça vous manque ?

— Pas du tout. Je suis passionné par mon travail ici. » Ses yeux flamboyaient. Peut-être un rien dingo.

« Et voilà, fit-il en retirant l'aiguille qu'il remplaça par une boule de coton. Appuyez fort. » Il colla une étiquette sur le prélèvement en lui souriant. « Parfait. On va vous peser maintenant.

— Oh ! Est-ce bien nécessaire ? Je ne suis pas ici pour perdre du poids. Je suis venue pour, vous savez… opérer une transformation personnelle.

— C'est juste pour compléter votre dossier. » Il retira la boule de coton, couvrit la minuscule piqûre rouge d'un pansement adhésif rond et désigna un pèse-personne. « Allez, montez. »

Frances s'exécuta sans regarder l'affichage. Elle n'avait aucune idée de son poids et ne voyait pas l'intérêt de le savoir. Elle avait conscience qu'elle pourrait être plus mince – plus jeune, elle était beaucoup plus fine – mais elle n'avait pas de problème avec son corps du moment qu'il ne la faisait pas souffrir. Elle ne trouvait rien de plus ennuyeux que les femmes obsédées par leur poids, comme s'il s'agissait d'un des grands mystères de la vie. Il y avait celles qui venaient de se délester de quelques kilos et qui ne juraient que par la méthode qui avait fonctionné pour elles, les minces qui disaient qu'elles étaient grosses, les moyennes qui se voyaient obèses, celles enfin qui voulaient à tout prix que Frances se joigne à elles dans leur déversement de haine contre elles-mêmes. « Oh, Frances, tu ne trouves pas ça tout simplement *déprimant* de voir ces filles si jeunes, si minces ? – Pas spécialement », répondait-elle en ajoutant une couche généreuse de beurre sur son petit pain.

Yao griffonna quelque chose sur un formulaire qu'il rangea dans un dossier couleur crème sur lequel figurait, au marqueur noir en lettres capitales : FRANCES WELTY.

Voilà qui commençait vraiment à ressembler à une visite médicale. Frances se sentit exposée, vulnérable, emplie de regrets. Elle voulait rentrer chez elle. Et manger un muffin.

« Je voudrais vraiment aller dans ma chambre maintenant, dit-elle. J'ai fait un long trajet.

– Bien sûr. Je vais vous prendre un rendez-vous au spa pour ce mal de dos à traiter d'urgence. Une demi-heure vous convient, pour vous installer, déguster le smoothie qui vous attend dans votre chambre et lire votre pack de bienvenue ?

– Parfait. »

Ils repassèrent devant la salle à manger où ses dealers préférés, Ben et Jessica, écoutaient leur propre conseillère bien-être, une jeune femme brune en uniforme blanc qui, d'après son badge, répondait au nom de Dalila. Elle leur servait le même discours que Yao sur les sonneries.

Le visage botoxé de Jessica transpirait l'inquiétude : elle fronçait presque les sourcils. « Mais si on n'entend pas la sonnerie ?

– On vous coupe la tête ! » lança Frances.

Tout le monde se retourna. Ben, qui portait de nouveau sa casquette à l'envers, leva un sourcil.

« Je plaisantais », dit Frances mollement.

Les deux conseillers échangèrent un regard difficilement interprétable. Peut-être étaient-ils amants... Leurs ébats devaient être acrobatiques et tout en souplesse, à en juger par la volupté qui émanait de leurs jeunes corps. Absolument top...

Yao se dirigea vers l'escalier du *Titanic*. Tandis que Frances pressait le pas pour suivre l'allure, ils croisèrent un homme et deux femmes qui descendaient, tous trois vêtus d'un peignoir vert olive portant le logo de Tranquillum House.

L'homme resta en arrière sur le palier pour chausser ses lunettes et observer le mur de plus près. Il était tellement grand que le peignoir lui allait comme une minijupe, dévoilant des genoux noueux et des jambes très blanches et très poilues. Le genre de jambes masculines qui vous donne l'impression que vous regardez une partie intime du corps. Affreusement gênant.

« Quel ouvrage ! À mon sens, on n'en voit plus de telle qualité ! C'est ce que j'aime dans ces demeures : l'attention portée aux détails. C'est vrai, repensez à ces carreaux que je vous montrais tout à l'heure. N'est-ce pas extraordinaire de se dire que quelqu'un a pris le temps de, un à un, les... Yao, rebonjour ! Une autre pensionnaire, je suppose ? Comment allez-vous ? »

Il enleva ses lunettes et, le visage rayonnant, tendit la main à Frances. « Napoleon ! »

Frances ne comprit qu'au terme d'une seconde épouvantablement longue que l'homme n'avait pas simplement crié au hasard le nom d'une grande figure de l'histoire. Il venait de se présenter.

« Frances, répondit-elle juste à temps.

– Enchanté ! Vous êtes là pour la cure de dix jours, je présume ? »

Il se tenait une marche au-dessus d'elle, de sorte qu'il paraissait encore plus grand. Pour le regarder, elle était forcée de pencher la tête en arrière, comme un touriste devant un monument.

« Oui. » Frances se mordit la langue pour ne pas faire de commentaire sur sa taille. Elle savait par son amie Jen qui mesurait plus d'un mètre quatre-vingts que les grands ont bel et bien conscience d'être grands. « Tout à fait. »

Napoleon désigna les deux femmes derrière Frances. « Nous aussi. Voici mes deux beautés : ma femme Heather et ma fille Zoé. »

Elles aussi étaient taillées pour le basket-ball. Elles lui adressèrent le sourire poli et mesuré qu'affichent les proches des célébrités, habitués à attendre lorsqu'elles se font aborder, même si, dans le cas présent, c'était Napoleon qui avait arrêté Frances. L'épouse, Heather, ne tenait pas en place. Elle avait un corps maigre et nerveux, et sa peau était bronzée et très ridée, telle une feuille de papier qu'on aurait lissée après l'avoir froissée. Elle avait les cheveux gris ramassés en une queue-de-cheval serrée et les yeux injectés de sang. Elle semblait tendue. Pas de problème : Frances savait s'y prendre avec ce genre de personnes (certaines de ses amies étaient très tendues). L'idée, c'était de ne jamais se tendre !

La fille, Zoe, aussi grande que son père, avait la grâce décontractée des filles adeptes du sport et de la nature. Une crâneuse ? Non, elle n'avait rien de prétentieux. Et ne semblait pas du tout avoir besoin d'une cure détox. Difficile d'avoir l'air plus jeune et dynamique.

Frances repensa au jeune couple, Ben et Jessica, qui semblait aussi en pleine forme. Les centres de soins n'attiraient-ils que les gens éclatants de santé ? Serait-elle la championne de la mauvaise mine parmi les pensionnaires ? Elle n'avait jamais été dernière de la classe, si ce n'est à ce cours de méditation transcendantale pour débutants.

« Nous pensions explorer les sources chaudes et, pourquoi pas, faire un peu trempette, reprit Napoleon, comme si on le lui avait demandé. Ensuite, nous ferons quelques longueurs dans la piscine. »

Ils formaient manifestement une famille très active, le genre à se présenter à l'accueil, monter ses valises et ressortir aussitôt.

« Moi, je vais faire une petite sieste avant un massage qui ne peut pas attendre, répondit Frances.

– Voilà une excellente idée ! Une sieste et un massage ! Parfait ! Quel endroit fabuleux ! Et il paraît que les sources chaudes sont incroyables. » Cet homme débordait d'enthousiasme.

« Veillez à bien vous réhydrater après les sources chaudes, recommanda Yao. Vous trouverez des bouteilles d'eau à l'accueil.

— Dacodac, Yao ! On sera de retour pour le noble silence !

— Le noble silence ? demanda Frances.

— Vous allez bientôt comprendre, Frances, dit Yao.

— C'est dans votre pack de bienvenue, Frances ! confirma Napoleon. Ça m'a un peu surpris, à vrai dire. Je n'avais pas anticipé cet aspect-là de la cure. J'ai déjà entendu parler des retraites silencieuses, bien sûr, mais je dois avouer que ça ne m'attirait pas spécialement – je suis un grand bavard, comme vous le diront mes petites beautés. Mais on s'adaptera ! Il faut prendre les choses comme elles viennent ! »

Tandis qu'il poursuivait son bavardage réconfortant, Frances se tourna vers sa femme et sa fille quelques marches plus bas. Zoé, qui portait des tongs noires, posa un talon sur la marche supérieure et se pencha en avant comme si elle s'étirait discrètement le muscle ischio-jambier. Le fantôme d'un sourire flotta un instant sur les lèvres de sa mère qui la regardait, sourire bientôt remplacé par une expression de pur désespoir qui provoqua un affaissement de tous ses traits, comme si elle s'agrippait à ses joues. Une fraction de seconde plus tard, le désespoir se dissipa et elle adressa un sourire bienveillant à Frances qui eut le sentiment d'avoir vu quelque chose qu'elle n'aurait pas dû voir.

« Ce n'est pas vous qui êtes arrivée dans cette Lamborghini, Frances, si ? Je l'ai aperçue depuis notre chambre. Sacrée voiture !

— Non ! Moi, je roule en Peugeot.

— Je n'ai rien contre les Peugeot ! Même si j'ai cru comprendre que les révisions coûtent les yeux de la tête ! »

Charmant ! songea Frances qui avait hâte de pouvoir reparler avec lui. Elle aimait beaucoup ce genre de personnes, toujours prêtes à répondre à n'importe quelle question avec franchise et vigueur.

« Papa, laisse la dame passer. Elle vient juste d'arriver. Elle a sûrement envie de monter dans sa chambre.

— Désolé, désolé ! Nous nous verrons au dîner ! Même si mon petit doigt me dit que nous ne pourrons pas parler ! » dit-il avec un grand sourire que trahissait son regard paniqué, acculé. « Ravi de vous avoir rencontrée ! » Il se tourna vers Yao qu'il gratifia d'une tape dans le dos. « À plus tard, mon ami ! »

Frances suivit Yao qui tourna à droite en haut de l'escalier puis longea un couloir moquetté dont les murs étaient décorés de clichés historiques. Elle prendrait le temps de les regarder plus tard.

« Cette aile de la maison a été ajoutée en 1895, dit Yao. Toutes les chambres ont conservé leur cheminée en marbre de style géorgien. Bien sûr, par cette chaleur, vous n'aurez aucun besoin d'allumer un feu.

— Je ne m'attendais pas à voir des familles faire cette cure. Je dois avouer que j'imaginais… plus de personnes comme moi. »

Plus grosses que moi, Yao. Beaucoup plus grosses que moi.

« Nous recevons des gens de tous horizons ici, dit Yao en ouvrant une porte avec une grande clé en métal des plus désuètes.

— Peut-être pas de *tous* horizons », répondit-elle d'un ton songeur, car, soyons honnête, ce n'était pas donné, comme endroit, mais elle préféra se taire car Yao lui tenait la porte.

« Nous y voilà. »

La chambre, spacieuse, comportait une épaisse moquette et des meubles d'époque, dont un imposant lit à baldaquin. Les portes-fenêtres, grandes ouvertes, donnaient sur un balcon d'où la vue s'étendait sur un patchwork vallonné de vignobles, de fermes et de champs tandis que des volées d'oiseaux tournoyaient dans le ciel. Dans un coin de la pièce, elle reconnut son sac tel un vieil ami intime. Sur la table basse, une corbeille de fruits et un verre rempli d'un épais jus verdâtre, décoré d'une fraise sur le bord. En dehors de ce breuvage, l'ensemble était très plaisant.

« Voici votre smoothie de bienvenue, dit Yao. Vous boirez six smoothies bio par jour, élaborés en fonction de l'évolution de vos propres besoins.

– Dites-moi qu'il n'y a pas d'herbe de blé dedans ! J'en ai bu une fois, et je m'en souviendrai toute ma vie. »

Yao lui tendit le verre. « Faites-moi confiance, c'est savoureux ! »

Frances regarda la mixture d'un air sceptique.

« Vous n'avez pas le choix », reprit-il d'une voix si affable qu'elle fut tentée de comprendre le contraire. Déroutant.

Elle en but une gorgée. « Oh ! » fit-elle, surprise. Il y avait de la mangue, de la noix de coco et des baies. Un concentré de vacances sous les tropiques. « C'est plutôt bon. Très bon, même.

– Je ne vous le fais pas dire, Frances. » Il répétait son nom aussi souvent qu'un agent immobilier désespéré. « Et en plus d'être délicieux, c'est plein de bonnes choses. Il est bien entendu que vous devez le boire jusqu'à la dernière goutte.

– Comptez sur moi », répondit-elle aimablement.

S'ensuivit un silence maladroit.

« Oh, vous voulez dire maintenant ? » Elle but une autre gorgée, plus généreuse. « Un délice ! »

Yao sourit. « Les smoothies jouent un rôle capital dans votre chemin de bien-être.

– Mon chemin de bien-être ! Oh là là, je ne voudrais surtout pas m'en écarter !

– Pas même d'un pouce. »

Elle ne décela pas la moindre trace d'ironie dans le regard de Yao qui ne comptait manifestement pas lui passer ses sarcasmes.

« Je vous laisse vous détendre. Prenez tout de même le temps de lire votre pack de bienvenue ; il comporte des consignes importantes pour les prochaines vingt-quatre heures. Le noble silence évoqué plus tôt par Napoleon va bientôt commencer et je ne doute pas que vous en découvrirez les effets salutaires. Et à propos de silence, Frances, je dois vous demander quelque chose, mais je suis sûr que vous pouvez deviner de quoi il s'agit ! » Il la regarda avec un air d'expectative.

« Aucune idée ! Pas d'autre prise de sang, j'espère !

– Il est temps de me remettre tous vos appareils électroniques. Téléphone portable, tablette, tout.

– Pas de problème. » Frances prit son mobile dans son sac à main et l'éteignit avant de le confier à Yao. Un sentiment de docilité loin d'être désagréable l'envahit. Comme lorsque l'on se remet entre les mains du personnel navigant à bord d'un avion, une fois le voyant « Veuillez attacher votre ceinture » allumé.

« Parfait. Merci. Vous voilà officiellement "déconnectée" ! Je vais mettre votre téléphone en sécurité. La détox numérique est d'après certains de nos pensionnaires l'un des aspects les plus agréables de leur séjour ici. Quand vous partirez, vous me direz : "Gardez-le ! Je n'en veux pas !" avec de grands gestes ! »

Frances essaya de s'imaginer à la fin de cette retraite, mais trouva l'exercice étrangement difficile, comme si l'aventure devait durer dix ans et non dix jours. Serait-elle vraiment métamorphosée ? Plus mince, plus légère, débarrassée de ses douleurs, capable de sauter de son lit, au lever du soleil, sans caféine ?

« N'oubliez pas votre massage au spa. Oh ! j'allais oublier ! Il faut s'occuper de cette vilaine coupure ! »

Il alla jusqu'à une commode, choisit un tube parmi une batterie de produits de beauté estampillés « Tranquillum House » et dit : « Montrez-moi ce pouce. »

Frances s'exécuta. Délicatement, il appliqua un peu de gel frais apaisant sur sa coupure.

« Vous êtes à présent sur votre chemin de bien-être, Frances », dit-il en gardant sa main entre les siennes, ce qui, loin de susciter son habituel sourire narquois, lui tira presque des larmes.

« Je me suis sentie vraiment très mal ces derniers temps, Yao, gémit-elle.

– Je sais. » Il posa les mains sur ses épaules dans un geste qui ne sembla à Frances ni idiot ni sexuel. Apaisant, au contraire. « Nous allons vous remettre sur pied. Vous vous sentirez bientôt mieux que jamais. » Il ferma la porte doucement derrière lui en sortant.

Frances tourna lentement en rond dans l'attente de cette iné-vitable mélancolie qui frappe le voyageur solitaire, mais au lieu de cela, elle reprit courage. Elle n'était pas seule. Yao était là pour prendre soin d'elle. Un chemin de bien-être se déroulait devant elle.

Elle sortit sur le balcon, admira la vue et manqua s'étrangler en découvrant, sur le balcon voisin, un homme dangereusement penché sur la balustrade.

« Attention, vous allez tomber ! » dit-elle à voix basse pour ne pas lui faire peur.

L'homme se tourna vers elle et lui fit coucou en souriant. C'était Ben. Ben à la casquette. Elle le salua.

Ils pourraient probablement s'entendre en parlant bien fort mais mieux valait faire mine d'être trop loin pour pouvoir bavarder, sinon ils se sentiraient obligés de le faire chaque fois qu'ils s'apercevraient sur leurs balcons. Et, franchement, il y aurait suffisamment de corvées de papotage avec les repas.

Elle regarda dans la direction opposée et constata que des balcons identiques s'étendaient jusqu'à l'extrémité de la mai-son. Toutes les chambres jouissaient de cette même vue. Les autres balcons étaient vides jusqu'à ce qu'une silhouette fémi-nine émerge sur celui qui était tout au bout. Frances était trop loin pour distinguer ses traits mais, soucieuse d'être amicale, elle lui fit un signe de la main. La femme fit aussitôt volte-face et rentra dans sa chambre.

Ah, bon, elle ne l'avait peut-être pas vue. À moins qu'elle souffre d'une terrible phobie sociale. Frances savait s'y prendre avec les grands timides. Il fallait simplement les approcher tout doucement, comme s'il s'agissait de petites créatures des bois.

Frances se retourna vers Ben qui avait disparu. Elle se demanda si Jessica et lui étaient toujours fâchés. Leurs chambres étant côte à côte, Frances risquait de les entendre si les choses s'échauffaient entre eux. Une fois, lors d'une tournée promotionnelle pour un de ses livres, elle avait séjourné dans un hôtel aux murs si fins qu'elle avait entendu un couple en train de se disputer avec passion à propos de leur vie sexuelle, décrite par le menu. Un moment de pur plaisir !

« Je ne comprends pas cet intérêt obsessionnel pour les étrangers », lui avait dit un jour son premier mari, Sol. Frances s'était efforcée de lui faire comprendre que les étrangers étaient par définition passionnants. C'était justement leur étrangeté qui la fascinait. Le fait de ne pas savoir. Une fois que l'on sait tout sur quelqu'un, généralement, on est prêt à divorcer.

Elle retourna à l'intérieur pour défaire ses bagages. Pourquoi ne pas boire une tasse de thé accompagnée d'un peu de chocolat tout en lisant son pack de bienvenue ? Elle était certaine d'y trouver des règles qu'elle n'aurait pas très envie de suivre – le « noble silence » qui devait bientôt commencer n'augurait rien de bon –, il lui faudrait sa dose de sucre pour faire face. Sans compter qu'elle n'avait pas exactement réduit sa consommation de sucre et de caféine les jours précédant la cure, comme le centre le lui avait conseillé, pour éviter les symptômes de manque. Frances ne pourrait pas supporter un mal de tête maintenant.

Elle plongea les mains dans son sac à la recherche du thé et du chocolat qu'elle avait emballés dans sa nuisette et placés tout au fond, sous ses dessous. Elle s'était bien fait rire en les cachant. Comme s'ils allaient fouiller dans ses affaires ! Elle n'était ni au pensionnat ni en cure de désintoxication !

« C'est une blague », dit-elle à voix haute.

Ils n'y étaient pas.

Elle posa ses vêtements un à un sur son lit, envahie par un sentiment de colère grandissant. Ils n'oseraient quand même pas ! C'était inadmissible. Et sûrement illégal.

Quel manque de correction !

Elle retourna son sac et le secoua. Pas de doute. Le café, le thé, le chocolat et le vin avaient bel et bien disparu. Qui avait fouillé son sac ? Yao, impossible – il ne l'avait pas quittée depuis son arrivée. Quelqu'un avait mis ses pattes dans ses dessous et confisqué les petites douceurs qu'elle y avait glissées.

Que faire ? Elle ne pouvait pas appeler la réception pour se plaindre qu'on lui avait pris son chocolat et son vin ! Enfin, si, elle pouvait, mais elle n'avait pas l'aplomb nécessaire. Le site Internet précisait expressément que les friandises, le café et l'alcool étaient interdits. Elle avait violé le règlement et elle s'était fait prendre.

Elle ne dirait rien, eux non plus, et quand elle prendrait congé à la fin de la cure, ils lui rendraient le tout avec un petit sourire entendu, comme on rend ses effets personnels à un prisonnier libéré.

La honte.

Elle s'assit au bout du lit et regarda tristement la jolie corbeille de fruits. Elle émit un petit rire, tâchant de transformer cette mésaventure en une histoire amusante à raconter à ses amis, et prit une mandarine. Tandis qu'elle plongeait son pouce dans son cœur charnu, elle entendit quelque chose. Une voix ? Ça ne venait pas de la chambre de Ben et Jessica. Plutôt de l'autre côté. Un bruit sourd, suivi du fracas d'un objet qui se brise.

« Et merde ! » jura une puissante voix d'homme.

À qui le dis-tu, songea Frances tandis qu'une vilaine migraine commençait à prendre son front en étau.

7

Jessica

Assise sur le lit à baldaquin, Jessica testait le matelas du plat de la main tandis que Ben se tenait sur le balcon, une main en visière. Elle savait qu'il n'admirait pas la vue.

« Ils ne te l'ont pas volée. » Son ton se voulait drôle et enjoué mais ses mots sortirent de sa bouche teintés de dureté, comme souvent ces derniers temps.

« Okay, mais où ont-ils pu la garer ? répondit Ben. Je ne comprends pas. Je voudrais juste savoir où elle est. Tu crois qu'ils ont un abri quelque part ? Souterrain, je veux dire. Tu as remarqué que, lorsque j'ai demandé s'ils allaient la mettre à l'abri, elle a éludé la question ?

– Mmm », fit-elle, circonspecte.

Elle ne supporterait pas une nouvelle dispute à propos de la voiture. Une nouvelle dispute tout court, d'ailleurs. Elle avait toujours l'estomac dérangé depuis leur dernière altercation. Lorsqu'ils se querellaient, elle souffrait aussitôt de troubles digestifs. Ces derniers temps, l'indigestion était quasi perpétuelle car ils n'arrêtaient pas de se rentrer dedans, telles deux pierres immergées charriées par le courant. Ils ne pouvaient pas s'en empêcher.

Elle s'allongea et regarda le plafonnier. Tiens donc, n'était-ce pas une toile d'araignée près du globe ? Cette maison était si vieille, si sombre, si déprimante. Elle avait compris qu'il s'agissait d'une demeure « historique » mais dans son esprit elle serait rénovée. Il y avait plein de fissures sur les murs et une vague odeur d'humidité.

Elle se mit sur le flanc et regarda Ben. Il était à présent dangereusement penché sur la balustrade, cherchant à voir le côté de la maison. Il se souciait davantage de son bolide que d'elle. Un jour, elle l'avait vu passer sa main sur le capot de sa Lamborghini et avait envié la voiture, oui, elle avait envié la façon dont Ben la touchait, avec douceur et sensualité, comme il la touchait elle par le passé. Elle en parlerait à leur thérapeute. Elle l'avait même écrit pour ne pas oublier de le mentionner. Car n'était-ce pas un élément fort, profond et particulièrement parlant ? Les larmes lui picotaient les yeux rien que d'y penser. Si leur thérapeute écrivait un jour un livre sur son expérience de conseillère conjugale, elle évoquerait sûrement leur cas. *Une fois, j'ai eu un client qui traitait sa voiture avec plus de tendresse qu'il ne traitait sa femme.* Inutile de préciser qu'il s'agissait d'une Lamborghini, sinon, les lecteurs de sexe masculin réagiraient tous de la même façon : « Oh, bon… »

Elle avait hâte que la partie « thérapie de couple intensive » de leur retraite commence mais Dalila, leur conseillère bien-être, était restée si vague à ce propos que c'en était agaçant. Elle se demanda si la thérapeute (ce serait forcément une femme, non ?) les interrogerait sur leur vie sexuelle et si elle serait capable de cacher sa surprise en apprenant qu'ils faisaient l'amour, quoi, *une fois par semaine*, ce qui signifiait que leur mariage était officiellement en grand danger.

Jessica arriverait-elle seulement à parler de leur sexualité devant la thérapeute ? Et si cette femme supposait qu'elle n'était tout simplement pas douée pour le sexe ou qu'elle avait un problème, un problème intime, genre gynécologique ? Jessica elle-même commençait à s'interroger sur la question.

Elle était évidemment disposée à se faire opérer (même en bas) ou à suivre un cours. Lire un livre. Gagner en savoir-faire. Elle avait toujours été prête à s'améliorer, à écouter les conseils des spécialistes. Contrairement à Ben, elle lisait beaucoup de livres de développement personnel. Et elle cherchait sur Internet.

Tandis qu'il revenait dans la chambre, Ben souleva son tee-shirt et se gratta le ventre. Il avait beau ne faire ni abdominaux ni exercices de gainage, son ventre était toujours impeccable.

« L'écrivaine est dans la chambre d'à côté », annonça-t-il. Il prit une pomme dans le saladier et la fit passer d'une main à l'autre comme une balle de base-ball. « Frances. Pourquoi elle est là d'après toi ?

– Je suppose qu'elle veut perdre du poids. » C'était l'évidence même, non ? Frances avait cet aspect « étoffé » qu'ont les femmes à la cinquantaine. Ce qui n'arriverait jamais à Jessica. Plutôt mourir.

« Tu crois ? Qu'est-ce que ça peut faire, à son âge ? Et ses livres, ils sont bien ?

– Je les ai adorés quand je les ai lus. Tous. Mais je me souviens d'un en particulier, *Le Baiser de Nathaniel*. J'étais au lycée à l'époque et je l'ai trouvé vraiment… romantique, je crois. »

« Romantique ». Voilà un mot qui était loin d'exprimer ce qu'elle avait ressenti en lisant *Le Baiser de Nathaniel*. Elle se revoyait, tremblante d'émotion, pleurer à gros sanglots et relire le dernier chapitre encore et encore juste pour le plaisir de continuer à pleurer. D'une certaine manière, Nathaniel était son premier amour.

Elle ne pourrait jamais s'en confier à Ben. Il ne lisait jamais de fiction. Il ne comprendrait pas.

Mais cela ne faisait-il pas partie de leurs problèmes de couple ? Qu'elle ne se donne même pas la peine d'essayer de lui parler des choses qui lui tenaient à cœur ? À moins que ça n'ait pas d'importance. Après tout, elle n'avait nullement besoin de l'entendre parler de sa passion pour sa voiture. Il avait ses amis pour ça. Et elle avait les siennes pour évoquer le souvenir de cette lecture.

Ben croqua dans la pomme à pleines dents, chose que Jessica ne pouvait plus se permettre – pas avec ses nouvelles facettes dentaires. Le dentiste voulait qu'elle porte un genre de protège-dents la nuit pour éviter d'abîmer sa dentition hors de prix. Agaçant. Mais voilà ce qui arrive quand on s'offre ce qui se fait de mieux : on est obligé d'y faire très attention. C'était comme ce nouveau tapis qu'ils avaient mis dans l'entrée. Ils l'avaient payé si cher qu'ils osaient à peine poser les pieds sur les bords et tressaillaient quand leurs invités passaient dessus d'un pas lourd avec leurs baskets dégoûtantes.

« Pas mal, ce smoothie, dit Ben, la bouche pleine, mais je meurs de faim. Je ne sais pas si je vais tenir le coup sans pizza pendant dix jours. Je ne vois pas pourquoi on doit s'imposer ça, d'ailleurs. Ça n'a rien à voir avec la thérapie de couple.

– Je te l'ai déjà dit. C'est une approche… holistique. On doit travailler sur le corps et l'esprit. C'est un tout.

– Je trouve ça complètement… » Il s'interrompit et se dirigea vers le mur où étaient alignés plusieurs interrupteurs. Il commença à jouer avec celui qui commandait le ventilateur de plafond et le laissa en mode « cyclone ».

Jessica mit un oreiller sur son visage et se retint de lui demander de l'éteindre. Avant, elle n'y aurait même pas réfléchi. Elle aurait crié : « Éteins-moi ce truc, andouille ! », il l'aurait laissé tourner tout en riant, elle se serait dirigée vers l'interrupteur, il l'en aurait empêchée et ils auraient fini par jouer à la bagarre.

Ne s'amusaient-ils pas davantage avant ?

Quand elle travaillait comme secrétaire et lui comme carrossier dans le garage de Pete ; qu'elle arborait un bonnet B sur lequel personne ne se retournait, qu'il conduisait une Commodore V8 sur laquelle personne ne se retournait non plus, qu'ils trouvaient extravagant d'aller au cinéma et au restaurant thaï du quartier le même soir, qu'ils attendaient leur relevé de compte bancaire tous les mois l'estomac noué, voire, pour elle, en pleurant.

Elle ne voulait pas croire que c'était mieux avant. Car ce serait donner raison à sa mère, ce qu'elle ne pouvait pas supporter.

Ben diminua la vitesse du ventilateur. Jessica se débarrassa de l'oreiller, ferma les yeux et sentit son cœur battre à toute vitesse sous l'effet de l'anxiété. Mais ce qui l'angoissait, elle ne pouvait ni le nommer ni le décrire.

Elle repensa à la peur vertigineuse qu'elle avait éprouvée le jour du cambriolage. Deux ans plus tôt, elle était rentrée du travail pour découvrir leur appartement en rez-de-chaussée sens dessus dessous, leurs affaires éparpillées avec une frénésie agressive et malveillante, les tiroirs ouverts, une empreinte de pas noire sur son tee-shirt blanc, des morceaux de verre brillants.

Ben était arrivé quelques minutes plus tard à peine. « C'est quoi, ce bordel ? »

Elle ne savait pas s'il avait immédiatement pensé à sa sœur, mais elle, oui.

Pauvre Lucy. Elle souffrait de « problèmes de santé mentale », selon l'euphémisme de sa mère, une femme adorable mais terriblement éprouvée. La vérité toute crue ? C'était une toxicomane.

La vie de Lucy, c'était des montagnes russes sans fin et elle embarquait tout le monde avec elle, encore et encore, sans possibilité de descendre. Lucy disparaissait. Personne n'avait de nouvelles. Elle réapparaissait en pleine nuit pour saccager la maison. Sa mère devait appeler la police. Il fallait intervenir. Mais la dernière fois, ils avaient mal géré. Changer de tactique. Cette fois, ça marcherait. Lucy faisait des progrès. Elle envisageait une cure de désintoxication. Lucy faisait effectivement une cure. Lucy était sevrée. Lucy avait un nouvel accident de voiture. Lucy était de nouveau enceinte. Lucy était une paumée, ça ne s'arrêterait jamais, et comme Jessica n'avait pas connu la Lucy d'avant, celle qui, paraît-il, était drôle, intelligente et gentille, elle avait du mal à ne pas la détester.

Lucy engendrait une tension latente chaque fois qu'ils voyaient la famille de Ben. Et si elle débarquait à l'improviste pour exiger de l'argent, proférer des insultes ou verser des larmes de crocodile parce que « tout ce qu'elle voulait, c'était être une maman » pour les deux enfants qu'elle était incapable d'élever ?

Lucy volait, ce n'était un secret pour personne. Si vous l'invitiez à un barbecue, vous mettiez votre argent liquide sous clé. Alors comment s'étonner que la première pensée de Jessica quand elle était entrée chez elle ce jour-là fut : *Lucy* ?

Elle avait tout fait pour tenir sa langue, mais c'était sorti tout seul. Un mot. Un seul. Comme elle voudrait pouvoir le retirer ! Ce n'était même pas une question. Elle l'avait dit sur un ton affirmatif. Si seulement elle avait dit « Lucy ? ».

Elle revoyait Ben secouer la tête, les traits tirés, humilié.

Comment peux-tu savoir que ce n'est pas elle ? avait-elle songé.

Mais il avait raison. Rien à voir avec Lucy. Au moment des faits, elle se trouvait à l'autre bout du pays.

Un cambriolage des plus classiques, donc, dans lequel ils n'avaient pas perdu grand-chose, et pour cause : ils ne possédaient pas grand-chose. Un vieil iPad à l'écran fissuré, un collier que Ben avait offert à Jessica pour ses vingt et un ans – doté d'un minuscule pendentif en diamant, il avait coûté à Ben quelque chose comme deux mois de salaire. Elle avait adoré ce bijou et le regrettait toujours, même si ce n'était qu'un petit collier à la noix avec un ridicule diamant de vingt-cinq points à peine. Les voleurs ne s'étaient pas donné la peine d'emporter les autres bijoux de Jessica, ce qu'elle avait trouvé très humiliant. Ben et Jessica avaient tous deux détesté l'idée que quelqu'un passe leurs affaires en revue avec le même mépris qu'un consommateur peut afficher dans une boutique où la marchandise laisse à désirer.

La compagnie d'assurances les avait indemnisés sans faire

d'histoire mais Ben et Jessica avaient dû s'acquitter d'une franchise de cinq cents dollars. Ils n'avaient pas apprécié car franchement, était-ce leur faute s'ils s'étaient fait cambrioler ?

Un cambriolage des plus classiques, donc, à ceci près qu'il avait fini par changer leur vie à jamais.

« Pourquoi tu me regardes comme ça ? demanda Ben, debout près du lit.

— Comment, comme ça ?

— Comme si tu voulais me les couper avec un couteau à fromage.

— Quoi ? Je ne te regardais même pas. Je réfléchissais. »

Il avala sa dernière bouchée de pomme et, comme la toute première fois que leurs regards s'étaient croisés pendant le cours de maths de Mr Munro, il leva un sourcil, le gauche, d'un air détaché. Elle n'avait rien vu d'aussi sexy de toute sa vie ! S'il avait levé les deux sourcils, elle ne serait peut-être pas tombée amoureuse de lui.

« Je n'ai même pas de couteau à fromage. »

Il sourit en jetant son trognon de pomme dans la poubelle à l'autre bout de la pièce et prit leur pack de bienvenue.

« On ferait mieux de lire ça, non ? » Il déchira l'enveloppe et fit voler les documents sur le lit. Jessica se retint de les ramasser pour les remettre en ordre. À la maison, c'était elle qui s'occupait de l'administratif. S'il avait fallu compter sur Ben, jamais ils n'auraient rempli leur déclaration de revenus.

Il déplia une première feuille. « Okay, alors apparemment, il s'agit d'un "guide pas à pas" pour nous accompagner dans notre "chemin de bien-être".

— Ben, ça ne peut pas fonctionner si on ne…

— Si on ne prend pas les choses au sérieux, je sais, je sais. J'ai emprunté cette piste avec ma voiture, il me semble. Ce n'est pas la preuve que je suis à fond dedans ?

— Pour l'amour du ciel, ne recommence pas avec ta voiture. » Elle avait envie de pleurer.

« Je voulais juste dire… Laisse tomber. »

Il parcourut la lettre, puis la lut à voix haute. « *Bienvenue à Tranquillum House. Votre chemin de bien-être… blablabla. Votre retraite débutera par une période de silence de cinq jours. En dehors de vos séances de thérapie, il vous sera défendu de parler, de lire, d'écrire, de toucher ou de regarder dans les yeux les autres pensionnaires, y compris vos propres compagnons…* Quoi ?

– Ce n'était pas mentionné sur leur site.

– Je continue. *Peut-être avez-vous entendu parler du petit singe facétieux.* » Il interrogea Jessica du regard. Elle haussa les épaules. Il reprit : « *Le petit singe facétieux figure votre mental qui passe d'une idée à une autre comme le singe se balance d'une branche à une autre.* » Ben émit un petit cri de singe tout en se grattant sous le bras.

« Merci pour cette démonstration. » Elle sentit un sourire poindre sur ses lèvres. Parfois, ils n'allaient pas si mal.

Ben poursuivit la lecture. « *Faire taire votre singe intérieur demande au moins vingt-quatre heures. Nous observerons une période de silence et de réflexion pour mettre l'esprit, le corps et l'âme au repos. Notre objectif sera de faire l'expérience de ce qu'on appelle en bouddhisme le "noble silence".*

– Alors on ne va ni se regarder ni se parler pendant les cinq prochains jours ? Même quand on sera seuls dans notre chambre ?

– Ce n'est pas comme si ça ne nous était jamais arrivé.

– Très drôle. Donne-moi ça. »

Elle lui prit la lettre des mains. « *Pendant cette période de silence, nous vous invitons à marcher lentement et en conscience, en veillant à dérouler le pied du talon aux orteils, en évitant tout contact visuel et toute conversation. Si vous devez communiquer avec un membre du personnel, merci de venir à l'accueil et de suivre les consignes notées sur la fiche plastifiée bleue. Des séances de méditation guidée, assise et en marchant, égrèneront vos journées. Soyez attentifs aux sonneries.* »

Elle posa la lettre. « Ça va être super bizarre. Manger avec des étrangers dans le silence le plus total.

— C'est mieux que d'échanger des banalités, non ? C'est tellement ennuyeux. Bon, tu veux faire ça dans les règles ? Parce que, sinon, on peut toujours parler tous les deux quand on sera dans notre chambre. Personne n'en saura jamais rien. »

Jessica prit le temps de réfléchir.

« Je pense qu'on devrait le faire dans les règles. Pas toi ? On fait comme ils disent, même si ça nous paraît stupide.

— Ça me va. Du moment qu'ils ne me demandent pas de me jeter d'une falaise. » Il se gratta le cou. « Mais je me demande ce qu'on va bien pouvoir fabriquer ici.

— Je te l'ai dit. Méditation, yoga, sport.

— Okay, mais entre-temps ? Si on ne peut pas parler ou regarder la télévision, qu'est-ce qu'on va faire ?

— C'est vrai que, sans écran, ça ne va pas être facile. » Les médias sociaux allaient lui manquer davantage que le café.

Elle reprit la lettre. « *Le silence commencera à la troisième sonnerie.* » Elle consulta l'horloge dans la chambre. « Il nous reste une demi-heure. Après ça, on ne pourra plus parler. »

Ni même se toucher, songea-t-elle.

Ils se regardèrent.

Sans échanger la moindre parole.

« Le silence ne devrait pas nous poser trop de problème », ironisa Ben au bout d'un moment.

Jessica rit, mais Ben n'esquissa pas l'ombre d'un sourire.

Pourquoi ne faisaient-ils pas l'amour, là, tout de suite ? Il fut un temps où ils se seraient jetés l'un sur l'autre. Sans même avoir besoin d'en parler.

Dis quelque chose, songea-t-elle. *Réagis.* C'était son mari. Elle avait le droit de le toucher.

Mais un genre de peur s'était insinué dans son esprit voilà plusieurs mois, une peur dont elle n'arrivait plus à se débarrasser. Il y avait quelque chose dans sa façon de la regarder, ou de ne pas la regarder, dans sa façon de serrer la mâchoire.

Et s'il ne m'aimait plus ?

Quelle ironie ! Comment pouvait-il cesser de l'aimer alors qu'elle n'avait jamais été si jolie ? Elle avait investi beaucoup de temps et d'argent – et enduré beaucoup de souffrances – dans son corps pendant l'année qui venait de s'écouler. Elle avait fait retoucher *tout* ce qu'il y avait à retoucher : ses dents, ses cheveux, sa peau, ses lèvres, ses seins. Tout le monde disait que le résultat était fabuleux. Y compris ses abonnés sur Instagram : *Tu es tellement sexy, Jessica !* Ou encore : *Chaque fois que je te vois, je te trouve encore plus belle.* La seule personne qui n'avait rien de positif à dire, c'était son mari. Et s'il ne la trouvait pas attirante maintenant, il n'avait jamais dû la trouver à son goût. Il avait dû faire semblant depuis le début. À se demander pourquoi il l'avait épousée.

Touche-moi, songea-t-elle, et dans sa tête ces mots résonnaient tel un gémissement plein d'angoisse. *Je t'en supplie, touche-moi, touche-moi.*

Ben se leva puis, se dirigeant vers la corbeille de fruits : « Les mandarines ont l'air bonnes. »

8

Frances

« Depuis quand avez-vous mal ? »

Frances était allongée sur une table de massage, complètement nue sous une serviette blanche et douce.

« Vous enlevez tout et vous vous glissez sous cette serviette »,
avait aboyé la masseuse quand Frances était entrée dans le spa.
C'était une femme imposante, aux cheveux gris coupés très
court et aux manières intimidantes d'un gardien de prison ou
d'un entraîneur de hockey. Pas vraiment le genre de masseuse
aimable à la voix caressante que Frances avait imaginée. Elle
n'avait pas compris son nom mais elle était trop occupée à
suivre ses consignes pour lui demander de répéter.

« Trois semaines environ. »

La masseuse posa ses mains chaudes sur son dos. Des mains
manifestement aussi grandes que des raquettes de ping-pong.
Peu commun. Frances leva la tête pour les voir, mais la femme
lui appuya sur les omoplates et sa tête retomba en avant.

« Vous savez ce qui a déclenché la douleur ?

– Sur le plan physique, rien de particulier. Mais j'ai eu un,
comment dire, un choc émotionnel. J'étais avec cet homme et…

– Donc aucune blessure », fit la masseuse d'un ton brusque.
En voilà une qui n'avait pas lu la note de service qui exigeait
des employés de Tranquillum House qu'ils parlent d'une voix
lente et hypnotique. À vrai dire, elle faisait tout le contraire,

comme si parler était une nécessité dont il fallait se débarrasser au plus vite.

« Non. Mais j'ai vraiment l'impression que c'est lié. Quand je dis un choc, c'est parce que cet homme que je fréquentais a, comment dire, disparu, et j'étais au téléphone avec la police, je m'en souviens parfaitement, quand j'ai ressenti cette… sensation, comme si on m'avait porté un coup violent…

– Mieux vaudrait peut-être vous taire.

– Oh, vraiment ? » *Eh bien, vous ratez une histoire passionnante, affreuse masseuse.* Frances avait déjà raconté sa mésaventure à plusieurs reprises, prenant soin d'améliorer son récit chaque fois. Elle n'était pas mécontente du résultat.

Sans compter qu'il ne lui restait plus guère de temps avant d'avoir à observer le silence – un silence de cinq jours ! Difficile de savoir comment elle allait vivre ça. Elle qui avait échappé de justesse au gouffre du désespoir à peine quelques heures plus tôt dans la voiture. Et si le silence la faisait de nouveau basculer ?

La masseuse enfonça ses énormes pouces de part et d'autre de sa colonne vertébrale.

« Aïe !

– Concentrez-vous sur votre respiration. »

Frances inspira, laissant les notes d'agrumes des huiles essentielles envahir ses narines, et pensa à son histoire avec Paul. Comment elle avait commencé. Comment elle s'était terminée.

Elle avait fait connaissance avec Paul Drabble, ingénieur civil américain, sur Internet. C'était l'ami d'un ami d'un ami. Peu à peu, ils étaient devenus plus que de simples amis. En six mois, il lui avait envoyé des fleurs et des paniers garnis accompagnés de petits mots manuscrits. Ils avaient passé des heures et des heures au téléphone ou sur FaceTime. Il avait lu trois de ses romans et déclaré les avoir adorés. Il évoquait les personnages avec brio et citait même ses passages préférés – des passages qui, secrètement, la remplissaient de fierté. (Parfois, les gens lui parlaient des extraits qui les avaient le plus marqués et elle se disait : *Vraiment ? Ce n'est pas ce que j'ai écrit de mieux.* Après quoi, elle leur en voulait. Bizarre.)

Il lui avait envoyé des photos de son fils, Ari. Frances, qui n'avait jamais voulu d'enfant, avait complètement craqué pour lui. Il était grand pour son âge. Il adorait le basket-ball et espérait devenir joueur professionnel. Elle serait sa belle-mère. Pour s'y préparer, elle avait lu *Élever un garçon* et parlé avec Ari à plusieurs reprises au téléphone. Des conversations brèves mais agréables. Il ne disait pas grand-chose – normal, c'était un garçon de douze ans, après tout –, mais parfois il riait de son petit rire sec qu'elle trouvait craquant. La mère d'Ari – la femme de Paul – était morte d'un cancer alors qu'Ari était encore à la maternelle. Une histoire tellement triste, tellement touchante, tellement… « commode » ? avait suggéré une amie de Frances. Sur quoi Frances lui avait donné une petite tape sur le poignet.

Frances devait quitter Sydney pour s'installer à Santa Barbara. Elle avait réservé ses billets d'avion. Il faudrait qu'ils se marient pour qu'elle obtienne sa carte de résident permanent mais elle ne voulait pas précipiter les choses. Le moment venu, elle porterait du violet. Une couleur tout à fait appropriée pour un troisième mariage. Paul lui avait envoyé des photos de la pièce qu'il avait déjà aménagée en bureau pour qu'elle puisse écrire. Des étagères vides attendaient qu'elle y pose ses livres.

Quand le téléphone avait sonné en pleine nuit et que Paul, tellement bouleversé qu'il pouvait à peine s'exprimer, lui avait dit en pleurant qu'Ari avait eu un terrible accident de voiture, qu'il devait se faire opérer en urgence mais qu'il y avait un problème avec la compagnie d'assurances, Frances n'avait pas hésité une seule seconde. Elle lui avait transféré de l'argent. Une très grosse somme d'argent.

« Pardon, *combien* ? » avait lâché le jeune enquêteur qui notait consciencieusement tout ce que Frances lui rapportait, perdant, l'espace d'un instant, son professionnalisme.

C'était là l'unique erreur de Paul : il l'avait joué petit. Car Frances lui aurait envoyé deux, trois, quatre fois plus d'argent – elle aurait tout fait pour sauver Ari.

Après ça, silence radio. Un silence terrifiant. Elle était dans tous ses états. Persuadée qu'Ari était mort. Persuadée que Paul était mort. Sinon, pourquoi ses textos, messages vocaux et autres mails restaient sans réponse ? Son amie Di avait finalement suggéré, timidement, que peut-être... Elle n'avait même pas eu besoin de terminer sa phrase. Comme si, inconsciemment, Frances avait su depuis le début, même lorsqu'elle avait acheté des billets d'avion non remboursables.

Frances l'avait pris contre elle, mais ça n'avait rien de personnel. C'était purement professionnel. « Ces gens sont de plus en plus malins, lui avait dit le policier. Ce sont des pros, ils ont du savoir-vivre et ils ciblent les femmes de votre âge qui sont à l'aise financièrement. » La compassion que Frances lisait sur son beau visage lisse était insoutenable. Il la prenait pour une vieille dame désespérée.

« Non, non, je ne suis pas une vieille dame désespérée, brûlait-elle de lui dire. Je suis... moi ! Moi ! Vous ne voulez pas me voir ! » Elle aurait volontiers ajouté qu'elle n'avait jamais eu de difficulté à rencontrer des hommes, qu'elle avait été courtisée par ces messieurs toute sa vie, certains l'ayant aimée éperdument, d'autres l'ayant simplement désirée, mais que tous ces hommes, bien réels, l'avaient fréquentée pour ce qu'elle était, et non pour son argent. Qu'elle savait, pour l'avoir entendu à de multiples occasions dans la bouche de multiples partenaires, qu'au lit elle était une amante passionnée. Que sur un court de tennis, elle terrassait toujours son adversaire avec sa deuxième balle de service. Qu'en cuisine, elle était capable de faire une délicieuse tarte au citron meringuée – même si elle ne se mettait jamais aux fourneaux. Ce qu'elle voulait lui dire, c'était qu'elle était une femme, une femme en chair et en os.

Elle avait ressenti une humiliation sans bornes. Elle s'était tellement dévoilée avec lui. Il avait dû bien se moquer d'elle. Dire qu'elle avait vu en lui un homme sensible et drôle. Sans parler du fait qu'il ne faisait pas la moindre faute d'orthographe ! Quel escroc ! Un mirage, un reflet narcissique d'elle-même, qui disait exactement ce qu'elle rêvait d'entendre. Elle avait compris des semaines plus tard que même le choix de son nom, Drabble, faisait partie de son opération de séduction : il lui rappellerait inconsciemment Margaret Drabble, une de ses auteurs préférés, information que tout le monde pouvait lire sur ses réseaux sociaux.

L'enquête révéla qu'elle n'était pas la seule à s'être imaginé devenir la belle-mère du petit Ari.

« De nombreuses dames sont dans la même situation que vous », avait dit l'inspecteur.

Des *dames*. Oh ! mon Dieu, des *dames*. Comment pouvait-on lui coller pareille étiquette ? Ce mot évoquait l'embourgeoisement, la frigidité. Elle en avait des frissons.

Les détails de l'arnaque variaient chaque fois, à l'exception du nom du garçon, Ari, de son « accident de voiture » et du dernier coup de fil qui arrivait toujours en pleine nuit. Paul Drabble avait de multiples identités, toutes étayées par une présence en ligne soignée, si bien que ces dames tombaient toujours sur ce qu'elles avaient envie de trouver lorsque, immanquablement, elles menaient leur petite enquête sur Internet. Il n'était évidemment pas l'ami d'un ami d'un ami. Du moins, pas dans la vie réelle. Il avait eu une approche à long terme, se créant un faux profil Facebook et feignant un intérêt pour la restauration de meubles antiques, s'assurant ainsi l'accès à un groupe administré par le mari d'une amie de fac de Frances. Au moment où il lui avait envoyé une invitation sur Facebook, il avait laissé un nombre suffisant de commentaires (intelligents, pleins d'esprit, concis) sur le mur de ladite amie pour que Frances le considère comme faisant partie de son cercle social étendu.

Frances avait rencontré une autre « dame », autour d'un café.

Elle lui avait montré des photos de la chambre qu'elle avait aménagée pour Ari. Il y avait des posters Star Wars sur les murs. Frances avait trouvé la décoration un peu enfantine pour Ari qui n'aimait pas particulièrement *Star Wars*, mais elle avait gardé cette remarque pour elle.

Pauvre femme ! Frances ne s'en sortait pas si mal à côté. Au point d'ailleurs qu'elle lui avait fait un chèque pour l'aider à se remettre à flot. Les amis de Frances avaient failli s'étrangler en l'apprenant. Oui, elle avait encore donné de l'argent à une parfaite étrangère, mais pour Frances c'était une façon de retrouver sa fierté, reprendre le contrôle et réparer un peu les ravages que cet homme avait causés. (Une carte de remerciement de cette autre victime aurait été bienvenue, mais on ne donne pas uniquement dans l'attente d'une carte de remerciement.)

Une fois l'enquête terminée, Frances avait rassemblé les preuves de sa bêtise dans un dossier. Les sorties papier des mails où elle avait ouvert son cœur imbécile. Les faux petits mots d'amour reçus avec de vrais bouquets de fleurs. Les lettres manuscrites. C'était en rangeant le dossier dans sa vitrine qu'elle s'était coupé le pouce avec une feuille de papier aussi tranchante qu'une lame de rasoir. Une blessure minuscule, banale, et pourtant si douloureuse.

La masseuse dessinait des petits cercles vigoureux au niveau de ses lombaires, ses pouces y répandaient une chaleur douce. Frances regarda le sol par le trou facial de la table de massage et remarqua des fleurs griffonnées au marqueur Sharpie sur la pointe en plastique des baskets de la masseuse.

« J'ai été victime d'une arnaque sentimentale sur Internet. » Frances avait besoin de parler. Que ça lui plaise ou non, la masseuse allait devoir l'écouter. « J'ai perdu beaucoup d'argent. »

Pas de réaction. Au moins la masseuse ne lui avait-elle pas ordonné de se taire. Ses mains continuaient de masser.

« Mais ce n'est pas ce qui m'a le plus embêtée. Attention, bien sûr ça m'a embêtée, j'avais travaillé dur pour gagner cet argent. Mais il y a des gens qui perdent tout dans ce genre d'arnaques, alors que moi, j'ai juste perdu… mon amour-propre, je crois, et… mon innocence. »

Maintenant qu'elle avait commencé, rien ne semblait pouvoir l'arrêter. La masseuse ne faisait pas un bruit, en dehors de sa respiration régulière.

« J'imagine que je suis toujours partie du principe que les gens sont ce qu'ils disent qu'ils sont, et que quatre-vingt-dix-neuf pour cent d'entre eux sont des gens bien. J'ai vécu dans une bulle. Personne ne m'a jamais volée, agressée ou frappée. »

Ce n'était pas tout à fait vrai. Son deuxième mari avait levé la main sur elle une fois. Il avait pleuré. Pas elle. À ce moment-là, tous deux avaient su que leur mariage était terminé. Pauvre Henry. C'était un homme bon, mais elle faisait ressortir le pire chez lui, et inversement. Comme des réactions allergiques.

Ses pensées s'égarèrent sur le long chemin sinueux de son passé amoureux. Elle l'avait d'ailleurs partagé avec Paul Drabble. Et réciproquement. Le sien avait semblé si réel. Il devait bien contenir un peu de vrai quand même. Dixit la romancière qui invente des histoires d'amour pour gagner sa vie. *Évidemment qu'il a pu fabriquer son passé amoureux de toutes pièces, idiote !*

Mieux valait parler que penser. Elle reprit :

« Je croyais sincèrement que je l'aimais plus que tout autre homme rencontré dans la vraie vie. Je me suis vraiment bercée d'illusions. Mais l'amour n'est-il pas un mirage de l'esprit ? »

Boucle-la, Frances. Ça ne l'intéresse pas.

« Enfin bref, tout ça a été très… » Sa voix faiblit. « Gênant. »

La masseuse ne faisait plus un bruit. Frances ne percevait même plus son souffle. C'était comme se faire masser par un fantôme aux mains géantes. Que pouvait-elle bien se dire ? Qu'elle ne tomberait jamais dans un piège pareil ?

Le plus humiliant dans toute cette histoire ? Avant, si Frances avait dû se prononcer sur le genre de personne qui risquait le plus de se faire avoir sur Internet, elle aurait désigné quelqu'un comme cette femme, corpulente, la boule à zéro, asociale. Pas quelqu'un comme elle.

« Excusez-moi, je n'ai pas compris votre nom tout à l'heure.

— Jan.

— Je peux vous poser une question, Jan ? Vous êtes mariée... ou en couple ?

— Divorcée.

— Moi aussi. Deux fois.

— Mais je vois quelqu'un depuis peu, dit Jan comme si elle ne pouvait pas s'en empêcher.

— Oh, c'est super ! » Frances retrouva sa bonne humeur. Quoi de plus réjouissant que le début d'une relation amoureuse ? Elle avait bâti toute sa carrière sur le miracle de l'amour naissant. « Comment vous vous êtes rencontrés ?

— Il m'a fait souffler dans le ballon », répondit Jan d'un ton rieur.

Un rire qui en disait long. *Jan venait de tomber amoureuse !* Frances sentit des larmes de joie lui monter aux yeux. Elle était si heureuse pour Jan. L'amour ne serait jamais mort pour Frances. Jamais.

« Donc... il est policier ?

— Il travaille au commissariat de Jarribong. Il est nouveau. Il faisait des contrôles d'alcoolémie aléatoires sur le bord de la route et, comme il s'ennuyait, on s'est mis à bavarder. Le temps qu'une autre voiture arrive. Ça a duré deux heures. »

Frances essaya d'imaginer Jan discutant pendant deux heures.

« Comment s'appelle-t-il ?

— Gus. »

Frances attendit, donnant à Jan l'occasion de se lancer dans une grande envolée lyrique sur son nouveau petit ami. Elle essaya de se le représenter. Gus. Policier de campagne. Large d'épaules. Avec un cœur en or. Il possédait sûrement un chien. Un chien adorable. Il faisait probablement de la taille au couteau. En sifflant ! Frances était déjà presque amoureuse de Gus elle aussi !

Mais Jan s'était tue.

Au bout d'un moment, Frances se remit à parler, comme si Jan avait manifesté de l'intérêt pour ses histoires.

« Vous savez, parfois, je me dis que ça en valait presque la peine, cet argent que j'ai donné, pour la compagnie qu'il m'a apportée pendant six mois. Pour l'espoir aussi. Je devrais lui envoyer un mail et lui dire, *Bon, je sais que vous êtes un escroc, mais je veux bien vous payer pour continuer à faire mine d'être Paul Drabble.* » Elle marqua une pause. « Non, je ne ferais jamais une chose pareille. »

Silence.

« C'est drôle, parce que j'écris des romans sentimentaux. C'est comme ça que je gagne ma vie. En créant des personnages fictifs. Et de qui je suis tombée amoureuse ? D'un personnage fictif. »

Toujours rien. Jan ne devait pas aimer lire. À moins qu'elle soit simplement gênée pour Frances. *Attends que je rentre à la maison et que je raconte à Gus comment elle s'est fait berner.*

Gus émettrait un long sifflement de surprise et de compassion, pas fort mais mélodieux. « Ce sont des choses qui arrivent, Jan. »

Frances réussit à garder le silence pendant quelques instants tandis que Jan enfonçait les articulations de ses doigts dans le bas de son dos. C'était délicieusement douloureux.

« Vous travaillez à plein temps ici, Jan ?

– Non, c'est occasionnel. Quand ils ont besoin de moi.

– Ça vous plaît ?

– C'est un boulot.

– Vous êtes douée.

– Je sais.

– Vraiment très douée. »

Jan ne répondit pas. Frances ferma les yeux. « Depuis quand vous travaillez ici ? demanda-t-elle d'un ton endormi.

– Quelques mois seulement. Je suis toujours une petite nouvelle. »

Frances rouvrit les yeux. Il y avait quelque chose dans la voix de Jan. Quelque chose d'imperceptible. Se pouvait-il qu'elle n'adhère pas tout à fait à la philosophie de Tranquillum House ? Frances songea un instant à l'interroger sur ces produits interdits qui avaient disparu de sa valise mais c'était difficile de savoir où mènerait cette conversation.

Je crois que quelqu'un a fouillé mes bagages, Jan.

Pourquoi dites-vous cela, Frances ?

Eh bien, il me manque deux ou trois choses.

Comme quoi ?

Elle se sentait trop honteuse et vulnérable sans ses vêtements pour lui faire un tel aveu.

« Que pensez-vous de la directrice ? » demanda Frances, se remémorant le respect dans le regard de Yao devant la porte fermée.

Silence.

Frances fixa les pieds de Jan dans leurs grosses baskets. Ils ne bougeaient pas.

Jan finit par parler. « Elle est vraiment passionnée par son travail. »

Yao aussi s'était dit passionné par son travail. Un mot qui appartenait au langage emphatique des acteurs et des coachs en développement personnel. Frances n'emploierait jamais ce mot pour parler de son travail, même si en réalité son métier la passionnait. Si elle passait trop de temps sans écrire, elle devenait folle.

Et si elle n'était plus jamais publiée ?

Pourquoi serait-elle publiée ? Elle ne méritait pas d'être publiée.

Ne pas penser à cette critique.

« C'est bien d'être passionné.

– Mmm. » Jan enfonça ses doigts à un autre endroit.

« Diriez-vous qu'elle est *trop* passionnée parfois ? » demanda Frances qui cherchait à comprendre ce que Jan sous-entendait, si sous-entendu il y avait.

« Elle se soucie énormément des gens qui viennent ici et elle est prête… à tout… pour les aider.

– Prête à tout ? Ça semble… »

Jan remonta les mains jusqu'aux épaules de Frances. « Je dois vous rappeler que le noble silence va démarrer dans quelques minutes. Quand la troisième sonnerie retentira, nous n'aurons plus le droit de parler. »

Frances fut prise de panique. Elle voulait en savoir plus avant le début de cet effroyable silence.

« Quand vous dites qu'elle est prête à tout…

– Je n'ai que des choses positives à dire sur le personnel de Tranquillum House, l'interrompit Jan d'une voix d'automate. Votre intérêt est leur seule préoccupation.

– Ça ne présage rien de bon.

– Les gens obtiennent d'excellents résultats ici.

– Eh bien, tant mieux.

– Mmmm.

– Est-ce que vous essayez de dire que certaines de leurs méthodes ne sont pas très… » Frances cherchait le bon mot. Les commentaires agressifs qu'elle avait lus sur Internet lui revenaient en tête.

Une sonnerie se fit entendre. Un son empreint de l'autorité mélodique d'une cloche d'église, clair et pur.

Merde.

« … orthodoxes ? lâcha Frances. Je demande, parce que depuis cette histoire avec cet homme, cet escroc, je suis sur mes gardes. Chat échaudé… »

La seconde sonnerie, encore plus sonore que la première, la coupa net, laissant son dicton sottement en suspens.

« … craint l'eau froide », termina-t-elle dans un chuchotement.

Jan appuya les mains sur les omoplates de Frances aussi fort que si elle pratiquait un massage cardiaque. Elle se pencha en avant, son souffle chaud à l'oreille de Frances.

« Ne faites rien qui vous mette mal à l'aise. C'est tout ce que je peux vous dire. »

La troisième sonnerie retentit.

9

Masha

La directrice de Tranquillum House, Maria Dmitrichenko
– Masha pour tout le monde à l'exception de l'administration
fiscale –, se trouvait seule dans son bureau fermé à double tour
quand la troisième sonnerie retentit. Même depuis le dernier
étage de la maison, elle sentait le silence tomber. Comme si elle
venait de pénétrer dans une grotte ou une cathédrale. C'était
la même sensation de délivrance. Elle inclina la tête, les yeux
rivés sur une volute en forme d'empreinte digitale, sa préférée,
à la surface de son bureau en chêne blanc.

Elle observait un jeûne complet depuis trois jours et, comme
chaque fois, ses sens s'en trouvaient accrus. L'air pur de la
campagne s'engouffrait par la fenêtre. Elle ferma les yeux, inspira et repensa au temps où elle découvrait toutes les odeurs
étranges et excitantes de ce nouveau pays : l'eucalyptus, l'herbe
fraîchement coupée, les vapeurs d'essence.

Pourquoi pensait-elle à ça ?

Parce que la veille son ex-mari lui avait envoyé un courriel. Le
premier depuis des années. Elle l'avait supprimé sans le lire mais
le simple fait de voir son nom sur son écran, même un court
instant, avait imprégné son inconscient, si bien que le moindre
effluve d'eucalyptus suffisait à la renvoyer à celle qu'elle était
trente ans plus tôt, une femme dont elle se souvenait à peine.
Et pourtant, elle se rappelait cette première journée comme si

c'était hier ; comment, après ces vols interminables (Moscou, Delhi, Singapour, Melbourne), son mari et elle s'étaient regardés à l'arrière de la fourgonnette, s'extasiant à la vue de toutes ces lumières, même en pleine rue. Et ces étrangers qui n'arrêtaient pas de leur sourire ! Comme c'était étrange ! Tant d'amabilité ! Mais ensuite – Masha l'avait remarqué avant lui –, quand ils tournaient la tête, les sourires disparaissaient. Sourire, plus rien. Sourire, plus rien. En Russie, les gens ne souriaient pas ainsi. Les rares fois où ils le faisaient, c'était du fond du cœur. Voilà comment Masha avait découvert le « sourire de politesse ». Le genre de sourire qu'on adore ou qu'on déteste. Son ex-mari rendait la pareille. Pas elle.

Nou na kher ! Elle n'avait pas une minute à consacrer au passé, là ! Elle avait un centre de soins à faire tourner ! Des gens qui dépendaient d'elle dont il fallait s'occuper ! C'était la première fois qu'elle proposait une période de silence au tout début d'une retraite, mais elle savait déjà que c'était une bonne décision. Le silence apporterait la lucidité à ses petits protégés. Il ferait peur à certains, qui résisteraient, peut-être même rompraient le silence, accidentellement ou intentionnellement. Les couples chuchoteraient peut-être une fois au lit, mais ce n'était pas grave. Le silence donnerait le ton. Certains clients prenaient Tranquillum House pour un camp de vacances. Les femmes de cinquante ans et plus par exemple s'émerveillaient de ne pas avoir à cuisiner tous les soirs. Bruyamment, évidemment. Si deux hommes sympathisaient, ils transgresseraient les règles à coup sûr.

Au début, quand Masha avait ouvert Tranquillum House au public, elle avait surpris un pensionnaire en train de se faire livrer une pizza géante de chez Meatlovers au niveau de la clôture de derrière. Scandaleux ! « *Nou chto takoié ?* » s'était-elle écriée, faisant une peur bleue au livreur et au contrevenant. « Qu'est-ce qu'il se passe ici ? »

Elle connaissait bien les petites manies de ses clients à présent. Et elle prenait des précautions. Des caméras de surveillance couvraient l'ensemble de la propriété. Elles permettaient de les surveiller. Et leurs bagages étaient systématiquement contrôlés. Pour leur bien, évidemment.

Elle se mit de côté sur sa chaise puis, levant une jambe, posa son front sur son tibia. Elle habitait son corps avec la même aisance qu'un enfant de dix ans et se plaisait d'ailleurs à dire que c'était son âge. Car voilà bientôt dix ans que cela s'était produit. Son arrêt cardiaque. Sa mort et sa renaissance.

Sans cet arrêt cardiaque, elle évoluerait toujours dans le monde de l'entreprise, en surpoids et sous pression. Elle avait occupé le poste de directrice des opérations internationales au sein d'un géant de l'industrie laitière et fait connaître le meilleur fromage australien au reste du monde. (Elle ne mangeait plus de fromage.) Elle se souvenait de l'incroyable vue qu'elle avait sur l'Opéra de Sydney depuis son bureau et du plaisir qu'elle prenait à cocher les tâches qu'elle avait accomplies, élaborer des mesures visant à rationaliser les procédures, diriger toute une équipe d'hommes à la baguette. À l'époque, elle menait une vie totalement vide sur le plan spirituel mais stimulante sur le plan intellectuel. Elle adorait particulièrement concevoir les produits et voir toute la gamme développée par l'entreprise sur la table de la salle du conseil : l'opulence du choix, les emballages aux couleurs vives. Étrangement, tout cela répondait au désir ardent qu'elle ressentait enfant lorsqu'elle feuilletait les catalogues de produits qui circulaient clandestinement à l'Est.

Mais le plaisir qu'elle prenait dans sa vie de femme d'affaires était comparable à un sourire de politesse. Vide de toute substance. Son esprit, son corps et son âme avaient fonctionné comme les différents départements d'une société où la communication interne laisse à désirer. Le sentiment de nostalgie que suscitait en elle son ancien travail était aussi frauduleux que la tendresse qu'elle éprouvait pour son ex-mari. Les souvenirs que sa mémoire régurgitait n'étaient rien d'autre que des bugs informatiques. Il fallait qu'elle se concentre. Neuf personnes dépendaient d'elle. Neuf parfaits étrangers qui formeraient bientôt une famille.

Elle passa le doigt sur une feuille où figuraient leurs noms :

Frances Welty
Jessica Chandler
Ben Chandler
Heather Marconi
Napoleon Marconi
Zoe Marconi
Tony Hogburn
Carmel Schneider
Lars Lee

Neuf étrangers qui en ce moment même s'installaient dans leur chambre, exploraient la propriété, lisaient nerveusement le pack de bienvenue, buvaient leur smoothie, profitaient peut-être de leur premier soin au spa, s'inquiétaient de ce qui les attendait.

Elle les aimait déjà. Leurs complexes, leur haine de soi, leurs mensonges éhontés, les plaisanteries qu'ils lanceraient pour se défendre et cacher leur peine quand ils se fissureraient et s'écrouleraient devant elle. Pour les dix prochains jours, ils lui appartenaient. Charge à elle de les éduquer, les élever, les façonner pour qu'ils deviennent ceux qu'ils pouvaient être, ceux qu'ils devraient être.

Elle trouva le dossier correspondant au premier nom sur la liste.

Frances Welty. Cinquante-deux ans. Sur la photo qu'elle avait fournie, elle portait du rouge à lèvres carmin et tenait un cocktail à la main.

Masha s'était occupée de dizaines de femmes comme Frances. Il s'agissait simplement de les débarrasser de leur armure pour révéler leur chagrin. Elles ne demandaient que ça – en être débarrassées, trouver quelqu'un qui s'intéresse suffisamment à elles pour les en débarrasser. Ce n'était pas sorcier. Elles étaient abîmées. Par des maris, des amants, des enfants qui n'avaient plus besoin d'elles, des carrières décevantes, par la vie, par la mort.

Elles détestaient presque toutes leur corps. Les femmes et leur corps ! Il n'y a pas de relation plus violente ni plus toxique. Masha avait vu des femmes pincer le gras de leur ventre avec tant de dégoût et de brutalité qu'elles en avaient des bleus. Pendant ce temps-là, leurs maris, bien plus empâtés, se tapotaient affectueusement le ventre d'un air mi-fier, mi-penaud.

Quand elles arrivaient au centre, elles souffraient de malnutrition alors qu'elles mangeaient trop, étaient accros à diverses substances et autres médicaments, épuisées, stressées, abonnées aux migraines, aux douleurs musculaires ou aux problèmes digestifs. Rien de plus facile que de les soigner : du repos, de l'air pur, une alimentation nourrissante et de l'attention, voilà ce qu'il leur fallait. Leurs yeux retrouvaient leur éclat. Elles devenaient démonstratives et exaltées tandis que leurs pommettes se redessinaient. On ne pouvait plus les faire taire. Quand elles partaient, elles échangeaient des embrassades larmoyantes avec Masha et s'éloignaient en klaxonnant joyeusement. Elles envoyaient des cartes chaleureuses, souvent accompagnées de photos qui témoignaient de leur progression sur leur chemin de bien-être car toutes continuaient d'appliquer les enseignements de Masha dans leur vie quotidienne.

Mais au bout de deux, trois ou quatre ans, bon nombre d'entre elles revenaient à Tranquillum House, visiblement aussi mal en point que lors de leur première visite, si ce n'est pire. « J'ai arrêté la méditation matinale », avouaient-elles avec de grands yeux contrits – quoique… pas si contrits. Elles semblaient croire que retomber dans leurs mauvaises habitudes était naturel, mignon, prévisible. « Et je ne sais comment, je me suis remise à boire tous les jours », « J'ai perdu mon boulot », « J'ai divorcé », « J'ai eu un accident de voiture ». Les réglages auxquels Masha avait procédé n'étaient que temporaires. En temps de crise, elles revenaient à leurs paramètres par défaut.

C'était insuffisant. Aux yeux de Masha en tout cas.

Voilà pourquoi le nouveau protocole était essentiel. Rien ne justifiait l'étrange anxiété qui la réveillait au plus noir de la nuit. Si elle avait si brillamment réussi dans les affaires, c'était parce qu'elle était toujours prête à prendre des risques et à aborder les problèmes de manière originale. C'était pareil ici. Elle tapota le visage bouffi et fatigué de Frances Welty du bout du doigt et regarda les objectifs qu'elle s'était fixés pour les dix prochains jours : « soulagement du stress », « enrichissement spirituel », « relaxation ». Elle n'avait pas coché « perte de poids ». Intéressant. Un oubli probablement. Elle avait l'air plutôt insouciante. Pas le genre à faire attention aux détails. Une chose était claire : cette femme avait grand besoin d'une expérience de transformation spirituelle. Et Masha veillerait à ce qu'elle la vive.

Elle ouvrit le dossier suivant. Ben et Jessica Chandler.

Sur la photo, un jeune couple séduisant à bord d'un yacht. Ils souriaient de toutes leurs dents, mais Masha ne voyait pas leurs yeux à cause de leurs lunettes de soleil. Ils avaient coché la case « thérapie de couple » et elle était certaine de pouvoir les aider. Leurs problèmes devaient être récents, pas encore calcifiés après des années de disputes et d'amertume. Le nouveau protocole serait parfait pour eux.

Suivant, Lars Lee. Quarante ans. La photo qu'il avait jointe était un portrait professionnel sur papier brillant. Elle connaissait très bien ce genre de personne pour qui fréquenter des centres de bien-être était une façon de prendre soin de soi, au même titre qu'aller chez le coiffeur ou la manucure. Il n'essaierait pas d'introduire du café ou du chocolat mais il ne se sentirait pas concerné par les règles qu'il jugerait inopportunes. Sa réaction au nouveau protocole serait intéressante.

Carmel Schneider. Trente-neuf ans. Mère de jeunes enfants.

Divorcée. Masha regarda sa photo de plus près et gloussa. Elle entendit la voix de sa mère : *Néglige-toi et ton homme te négligera.* Pauvre chérie. Estime de soi en berne. Carmel avait coché toutes les cases à l'exception de « thérapie de couple ». Masha en conçut pour elle une grande tendresse. *Pas de problème, ma lapotchka. Ce sera facile comme tout, avec toi.*

Tony Hogburn. Cinquante-six ans. Divorcé également. Venu pour perdre du poids. Aucune autre case cochée. Il deviendrait bougon, voire peut-être agressif, quand son corps réagirait aux changements apportés au mode de vie que Monsieur s'était auto-prescrit. À surveiller de près.

Le dossier suivant la fit tiquer.

Le cas imprévisible de cette session ?

La famille Marconi. Napoleon et Heather. Quarante-huit ans l'un comme l'autre. Leur fille Zoe. Vingt ans.

C'était la première fois qu'une famille s'inscrivait à Tranquillum House pour une retraite. Elle avait vu beaucoup de couples, des duos mère-fille, des frères et sœurs, des amis, mais jamais une famille. La fille était d'ailleurs la plus jeune pensionnaire jamais accueillie au centre.

Pourquoi une gamine de vingt ans en parfaite santé choisirait-elle de faire une retraite de dix jours avec ses parents ? Trouble du comportement alimentaire ? Peut-être. Tous trois lui semblaient sous-alimentés – et elle avait l'œil expert. Un étrange dysfonctionnement familial peut-être ?

La personne qui avait répondu au questionnaire – qui donc, allez savoir – n'avait coché qu'une seule case : « soulagement du stress ».

La photo fournie les montrait tous les trois devant un arbre de Noël. C'était à n'en pas douter un selfie : ils tenaient leur tête bizarrement pour se loger tous dans le cadre. Ils affichaient un large sourire mais leurs regards étaient vides.

Que vous est-il arrivé, mes lapotchki ?

10

Heather

Heather Marconi sentit le silence tomber sur Tranquillum House dès le retentissement de la troisième sonnerie. Un changement palpable – comme si une main invisible avait déposé une couverture sur les lieux tout doucement – et d'autant plus singulier qu'elle n'avait jusqu'alors pas remarqué de bruit de fond.

Elle sortait juste de la salle de bains lorsque le carillon avait commencé, beaucoup plus sonore et impérieux qu'elle n'avait prévu. Jusque-là, elle ne savait pas encore si elle se donnerait la peine d'observer cet absurde « silence ». Ils ne s'étaient pas inscrits à une retraite silencieuse, après tout ! Mais le caractère sacré des cloches l'avait comme hypnotisée. Ne pas se conformer à la consigne lui semblait à présent irrévérencieux, même dans l'intimité de leur propre chambre.

Assis sur un canapé ancien, son mari avait mis le doigt devant les lèvres dans un geste machinal, car Napoleon était professeur – un professeur très apprécié – et on ne passe pas vingt-cinq ans à enseigner la géographie à des garçons récalcitrants dans un lycée de zone défavorisée sans ramener quelques manies de prof à la maison.

Pas de ça avec moi. Je ne suis pas une de tes élèves. Je parlerai si je veux, songea Heather tout en lui faisant un clin d'œil. Napoleon détourna les yeux comme s'il avait quelque chose à cacher. Mais ce n'était pas son genre. On lisait en lui aussi clairement que dans un livre ouvert. S'il évitait le regard de sa femme, c'était parce que le manuel interdisait tout contact visuel pendant les cinq prochains jours et il n'était pas homme à oublier les règles, si inutiles et arbitraires soient-elles. En quoi éviter tout contact visuel pouvait-il être bénéfique pour un couple marié ? Napoleon respectait scrupuleusement les panneaux de signalisation et les clauses écrites en petits caractères dans les documents contractuels. Pour lui, suivre les règles, c'était une question de politesse, de respect, et le moyen de garantir la survie d'une société civilisée.

Ils avaient pu profiter des sources chaudes et de la piscine. Ses cheveux étaient encore mouillés et il portait toujours son peignoir trop court qui révélait ses longues jambes velues, croisées à la manière d'un top model dans un talk-show. Cette posture, si féminine, lui valait, de la part de ses deux grands frères, plus petits et plus trapus, d'incessants quolibets auxquels il répondait par un large sourire accompagné d'un doigt d'honneur.

Ils avaient accédé aux sources sans difficulté par un sentier bien balisé au départ de la maison. L'endroit était désert. Ils avaient trouvé la Grotte secrète, un bassin rocheux et ombragé juste assez grand pour qu'ils s'y installent tous les trois en arc de cercle et profitent de la vue sur la vallée. Heather et Zoe avaient écouté Napoleon discourir inlassablement sur les vertus des minéraux contenus dans l'eau – ils favorisaient la circulation sanguine, réduisaient le stress... – et bien d'autres sujets. Heather ne s'en souvenait pas vraiment. Le bavardage de Napoleon composait le bruit de fond de son existence, comme une radio qui propose des programmes de libre antenne en continu – seul un échantillon de ses propos arrivait jusqu'à son subconscient. Paniqué à l'idée d'observer un silence de cinq jours, il avait parlé plus vite que d'ordinaire, sans la moindre pause, sa voix gargouillant sans interruption, à l'image de l'eau chaude mousseuse et sulfureuse qui bouillonnait autour de leur corps.

« Bien sûr, ma chérie, que je vais survivre à cinq jours de silence ! avait-il dit à Zoe, dont le beau et jeune visage était empreint d'inquiétude. Si tu survis à cinq jours sans téléphone et ta mère à cinq jours sans caféine, je peux survivre sans parler ! »

Tous trois s'étaient ensuite rafraîchis dans la piscine. Quel soulagement enchanteur de s'immerger dans l'eau froide chlorée après le bain dans les sources chaudes ! Heather avait regardé Zoe faire la course avec son père. Il avait beau la laisser s'élancer en nage libre avec cinq secondes d'avance et pratiquer lui-même le papillon, il gagnait toujours. Il n'y tenait pas particulièrement mais il ne pouvait plus se permettre de faire exprès de perdre comme lorsqu'elle était enfant. Puis ils s'étaient assis au bord de la piscine et Zoe leur avait raconté une histoire amusante à propos d'un de ses professeurs d'université – Heather n'avait pas vraiment compris, mais elle avait vu au visage de sa fille que l'anecdote se voulait drôle, alors elle avait ri. Un rare moment de bonheur. Heather savait que Napoleon et Zoe l'auraient aussi remarqué ; elle espérait que c'était de bon présage.

Et voilà qu'ils devaient à présent observer un silence de cinq jours.

Heather se sentit terriblement agacée tout à coup – peut-être qu'un simple café noisette la calmerait – car ces prétendues « vacances » n'étaient pas censées les faire souffrir. Un centre de soins qui offrait un environnement aussi paisible sans toutes ces restrictions draconiennes, ça devait bien exister, non ? Ils n'avaient pas besoin de maigrir. Aucun d'entre eux. Heather n'avait jamais eu de problème avec son poids. Elle se pesait tous les matins à 6 heures pétantes et si l'aiguille bougeait dans la mauvaise direction, elle adaptait son alimentation. D'après son indice de masse corporelle, elle était en insuffisance pondérale, mais seulement d'un kilo. Elle avait toujours été mince. Zoe était convaincue qu'elle souffrait d'un trouble du comportement alimentaire. Tout ça parce qu'elle n'avalait pas n'importe quoi n'importe quand ! Contrairement à Napoleon qui enfournait tout ce qui lui passait sous la main, soit dit en passant.

Napoleon se leva. Il posa sa valise sur le lit et l'ouvrit pour en sortir un tee-shirt plié à la perfection, un short et un slip. Il faisait ses bagages comme un soldat dont le paquetage va être inspecté. Il se débarrassa de son peignoir et apparut à Heather dans toute sa magnificence : mince, blanc, poilu et nu.

Son silence, si inhabituel, le rendit tout à coup méconnaissable.

Ses muscles dorsaux se mirent en action tous ensemble comme une machine aux rouages minutieux tandis qu'il enfilait son tee-shirt. Il était beaucoup plus sexy que sa taille et ses manières vieillottes le laissaient paraître.

La première fois qu'ils avaient fait l'amour – c'était dans une autre vie –, Heather n'avait cessé de se dire *Eh bien, pour une surprise !*, car qui aurait pu deviner qu'un homme comme Napoleon bougerait comme un dieu ? Elle l'appréciait beaucoup – il était doux, drôle et attentionné – mais elle s'était dit que faire l'amour avec lui serait un peu comme accomplir un travail d'intérêt général. Propret, gentillet, tendance dîner/film/coït plan-plan – pas une partie de jambes en l'air renversante. Elle savait que Napoleon gardait de leur premier rendez-vous un souvenir complètement différent. Un souvenir décent, doux, convenable, comme devrait l'être le souvenir d'un premier rendez-vous entre deux futurs époux.

Napoleon remonta la fermeture Éclair de son short et passa la pointe en cuir marron de sa ceinture dans la boucle en métal argenté avec une rapidité et une efficacité agaçantes. Il avait dû sentir son regard sur lui mais, dans sa détermination à suivre ces règles stupides quoi qu'il en coûte, il l'ignora. C'était un homme si bon, si parfait... monstrueusement parfait.

Une vague de rage la submergea tout à coup, aussi puissante

et rapide qu'une contraction en plein travail. Impossible de s'y soustraire. Elle se vit en train de marteler son visage de coups de poing, lui brisant les pommettes et lui arrachant la peau avec les petits diamants de sa bague de fiançailles. La rage s'enroula autour de son corps et la souleva presque du sol, si bien qu'elle dut s'y agripper de toute la force de ses doigts de pieds pour ne pas se jeter sur Napoleon tandis qu'il refermait sa valise et la remettait dans un coin de la pièce de sorte qu'elle ne gêne pas le passage.

Elle fixa un point sur le mur – un petit trou en forme d'îlot dans le papier peint – et pratiqua la respiration du petit chien qu'elle enseignait aux futures mères pour mieux supporter la phase de transition du travail.

Napoleon traversa la chambre et sortit sur le balcon où il resta un moment, les jambes écartées et les mains sur la balustrade, comme sur le pont d'un bateau qui tangue.

La rage desserra son étreinte, s'éloigna et disparut.

Ouf. Cette nouvelle crise était passée. Napoleon, objet inconscient de sa rage, baissa la tête, exposant sa nuque blanche et sans défense. Il ne devait jamais savoir. Il serait horrifié et profondément blessé s'il apprenait la violence de ses pensées secrètes.

Heather se sentait flageolante. Elle avait un goût de bile dans la bouche. Comme si elle venait de vomir.

Elle ouvrit sa valise et y prit un short et un débardeur. Plus tard dans l'après-midi, après cette séance de « méditation », il faudrait qu'elle aille courir. Ce n'était pas de rester assise pendant une heure à se concentrer sur sa respiration qui la détendrait. Bien au contraire, ça la rendrait folle.

Quelle erreur, de venir ici ! Et pas donnée, avec ça ! Ils auraient mieux fait de réserver dans un grand complexe hôtelier anonyme.

Elle tira brutalement sur les lacets de ses chaussures de course avant de les nouer et ouvrit la bouche, résolue à dire quelque chose. Ce silence était *superflu*. Ils ne parleraient pas devant les autres, mais rien ne les obligeait à rester muets dans l'intimité de leur propre chambre – c'était gênant, bizarre et malsain.

Et Zoe, abandonnée à elle-même dans la chambre voisine ? Heather et Napoléon paniquaient l'un comme l'autre si leur fille restait seule trop longtemps dans sa chambre à la maison. C'était embêtant dans la mesure où Zoe avait pas mal de travail pour la fac. Si elle ne faisait pas le moindre bruit, l'un d'entre eux finissait toujours par trouver une excuse et venir la voir. Heureusement, elle laissait sa porte ouverte et ne se plaignait jamais. Il n'y avait hélas pas de suite familiale à Tranquillum House – ils avaient été obligés de lui prendre une chambre individuelle.

Elle passait son temps à leur dire qu'elle allait bien, qu'elle était heureuse. Elle comprenait leur besoin d'être rassurés. Mais elle avait tellement travaillé cette année, tapant sur son clavier d'un air grave comme si obtenir ce diplôme en communication était une question de vie ou de mort. Elle méritait de vraies vacances.

Heather se tourna vers le mur qui séparait leur chambre de celle de Zoe. Si seulement elle pouvait voir au travers. Que pouvait-elle bien faire ? Sans son téléphone, en plus. Les jeunes de vingt ans ont *besoin* d'avoir leur appareil à portée de main en permanence. Zoe frisait la crise d'angoisse quand son niveau de batterie était inférieur à quatre-vingts pour cent.

Pourquoi acceptaient-ils de mettre la santé mentale de leur fille en danger comme cela ? Zoe n'avait pas dormi seule dans son lit avant l'âge de dix ans.

S'était-elle déjà retrouvée seule dans une chambre d'hôtel ?

Jamais. Zoe était partie en vacances avec ses copines, mais elles avaient sûrement partagé leur chambre, non ?

Elle vient juste de se séparer de son petit ami et voilà qu'à présent elle est dans sa chambre avec ses pensées pour seule compagnie.

Son cœur s'accéléra. Elle savait qu'elle envisageait toujours le pire. *Zoe est adulte. Elle va bien.*

Napoleon rentra dans la chambre et croisa son regard. Il détourna les yeux. Heather sentit ses molaires grincer. Il serait tellement déçu si elle rompait le « noble silence » au bout de cinq minutes.

Bon sang ! Que c'était difficile ! Beaucoup plus qu'elle ne l'avait imaginé. Ses pensées se déchaînaient face à ce satané silence. Quelle heureuse distraction lui procurait le bavardage incessant de Napoleon d'ordinaire ! Elle s'en rendait compte à présent. Et si finalement c'était elle qui ne pouvait pas supporter ce silence ? Quelle ironie !

Le silence, le jeûne, la détoxification... tout cela, ils n'en avaient pas besoin. Ce qu'il leur fallait, c'était un refuge, un refuge pour les protéger du mois de janvier. L'année précédente, ils étaient restés à la maison. Un désastre. Pire encore que l'année d'avant. Le mois de janvier allait-il, tel un vautour aux serres et aux yeux cruels, terroriser à jamais la petite famille de Heather ?

« On devrait peut-être partir cette année ? avait suggéré Napoleon quelques mois plus tôt. Trouver un endroit calme et tranquille.

– Un monastère, par exemple », avait dit Zoe. Puis son regard s'était éclairé. « Ou un centre de soins et de bien-être, plutôt ! L'occasion pour papa de faire baisser son cholestérol ! »

Le personnel du lycée s'était vu offrir un bilan de santé en juin. Verdict pour Napoleon : taux de cholestérol élevé et tension préoccupante. Il devait continuer à faire du sport, mais changer ses habitudes alimentaires du tout au tout.

Alors Heather avait tapé « centres de soins » dans son moteur de recherche.

En quête d'une véritable guérison ?

Ainsi commençait le texte de la page d'accueil du site de Tranquillum House.

« Oh que oui », avait murmuré Heather face à son écran d'ordinateur.

Tranquillum House s'adressait manifestement à des gens ayant des revenus bien plus élevés qu'un enseignant et une sage-femme, mais, primo, ils n'avaient pas pris de vraies vacances depuis des années et, deuxio, ils avaient toujours sur un compte de dépôt à terme l'argent que Napoleon avait hérité de son grand-père. Ils pouvaient se permettre cette dépense, d'autant qu'ils n'avaient ni besoin ni envie de quoi que ce soit d'autre.

« Tu es sûre que tu veux t'enfermer pendant dix jours dans un centre de soins avec tes parents ? » avait-elle demandé à sa fille.

Zoe avait haussé les épaules et répondu en souriant : « Je veux simplement passer ces vacances à dormir. Je suis tellement épuisée. »

Une jeune fille de vingt ans lambda ne devrait pas consacrer autant de temps à ses parents pendant les vacances d'été, mais Zoe n'était pas comme les autres.

Heather avait cliqué sur *Réserver* et s'en était aussitôt mordu les doigts. Étrange comme parfois les projets qui nous enthousiasment perdent tout leur attrait à l'instant où ils prennent forme. Mais il était trop tard. Elle avait accepté les conditions générales. Ils pouvaient changer les dates mais en aucun cas se faire rembourser. Ils allaient donc passer dix jours à purifier leur corps et leur esprit, que ça leur plaise ou non.

Les jours suivants, elle s'en était vraiment voulu. Ils n'avaient absolument pas besoin d'une « métamorphose ». Ils n'avaient aucun problème avec leur corps. Ils étaient dingues de sport, tout le monde le disait. Cet endroit n'était pas fait pour les Marconi ; il convenait plutôt aux gens comme la femme que Napoleon avait abordée dans les escaliers. Comment s'appelait-elle déjà ? *Frances*. Un regard suffisait pour comprendre que son existence se résumait à une suite ininterrompue de déjeuners, de soins du visage et de réceptions organisées par l'entreprise de son mari.

Son visage lui était vaguement familier. Probablement parce que Heather avait croisé bon nombre de femmes qui, comme elle, avaient atteint la cinquantaine sans jamais avoir à travailler après la naissance de leurs enfants grâce à leur mari fortuné. Attention, Heather n'avait rien contre elles. Elle les aimait bien. Simplement, elle ne pouvait pas rester en leur compagnie trop longtemps sans succomber à une rage folle. La vie les avait épargnées à tous points de vue. La seule chose dont elles avaient à s'occuper, c'était leur corps car tous ces déjeuners ne les aidaient pas à garder la ligne, alors elles venaient dans ce genre d'endroit pour se ressourcer et entendre des professionnels leur révéler, quel scoop, que, si elles mangeaient moins et bougeaient plus, elles perdraient du poids et se sentiraient mieux.

Quand la période de silence prendrait fin, Napoleon et Frances s'entendraient à merveille. Il l'écouterait avec un intérêt non simulé lorsqu'elle se vanterait sans en avoir l'air de la réussite de ses enfants – ils étudiaient à Harvard ou à Oxford, bien sûr, ou profitaient d'une année sabbatique pour découvrir l'Europe où ils fréquentaient manifestement davantage les discothèques que les musées.

Heather se demanda en passant si elle ne devrait pas conseiller à Napoleon de ne pas se gêner s'il avait envie de vivre une aventure pendant leur séjour à Tranquillum House. Il mourait peut-être d'envie de faire l'amour, le pauvre, et dans la catégorie « femme plantureuse », Frances serait un excellent choix.

Heather savait parfaitement à quand remontaient ses derniers ébats avec son mari. C'était trois ans plus tôt. Si elle avait su que ce serait sa dernière partie de jambes en l'air, elle se serait peut-être donné la peine de se souvenir des détails. C'était bien : ça, elle en était certaine. Comme presque toujours. Mais ce n'était tout simplement plus possible. Pas pour elle, en tout cas.

Napoleon vint s'asseoir près d'elle au bout du lit. Elle sentit la chaleur de son corps même s'ils ne se touchaient pas, règlement oblige.

Ils attendaient Zoe, censée frapper à leur porte une fois douchée. Ensuite, ils attendraient encore, à trois et sans mot dire, jusqu'à ce que la sonnerie leur intime l'ordre de descendre pour leur première séance de « méditation assise guidée ».

Zoe allait bien. Aucun doute sur la question. Zoe était une bonne petite. Elle ferait comme elle avait dit. Comme toujours. Elle qui s'évertuait à être tout pour eux quand eux s'ingéniaient à ne pas lui montrer qu'elle était leur unique raison de vivre.

Le chagrin, aussi tranchant qu'une épée de samouraï, lui transperça le cœur.

Elle parvenait toujours à dissimuler sa rage, mais pas son chagrin. Trop viscéral. Elle posa la main sur sa gorge et laissa échapper un petit bruit de souris.

« Sois forte, mon amour », chuchota Napoleon. Sans la regarder, il lui prit la main et l'enveloppa dans la chaleur de ses deux paumes, contrevenant, pour elle, aux règles qui lui étaient si chères.

Elle se cramponna à lui, serrant ses doigts de toutes ses forces, comme une femme en couches qui s'agrippe à son partenaire tandis que la douleur essaie de l'emporter.

11

Frances

La sonnerie annonçant la première séance de « méditation assise guidée » retentit. Frances ouvrit aussitôt la porte de sa chambre et se retrouva dans le couloir avec Ben et Jessica. Aucun d'eux ne parla – une épreuve à la limite du supportable pour Frances – et ils se dirigèrent vers les escaliers sans se regarder.

Ben portait les mêmes vêtements qu'en arrivant, mais Jessica avait enfilé une tenue de yoga moulante, révélant une silhouette tellement parfaite que Frances dut se retenir de la complimenter pour ses efforts. Être aussi jolie demandait beaucoup de temps et de silicone. Pourtant, la pauvre enfant marchait d'un pas rapide, les épaules rentrées, comme si elle cherchait à passer inaperçue dans un lieu interdit. À sa place, Frances aurait – légitimement – roulé des fesses !

Ben, lui, marchait d'un pas raide et stoïque, tel un condamné qui a plaidé coupable et se laisse emmener en prison. Frances les aurait volontiers invités dans un bar où ils lui auraient raconté leur vie tout en sirotant de la sangria avec quelques cacahuètes.

De la *sangria* ? Mais d'où lui venait pareille idée ? Voilà des années qu'elle n'en avait pas bu. Manifestement, tout ce dont elle allait être privée au cours des dix prochains jours surgissait en vrac de son cerveau.

À quelques pas devant eux, Napoleon, le grand bavard, et sa

121

famille. La mère s'appelait… Heather. Et la fille… Zoe. Bravo, Frances. Quelle mémoire ! Même si, franchement, à quoi bon se souvenir de leurs prénoms ? Elle n'était pas à une soirée mondaine. Elle n'avait même pas le droit de les regarder.

La démarche de Napoleon était très étrange : tête baissée comme un moine, il déployait les jambes avec une lenteur insoutenable, comme un astronaute. D'abord déconcertée, Frances se rappela ensuite qu'ils étaient censés marcher en pleine conscience pendant le silence. Elle ralentit le pas et vit Jessica faire du coude à Ben pour lui signifier de se mettre au diapason.

Tous se mirent à descendre les marches en veillant à bien dérouler le pied du talon jusqu'aux orteils. Reconnaissant en Napoleon le maître de la marche en conscience, ils le suivirent à travers la demeure jusqu'à l'escalier qui menait au studio de yoga, sombre et frais. Frances essaya de ne pas relever l'absurdité de la scène. Si elle commençait à rire, elle ne pourrait plus s'arrêter. D'autant que la faim lui donnait déjà le tournis. Plusieurs heures s'étaient déjà écoulées depuis qu'elle avait léché cet emballage de KitKat dans la voiture.

Frances s'installa sur un des tapis bleus au fond du studio et essaya d'imiter la posture des deux conseillers bien-être assis tout devant. Ils occupaient chacun un coin de la pièce, tels des surveillants d'examen. À ceci près qu'ils avaient les jambes pliées selon des angles improbables, les mains sur les genoux, paumes tournées vers le haut avec le pouce et l'index joints, un demi-sourire des plus agaçants sur leur visage lisse et tranquille.

Elle remarqua de nouveau l'écran géant et se demanda s'il arrivait que des pensionnaires désespérés descendent à pas de loup en pyjama pour tenter d'avoir leur dose de programmes télé de nuit, même si elle ne voyait de télécommande nulle part.

Tandis qu'elle essayait de trouver une position confortable, elle se rendit compte d'un léger mieux au niveau de son dos depuis le massage. La douleur était toujours là, mais c'était comme si un boulon avait été un peu desserré.

Elle renifla. Elle avait compris en s'essayant au yoga voilà une éternité que méditer, c'était surtout respirer correctement ; or là, elle ne pouvait pas respirer. Les gens se souviendraient d'elle comme de la dame exaspérante qui reniflait au fond de la salle et qui se réveillait en sursaut avec un ronflement sonore de cochon parce que, bien sûr, elle allait s'endormir.

Pourquoi n'était-elle pas partie en croisière ?

Elle soupira et regarda autour d'elle, curieuse des clients qu'elle n'avait pas encore rencontrés. À sa droite, un homme d'à peu près son âge, le teint blafard, l'air malheureux, était assis, impassible, sur son tapis bleu. Il avait étendu ses jambes devant lui et il tenait son gros ventre sur ses genoux comme s'il s'agissait d'un nourrisson qu'on lui aurait confié sans son consentement. Frances sourit, soulagée. Enfin quelqu'un qui avait vraiment besoin de faire une cure !

Il se tourna vers elle.

Son sang ne fit qu'un tour. *Attends. Non. Au secours. Pas lui.* Et pourtant si. C'était lui, l'homme qui s'était arrêté sur le bas-côté et avait assisté à sa crise d'hystérie, celui-là même avec qui elle avait parlé tout naturellement de ses symptômes ménopausiques. *Le tueur en série en vacances.*

Elle ne s'était pas inquiétée deux secondes de savoir ce que le tueur en série pensait d'elle, et pour cause : elle n'était pas censée le revoir. Elle n'avait pas envisagé un seul instant qu'il puisse aussi aller à Tranquillum House. Ne roulait-il pas dans la direction opposée, laissant le centre derrière lui ? Il l'avait *délibérément* trompée.

Ça va aller. C'est la honte, mais ça va aller. Elle grimaça un sourire d'autodérision pour lui signifier que, oui, elle était mortifiée à l'idée de passer les dix prochains jours avec le seul témoin de son effondrement au bord de la route, mais qu'ils étaient des adultes, alors pas question d'en faire tout un plat.

L'homme lui fit une grimace méprisante. Oui, méprisante. Puis il détourna le regard. Très vite.

Frances le haïssait de toutes ses forces. Il s'était montré tellement arrogant sur la route quand il avait décrété qu'il ne pouvait pas la laisser conduire. Il était de la police, peut-être ? Non. (Elle avait dans l'idée que les flics sont généralement plus soignés.) Bien sûr, elle donnerait au tueur en série une chance de se racheter – les premières impressions ne sont pas toujours les bonnes, elle avait lu *Orgueil et Préjugés* –, mais elle espérait plutôt qu'il continue d'être détestable. C'était vivifiant. Ce qui favorisait probablement le métabolisme.

Deux autres clients entrèrent dans la pièce. Frances leur accorda toute son attention. Elle sympathiserait avec eux dès qu'ils seraient autorisés à parler. Elle était douée pour se faire des amis. Son petit doigt lui disait que ce n'était pas du tout le cas du tueur en série ; elle sortirait donc vainqueur de ce duel.

La première, une femme qui devait avoir entre trente-cinq et quarante ans, portait un tee-shirt blanc éclatant XXL – il lui descendait presque aux genoux – sur un legging noir. La tenue standard pour une femme de corpulence moyenne qui commence un nouveau programme d'entraînement, convaincue qu'elle doit dissimuler son corps pourtant parfaitement normal. Son épaisse et laineuse chevelure brune où brillaient quelques mèches grises était tressée. Elle portait des lunettes papillon de couleur rouge, tout à fait le genre de modèle que l'on porte pour s'affirmer comme une personne intelligente et excentrique. (Frances en avait une paire.) Elle avait l'air agitée, comme si elle avait attrapé son bus de justesse et devait encore faire mille choses aujourd'hui, ce qui l'obligerait peut-être à quitter le cours avant la fin.

À sa suite entra un homme d'une beauté *renversante* – pommettes saillantes, yeux étincelants, barbe de trois jours des plus seyantes. Il avança jusqu'à la première rangée de tapis et marqua une pause, telle une star de cinéma qui apparaît sur le plateau d'un talk-show sous un tonnerre d'applaudissements. Il était parfaitement proportionné et, à juste titre, profondément amoureux de son image.

Quel spectacle ! Frances avait presque envie d'en rire. Il était trop beau, même pour endosser le rôle du grand et ténébreux héros d'un de ses romans. Le seul moyen pour que ça passe, c'était d'en faire un paraplégique. Il serait superbe dans un fauteuil roulant. Honnêtement, elle pourrait même l'amputer de ses deux jambes que personne ne trouverait rien à redire.

Il s'assit sur un tapis avec l'aisance de ceux qui pratiquent le yoga quotidiennement.

Frances commença à sentir une tension dans la nuque. Elle se tenait mal pour ne pas voir le tueur en série. Elle fit rouler ses épaules. Parfois elle s'épuisait elle-même.

Elle tourna la tête et le regarda sans détour.

Il était avachi et enfonçait le doigt dans un trou près de l'ourlet de son tee-shirt.

Elle soupira et détourna le regard. Il ne valait même pas la peine qu'elle le déteste.

Bon. Et maintenant ?

Maintenant… rien. Ils étaient tous assis là à attendre. Qu'étaient-ils censés faire ?

L'envie d'interagir la démangeait terriblement.

Jessica, qui s'était installée juste devant Frances, se racla la gorge, comme si elle s'apprêtait à parler.

Quelqu'un toussota discrètement dans le fond de la salle.

Frances toussa aussi. D'une vilaine toux, d'ailleurs. Elle avait probablement une infection pulmonaire. Y avait-il des antibiotiques ici ? Ou tenteraient-ils de la soigner avec des suppléments naturels ? Auquel cas son état s'aggraverait tous les jours un peu plus jusqu'à ce qu'elle meure.

Tous ces petits bruits… *On se croirait dans une église*, songeat-elle. Ça remontait à quand, la dernière fois qu'elle était entrée dans une église ? Probablement à l'occasion d'un mariage. Car les enfants de ses amies commençaient à se marier, si bien que des filles qu'on voyait se promener en cuissardes dans les années quatre-vingt s'affublaient à présent de jolis boléros pour cacher leurs bras le jour où leur progéniture convolait en justes noces.

Au moins, à un mariage, on pouvait discuter doucement avec les autres invités en attendant la future mariée. Complimenter son amie sur son joli boléro. Là, ça ressemblait davantage à des funérailles, quoique... même des funérailles ne sont pas aussi silencieuses, les gens y murmurent leurs condoléances. Dire qu'elle *payait* pour être ici ! C'était pire qu'un enterrement.

Elle regarda autour d'elle d'un air malheureux. Il n'y avait même pas de jolis vitraux à admirer. Pas la moindre fenêtre, d'ailleurs. Ni le moindre rayon du soleil. Un cachot, voilà à quoi ça ressemblait. À un cachot dans une propriété perdue au milieu de nulle part avec un groupe d'étrangers dont un au moins était un tueur en série. Elle frissonna de tout son corps. La climatisation était trop forte. Elle repensa à l'inscription que les tailleurs de pierre avaient gravée sur le mur. Se pouvait-il que les lieux soient hantés par leurs esprits torturés ? Elle avait choisi pour décor de plusieurs de ses romans une maison hantée. C'était pratique quand elle voulait que ses personnages se sautent dans les bras.

Napoleon éternua. Un éternuement aigu, comme un glapissement de chien.

« *Gesundheit !* » s'écria l'Apollon.

Frances n'en revenait pas. Il avait rompu le noble silence ! Déjà !

L'Apollon plaqua sa main sur sa bouche, le regard éperdu. Frances fut prise d'une irrésistible envie de rire. Oh mon Dieu, c'était comme essayer de ne pas pouffer en classe. Il gloussa. Elle l'imita. D'ici quelques secondes, elle pleurerait de rire et on lui ordonnerait de quitter la pièce « pour se calmer ».

« Namasté. Bonjour. »

L'atmosphère changea instantanément tandis qu'une silhouette entrait dans la pièce à grandes enjambées, altérant autour d'elle la moindre particule d'air, attirant au passage tous les regards et faisant cesser instantanément toux, éternuements et autres raclements de gorge.

Le rire coincé dans la poitrine de Frances se dissipa. L'Apollon se figea.

« Je vous souhaite la bienvenue à Tranquillum House. Je m'appelle Masha. »

Masha avait un physique extraordinaire. Un physique de top model. D'athlète de haut niveau. Mesurant au moins un mètre quatre-vingts, elle avait le teint diaphane et d'immenses yeux verts dignes d'une créature extraterrestre.

À vrai dire, Masha semblait appartenir à une autre espèce, une espèce supérieure à tous ceux qui se trouvaient dans la pièce, y compris l'Apollon. Elle parlait d'une voix particulièrement basse et grave pour une femme et avait un charmant accent qui déformait certaines syllabes. Namasté par exemple devenait dans sa bouche *ne*masté. Son intonation tenait à la fois de l'australien pur jus et de ce que Frances identifia comme du russe. Exotique. Et si c'était une espionne ? Ou une tueuse ? Comme les autres membres du personnel, elle portait du blanc, qui sur elle n'avait rien d'un uniforme. C'était un choix. Le choix parfait. Le choix unique.

Les muscles de ses bras et de ses jambes étaient parfaitement sculptés. Ses cheveux blond platine étaient si courts qu'elle n'avait probablement qu'à s'ébrouer au sortir de la douche pour être prête à affronter la journée.

Tandis qu'elle regardait le corps magnifiquement tonique de Masha, Frances s'assombrit. Avec ses fesses et ses hanches rembourrées, ses chairs épaisses et molles, elle ressemblait à Jabba le Hutt.

Arrête, songea-t-elle. Ce n'était pas son genre de céder à l'auto-dénigrement.

Cela dit, ce serait hypocrite de nier le plaisir esthétique qu'offrait le corps de Masha. Frances n'avait jamais adhéré à l'idée que la beauté est en chacun de nous, un lieu commun que seules les femmes avaient besoin d'entendre, car pour un homme, nul besoin d'être beau pour se sentir homme. Tout comme l'Apollon, cette femme avait une présence physique spectaculaire. Presque inconvenante. Pour faire forte impression, Frances devait parler, écrire, flirter, plaisanter – faire quelque chose. Elle savait d'expérience que, si elle se postait à la caisse d'une boutique sans signaler sa présence à la vendeuse, elle pouvait attendre jusqu'à la Saint-Glinglin. Masha, elle, ne pouvait pas passer inaperçue. Pour attirer l'attention, il lui suffisait d'exister.

Pendant un moment atrocement long, Masha balaya la pièce du regard avec un lent mouvement circulaire de la tête qui semblait souligner leur asservissement silencieux.

Il y a quelque chose d'humiliant dans tout ça, songea Frances. *Nous sommes assis à ses pieds comme des gosses de maternelle réduits au silence. Elle seule parle.* Sans compter qu'il était interdit de croiser le regard des autres alors que l'attitude de Masha était une invitation au contact visuel. Ainsi, elle fixait les règles pour y contrevenir. *Je suis cliente ici*, se dit Frances. *Vous êtes à mon service, ma chère.*

Masha posa sur elle un regard chaleureux et plein d'esprit, comme si elle la connaissait de longue date, comme si elle savait exactement ce que Frances pensait et n'en avait que plus d'affection pour elle.

Enfin, elle reprit : « Je vous suis reconnaissante de votre empressement à participer au noble silence. » *Je vous suis rrrreconnaissante.*

Elle marqua une pause.

« Je me doute que pour certains d'entre vous, cette période de silence représente un véritable défi. Je sais aussi que vous ne vous y attendiez pas. Quelques-uns d'entre vous ressentent peut-être de la frustration ou de la colère à l'heure qu'il est.

Peut-être vous dites-vous : je n'ai pas signé pour ça ! Et je le comprends. Aussi, je vous le dis : si rien ne vous semble plus difficile que le silence, sachez que rien ne sera plus gratifiant. »

Mmm, songea Frances. *Ça reste à prouver.*

« Au moment où je vous parle, vous êtes au pied d'une montagne, et le sommet vous paraît inatteignable, mais *je suis là pour vous aider à y parvenir.* Dans dix jours, vous ne serez plus les mêmes. Que ce soit bien clair pour vous tous, car c'est important. »

Elle s'arrêta de nouveau et, lentement, les regarda un à un, comme si elle caricaturait un homme politique. Son élocution était si théâtrale, si délibérément hyperbolique que ce n'était même pas drôle. Ça aurait dû l'être, mais non.

Masha répéta : « Dans dix jours, vous ne serez plus les mêmes. »

Frances sentit l'espoir se soulever telle une délicate brise dans la pièce. Oh, être métamorphosé, devenir quelqu'un d'autre, quelqu'un de *mieux.*

« Quand vous quitterez Tranquillum House, vous vous sentirez plus heureux, plus sains, plus légers, plus libres. »

Chaque mot sonnait comme une bénédiction. Plus heureux. Plus sains. Plus légers. Plus libres.

« Avant de partir, vous viendrez me voir et vous me direz : Masha, vous aviez raison ! Je ne suis plus la même personne ! Je suis guéri. Libéré de tout ce qui était néfaste dans ma vie – habitudes, substances chimiques, toxines, pensées –, libéré de tout ce qui m'empêchait d'avancer. Mon corps et mon esprit sont libérés. Je n'aurais jamais pensé pouvoir être à ce point métamorphosé. »

Quel tissu de conneries, songea Frances, même si une partie d'elle-même avait envie d'y croire.

Elle s'imagina au volant de sa voiture, direction Sydney, dix jours plus tard : revigorée, débarrassée de son rhume de cerveau, le dos aussi souple qu'un élastique, lavée du chagrin et de la honte liés à son arnaque sentimentale – comme neuve ! La tête haute. Prête, quel que soit l'accueil qui serait fait à son nouveau roman. La critique… Quelle critique ?

(Là, tout de suite, elle ne pouvait pas l'ignorer, la critique. Elle lui restait en travers de la gorge comme une chips de maïs pointue, elle l'empêchait de respirer.)

Qui sait ? Elle pourrait peut-être aussi – et là, elle sentit monter en elle la même excitation que les enfants le jour de Noël – fermer cette magnifique robe Zimmermann jusqu'en haut, celle qui lui garantissait autrefois les compliments des hommes (mariés la plupart du temps, ce qui n'était pas pour lui déplaire).

Peut-être qu'une fois à la maison, son nouveau moi écrirait un thriller ou un policier à l'ancienne, mettant en scène une galerie de personnages pittoresques jaloux de leurs secrets et un méchant délicieusement improbable. Elle tuerait un de ses protagonistes à coups de chandelier ! À moins qu'elle empoisonne son thé ! Ah ! ah ! Pourquoi ne pas situer l'action dans un centre de bien-être ? Elle avait vu de larges élastiques verts dans la salle de gym – l'arme du crime parfaite ! Ou alors elle prendrait pour décor un centre comme il en existait autrefois, un sanatorium rempli de tuberculeux pâlots à la respiration rauque. Elle pourrait sûrement y greffer une histoire d'amour en guise d'intrigue secondaire. Tout le monde aime les histoires d'amour.

« Il y aura des *surprises* au cours de ce voyage, poursuivit Masha. Tous les matins à l'aube vous recevrez votre programme pour la journée, mais il y aura des détours inattendus et des changements. Je sais que ce sera compliqué pour ceux qui dans la vie ne lâchent jamais les rênes. »

Elle tira sur des rênes imaginaires pour plus d'effet et sourit. Un sourire éblouissant : chaleureux, radieux, sensuel. Frances se surprit à sourire aussi et regarda autour d'elle pour voir si les autres étaient aussi émus qu'elle. Oui, effectivement. Même le tueur en série souriait à Masha, ou plutôt, ses lèvres souriaient malgré lui, comme muées vers le haut par des fils, et à l'instant où il reprit le contrôle, il afficha l'expression maussade que Frances lui avait déjà vue, tirant un fil de l'ourlet de son tee-shirt, la bouche entrouverte.

« Essayez de vous voir comme une feuille dans un ruisseau. Détendez-vous et profitez du voyage. Le ruisseau vous portera de-ci, de-là, mais au final, il vous emmènera là où vous devez aller. »

Napoleon hocha la tête pensivement.

Frances observa Ben et Jessica, immobiles, le dos bien droit devant elle. La minceur de leur jeunesse les rendait vulnérables à ses yeux sans qu'elle puisse se l'expliquer – ça ne faisait aucun sens car ils ne grognaient probablement pas de douleur chaque fois qu'ils se levaient d'une chaise.

Ben se tourna vers Jessica et ouvrit la bouche, comme s'il s'apprêtait à rompre le silence mais il n'en fit rien. Jessica bougea la main et la lumière se réverbéra sur un énorme diamant à son doigt. Bonté divine. Combien de carats faisait ce machin ?

« Avant de commencer notre première méditation guidée, je veux partager une histoire avec vous. Il y a dix ans, je suis morte. »

Eh bien, voilà qui était inattendu. Frances se redressa un peu.

Le visage de Masha devint étrangement jovial. « Si vous ne me croyez pas, demandez à Yao ! »

Frances regarda son conseiller bien-être, qui essayait manifestement de ne pas sourire.

« J'ai fait un arrêt cardiaque et j'étais cliniquement morte », poursuivit Masha, les yeux brillants d'une joie insensée, comme si elle évoquait le plus beau jour de sa vie.

Frances fronça les sourcils. Minute, papillon… quel est le lien avec Yao ? Il a assisté à la scène ? Ne dévie pas de ton récit, Masha.

« J'ai vécu une "expérience de mort imminente", comme on

131

dit, mais je trouve que le terme est mal choisi car je n'étais pas proche de la mort, j'*étais* morte. J'ai fait l'expérience de la mort, un privilège dont je serai éternellement reconnaissante. Ce que j'ai vécu, cette prétendue "expérience de mort imminente", a finalement changé ma vie. »

Dans la pièce, ni bruit ni mouvement. Était-ce le signe d'une gêne paralysante ou d'un émerveillement pétrifiant ?

Elle va nous sortir le coup du tunnel de lumière, songea Frances. N'y avait-il pas une explication scientifique à ce phénomène ? Mais elle avait beau se moquer de Masha, elle avait la chair de poule.

« Ce jour-là, il y a dix ans, j'ai temporairement quitté mon enveloppe corporelle. » Son ton ne se voulait pas spécialement convaincant. À croire qu'elle ne s'attendait pas à être remise en question.

Elle balaya de nouveau la pièce du regard. « Il y a peut-être des sceptiques parmi vous. Vous vous dites peut-être : elle est vraiment morte ? Alors laissez-moi vous dire, parmi les sauveteurs qui m'ont prise en charge ce jour-là, il y avait Yao. »

Elle le salua d'un signe de la tête, salut qu'il lui rendit.

« Yao peut confirmer que mon cœur a en effet cessé de battre. Lui et moi avons par la suite développé des liens d'amitié et un intérêt commun pour le bien-être. »

Yao acquiesça énergiquement. Tiens donc, sa collègue féminine ne venait-elle pas de lever les yeux au ciel ? Jalousie professionnelle ? Comment s'appelait-elle déjà ? *Dalila.*

Qu'arrive-t-il à Dalila après avoir coupé les cheveux de Samson, déjà ? Frances aurait donné n'importe quoi pour pouvoir chercher sur Internet. Comment allait-elle s'en sortir sans pouvoir répondre instantanément aux questions futiles qu'elle se posait pendant dix jours ?

« J'aimerais pouvoir vous en dire beaucoup plus sur cette expérience, mais c'est tellement difficile de trouver les mots justes. Vous vous demandez pourquoi ? Parce que le phénomène échappe à la compréhension humaine. Je ne dispose pas des mots pour en parler. »

Essaie, au moins. Agacée, Frances se gratta l'avant-bras. Elle avait lu dans un piège à clics que ce genre de réaction était un symptôme d'Alzheimer. Mais, bien sûr, impossible d'en être sûre à cent pour cent car elle ne pouvait pas vérifier sur Internet.

« Ce que je peux vous dire, c'est qu'à côté de la réalité physique, il y a une autre réalité. Je sais aujourd'hui que nous ne devons pas craindre la mort. »

Même si c'est mieux de l'éviter, songea Frances. Plus les gens étaient sérieux, plus elle était désinvolte. Un vilain défaut.

« Mourir, c'est simplement quitter son corps terrestre. » Masha bougea son corps terrestre avec une grâce surnaturelle, comme si elle voulait montrer comment on se débarrasse de son enveloppe corporelle. « C'est une progression naturelle, comme entrer dans une autre pièce ou quitter l'utérus. »

Elle s'interrompit. Quelqu'un bougeait au fond du studio.

Frances se tourna et vit la benjamine du groupe, Zoe, se lever dans un mouvement fluide.

« Désolée », dit-elle dans un murmure.

Zoe avait les oreilles percées à de multiples endroits, des endroits si inhabituels que Frances ne savait même pas qu'on pouvait les percer. Son visage était pâle. Elle était si exquise, si bouleversante, simplement parce qu'elle était si jeune, ou peut-être juste parce que Frances était si vieille.

« Pardonnez-moi. »

Ses deux parents la regardèrent, inquiets, les mains tendues comme pour l'attraper. Zoe leur fit non de la tête.

« Les toilettes sont juste là, dit Masha.

– J'ai juste besoin d'un peu… d'air. »

Heather se leva. « Je t'accompagne.

– Maman, non, ça va. S'il te plaît, laisse-moi juste… », fit-elle en montrant la porte.

Tout le monde observait la scène, curieux de voir qui l'emporterait.

« Je suis sûre qu'elle va bien, dit Masha d'un ton ferme. Revenez quand vous serez prête, Zoe. Vous êtes fatiguée après votre long trajet, c'est tout. »

Heather se rendit avec une mauvaise grâce affichée.

Tout le monde regarda Zoe sortir.

Il y avait un malaise palpable dans la pièce à présent, comme si le départ de Zoe avait déséquilibré les choses. Masha inspira profondément par le nez et souffla par la bouche.

Une voix s'éleva.

« Dites-moi, maintenant que, euh… *le noble silence*… a été interrompu, est-ce que je peux poser une question ? »

C'était le tueur en série. Il parlait d'un ton belliqueux, tout à fait comme un tueur en série, la bouche à peine ouverte, ses mots telles les balles d'une mitrailleuse. Il semblait profondément contrarié.

Masha accueillit cette infraction au règlement avec un imperceptible mouvement des yeux qui n'échappa pourtant pas à Frances. « Si vous estimez que cela ne peut pas attendre. »

Le menton en avant, il lança : « Est-ce que quelqu'un a fouillé nos sacs ? »

12

Zoe

Zoe se tenait en bas des escaliers derrière la lourde porte en chêne du studio de méditation. Pliée en deux, les mains sur les cuisses, elle essayait de reprendre son souffle.

Elle avait fait plusieurs petites crises d'angoisse ces derniers temps. Pas des crises aiguës, de celles qui obligent les gens à appeler les secours tellement c'est horrible ; non, juste des épisodes mineurs pendant lesquels, tout à coup, sans raison apparente, son cœur s'emballait, comme si elle venait de faire un sprint pendant son cours de spinning. Se mettre à haleter en plein effort sur un vélo d'intérieur, d'accord, mais pas assise en tailleur sur le sol à ne rien faire, sinon écouter une bonne femme complètement zinzin parler de la mort.

Est-ce que Zach ressentait la même chose lorsqu'il faisait une crise d'asthme ? Il disait souvent qu'il avait l'impression d'avoir une tonne de briques sur la poitrine.

Zoe porta la main à son cœur. Pas de briques. Ce n'était pas de l'asthme. Juste une banale crise d'angoisse.

Elle arrivait toujours à en identifier la cause. Aujourd'hui, c'était le discours délirant de Masha sur sa merveilleuse expérience de mort imminente qui lui avait rappelé le poème que son oncle Alessandro avait lu aux obsèques de son frère : « La mort n'est rien ». Elle le détestait, ce poème. C'était un tissu de mensonges. Son frère n'était pas seulement passé dans la pièce

135

à côté, il était mort, irrévocablement mort, silencieux à jamais, plus de textos ni de publications, il n'y aurait plus un mot de lui, et avant même de s'en rendre compte, elle ne pouvait plus respirer et n'avait plus qu'une idée en tête : *sortir*.

Elle s'en voulait d'avoir rompu le noble silence, surtout après le désordre qu'avait généré l'éternuement de son père. Tout le monde l'ignorait ici, mais c'était la version la plus *discrète* des éternuements dont son père était capable. L'un de ses élèves avait un jour fait un film de trois minutes intitulé « Atchoum, Mr Marconi », montage des éternuements les plus spectaculaires de son père sur une bande-son. La vidéo avait fait le buzz.

Une voix d'homme s'éleva de l'autre côté de la porte : « Est-ce que quelqu'un a fouillé nos sacs ? »

Tiens ! Ce ne serait pas le type miteux presque aussi grand que son père et deux fois plus large ? Quoi qu'il en soit, Zoe n'entendit pas la réponse.

Elle monta l'étroit escalier en pierre et poussa de toutes ses forces pour ouvrir la seconde porte qui conduisait à la partie principale de la maison.

Elle ne pouvait pas s'absenter trop longtemps, sinon ses parents s'inquiéteraient. Si cette inquiétude contribuait à sa sensation d'étouffement ? Sans commentaire. À croire que depuis la mort de Zach, sa vie était en danger à chaque instant, ce qui nécessitait la vigilance secrète et permanente de ses parents. Ils croyaient dur comme fer que, si Zoe ne faisait pas son vaccin contre la grippe, si les freins de sa voiture n'étaient pas contrôlés tous les six mois, si elle n'avait pas de solution pour rentrer à la maison, elle allait mourir. C'était aussi simple que ça. Et quand ils demandaient sur le ton le plus détaché qui soit : « Tu rentres en Uber ? », sans la regarder et en prenant soin d'occuper leurs dix doigts, ils ne parvenaient pas à cacher l'effroi derrière leurs mots, alors elle ne les envoyait pas promener, elle ne tournait pas les talons quand sa mère s'approchait d'elle pour vérifier sans en avoir l'air qu'elle respirait bien, même si, contrairement à Zach, elle n'avait jamais eu d'asthme de sa vie. Elle mettait un frein à son agacement, les laissait écouter sa respiration, répondait à leurs questions, les rassurait en permanence car c'était ce dont ils avaient besoin.

Elle n'allait pas leur faire le coup de disparaître maintenant. Elle allait prendre dix minutes pour elle puis retournerait discrètement dans le studio où, avec un peu de chance, Maboule Masha aurait repris le contrôle de la situation et tout le monde serait en train de méditer sans bruit.

Elle entra d'un pas nonchalant dans le Salon lavande où, en effet, la lavande dominait très largement, que ce soit en brins dans de grands vases ou bien dans les teintes des tissus d'ameublement et des coussins. Et pour ceux qui comprenaient moins vite que les autres, il y avait même des photos de lavande accrochées aux murs couleur lavande.

Zoe s'approcha de la fenêtre qui donnait directement sur la roseraie, un rectangle de pelouse luxuriante bordé de hautes haies et de massifs pleins de roses blanches. Ils s'y retrouveraient dès l'aube le lendemain pour une séance de tai-chi.

C'était plaisant comme endroit – trop calme à vrai dire – mais, s'ils avaient vraiment fouillé les sacs, quel scandale ! Heureusement, Zoe avait pris ses précautions, au cas où. Elle avait dissimulé une bouteille de vin dans un paquet cadeau – un peu de papier bulle pour masquer la forme, une étiquette adressée à ses parents : « Joyeux anniversaire », et le tour était joué ! Elle utilisait la même technique pour introduire de l'alcool dans les fêtes où c'était interdit.

Elle avait prévu de boire un verre de vin en l'honneur de Zach à minuit le jour de ses vingt et ans. Quand Zach et elle étaient nés, le collègue de mathématiques de leur père leur avait offert à chacun une bouteille de Grange – un présent étrange pour des nouveau-nés. Des bouteilles qu'il fallait probablement conserver dans une cave à température contrôlée, mais les Marconi n'étaient pas amateurs de vin. Elles étaient restées au fond du placard à linge, derrière les serviettes de toilette, pendant toutes ces années, en prévision de leur vingt et unième anniversaire. Zoe avait lu sur Internet que ce millésime avait « une belle robe lumineuse, des arômes de fruits secs et d'épices et une fin de bouche longue et soutenue. »

Une description que Zach aurait trouvée amusante : « une fin de bouche longue et soutenue ».

Elle promena le regard sur les douces courbes des collines bleu-vert à l'horizon et repensa à son ex-petit ami, aux efforts considérables qu'il avait faits pour la convaincre d'aller surfer à Bali avec un groupe d'amis. Il n'en avait pas cru ses oreilles quand elle lui avait assuré que c'était impossible. « Je dois rester avec mes parents. À un autre moment, pas de problème. Mais en janvier, c'est impossible. » Il avait fini par se mettre en colère, décrété qu'ils faisaient une pause, puis que c'était terminé. Dire qu'elle pensait l'aimer.

Qu'est-ce qu'il croyait, franchement ? songea-t-elle, le front contre la vitre. Qu'elle avait *envie* d'être ici avec ses parents ? Qu'elle n'aurait pas préféré être à Bali avec lui ?

L'année précédente, le mois de janvier avait été horrible, ses parents s'étaient consumés de l'intérieur, l'incendie liquéfiant leurs organes internes, tout en faisant mine que tout allait bien.

« Salut. Zoe, c'est ça ? On s'est croisées tout à l'heure. Je suis Frances. »

Zoe tourna la tête. Derrière elle, la femme blonde au rouge à lèvres carmin que son père avait abordée dans les escaliers. Les joues roses, elle remettait dans ses cheveux une barrette vintage, en écaille de tortue.

« Salut, répondit Zoe.

– Je sais que nous ne sommes pas censées parler, mais pourquoi ne pas profiter de cet interlude imprévu dans le noble silence de Masha !

– On en est où, en bas ?

– Eh bien, il y a eu un gros malaise. » Elle s'assit dans un des canapés lavande. « Oh là là, on s'enfonce complètement dans ce canapé ! » Elle glissa deux coussins derrière son dos. « Aïe, mon dos, j'ai mal. » Elle se tortilla. « Non. Ça va. C'est mieux, là. Bon. Vous voyez, le type à l'air renfrogné qui a cette horrible toux sèche ? Remarquez, je ferais mieux de me taire. Ne vous approchez pas trop près, je ne voudrais pas vous contaminer, même si j'ai l'impression que mes microbes sont plus sympas que les siens. Bref, il s'est énervé parce que apparemment il avait apporté tout un minibar, enfin, d'après ce que j'ai compris, et en fait j'ai un peu honte parce qu'ils ont confisqué des trucs dans mon sac à moi aussi, et j'ai eu le sentiment que j'aurais dû le soutenir. Protester, quoi, du genre : C'est une violation de la vie privée, pour qui vous vous prenez, on a des droits ! » Elle leva un poing en l'air.

Un geste qui fit sourire Zoe, installée dans le canapé en face d'elle.

« Mais je n'ai rien dit car je ne voulais pas que tout le monde sache que moi aussi, j'avais apporté des produits interdits et puis, je sais qu'on n'est pas dans Koh-Lanta, mais je ne voulais pas former une alliance avec cet homme, il a l'air tellement... bref, donc j'ai dit que moi aussi j'avais besoin d'air, je me suis sentie hyper-courageuse.

— Moi aussi, j'ai apporté un truc en douce.

— Sérieux ? fit Frances, tout excitée. Ils l'ont trouvé ?

— Non. S'ils ont fouillé mon sac, ils sont passés à côté. Je l'avais empaqueté, comme un cadeau. Avec une étiquette au nom de mes parents.

— Brillante idée ! Qu'est-ce que c'est ?

— Une bouteille de vin. Qui coûte une fortune. Et un paquet de chocolats au beurre de cacahuète. Je ne peux pas m'en passer.

— Miam miam, fit Frances dans un soupir. Félicitations. Quelle ingéniosité !

— Merci. »

Frances prit un coussin et le serra dans ses bras. « Je suis parfaitement capable de me passer de vin pendant dix jours, mais je voulais juste… euh, comment dire, je voulais faire ma vilaine.

– Moi, je n'aime même pas le vin.

– Oh ! Vous vouliez juste prouver que vous pouviez gagner contre le système ?

– J'ai apporté le vin pour trinquer aux vingt et un ans de mon frère. C'est dans quelques jours. Il est mort il y a trois ans. »

Devant l'air affligé de Frances, elle ajouta : « Ne vous inquiétez pas, on n'était pas proches. »

D'habitude, il lui suffisait de dire ces quelques mots pour voir le soulagement sur le visage des gens. Mais ils n'eurent aucun effet sur Frances.

« Je suis tellement désolée.

– Ça va. Comme je vous l'ai dit, on ne… on ne s'entendait pas bien du tout. » Que les choses soient claires. *Ne stressez pas. Vous êtes tirée d'affaire.*

Zoe repensa à son amie Cara lui disant, le jour de l'enterrement de Zach : « Au moins, vous n'étiez pas proches. » Cara, elle, était très proche de sa sœur.

« Comment s'appelait votre frère ? demanda Frances, pour qui nommer le jeune homme semblait important.

– Zach. » Prononcer son nom parut étrange et douloureux. Un son assourdissant parvint à ses oreilles et l'espace d'un instant, elle eut l'impression qu'elle allait s'évanouir. « Zoe et Zach. Complètement mièvres comme noms. Même pour des jumeaux.

– Je les trouve très jolis, moi, ces prénoms. Des jumeaux, vous dites. C'est aussi votre anniversaire dans quelques jours alors. »

Zoe prit un brin de lavande dans un vase et commença à l'égrener. « Techniquement, oui. Mais je ne le fête plus ce jour-là. J'ai comme qui dirait changé ma date d'anniversaire. »

Elle avait officiellement choisi le 18 mars. C'était une date plus sympa. À une période plus fraîche et plus calme de l'année. Le 18 mars était aussi l'anniversaire de sa grand-mère Maria, qui s'était toujours vantée de n'avoir jamais soufflé ses bougies un jour de pluie. C'était peut-être vrai. Tout le monde disait qu'il faudrait vérifier dans les archives météo, mais personne ne trouvait jamais le temps de le faire.

Grand-mère Maria avait toujours dit qu'elle vivrait centenaire, comme sa propre mère, mais elle était morte un mois après Zach. Morte de chagrin. Même le docteur l'avait confirmé.

« Zach est mort la veille de nos dix-huit ans. On avait organisé une fête déguisée. Le thème, c'était "Z". J'avais décidé d'y aller en Zoe. Je trouvais ça super drôle à l'époque.

– Oh, Zoe ! » Frances se pencha en avant. Zoe voyait bien qu'elle voulait la toucher mais elle se retenait.

« C'est pour ça que j'en ai changé. Je trouve que ce n'est pas juste pour papa et maman de devoir fêter mon anniversaire le lendemain de celui de la mort de Zach ; ils sont tellement anéantis. Le mois de janvier est vraiment dur pour mes parents.

– Bien sûr, c'est normal, dit Frances, le regard compatissant. Dur pour vous tous, j'imagine. Du coup, vous avez pensé que ce serait bien de… vous échapper un peu ?

– On voulait juste être au calme, et un centre de soins semblait une bonne idée, car on a tous des habitudes vraiment malsaines.

– Ah bon ? Vous m'avez l'air en pleine forme au contraire.

– Eh bien, pour commencer, moi, je mange beaucoup trop de sucre.

– Ah, le sucre. On l'accuse de tous les maux à présent. Avant, c'était le gras. Après, les féculents. Ce n'est pas simple de suivre.

– Non, mais le sucre, c'est vraiment mauvais. » C'était très simple au contraire ! Tout le monde sait que le sucre fait des ravages. « Toutes les recherches le montrent. Il faut vraiment que je me détache de mon addiction au sucre.

141

– Mmm.

– Je mange trop de chocolat, je suis accro au Coca Light, ce qui explique l'état de ma peau. » Zoe montra un bouton près de sa lèvre et commença à le triturer.

« Vous avez une peau *magnifique* ! » protesta Frances avec de grands gestes, probablement pour s'empêcher de regarder le bouton de Zoe.

La jeune femme soupira. Pourquoi les gens ne pouvaient-ils pas être honnêtes ?

« Mes parents sont des fous de sport mais mon père ne mange que des cochonneries et, en gros, ma mère a un trouble du comportement alimentaire. » Elle réfléchit. Sa mère n'approuverait en rien cette conversation. « S'il vous plaît, ne lui répétez pas ce que je viens de dire. Elle n'a pas vraiment un trouble alimentaire. Elle a juste un rapport super bizarre à la nourriture. »

C'était déjà vrai avant la mort de Zach. La mère de Zoe ne supportait pas la vue d'importantes quantités de nourriture, ce qui posait problème car son mari, italien, avait une ribambelle de frères, sœurs, oncles, tantes, cousins, neveux et nièces. Elle souffrait de brûlures et de crampes d'estomac, sans parler d'autres « problèmes digestifs » qu'elle n'évoquait qu'à coups de périphrases. Elle ne voyait pas la nourriture comme un simple moyen de se nourrir. Elle se laissait toujours envahir par de violentes réactions émotionnelles. Soit elle était affamée, soit elle se sentait ballonnée, soit elle avait une compulsion pour un aliment impossible à trouver.

« Bref, et vous alors ? » demanda Zoe, lasse d'être le centre d'attention. Elle en avait beaucoup trop dit sur elle et sur sa famille à cette inconnue. « Pourquoi être venue ici ?

– Oh, vous savez… je suis à plat, je me suis fait mal au dos, j'ai ce rhume dont je n'arrive pas à me débarrasser, j'imagine que perdre quelques kilos ne me ferait pas de mal… bref, rien d'exceptionnel pour une femme de cinquante ans.

142

– Quel âge ont vos enfants ? »

Frances sourit. « Je n'en ai pas.

– Oh. » Zoe eut l'air décontenancée, inquiète d'avoir commis une maladresse sexiste. « Je suis désolée.

– Ne le soyez pas, voyons. C'était un choix de ma part, de ne pas avoir d'enfants. Je n'ai jamais vu en moi une mère. Jamais. Même quand j'étais petite. »

Mais vous êtes tellement maternelle, songea Zoe.

« Je n'ai pas de mari non plus. Enfin, en ce moment ! Je suis deux fois divorcée. Et je n'ai pas de petit ami. Je suis très très célibataire ! »

Mignon, sa façon de dire petit ami.

« Moi aussi, je suis très très célibataire. » Frances sourit, comme si la formulation était de Zoe.

« Je croyais être amoureuse de quelqu'un ces derniers temps, mais j'ai découvert qu'il n'était pas celui qu'il prétendait être. En fait, je l'avais rencontré sur Internet et… » Elle dessina des guillemets en l'air. « … C'était une arnaque sentimentale. »

Oh ! mon Dieu, songea Zoe. *Complètement stupide…*

« Qu'est-ce que vous faites, comme métier ? » demanda Zoe, qui se sentait rougir de gêne pour Frances. Mieux valait changer de sujet.

« J'écris des romans sentimentaux. Enfin… c'est ce que je faisais jusqu'à présent. Il se pourrait que je doive envisager un changement de carrière.

– Des romans sentimentaux. » De pire en pire. Zoe s'efforça de rester impassible. Je vous en supplie, mon Dieu, faites qu'elle n'écrive pas de la littérature érotique.

« Vous lisez ?

– Ça m'arrive. » Jamais. Même des romans à l'eau de rose. « Et qu'est-ce qui vous a donné envie de faire ce métier ?

– Eh bien, j'avais quinze ans et je lisais *Jane Eyre*. C'était une période étrange et triste de ma vie – je venais de perdre mon père, j'étais en plein deuil, mes hormones se déchaînaient

143

et j'étais impressionnable, tout simplement. Et quand je suis arrivée à cette phrase, super connue, vous savez, *Lecteur, je l'ai épousé*, ça m'a profondément touchée. Je veux dire, après ça, quand je prenais un bain, je murmurais "Lecteur, je l'ai épousé" et j'éclatais en sanglots. Et ça m'a fait cet effet très longtemps. "Lecteur, je l'ai épousé", et bouh... » Elle mima une adolescente en pleine crise de larmes, la main sur le front.

Zoe éclata de rire.

« Vous avez lu *Jane Eyre*, quand même ? demanda Frances.

— Je crois que j'ai vu l'adaptation cinématographique une fois, répondit Zoe.

— Ah là là, fit Frances d'un air compatissant. Bon, je sais que cette phrase, *Lecteur, je l'ai épousé*, est pratiquement devenue un cliché tellement elle a été détournée – *Lecteur, je l'ai quitté. Lecteur, je l'ai tué.* Mais pour moi, à ce moment-là de ma vie, c'était... eh bien, puissant. Je me rappelle avoir été ébahie que cinq mots puissent avoir un tel effet sur moi. Donc je dirais que j'ai développé une fascination pour le pouvoir des mots. Je me suis largement inspirée de Charlotte Brontë lorsque j'ai écrit ma toute première histoire d'amour, même si je n'ai pas gardé la folle dans le grenier. Mon personnage principal était un mélange grisant de Mr Rochester et de Rob Lowe.

— Rob Lowe !

— J'avais son poster sur le mur de ma chambre. Je sens encore le goût de ses lèvres. Très douces, très fines, brillantes et mates à la fois. »

Zoe ricana. « Moi, c'était Justin Bieber !

— Il y a peut-être un de mes livres ici ! C'est souvent le cas dans ce genre d'endroits. » Elle regarda les étagères remplies de livres brochés et se fendit d'un sourire où pointait un brin de fierté. « Bingo ! »

Elle se leva en se tenant le dos et alla chercher un épais volume tout usé. « Tenez », fit-elle en le donnant à Zoe. Puis elle se rassit sur le canapé en grognant.

144

« Génial », dit Zoe. Le livre avait l'air nul.

Le Baiser de Nathaniel. Sous le titre, une fille avec de longs cheveux clairs bouclés regardait la mer au loin d'un air nostalgique. Au moins, ça n'avait rien d'érotique.

« Mais mon dernier livre a été refusé. Il va peut-être falloir que je me reconvertisse.

– Oh, je suis désolée.

– Eh bien… » Frances haussa les épaules, les paumes vers le ciel, avec un petit sourire. Zoe crut voir son amie Erin qui pensait ne plus avoir le droit de se plaindre de ce qui lui arrivait dans la vie sans d'abord dire : « Je sais que ce n'est rien comparé à ce que tu traverses », en ouvrant de grands yeux graves, et Zoe de répondre invariablement : « Erin, ça fait trois ans maintenant, tu as le droit de te lamenter ! » Puis elle l'écoutait en hochant la tête tout en se disant : *Tu avais raison, le fait que tu doives changer les pneus de ta voiture ne te donne pas le droit de te plaindre.*

« Je crois que je devrais redescendre, dit Zoe. Mes parents deviennent paranos quand ils ne savent pas où je suis. Je crois qu'ils aimeraient bien me greffer une puce pour me localiser où que j'aille. »

Frances soupira. « Je viens avec vous. » Mais elle resta enfoncée dans le canapé et reprit, d'un air perplexe : « Ils disent qu'on va sortir d'ici transformés. Vous y croyez, vous ?

– Pas vraiment. Et vous ?

– Je ne sais pas. J'ai l'impression que Masha est capable de tout. Elle me fiche la trouille. »

Zoe se mit à rire, puis toutes deux sursautèrent en entendant un gong retentir, encore et encore, à un rythme rapide. Comme une alarme.

Elles se levèrent d'un bond et Frances saisit le bras de Zoe. « Oh, mon Dieu, on dirait l'internat ! Vous croyez qu'on va avoir des ennuis ? À moins qu'il y ait un incendie ? Il faut évacuer ?

– Je crois que ça veut simplement dire que le silence recommence.

– Oui, vous avez raison. Okay, on y retourne ensemble. Je rentre en premier, je suis plus âgée, elle ne me fait pas peur !

– Je vois bien que si !

– C'est vrai ! Elle me fait super peur ! Vite, allons-y ! On se reparle après le silence !

– Je vais le lire », fit Zoe en désignant le livre. Puis elles quittèrent le Salon lavande, direction le studio en sous-sol. Pourquoi dire une chose pareille ? Elle n'avait aucune envie de lire un roman à l'eau de rose, mais bon, elle aimait bien Frances.

« On n'a pas le droit de lire pendant le noble silence.

– Mais je suis une rebelle ! » Zoe mit le livre sous son haut et le coinça dans la ceinture de son cycliste. « On va former une alliance toutes les deux ! »

C'était juste un clin d'œil à ce qu'avait dit Frances sur Koh-Lanta mais Frances s'arrêta sur place et se tourna avec un sourire radieux. « Oh, Zoe, je serais tellement heureuse de former une alliance avec vous. »

Et tout à coup, ça semblait être le cas.

13

Masha

Zoe Marconi et Frances Welty avaient quitté le studio de méditation, le silence avait été rompu, et voilà qu'un troisième client, Tony Hogburn, exigeait d'être remboursé, menaçant de signaler Tranquillum House à la Direction générale de la consommation – déjà entendu, merci – sous le regard curieux ou inquiet des six autres.

Masha vit le pauvre Yao lui lancer un regard anxieux. C'était un angoissé. Il n'y avait pas de quoi stresser. Gérer les caprices puérils d'un homme malheureux et en mauvaise santé était à sa portée. Résoudre des problèmes inattendus la stimulait. C'était un de ses points forts.

« Je veux bien vous rembourser intégralement », dit-elle en plantant son regard dans celui de Tony, réduit à l'état de papillon épinglé sur un étaloir. « Vous êtes libre de faire vos bagages et de partir sur-le-champ. Je me permets de vous suggérer de rejoindre le village le plus proche. Vous y trouverez un pub, le Lion's Heart, où l'on sert un plat baptisé le "Mega Monster Burger" avec frites et soda à volonté. Alléchant, n'est-ce pas ?

– Effectivement », répondit-il brutalement.

Pourtant, il resta assis sur son tapis. Eh oui, mon chou, tu as besoin de moi et tu le sais. Tu ne peux plus te supporter. Et ça se comprend. À ta place, personne ne pourrait.

Il essaya de s'arracher à son regard mais elle ne le lâcha pas.

« Je comprends que vous ne soyez pas content qu'on ait fouillé votre sac, mais c'est clairement écrit dans les conditions générales de votre contrat bien-être : nous nous réservons le droit de contrôler les bagages et de confisquer les produits interdits.

– Sérieusement ? Est-ce que l'un d'entre vous a lu ça ? » demanda Tony en regardant les autres.

Napoleon leva la main. Sa femme, Heather, porta les yeux au ciel.

« Ça devait être noyé dans les petits caractères », dit Tony. Il avait le visage marqué de plaques rouges, on aurait dit un steak cru.

« Grandir peut être douloureux », dit Masha d'une voix douce. C'était un enfant. Un enfant taille XXL et boudeur. « Il y aura peut-être des moments inconfortables ou désagréables dans cette expérience. Mais il ne s'agit que de dix jours ! On vit en moyenne vingt-sept mille jours. »

L'emportement de Tony ne pouvait en réalité pas mieux tomber, c'était une occasion inespérée de façonner toutes leurs attentes et modeler leur conduite. Elle poursuivit en ne regardant que lui, mais le message s'adressait à tous.

« Vous êtes libre de partir à tout moment, Tony. Vous n'êtes pas un prisonnier ! Ici, c'est un centre de bien-être, pas une prison ! »

Plusieurs pensionnaires gloussèrent.

« Et vous n'êtes pas un enfant ! Vous pouvez boire ce que vous voulez, manger ce que vous voulez. Mais si vous êtes venu jusqu'ici, c'est qu'il y a une raison. Alors, si vous décidez de rester, je vous demande de vous impliquer totalement dans votre retraite et de placer votre confiance en moi et en mes collègues.

– Oui, d'accord, c'est… je veux dire, je n'ai pas lu les clauses en petits caractères correctement. » Tony se gratta énergiquement la barbe et tira sur le tissu de son blue-jean épais des plus laids. « Je n'ai pas aimé qu'on fouille mon sac, c'est tout. » La gêne avait remplacé l'agressivité dans sa voix. Ses yeux, prisonniers de son pauvre corps torturé, celui-là même dont il avait désespérément besoin d'être sauvé, la regardèrent.

Elle avait gagné. Elle le tenait au creux de sa main. Il serait magnifique quand elle en aurait fini avec lui. Ils seraient tous magnifiques.

« Y a-t-il d'autres sujets d'inquiétude avant que nous retournions au silence ? »

Ben leva la main. Masha vit sa femme lui jeter un regard horrifié, puis se détourner.

« Oui, moi j'ai une question. Est-ce que les voitures sont garées à l'abri ? »

Masha le regarda un moment, suffisamment longtemps pour l'aider à prendre conscience de la tristesse de son profond attachement à ses biens matériels.

Mal à l'aise, il bougea sur son tapis.

« Elles sont garées à l'abri, Ben. S'il vous plaît, ne vous inquiétez pas, elles ne risquent rien.

– D'accord, mais, euh, elles sont *où*, les voitures ? J'ai fait le tour de la propriété et je ne vois absolument pas où… » Il enleva sa casquette et se frotta le sommet du crâne.

Pendant une fraction de seconde, Masha vit un autre garçon avec une casquette de base-ball marcher vers elle, si étrange et pourtant si familier. Elle sentit une bouffée d'amour monter dans sa poitrine et croisa les bras pour se pincer discrètement, suffisamment fort pour avoir mal, jusqu'à ce que la vision se dissipe, jusqu'à ce qu'il ne reste dans son esprit que le moment présent en ce lieu et les importantes missions qui l'attendaient.

« Comme je l'ai dit, Ben, les voitures ne risquent rien. »

Il ouvrit la bouche, mais sa femme siffla quelque chose entre ses dents et il se tut.

« Bien, si tout le monde est d'accord, j'aimerais reprendre le noble silence et commencer notre méditation guidée. Yao, peut-être pourriez-vous faire sonner le gong pour signifier à nos deux pensionnaires absentes que nous leur serions reconnaissants de nous rejoindre. »

Yao fit sonner le gong avec une mailloche, peut-être un peu plus fort que Masha l'aurait fait, et quelques instants plus tard, Frances et Zoe apparurent, arborant un air contrit et coupable.

Il ne faisait aucun doute aux yeux de Masha qu'elles avaient discuté, peut-être même noué un lien d'amitié qu'il faudrait surveiller. Le but du silence, c'était précisément d'éviter cela. Elle leur adressa un sourire bienveillant tandis qu'elles retournaient à leur place. Les parents de Zoe, soulagés, se détendirent.

« Même si je vous sers de guide aujourd'hui, dit Masha, la méditation est une expérience *personnelle*. Renoncez à vos attentes et ouvrez-vous à toutes les possibilités. Nous allons commencer ce qu'on appelle une méditation assise, mais vous n'êtes pas obligés d'être assis ! Essayez de trouver la position la plus naturelle et détendue possible. Peut-être que certains d'entre vous aiment être en tailleur ; d'autres préféreront s'asseoir sur une chaise avec les pieds bien à plat sur le sol ; d'autres encore choisiront de s'allonger. Il n'y a pas de règles strictes sur ce point ! »

Elle regarda chacun prendre sa position d'un air emprunté. Frances s'allongea sur le dos. Tony alla s'asseoir sur une chaise, tout comme Napoleon. Les autres restèrent assis en tailleur sur leur tapis.

Masha attendit qu'ils soient tous bien installés. « Fermez les paupières doucement. »

Elle sentait leurs esprits s'agiter : leurs angoisses, leurs espoirs, leurs rêves, leurs peurs. Elle était si douée à ce jeu-là. Et quel plaisir d'exceller !

« Aviez-vous le trac le jour où vous avez introduit le nouveau protocole ? » lui demanderait-on un jour en interview. « Pas le moins du monde, répondrait-elle. Nous avions fait nos recherches. Nous savions depuis le début que ce serait un succès. » Peut-être vaudrait-il mieux reconnaître qu'elle était

150

un peu nerveuse. L'humilité était hautement appréciée dans ce pays. Décrire une femme en pleine réussite comme une personne « humble » n'était-il pas le plus beau compliment qu'on puisse lui faire ?

Elle regarda ses neuf clients qui tous avaient docilement fermé les yeux et attendaient ses instructions. Leur destin reposait entre ses mains. Elle allait les transformer, mais pas de manière temporaire. Non, elle allait les transformer pour toujours.

« Commençons. »

14

Frances

Sa première journée à Tranquillum House achevée, Frances s'était mise au lit pour siroter son « smoothie du soir » et lire. Oui, lire. Car comment pouvait-on espérer qu'un individu arrête le vin et la lecture en même temps ?

Les quatre romans qu'elle avait apportés pour survivre à ces dix jours n'avaient pas été confisqués, contrairement à son vin et à son chocolat – sans doute les livres ne figuraient-ils pas sur la liste des « articles prohibés » (elle ne serait jamais venue ici dans le cas contraire), mais quelqu'un s'était donné la peine de glisser dans chacun d'entre eux un papillon sur lequel était écrit : *La lecture n'est pas recommandée pendant le noble silence.*

Quelle farce. Elle était incapable de s'endormir sans lire. Tout bonnement incapable.

Le livre qu'elle venait de commencer, un premier roman, avait reçu des critiques dithyrambiques et bénéficiait d'un important retentissement médiatique. « Un roman puissant, musclé », pouvait-on lire partout. L'auteur était un homme à lunettes que Frances avait rencontré à une fête l'année précédente. Il s'était montré agréable et timide – pas spécialement musclé –, alors Frances s'efforçait de lui pardonner ses descriptions foisonnantes de splendides cadavres. Combien de jolies jeunes femmes devraient encore se faire trucider avant que les policiers se retroussent les manches et capturent les meurtriers ?

L'enquêteur au visage anguleux avait descendu plusieurs verres de whisky dans un bar enfumé et une fille deux fois plus jeune que lui, dotée de jambes interminables, lui murmurait à l'oreille, sans guillemets (évidemment, c'était une œuvre littéraire puissante) : J'ai tellement envie de toi.

Frances, n'en pouvant plus, jeta le livre à travers la pièce. Tu rêves, mec !

Elle se rallongea, les mains jointes sur la poitrine, et se souvint que son premier roman mettait en scène un pompier qui jouait du piano et récitait des poèmes. L'auteur à lunettes s'imaginait que les filles de vingt et quelques années murmuraient parfois à l'oreille des cinquantenaires « J'ai tellement envie de toi » ? C'était plutôt *mignon*. Elle le consolerait d'une gentille petite tape sur l'épaule la prochaine fois qu'elle le croiserait à un festival.

Et puis qu'est-ce qu'elle en savait ? Peut-être que c'était dans leurs habitudes, aux jeunettes, après tout ! Elle demanderait à Zoe.

Euh… n'importe quoi !

Elle n'avait plus qu'à lire les informations et consulter la météo du lendemain. Elle tendit la main pour prendre son portable sur la table de chevet.

Pas de téléphone.

Bien sûr. Bon. Okay.

Le lit était somptueux : un bon matelas, des draps de qualité supérieure impeccables. Elle avait toujours mal au dos, mais peut-être un peu moins qu'en arrivant grâce aux mains géantes de Jan.

Elle s'efforça de faire taire son petit singe facétieux, conformément au règlement.

En réalité, elle avait l'esprit totalement encombré. Que de nouvelles expériences ! Que de nouvelles têtes ! Le long trajet jusqu'au centre, le cri de désespoir au bord de la route, le tueur en série en vacances (c'était à cause de ce satané livre qu'elle voyait des tueurs en série partout !), Ben et Jessica dans cette voiture, Yao et cette prise de sang inattendue, Masha et son expérience de mort imminente, l'intarissable Napoleon et sa femme qui semblait si tendue, la jeune et jolie Zoe avec tous ses piercings et ses longues jambes bronzées et lisses dans le Salon lavande à lui parler de son frère décédé. Voilà pourquoi sa mère avait l'air si triste dans les escaliers. Elle n'était peut-être pas tendue en fait. Juste triste. Et le bel Apollon qui s'était écrié « *Gesundheit !* ». Et la dame agitée qui portait les lunettes de Frances.

Sacrée journée ! Stimulante et distrayante. Suffisamment remplie pour lui éviter une autre crise existentielle, ce qui n'était pas rien. Elle avait même assez peu pensé à Paul Drabble en dehors des moments où elle avait raconté sa mésaventure à Jan et à Zoe. À la fin de son séjour ici, elle serait remise de cette histoire, de cette critique, de tout.

Et elle serait toute fine ! Tellement fine ! Son estomac gronda. Elle mourait de faim. Elle n'avait pas connu pire repas que le dîner de ce soir de toute sa vie !

Quand elle s'était assise à la longue table de la salle à manger, elle avait trouvé une petite carte contre son assiette :

À Tranquillum House, il est recommandé de manger en conscience.

Prenez des petites bouchées de nourriture. Après chaque bouchée, reposez vos couverts sur la table, fermez les yeux et mâchez pendant au moins quatorze secondes, lentement, avec plaisir.

Oh ! mon Dieu, avait-elle songé. *On va y passer la nuit.*

Elle avait posé la carte et levé les yeux dans l'espoir de croiser le regard de quelqu'un pour partager son incrédulité. Les seuls qui étaient prêts à interagir étaient le bel Apollon qui lui avait *peut-être* fait un clin d'œil et Zoe qui lui avait sans aucun doute possible adressé une grimace, l'air de dire : « C'est clair. Je n'en reviens pas, moi non plus. »

Si Masha n'était pas dans la pièce, sa présence n'en était pas moins palpable, comme celle d'un directeur général ou d'un professeur susceptible d'arriver à tout moment. Yao et Dalila, quant à eux, se tenaient debout de part et d'autre d'un buffet très orné sur lequel trônait un imposant candélabre dont les trois bougies allumées constituaient l'unique éclairage de la pièce.

Les neuf convives restèrent assis en silence pendant au moins *dix... interminables... minutes* avant d'être servis par une dame aux cheveux gris qui portait une toque de cuisinier et arborait un sourire dynamique. Elle ne prononça pas un mot mais respirait la gentillesse. Frances, qui trouvait fort impoli de ne pas la remercier, fit son possible pour lui exprimer sa chaleureuse gratitude avec un signe de la tête.

Chacun reçut un plat différent. Heather et Zoe, assises à côté de Frances, eurent droit à un steak alléchant accompagné d'une pomme de terre en robe des champs. Frances, elle, se vit servir une salade de quinoa. Excellente, mais dans son monde à elle, une salade de quinoa constituait un accompagnement et, à force de mastiquer chaque bouchée pendant quatorze secondes, le plat n'avait plus aucune saveur.

Pour Napoleon, assis en face de Frances, ce fut un plat à base de lentilles. Il se pencha au-dessus du bol fumant et se délecta de son odeur. Pauvre homme ! Il avait tellement envie de parler ! Frances aurait mis sa main au feu qu'en temps normal il se serait mis à parler de l'histoire de la culture de la lentille.

Le tueur en série étudia tristement son énorme bol de salade composée avant de prendre ses couverts et de piquer trois tomates cerises d'un air tragiquement résigné.

La dame agitée aux lunettes originales eut un air réjoui devant son poisson.

Le bel Apollon sembla amusé en découvrant une assiette de poulet et de légumes.

Ben termina son curry de légumes bien avant les autres.

Jessica eut droit à une appétissante assiette de nouilles sautées. Un choix peu judicieux pour elle : la pauvre passa un temps infini à enrouler les longues pâtes autour de sa fourchette et, craignant de s'en être mis partout, elle se tamponna la bouche avec sa serviette de table après chaque bouchée.

Personne ne rompit le silence ni ne chercha à regarder les autres. Lorsque Napoleon éternua de nouveau, personne ne réagit. Les gens s'adaptaient à des règles étranges avec une rapidité déconcertante !

Heather mangea moins de la moitié de son steak et posa ses couverts avec un soupir agacé. Frances dut se retenir pour ne pas sauter sur son assiette comme un loup.

Tout au long du repas, Yao et Dalila restèrent silencieux et immobiles. On aurait dit des valets de pied, à ceci près que Frances ne se sentit pas autorisée à claquer des doigts et à leur ordonner de dire au cuisinier que Madame apprécierait une autre portion de salade de quinoa et peut-être un bifteck à point.

Les bruits de mastication, les tintements des verres et les raclements des couverts l'avaient excédée au plus haut point. N'avait-elle pas lu un jour que certaines personnes développaient une réelle détresse psychologique lorsqu'ils entendaient les autres manger ? C'était un véritable trouble, ça portait un nom – il faudrait qu'elle vérifie sur Internet quand elle récupérerait son téléphone. Frances devait en souffrir mais, jusque-là, elle l'ignorait car quand on partage un dîner avec quelqu'un, on parle, bon sang !

Le repas terminé, ils étaient tous retournés dans leur chambre. Sans se souhaiter bonne nuit – c'était interdit.

Frances termina son smoothie du soir en pensant à tous ces

repas silencieux et insuffisants qui l'attendaient et envisagea de s'en aller dès le lendemain matin.

« Personne ne rentre plus tôt », avait dit Yao. Qu'à cela ne tienne ! Frances serait la première. Elle créerait un précédent.

Elle repensa à l'avertissement que lui avait chuchoté la masseuse avant le début du silence : *Ne faites rien qui vous mette mal à l'aise.* Que voulait-elle dire par là ? Frances ne ferait évidemment rien qui la mette mal à l'aise.

Ellen l'avait aussi prévenue quand elle lui avait suggéré de s'offrir un séjour à Tranquillum House, « Ils ont une approche non conventionnelle ». Ellen était son amie. Elle ne l'enverrait quand même pas dans un endroit dangereux ? Pour perdre trois malheureux kilos, le jeu n'en valait pas la chandelle ! Tout dépendrait de ce qu'on lui demanderait de faire. S'il s'agissait de marcher sur des charbons ardents pour accéder à l'éveil spirituel, Frances s'y refuserait. Elle qui détestait déjà marcher sur du sable chaud à la plage !

« Je n'ai jamais eu confiance en cette Ellen », lui avait dit un jour Gillian d'un air sinistre et entendu. Mais Gillian faisait toujours des remarques d'un air sinistre et entendu sur les gens, comme si elle seule connaissait leurs liens secrets avec la mafia.

Gillian lui manquait tellement.

Elle se sentit tout à coup épuisée. Guère étonnant après ce long trajet. Elle éteignit sa lampe de chevet et sombra aussitôt dans un profond sommeil, sur le dos, comme un vacancier sur sa serviette de plage.

Un faisceau de lumière éclaira son visage.

Frances se réveilla en haletant.

15

Lars

« C'est quoi, ce bordel ? »

Lars se redressa, le cœur battant la chamade. Une silhouette se tenait au bout de son lit, pointant une lampe torche sur son visage, à l'instar d'une infirmière qui fait sa ronde de nuit.

Il alluma sa lampe de chevet.

Sa « conseillère bien-être », la délicieuse Dalila, lui tendit un peignoir décoré du logo de Tranquillum House, sans un mot. Elle lui fit signe de le suivre, manifestement convaincue qu'il allait docilement s'exécuter, en silence, cela va de soi.

« Je ne vais nulle part, ma p'tite dame, dit-il. On est en plein milieu de la nuit et moi, la nuit, je dors.

– La méditation au clair de lune va commencer. Elle a toujours lieu la première nuit. Vous ne voudriez pas manquer ça.

– Détrompez-vous, fit Lars en se rallongeant, une main devant les yeux pour se protéger de la lumière.

– Ça va vous plaire. C'est très beau. »

Lars retira sa main. « Avez-vous seulement frappé avant d'entrer dans ma chambre sans que je vous y invite ?

– Bien sûr que j'ai frappé. » De nouveau, elle lui tendit le peignoir. « S'il vous plaît ? Je vais me faire renvoyer si vous ne descendez pas.

– N'importe quoi.

– Ce n'est pas exclu. Masha tient à ce que tout le monde participe. Ça ne dure qu'une demi-heure. »

Lars soupira. Il pouvait refuser, par principe, mais il pensa que c'était un principe de riche, de privilégié – totalement vain, en somme. Sans compter qu'il était déjà réveillé.

Il se redressa et prit le peignoir. Lars dormait nu. Il aurait pu sauter de son lit dans toute sa gloire pour signifier à Dalila que c'était ce qui arrivait quand on réveillait quelqu'un au milieu de la nuit, mais il était trop bien éduqué. Dalila tourna la tête quand il repoussa le drap, non sans s'autoriser un petit coup d'œil plus bas d'abord. Une réaction humaine.

« N'oubliez pas : on se tait, lui dit-elle en sortant de la chambre.

– Comment pourrais-je oublier le magnifique, que dis-je, le *noble* silence ? » ironisa Lars.

Elle mit son doigt devant la bouche.

La nuit était claire, le ciel constellé d'étoiles et le jardin baigné de la lumière argentée d'une demi-lune parfaite. L'air doux était pareil à une caresse sur sa peau après la chaleur de la journée. C'était, il fallait bien l'admettre, très agréable.

Neuf tapis de yoga avaient été disposés en cercle et les autres pensionnaires, vêtus du même peignoir, étaient étendus sur le dos avec, en ligne de mire, leur saisissante guide assise en tailleur au milieu du cercle sur la pelouse.

Il ne restait qu'un tapis libre. Lars arrivait donc le dernier. Il se demanda comment les autres avaient réagi quand on les avait tirés de leur lit. Avait-il été le plus récalcitrant ? Il s'étonnait toujours de la docilité des gens dans ce genre de centres. Ils acceptaient qu'on les fasse barboter dans la boue, qu'on les enveloppe dans du film plastique, qu'on les affame, qu'on leur donne mauvaise conscience, qu'on les bouscule, tout cela au nom d'une prétendue « métamorphose ».

Bien sûr, Lars se laissait faire, lui aussi, mais il était prêt à

159

dire stop si nécessaire. Par exemple, il refusait les lavements. Hors de question également de parler de ses selles.

Dalila escorta Lars jusqu'à son tapis, disposé entre la femme qui avait eu toutes les peines du monde à réprimer un fou rire quand il s'était écrié « *Gesundheit !* » dans la journée et le mastodonte qui s'était plaint de la confiscation de ses articles prohibés.

Ce grand type lui disait quelque chose. Lars avait eu du mal à ne pas le dévisager pendant le dîner. Il n'arrivait pas à s'enlever de la tête qu'il le connaissait de quelque part. D'où ? Impossible de s'en souvenir, c'était agaçant.

Un des maris qu'il avait déplumés ? Si oui, ce dernier le reconnaîtrait-il ? Viendrait-il l'agresser, comme cet homme qui faisait la queue en classe économique à l'aéroport et avait perdu son sang-froid en apercevant Lars ? « Vous ! s'était-il écrié. C'est à cause de vous que je voyage en classe bétail ! » Lars n'en avait que davantage apprécié sa coupe de Perrier-Jouët pendant le vol et, à l'arrivée, il s'était dirigé d'un bon pas vers la file prioritaire de la douane. Non. Le mastodonte sur le tapis ne ressemblait pas à un des maris, mais Lars était sûr de l'avoir déjà vu quelque part.

Il n'était pas très physionomiste, contrairement à Ray. Chaque fois qu'ils commençaient une nouvelle série, Lars se redressait sur le canapé, le doigt tendu vers l'écran, et s'écriait : « *Cette actrice !* On l'a déjà vue ! Dans quoi, bon sang ? » En général, Ray s'en souvenait tout de suite. « Dans *Breaking Bad*. La petite amie. Celle que Walt laisse mourir. Maintenant, tais-toi. » C'était un véritable don. Lorsque Lars trouvait avant Ray, ce qui était rare, il était tellement excité qu'il exigeait que Ray lui tape dans la main.

Lars s'allongea sur le tapis et jeta un œil à sa voisine. La femme au fou rire. Elle lui rappelait un des personnages féminins de Renoir. Petit visage, yeux ronds, cheveux bouclés ramenés au sommet de la tête, teint pâle, bien en chair, poitrine généreuse, peut-être un rien idiote. Comme lui, elle semblait être une hédoniste. Ils s'entendraient sûrement très bien.

« Namasté, dit Masha. Merci de vous être levés pour la méditation au clair de lune. J'apprécie votre flexibilité. Et je vous suis reconnaissante d'ouvrir votre cœur et votre esprit à de nouvelles expériences. Je suis fière de vous. »

Fière ? Quelle condescendance ! Elle ne les connaissait même pas ! Ils étaient ses clients. Ils payaient pour être là. Et pourtant un sentiment de satisfaction sembla gagner ses camarades, comme si tous souhaitaient que Masha soit fière d'eux.

« La retraite que vous êtes sur le point de commencer s'appuie à la fois sur la sagesse de la médecine orientale traditionnelle, les traitements à base de plantes et les dernières avancées de la médecine occidentale. Je tiens à ce que vous sachiez que, même si je ne suis pas bouddhiste, j'ai introduit des fondements philosophiques bouddhistes dans nos pratiques. »

Ouais, ouais, quand l'Orient rencontre l'Occident, hyper original, songea Lars.

« Ce ne sera pas long. Je ne vais pas vous étourdir de mots. Les étoiles parleront pour moi. Elles que nous oublions si souvent de regarder ! Nous nous affairons comme des fourmis jour après jour, mais regardez – oui, regardez ce qu'il y a au-dessus de nos têtes ! Vous passez votre vie à regarder en bas. Il est temps de lever les yeux, de voir les étoiles ! »

Lars regarda le ciel parsemé d'étoiles.

Le mastodonte à sa gauche fut pris d'une quinte de toux. La blonde à forte poitrine à sa droite aussi. Eh bien ! Il lui faudrait porter un masque de protection. Hors de question de revenir de sa cure avec un rhume.

« Certains d'entre vous ont peut-être déjà entendu le mot *koan*, reprit Masha. Un koan est une petite histoire paradoxale ou mystérieuse que les écoles du bouddhisme zen utilisent pendant la méditation dans leur quête de l'éveil spirituel. Voici le plus connu : *Quel est le son d'une seule main qui applaudit ?* »

161

Ça promet. Quand il avait consulté le site, il avait eu l'impression que Tranquillum House était plutôt axé sur le bien-être version grand luxe. Il pratiquait le yoga et la méditation quotidiennement, mais pour ses retraites il évitait les centres qui versaient dans l'appropriation culturelle – c'était gênant.

« Pendant que vous regardez les étoiles ce soir, je veux que vous réfléchissiez à deux koans. Le premier : Sorti de nulle part, l'esprit surgit. » Masha marqua une pause. « Et le second : Montre-moi ton visage originel, celui que tu avais avant que tes parents naissent. »

Lars entendit son voisin siffler en expirant, puis se mettre à tousser, au point de rouler sur lui-même.

« Ne vous battez pas pour trouver des réponses ou des solutions, poursuivit Masha. Ce n'est pas un quiz, je vous le dis ! » Elle émit un petit rire.

Drôle de mélange que cette femme ! Elle tenait à la fois du leader charismatique et de la geek débordant d'enthousiasme. Tantôt gourou, tantôt P-DG fraîchement nommée dans une entreprise de télécommunications.

« Il n'y a ni bonne ni mauvaise réponse. Regardez simplement les étoiles et réfléchissez sans chercher à tout prix une solution. Respirez. Ne faites rien d'autre. Respirez et regardez les étoiles. »

Lars s'exécuta, sans pour autant réfléchir à aucun des deux koans. Il pensa à Ray, à la fois où, au début de leur relation, il l'avait convaincu de partir camper avec lui (plus jamais). Ils s'étaient allongés côte à côte sur la plage et, main dans la main, ils avaient admiré les étoiles – magnifique – mais il avait senti quelque chose enfler dans sa poitrine et, débordé, il s'était levé d'un bond et avait couru jusqu'à l'océan en poussant des cris et en arrachant ses vêtements, comme si c'était son genre de se lâcher ainsi, sans se préoccuper des requins et de la température de l'eau en plein mois d'octobre. Il esquissa un sourire car il savait qu'à présent il ne pourrait plus lui faire un coup pareil. Ray le connaissait trop bien.

Ray lui avait demandé s'il pouvait venir avec lui à Tranquillum House. Lars n'avait pas compris pourquoi. Il faisait une ou deux retraites par an et Ray n'avait jamais manifesté l'envie de l'accompagner. Pour lui, ces cures, c'était le cauchemar. Pourquoi voulait-il tout à coup venir ?

Lars repensa au visage de Ray quand il lui avait avoué préférer y aller seul. Pendant une fraction de seconde, on aurait dit qu'il venait de le gifler, mais ensuite Ray avait haussé les épaules et répondu en souriant qu'il profiterait de son absence pour manger des lasagnes tous les soirs et regarder du sport à la télévision.

Ray avait déjà un mode de vie irréprochable – c'était un adepte des jus de légumes, des smoothies et des boissons protéinées. Faire une retraite n'était pas une nécessité pour lui alors que Lars avait vraiment besoin de passer du temps seul.

Cherchait-il à culpabiliser Lars ? Se pouvait-il que ce soit lié au texto que Sarah, la sœur de Ray, lui avait envoyé en fin de matinée ? *Tu ne veux pas au moins y réfléchir ?*

Elle avait dû le lui envoyer sans consulter Ray. Car Lars était certain qu'il avait accepté sa décision. Une décision irrévocable. Ils n'auraient pas d'enfant. Si encore il avait dit un jour qu'il en voulait ! Il n'avait aucune envie de fonder une famille et il ne s'en était jamais caché.

« Tu m'as déjà entendu dire que j'en voulais ? » avait-il demandé à Ray. Il avait failli hausser le ton, ce qui lui était intolérable. Il ne pouvait pas concevoir d'être dans une relation où les cris avaient leur place – c'était grossier et indigne. Rien que d'y penser, il en avait des frissons. Ray le savait pertinemment.

« Non, jamais, avait répondu Ray calmement. Je ne t'accuse pas de m'avoir mené en bateau. Je crois que j'espérais simplement que tu changes d'avis. »

Sarah leur avait proposé, les yeux pleins de larmes, de les aider à avoir un enfant. Une offre sincère. Dans la famille de

Ray, tout le monde était si large d'esprit, si adorable, si aimant. Que c'était agaçant !

Lars avait eu un mouvement de recul – littéralement. « Mon Dieu, non, avait-il dit à Ray et sa sœur. Sûrement pas… non. » Un sentiment d'horreur mêlée d'étouffement s'était emparé de lui à l'idée de tout l'amour qu'il faudrait supporter s'ils avaient un bébé. Un amour auquel il ne pourrait pas échapper. Sans parler des innombrables réunions de famille qui en découleraient ! La mère de Ray passerait son temps à pleurer.

Hors de question que ça arrive. Jamais. Sorti de nulle part, l'esprit surgit.

Un koan zen. *Donne-moi la force.*

Si Ray voulait vraiment devenir père, peut-être que Lars devrait le laisser vivre cette aventure avec quelqu'un d'autre ? Mais cette décision n'appartenait-elle pas à Ray ? S'il ne pouvait pas vivre sans enfant, il était libre de partir, après tout. Ils n'étaient pas mariés. Certes, ils avaient acheté la maison ensemble, mais tous deux gagnaient leur vie correctement et ils étaient assez intelligents pour trouver une solution. Lars pouvait sans aucun doute gérer une juste division des biens.

Était-ce la seule façon de procéder ? Leur relation avait-elle atteint une impasse parce que, dans un cas comme dans l'autre, l'un d'entre eux devrait faire un sacrifice impossible ? Et lequel de ces sacrifices était le pire ?

Cela dit, Ray n'avait pas renouvelé sa demande ! Il avait accepté son refus. Lars avait le sentiment que Ray attendait autre chose de lui. Mais quoi ? L'autorisation de partir ? Il ne voulait pas que Ray s'en aille.

Quelque chose passa dans le ciel. Une étoile filante ! Incroyable ! Comment Masha avait-elle fait ? Lars entendit les autres retenir leur souffle, émerveillés.

Il ferma les yeux et, tout à coup, il se souvint exactement d'où il connaissait le mastodonte à sa gauche. Il aurait donné n'importe quoi pour pouvoir dire à Ray : « Je sais, Ray, je sais ! »

16

Jessica

Allongée sur le tapis voisin, l'auteure, Frances Welty, dormait à poings fermés. Elle ne ronflait pas mais Jessica voyait bien à sa façon de respirer qu'elle n'était pas simplement en train de méditer. Jessica envisagea un instant de lui donner un petit coup de pied pour la réveiller. Elle venait de rater une étoile filante.

Après réflexion, elle décida de ne pas la déranger. On était en plein milieu de la nuit. Les gens de son âge avaient vraiment besoin de dormir tout leur content. Sa mère, par exemple. Si elle passait une mauvaise nuit, elle avait des poches sous les yeux dignes d'un personnage de film d'horreur. Quand Jessica essayait de la convaincre d'utiliser un anticernes – rien ne l'obligeait à avoir une tête pareille, c'était idiot –, ça la faisait rire. Si le père de Jessica la quittait pour son assistante personnelle, elle ne pourrait s'en prendre qu'à elle-même. Ce n'était pas fait pour les chiens, l'anticernes !

Jessica tourna la tête et regarda Ben allongé de l'autre côté. Il fixait les étoiles, le regard vide d'expression, comme s'il réfléchissait à ces énigmes zen, alors qu'en réalité il devait juste compter les heures qu'il devrait passer ici avant de pouvoir se remettre au volant de sa précieuse voiture.

Il se tourna vers elle et lui fit un clin d'œil. Son cœur fit un bond, comme au temps du lycée.

Ben reprit sa contemplation du ciel. Jessica passa les doigts sur son visage, inquiète du teint qu'elle pouvait avoir sans maquillage au clair de lune. Elle n'avait pas eu le temps de mettre du fond de teint. On les avait tirés du lit, littéralement. Ils auraient aussi bien pu être en train de faire l'amour quand cette fille avait tapé à la porte le plus discrètement du monde et était entrée sans même attendre de réponse, dirigeant le faisceau de sa lampe torche sur leurs visages.

En réalité, Ben dormait et Jessica, allongée près de lui dans le noir, faisait encore une insomnie. Son téléphone lui manquait tellement qu'elle avait le sentiment d'être amputée de quelque chose. Quand elle ne trouvait pas le sommeil à la maison, elle prenait son mobile et naviguait sur Instagram ou Pinterest jusqu'à épuisement.

Elle regarda ses ongles de pieds rouge vif éclairés par la lune. Si elle avait eu son téléphone, elle aurait photographié ses pieds avec ceux de Ben, et aurait légendé la photo #meditationau clairdelune #retraitebienetre #koansmodedemploi #etoilefilante #quelestlesonduneseulemainquiapplaudit.

Ce dernier hashtag lui aurait donné l'air spirituel et intelligent. Un bon point pour elle car il fallait faire attention à ne pas paraître superficiel sur les réseaux sociaux.

Elle ne pouvait pas se débarrasser de l'idée que si elle n'immortalisait pas ce moment sur son téléphone, alors il n'existait pas vraiment, il ne comptait pas, il n'appartenait pas au réel. Elle savait que c'était irrationnel mais elle ne pouvait pas s'en empêcher. Elle se sentait *nerveuse* quand elle n'avait pas son téléphone. Elle en était évidemment addict. Mais c'était toujours mieux que d'être addict à l'héroïne, même si personne ne savait à quelle drogue la sœur de Ben était accro à l'heure qu'il était. Elle aimait bien varier les plaisirs.

Jessica se demandait parfois si tous leurs problèmes ne les ramenaient pas systématiquement à la sœur de Ben. Elle était toujours là, menaçante, comme un énorme nuage noir dans leur ciel bleu. Parce que, en dehors de Lucy, honnêtement, qu'est-ce qui n'allait pas dans leur vie ? Rien. Ils auraient dû être aussi heureux qu'on peut l'être. À quel moment s'étaient-ils trompés ?

Jessica avait fait *tellement* attention, depuis le tout premier jour. C'était quoi déjà, cette phrase stupide, que sa mère lui avait dite en fronçant les sourcils ? « Oh, Jessica, ma chérie, ce genre de choses, ça peut détruire les gens. » C'était pourtant censé être le jour le plus extraordinaire de sa vie.

Le jour qui marquait clairement un avant et un après.

C'était il y a deux ans maintenant. Un lundi soir.

Jessica s'était dépêchée de rentrer du travail car elle voulait aller au cours de spinning de 18 h 30. Elle était entrée dans leur minuscule cuisine avec son affreux plan de travail stratifié pour remplir sa bouteille d'eau, et avait trouvé Ben assis par terre, le dos contre le lave-vaisselle, les jambes tournées en dehors, son téléphone à deux doigts de lui échapper de la main. Il était d'une pâleur morbide et il regardait dans le vide. Elle s'était agenouillée à côté de lui, le cœur battant la chamade, le souffle court, incapable de parler. *Qui ? Qui ?* ne cessait-elle de se demander. Lucy, supposa-t-elle d'abord. Évidemment. La sœur de Ben flirtait avec la mort tous les jours. Mais… non, ce n'était pas Lucy. Ben avait l'air tellement choqué. La mort de sa sœur ne serait une surprise pour personne.

« Tu te rappelles le jour où maman nous a envoyé cette carte ? » avait dit Ben.

Jessica sentit son cœur se serrer. Pas la mère de Ben. Elle l'aimait tellement.

« Quand ? Comment ? Que lui est-il arrivé ? » Comment était-ce seulement possible ? Donna jouait au tennis deux fois par semaine et était en meilleure forme que Jessica. Probablement la tension liée à la situation de Lucy.

« Tu te rappelles cette carte qu'elle nous a envoyée ? reprit

Ben, sourd aux questions de Jessica. Parce que le cambriolage nous avait tellement bouleversés ? »

Pauvre Ben. Il était anéanti et, pour une raison ou pour une autre, il s'accrochait à ce souvenir.

« Je me souviens de la carte », répondit-elle doucement.

Elle était arrivée par la poste. Dessus, un adorable chiot avec une bulle qui disait : « Un gros bisou pour oublier ce p'tit coup de mou. » À l'intérieur, un ticket de loto accompagné d'un message manuscrit : « Je croise les doigts ! Vous le méritez ! »

« On a gagné.

— Ben, qu'est-ce qui est arrivé à ta maman ?

— Rien. Maman va bien. Je ne lui ai pas encore annoncé.

— Annoncé quoi ? » Jessica ne comprenait rien et tout à coup, elle se sentit en colère. « Ben, est-ce que quelqu'un est mort ou pas ?

— Non, personne n'est mort, dit-il en souriant.

— Sûr ?

— Tout le monde va bien.

— Bon, tant mieux. » L'adrénaline retomba et une grande fatigue s'abattit sur elle. Elle était incapable de faire ce cours de vélo à présent.

« Le ticket de loto. Le ticket que maman nous a offert après le cambriolage. C'était la société de la loterie nationale au téléphone. On a gagné, Jessica. On a gagné le jackpot. Vingt-deux millions de dollars.

— Bien sûr, fit-elle en soupirant. Arrête tes bêtises, tu veux. »

Il se tourna vers elle, les yeux rouges, larmoyants et inquiets. « Je t'assure, on a gagné. »

Si seulement on les avait prévenus : *demain, vous allez gagner au loto.*

Alors ils auraient réagi comme il se doit. Mais ils avaient mis un certain temps à prendre conscience de la réalité de l'événement. Jessica avait vérifié et revérifié les numéros sur

Internet. Elle avait même rappelé la société de la loterie pour avoir confirmation.

Les choses étaient devenues plus réelles à mesure qu'ils avaient appelé leurs familles et leurs amis, si bien qu'à la fin ils s'étaient effectivement mis à sauter de joie en criant et en passant du rire aux larmes – comme il se doit. Ils avaient invité tout le monde à fêter ça avec le champagne le plus cher qu'ils avaient trouvé au magasin de vins et spiritueux.

Ils avaient bu à la santé de ces minables cambrioleurs sans qui ils n'auraient jamais gagné au loto.

La mère de Ben n'arrivait pas à s'en remettre. « Ça ne me serait jamais venu à l'esprit de vous offrir un ticket de loto, avant ! C'était la première fois de ma vie que j'en achetais un ! J'ai même demandé à la dame de la maison de la presse comment ça marchait ! » Elle semblait vouloir s'assurer que personne n'oublierait que c'était elle qui avait acheté le ticket. Elle ne voulait pas sa part du gâteau (même si, évidemment, ils lui avaient donné de l'argent), elle voulait juste que tout le monde sache qu'elle avait joué un rôle primordial dans cet événement mémorable.

C'était comme le jour de leur mariage, en mieux. Jessica s'était sentie spéciale. Le centre de l'attention. Elle avait tellement souri qu'elle en avait eu mal aux zygomatiques. L'argent l'avait rendue plus intelligente, plus belle et plus élégante en un instant. Les gens la traitaient différemment parce que, de fait, elle *était* différente. Quand elle s'était regardée dans le miroir de la salle de bains ce soir-là, cela ne lui avait pas échappé : elle respirait la richesse. Gagner le jackpot au loto, c'était le top en matière de soins du visage.

Mais dès le premier soir, alors que Ben et ses frères, tous plus ivres les uns que les autres, se chamaillaient à propos de voitures – quel bijou valait-il mieux s'offrir ? –, Jessica avait senti la peur envahir Ben.

« Faut pas que ça nous change », avait-il dit d'une voix à

169

peine audible juste avant de s'endormir cette nuit-là. Et Jessica s'était dit, *N'importe quoi ! Ça nous a déjà changés !*

La mère de Jessica, quant à elle, se comportait comme si avoir gagné était une catastrophe.

« Il faut être très vigilant, Jessica. Autant d'argent, ça peut faire dérailler les gens. »

Certes, ils avaient rencontré des difficultés inattendues dans leur nouvelle vie. Des situations délicates qu'ils essayaient encore de démêler. Des amitiés perdues. Une brouille avec un parent. Avec deux parents, en fait. Non. Trois.

Le cousin de Ben, qui estimait qu'ils auraient dû rembourser son emprunt. Ils lui avaient offert une voiture. N'était-ce pas suffisamment généreux ? Ben aimait bien son cousin, mais il le voyait à peine avant de remporter le jackpot. Pour finir, ils avaient remboursé ledit emprunt mais « le mal était fait ». À peine croyable.

La petite sœur de Jessica à qui ils avaient donné *un million de dollars*. Mais il lui en fallait plus, plus, plus. « Donne-lui ce qu'elle veut, qu'on n'en parle plus », avait dit Ben. Jessica lui avait octroyé une rallonge. Mais un jour, alors qu'elles déjeunaient ensemble au restaurant, Jessica l'avait laissée payer sa part. Depuis, elle ne lui parlait plus. Jessica eut un pincement au cœur en y pensant. Elle payait toujours l'addition. Toujours. C'était la seule et unique fois où elle ne l'avait pas fait et, apparemment, c'était impardonnable.

Le beau-père de Ben qui, en tant que conseiller financier, avait supposé qu'ils lui confieraient la gestion de leur fortune. Mais Ben n'avait aucune envie de le voir s'approcher de leur argent, et pour cause : il le trouvait bête. Pas simple. S'ils n'avaient pas gagné au loto, Ben n'aurait jamais eu à avouer ce qu'il pensait de son beau-père.

Tout ça, c'était sans parler de la sœur de Ben, bien sûr. Impossible de lui donner de l'argent. Impossible ne de pas lui en donner. Quel épouvantable dilemme. Ben et sa mère avaient essayé de faire les choses bien et monté un fonds fiduciaire, prudence oblige. Ils ne lui donnaient jamais d'espèces mais elle ne voulait rien d'autre. Quand ils lui avaient offert une voiture, elle l'avait vendue au bout de deux semaines. Elle faisait la même chose avec tous les cadeaux qu'ils lui faisaient. Et elle ne se privait pas pour dire des horreurs à son pauvre frère : *Sale riche de merde avec ta bagnole de merde, même pas foutu d'aider ta propre famille.* Ils avaient dépensé des milliers et des milliers de dollars en cures de désintoxication, le genre que la mère de Lucy avait rêvé de pouvoir lui payer, imaginant que ces centres réservés aux riches marcheraient. Mais une fois qu'ils avaient eu l'argent, il avait fallu se rendre à l'évidence : ça ne marchait pas. Rien ne changeait. Ben ne voulait pas croire qu'il n'y avait pas de solution. Jessica, elle, savait qu'il n'y en avait pas. Lucy ne voulait pas qu'on l'aide.

Mais leurs proches n'étaient pas les seuls à trouver légitime de recevoir de l'argent. Pas un jour ne passait sans que Ben et Jessica ne soient sollicités par un parent, un ami, un ami d'ami, tous perdus de vue depuis une éternité, pour un « prêt », un « coup de pouce », un « don » en faveur de leur association caritative préférée, de l'école du quartier ou du club de football de leurs enfants. Ils s'étaient même découvert de nouveaux parents ! Il y avait souvent une hostilité sous-jacente dans leurs demandes : « Dix mille dollars, c'est des clopinettes pour vous, mais pour nous, ça ferait une *énorme* différence. »

Et Ben de répéter : « Donnons-leur, qu'on n'en parle plus. » Mais, parfois, Jessica écumait de rage. Ils avaient un de ces culots, ces gens !

Jessica ne comprenait pas pourquoi ils se disputaient si souvent à propos de l'argent alors qu'ils en avaient à ne plus savoir qu'en faire. Elle avait bien du mal à imaginer qu'ils avaient pu un jour se mettre dans des états pareils en recevant une facture inattendue.

Devenir riche du jour au lendemain, c'était comme commencer

un nouveau boulot sans qualifications ni expérience. Il n'empêche, ledit boulot n'en était pas moins génial – stressant mais glamour. Difficile de s'en plaindre. Rien ne les obligeait à tout gâcher, comme Ben semblait enclin à le faire.

Elle se demandait parfois si Ben regrettait d'avoir gagné cet argent. Il lui avait dit une fois que son travail lui manquait. « Ouvre ton propre garage ! » lui avait-elle dit. Qu'est-ce qui l'en empêchait ? Mais il ne voulait pas faire concurrence à Pete, son ancien patron. Il était comme sa sœur ; il ne voulait pas régler ses problèmes.

Il avait aussi dit qu'il n'aimait pas leurs nouveaux voisins, il les trouvait snobs. Jessica lui avait rétorqué qu'ils ne les connaissaient même pas, avant de proposer d'en inviter quelques-uns à boire un verre, mais Ben avait eu l'air horrifié. Après tout, ils ne connaissaient pas non plus leurs voisins quand ils vivaient dans leur ancien appartement. Tout le monde travaillait à plein temps et restait dans son coin.

Il appréciait les vacances de luxe qu'ils s'offraient mais même voyager ne le rendait pas complètement heureux. Jessica se souvenait d'un soir où, tandis qu'ils admiraient le coucher du soleil à Santorin – un décor de rêve, comme le bracelet qu'elle venait de s'acheter –, elle l'avait trouvé préoccupé. « À quoi tu penses ? lui avait-elle demandé.

– À Lucy. Je me rappelle qu'elle parlait souvent de visiter les îles grecques. »

Sa réponse lui avait donner envie de hurler car ils avaient les moyens d'envoyer Lucy à Santorin, bon sang, ils pouvaient même l'installer dans un super hôtel, sauf que Lucy, elle, préférait s'enfoncer des aiguilles dans les bras. Elle voulait détruire sa vie ? Soit, qu'elle ne se gêne pas. Mais pourquoi fallait-il qu'elle gâche aussi la leur ?

La seule chose qui le rendait heureux depuis qu'ils avaient gagné le jackpot, c'était sa voiture. Tout le reste – la magnifique maison dans le plus beau quartier de Melbourne, les billets de concert, les vêtements griffés, les voyages –, il s'en moquait. Il n'en avait que pour sa voiture. La voiture de ses rêves. Elle la détestait, cette voiture.

Jessica se rendit compte avec un sursaut que les autres s'étaient levés et rajustaient leurs peignoirs peu flatteurs tout en se retenant de bâiller.

Elle se leva et regarda le ciel étoilé une dernière fois sans y trouver de réponse.

17

Frances

À tout juste 8 heures, Frances marchait sur un sentier rocailleux.

La journée promettait d'être aussi chaude que la veille, mais à cette heure matinale, la température restait idéale et Frances appréciait la caresse soyeuse de l'air sur sa peau. Rien ne troublait le silence en dehors des rares appels aigus et mélodieux des passereaux et les craquements des brindilles ou des cailloux sous ses pieds.

Elle avait l'impression d'être debout depuis des heures, ce qui d'ailleurs était le cas.

Son premier jour complet à Tranquillum House avait débuté avant l'aube (*avant l'aube !*) lorsqu'on avait frappé à la porte de sa chambre d'un coup sec.

Elle était allée ouvrir la porte d'un pas chancelant pour trouver, à ses pieds, un plateau en argent avec son smoothie du matin et une enveloppe cachetée. Dedans, son « programme personnalisé pour la journée ».

Elle s'était aussitôt remise au lit, un coussin derrière le dos, pour boire son smoothie et prendre connaissance de son planning dont la lecture avait suscité en elle autant de plaisir que d'horreur.

PROGRAMME DU JOUR POUR FRANCES WELTY

5 heures : cours de tai-chi dans la roseraie.

7 heures : petit déjeuner dans la salle à manger. (Merci de respecter le silence.)

174

8 heures : méditation en marchant. Rendez-vous en bas de Tranquillity Hill. (Vous marcherez en pleine conscience, lentement et en silence, et pourrez vous arrêter à loisir pour admirer le paysage. Un moment de pur plaisir !)

10 heures : séance de sport individuelle. Rendez-vous à la salle de sport avec Dalila.

11 heures : massage curatif avec Jan au spa.

12 heures : déjeuner dans la salle à manger.

13 heures : méditation assise guidée dans le studio de yoga et de méditation.

14 heures-16 heures : temps libre.

17 heures : cours de yoga dans le studio de yoga et de méditation.

18 heures : dîner dans la salle à manger.

19 heures-21 heures : temps libre.

21 heures : extinction des feux.

Extinction des feux ! Était-ce une suggestion ou un ordre ? Frances ne s'était pas couchée si tôt depuis l'enfance.

Cela dit, à 9 heures, elle serait peut-être ravie d'aller au lit.

Elle avait passé son temps à bâiller pendant le cours de tai-chi animé par Yao, pris son premier petit déjeuner en silence dans la salle à manger (de délicieux œufs pochés aux épinards vapeur, même si, franchement, à quoi bon s'il n'y avait ni pain au levain ni cappuccino pour les accompagner !) et participait à présent avec les autres pensionnaires à une « marche méditative » encadrée par Yao et Dalila. Il s'agissait en gros de marcher très lentement sur un sentier sauvage à flanc de colline non loin de la maison.

Yao fermait la marche tandis que Dalila avait pris la tête du cortège et indiquait le rythme, très lent donc, si lent à vrai dire que c'en était un supplice, même pour Frances qui avait dans l'idée que les Marconi – des « fous de sport », d'après Zoe – étaient à deux doigts de devenir vraiment fous.

175

Frances se trouvait au milieu du groupe, derrière Zoe, dont la queue-de-cheval brillante se balançait au rythme de ses pas. Devant Zoe, Napoleon. Derrière Frances, le tueur en série, pas de chance, mais comme il serait obligé de l'attaquer très lentement, en pleine conscience, elle aurait tout le temps de lui échapper.

Dalila s'arrêtait au hasard de temps en temps, incitant les pensionnaires à fixer un point au loin sans un bruit pendant ce qui semblait une éternité.

Frances n'avait rien contre une randonnée tranquille avec plein de pauses pour profiter de la vue, bien au contraire, mais à cette vitesse-là, ils n'arriveraient jamais en haut.

Lentement, lentement, *lentement*, ils gravirent le sentier en file indienne et lentement, lentement, *lentement*, Frances sentit son corps et son esprit s'adapter au rythme imposé.

Au rythme lent… très lent… mais aussi… plutôt… agréable.

Elle réfléchit au rythme de son existence. Ces dix dernières années, le monde s'était mis à tourner de plus en plus vite. Les gens faisaient tout plus vite : parler, conduire, marcher… Ils étaient pressés. Débordés. Voulaient tout tout de suite. Les corrections de son éditrice n'avaient pas échappé à cette tendance. *Du rythme !* commentait Jo dans la marge depuis quelque temps, là où avant elle aurait écrit : *Bien !*

Frances avait le sentiment qu'avant, les lecteurs appréciaient que l'histoire se déroule tranquillement ; ils ne s'impatientaient pas si de temps à autre un chapitre errait plaisamment dans un magnifique paysage sans qu'il se passe rien de spécial, en dehors d'un éloquent échange de regards.

La pente devint plus raide, ce qui n'eut aucune incidence sur le souffle de Frances qui, au gré des virages que le chemin dessinait, apercevait des fragments de vue tels des cadeaux entre les arbres. Le sommet de la colline ne semblait plus si loin à présent.

Bien sûr, les annotations éditoriales de Jo avaient probablement pris ce ton pressant en réaction au déclin des ventes de Frances. Jo sentant le vent tourner, ses demandes étaient devenues de plus en plus fiévreuses : *Ce chapitre manque d'action. Mets le lecteur sur une fausse piste peut-être. Ajoute du suspense.*

Mais Frances avait ignoré les commentaires et laissé sa carrière s'éteindre à petit feu, comme une vieille dame qui meurt dans son sommeil. Quelle idiote ! Une idiote qui se berçait d'illusions.

Elle accéléra le pas. L'idée qu'elle marchait peut-être un peu trop vite lui traversa l'esprit au moment où elle s'écrasa le nez entre les omoplates de Zoe.

Zoe s'était arrêtée net, le souffle court.

Sa mère s'était d'une manière ou d'une autre écartée du chemin et se trouvait à présent sur une large roche qui surplombait le flanc escarpé de la colline. Un pas de plus et elle aurait dévalé la pente.

Heureusement, Napoleon lui avait empoigné le bras. Frances n'aurait su dire s'il était pâle de colère ou de peur tandis qu'il la ramenait sur le sentier.

Heather n'eut pas un mot de remerciement pour son mari. Elle ne lui adressa ni un sourire ni même un regard. Elle se dégagea de sa poigne avec un geste de l'épaule agacé et se remit à marcher en tirant sur la manche de son tee-shirt élimé. Napoleon se tourna vers Zoe et sa poitrine se souleva et s'abaissa au même rythme que la respiration saccadée de sa fille.

Au bout d'un moment, tous deux baissèrent la tête et reprirent leur lente ascension du sentier, comme si la scène à laquelle Frances venait d'assister n'avait pas la moindre importance.

18

Tony

Tony Hogburn venait de se réfugier dans sa chambre après une nouvelle « méditation assise guidée ». L'enfer. Combien d'autres séances pourrait-il encore supporter ?

« Inspirez comme si vous aviez une paille dans la bouche. » Au secours. Quel tissu de conneries.

En plus, il avait mal aux jambes après cette marche en conscience à deux à l'heure, qu'ils avaient faite le matin – ce qui était terriblement humiliant. À une époque, il aurait monté ce fichu sentier en courant sans problème, en guise d'échauffement même, et voilà qu'à présent il avait les jambes en compote de l'avoir gravi au rythme d'un centenaire !

Il s'assit sur le balcon, rongé par deux désirs irrépressibles : boire un bon demi glacé et sentir la tête dure et soyeuse d'un vieux chien de berger sous sa main. Il vivait une banale envie de bière et un triste vide après la perte d'un adorable compagnon comme une soif inextinguible en plein désert et une douleur incommensurable.

Il s'apprêtait pour la énième fois à se lever avec l'idée de trouver du réconfort dans le réfrigérateur quand il se souvint pour la énième fois que cette quête était sans espoir. Il n'y avait ni réfrigérateur ni garde-manger. Ni téléviseur pour regarder un documentaire distrayant ni connexion à Internet pour surfer sans réfléchir. Ni chien qu'il suffirait de siffler pour l'entendre se précipiter docilement vers lui.

Banjo avait vécu quatorze ans. Une longue vie pour un chien de berger. Tony aurait dû s'y attendre, mais il n'était manifestement pas prêt. La première semaine, chaque fois qu'il glissait sa clé dans la serrure de la porte d'entrée, une vague de chagrin s'abattait sur lui. Un chagrin si fort que ses jambes se dérobaient sous son poids. Méprisable. Un grand gaillard comme lui mis à genoux par un chien.

D'autant qu'il était déjà passé par là. Au cours de sa vie, il avait enterré trois chiens. Ça faisait partie du jeu. Pourquoi diable vivait-il si mal la mort de Banjo ? Six mois s'étaient écoulés depuis. Il ne se souvenait pas d'avoir pleuré un être humain aussi longtemps. Ça ne devrait pas être possible.

Et pourtant…

Quand les enfants étaient petits, Tony et sa femme avaient offert un Jack Russell à Mimi, leur petite dernière, pour ses huit ans. Le chien s'était échappé du jardin et une voiture l'avait percuté. Dévastée, Mimi avait pleuré à chaudes larmes sur l'épaule de son père à l'« enterrement ». Tony aussi avait pleuré, de tristesse pour ce pauvre petit chien stupide, et de culpabilité car il n'avait pas remarqué ce trou dans la clôture à l'arrière de la maison.

À l'époque, avec son doux visage joufflu et ses couettes, sa fille était une adorable petite créature tellement facile à aimer.

Aujourd'hui, Mimi était assistante dentaire et, du haut de ses vingt-six ans, c'était le portrait craché de sa mère : même maigreur, même visage allongé, même rapidité dans la démarche et dans l'élocution – ce qui épuisait Tony. Elle était propre sur elle et très occupée, Mimi, et peut-être plus si facile à aimer, même si, évidemment, il l'aimait. Il mourrait pour sa fille. Mais parfois, quand elle appelait, il préférait de pas répondre. Car, de par son métier, elle avait l'habitude de se lancer dans d'interminables monologues sans crainte d'être interrompue. Elle était plus proche de sa mère que de lui. Comme ses deux frères. Tony n'avait pas été assez présent quand ils étaient petits. Et

179

avant même qu'il s'en aperçoive, ils étaient devenus adultes et Tony avait parfois l'impression qu'ils agissaient par devoir plutôt que par affection quand ils appelaient ou qu'ils lui rendaient visite. Un jour, Mimi avait laissé un gentil message affectueux sur sa boîte vocale pour son anniversaire et en raccrochant, il l'avait entendue dire sur un tout autre ton : « Bon, ça, c'est fait. On peut y aller ! »

Ses fils, eux, ne se souvenaient pas de son anniversaire – non qu'il leur en tienne rigueur, il s'en souvenait à peine lui-même et la seule raison pour laquelle il n'oubliait pas les leurs, c'était parce que Mimi lui envoyait un texto de rappel le matin de l'anniversaire de ses frères. James vivait à Sydney et changeait de petite amie tous les quatre matins, et son aîné, Will, qui avait épousé une Hollandaise, s'était installé aux Pays-Bas. Le couple avait trois filles que Tony voyait dans la vraie vie une fois tous les deux ans et sur Skype à chaque Noël. Elles parlaient avec un accent hollandais et ne se sentaient aucun lien avec Tony. Son ex-femme, en revanche, leur rendait visite deux fois par an et y passait chaque fois deux ou trois semaines. La plus âgée des trois fillettes excellait en danse irlandaise. (De la danse irlandaise en Hollande, quelle idée ! De la danse irlandaise tout court, quelle idée ! Personne d'autre ne semblait trouver ça étrange. D'après son ex-femme, les enfants pratiquaient cette discipline, parfaite pour l'endurance et la coordination ou un truc comme ça, dans le monde entier. Elle lui avait montré des vidéos sur son téléphone : la gosse portait une perruque et se tenait si droite qu'on aurait dit qu'elle portait un corset orthopédique.)

Tony n'avait pas imaginé qu'être grand-père se résumerait à parler de choses incompréhensibles avec trois enfants au drôle d'accent via un écran. Quand il s'était projeté dans ce rôle, il s'était représenté une petite main collante agrippée à la sienne en toute confiance, une promenade tranquille jusqu'au magasin du coin pour acheter des glaces. Mais cela n'arrivait jamais. Et de toute façon, le magasin du coin avait fermé, alors franchement, qu'est-ce qui n'allait pas chez lui ?

Il se leva. Il avait besoin de manger quelque chose. Seule une bonne dose de glucides pourrait remplir le cratère de tristesse que ses pensées pour ses petites-filles avaient creusé dans son estomac. Un croque-monsieur, voilà ce qu'il lui fallait. Tu parles. Pas de pain. Pas de fromage. Pas de gril. « Il se peut que vous ayez des fringales compulsives, avait prévenu sa conseillère bien-être, Dalila, avec une lueur dans les yeux. Ne vous inquiétez pas, ça passera. »

Il se laissa retomber sur sa chaise et repensa à ce jour où il avait réservé son séjour dans cet enfer perdu au milieu de nulle part. À ce moment de démence passagère. Il avait rendez-vous avec son médecin généraliste à 11 heures. Il se souvenait même de l'heure.

« Bien, avait commencé le docteur. Tony. » Un blanc. « Ces résultats d'analyses. »

Tony avait dû retenir son souffle parce que à ce moment-là il prit sans le vouloir une grande goulée d'air. Le médecin étudia les documents un moment, puis il retira ses lunettes et se pencha en avant. Il y avait quelque chose dans son regard qui rappela à Tony la mine du vétérinaire lorsqu'il lui avait annoncé qu'il était temps de laisser Banjo partir.

Tony n'oublierait jamais la limpidité accablante du moment qui suivit.

C'était comme s'il avait passé les vingt dernières années dans un état de confusion totale pour, tout à coup, se réveiller. En rentrant chez lui, son esprit marchait à cent à l'heure. Il était tellement lucide, tellement déterminé. Il devait agir. Et vite. Il ne pouvait pas passer le peu de temps qui lui restait à travailler et à regarder la télévision. Mais que faire ?

Alors il s'était installé devant son ordinateur. « Comment changer... » Google avait terminé pour lui. *Comment changer de vie*. Il y avait des milliers de suggestions, se tourner vers

Dieu, vers les livres de développement personnel…. Et puis il était tombé sur un article sur les centres de bien-être. En haut de la liste, Tranquillum House.

Une cure détox de dix jours. Ça ne pouvait pas être la mer à boire. Il n'avait pas pris de congés depuis des années. Il dirigeait une société de conseil en marketing sportif et avait engagé Pippa comme responsable administrative. L'une des meilleures décisions qu'il avait prises de toute sa vie : elle était plus compétente que lui dans pratiquement tous les aspects de son travail.

Il allait perdre du poids. Se reprendre en main. Bâtir un plan d'action. Sur la route depuis l'aéroport, il s'était presque senti *optimiste*.

Si seulement il n'avait pas, au dernier moment, pris cette décision insensée ! Acheter des provisions de secours ! Il avait déjà emprunté l'embranchement pour Tranquillum House quand il avait fait demi-tour, direction la ville la plus proche, pour acheter de l'alcool dans un drive-in de vins et spiritueux. Cela dit, tout ce qu'il avait acheté, c'était un pack de six bières (allégée, la bière), un paquet de chips et des crackers. En quoi des crackers constituaient-ils une entorse au règlement, franchement ?

S'il n'avait pas fait demi-tour, il n'aurait jamais rencontré Miss Zinzin sur le bas-côté. Il avait pensé qu'elle avait un problème. Pour quelle autre raison logique est-ce qu'on s'arrête au bord de la route pour crier et taper sur son klaxon ? Quand elle avait ouvert la fenêtre et qu'il avait vu son visage, il l'avait trouvée sérieusement mal en point. C'était si terrible que ça, la ménopause, ou bien cette femme était une hypocondriaque ? C'était peut-être vraiment horrible. Il demanderait à sa sœur une fois qu'il serait sorti d'ici.

À présent, elle semblait parfaitement saine de corps et d'esprit. Sans l'épisode du bas-côté, il l'aurait prise pour une de ces super mamans qui semblaient passer leur vie à courir partout quand il les croisait le matin en déposant les enfants à l'école.

Bizarrement, cette bonne femme le terrifiait. Elle lui avait donné l'impression d'être un crétin. Cette histoire de ménopause avait fait resurgir le souvenir enfoui d'un incident des plus humiliants. Il était enfant, il en pinçait pour une des amies de sa sœur aînée et il avait dit quelque chose, quoi exactement, il ne savait plus, mais c'était à propos des règles et des tampons, un commentaire innocent et banal que lui-même, de haut de ses treize ans, n'avait pas compris, mais qui lui avait valu les foudres des deux adolescentes. De quoi le mettre très mal à l'aise.

Mais aujourd'hui, il avait cinquante-six ans. Il était grand-père ! Il avait vu sa femme donner naissance à leurs trois enfants ! Il avait dépassé tout sentiment de gêne par rapport aux obscurs mystères du corps féminin. Et pourtant, c'était bien cela que Miss Zinzin lui avait fait ressentir : une terrible gêne.

Il se leva en faisant crisser sa chaise. Il était dans tous ses états. Il avait deux heures à tuer avant le dîner. Chez lui, le temps entre le retour du travail et le coucher s'écoulait dans une nébuleuse de bière, de nourriture et de télévision. À présent, il ne savait pas quoi faire de ses dix doigts. Cette chambre semblait trop petite pour lui. Sans parler de tous ces bibelots ; c'était d'un mièvre. La veille, rien qu'en se retournant, il avait fait tomber un vase d'une table d'appoint. Évidemment, ledit vase s'était brisé en mille morceaux et Tony avait juré tellement fort que ses voisins, quels qu'ils soient, l'avaient forcément entendu. Il espérait que ce n'était pas un objet d'art.

Il se pencha au-dessus du balcon et aperçut deux kangourous à l'ombre de la maison. L'un d'eux procédait à sa toilette et se tortillait exactement comme l'aurait fait un être humain pour se gratter. L'autre était immobile, les oreilles dressées. On aurait dit qu'il était sculpté dans la pierre.

Plus loin, une immense piscine d'un bleu-vert étincelant, en forme de haricot. Tiens. Et s'il allait faire un plouf ? Il ne se rappelait pas la dernière fois qu'il avait nagé. Il allait tellement souvent à la plage quand les enfants étaient petits. Tous les dimanches matin, et ce pendant des années, il les avait emmenés à l'école de sauvetage sportif où ils avaient appris à surfer en toute sécurité. Et dire que dans leur Hollande natale, ses trois petites-filles au teint pâle n'avaient probablement jamais pris une vague. Quelle triste petite vie.

Il chercha son maillot de bain dans sa valise, s'efforçant de ne pas penser aux mains étrangères qui avaient fouillé dans ses affaires à la recherche de produits interdits, remarquant au passage ses caleçons décolorés. Il fallait qu'il s'achète de nouveaux vêtements.

Avant, c'était son ex-femme qui s'en occupait pour lui. Il ne le lui avait jamais demandé, elle le faisait, voilà tout, et comme il n'avait pas d'intérêt particulier pour les vêtements, il l'avait laissée continuer. Mais des années plus tard, pendant le divorce, il s'était entendu dire que cela faisait partie des innombrables choses qu'elle prenait en charge et dont il ne faisait aucun cas. En plus, « il ne disait jamais merci ». Ah bon ? Était-ce bien vrai ? Et si oui, pourquoi diable attendre vingt-deux ans pour en parler ? Pourquoi ne pas lui dire sur le moment que c'était un sale ingrat ? Ça lui aurait évité de se sentir le dernier des derniers devant ce conseiller conjugal toutes ces années plus tard. Il avait eu tellement honte de lui qu'il en avait perdu l'usage de la parole. Littéralement. Ce dont elle s'était évidemment servie pour montrer que c'était un homme « fermé », « émotionnellement distant », « totalement indifférent », et patati et patata, jusqu'à ce qu'en effet il n'en ait plus rien à faire et signe les papiers d'un air hébété.

Qu'est-ce que c'était, déjà, son expression préférée, pour le décrire ? « Vrai pro en sport, amateur dans la vie réelle. » Comme si c'était drôle. Elle l'avait même dit au conseiller conjugal.

Quelques mois après cette séance avec le conseiller, il lui était venu à l'esprit que lui aussi, il avait fait un certain nombre de choses au cours de leur vie conjugale pour lesquelles il n'avait eu ni remerciements ni reconnaissance. Qui s'occupait de la voiture de Madame, par exemple ? La révision annuelle ? Le plein hebdomadaire ? Que croyait-elle ? Que les réservoirs se remplissaient par l'opération du Saint-Esprit ? Et qui faisait sa déclaration de revenus si ce n'était pas « l'amateur dans la vie réelle », hein ?

Elle s'était reposée sur lui comme lui sur elle. N'était-ce d'ailleurs pas un des avantages du mariage ?

Mais à ce moment-là, il était déjà trop tard.

Voilà cinq ans qu'ils étaient séparés à présent et son ex-femme n'avait jamais été aussi épanouie. Elle s'était « retrouvée ». Elle vivait seule, prenait des cours du soir et partait en week-end avec une bande de femmes divorcées et heureuses de l'être. À vrai dire, ces dames s'offraient souvent des petits séjours dans des endroits comme celui-ci. Son ex pratiquait même la méditation quotidiennement. « Au bout de combien de temps on arrive à le faire bien ? » lui avait demandé Tony. Elle avait levé les yeux au ciel avec tant de force que c'était un miracle qu'ils ne soient pas restés coincés. Depuis quelque temps, quand elle parlait avec lui, elle s'interrompait pour respirer profondément. À bien y réfléchir, elle respirait comme si elle avait une paille dans la bouche.

Tony enfila son maillot.

Bon sang.

Il avait drôlement rétréci. Tony avait dû le laver à l'eau froide. Ou à l'eau chaude. Bref, il s'était trompé de programme. Il tira sur le tissu de toutes ses forces et attacha le bouton.

Ouf. Sauf qu'il ne pouvait plus respirer.

Il toussa et le bouton céda, ricochant sur le sol dans un bruit métallique. Incrédule, il rit tout haut et regarda la protubérance de son ventre poilu. Ce ventre qui semblait appartenir à un autre.

Il se souvenait d'un corps différent. D'une vie différente. Il entendait encore la clameur d'une foule en délire. Sentait les cris vibrer dans sa poitrine. Avant, son esprit et son corps ne faisaient qu'un. Il pensait « cours » et il courait, « saute » et il sautait.

Il ramena la ceinture de son maillot sous sa bedaine et revit son ex-femme, enceinte de six mois, faire la même chose avec une jupe à élastique.

Il récupéra la clé de sa chambre et prit une serviette de toilette blanche qu'il mit sur son épaule. Avait-il seulement le droit de sortir avec ? Un détail qui figurait sûrement dans le contrat. Le grand échassier qui avait, semble-t-il, lu les clauses en petits caractères le saurait. Probablement un avocat. Tony les connaissait bien, les avocats.

Il ferma sa chambre, traversa la maison où régnait un silence religieux et sortit dans la chaleur de l'après-midi, empruntant l'allée pavée qui menait à la piscine.

Une femme vêtue d'un maillot de bain de sport noir et d'un sarong noué autour la taille marchait dans sa direction. Celle qui avait tressé ses cheveux comme on tresse la queue d'un cheval et portait des lunettes papillon de couleur vive. Aux yeux de Tony, le prototype de l'intellectuelle de gauche féministe. Elle verrait en lui un mec irrécupérable au bout de cinq minutes de conversation. Mais peu importait ! Il pouvait gérer le mépris de cette femme, tant qu'il n'avait pas à entrer en contact avec Miss Zinzin !

L'allée étant trop étroite, Tony s'effaça pour la laisser passer, espérant ne pas froisser la féministe en elle, comme cette fois où il avait tenu la porte à une femme qui avait sifflé : « Je peux très bien ouvrir la porte moi-même, merci bien. » Il avait envisagé de la lui fermer à la figure mais s'était abstenu, se contentant de sourire bêtement. Les hommes ne sont pas tous capables de violence envers les femmes.

La femme aux lunettes évita son regard mais le remercia d'un geste de la main, comme une automobiliste reconnaissante qu'on lui ait laissé la priorité. Il se rendit compte alors qu'elle pleurait doucement. Il soupira. Il ne supportait pas de voir une femme pleurer.

Il la regarder s'éloigner – silhouette agréable –, puis se dirigea vers la piscine en tenant son maillot de peur de le perdre.

Il ouvrit le portillon.

Et merde !

Qui flottait dans l'eau comme un bouchon ? Miss Zinzin.

19

Frances

Je suis maudite ! songea Frances. Voilà le tueur en série, maintenant !

Comme si elle n'avait pas déjà eu sa dose avec l'hyper-émotive à lunettes qui créait un sillage digne d'un hors-bord dans le bassin en faisant des longueurs à plein régime.

Arrivé devant le portillon, le tueur en série souleva le petit bitoniau noir de sa main épaisse tout en poussant la paroi du pied. Un jeu d'enfant pour lui, alors qu'elle était restée complètement interdite face à ce satané mécanisme pendant cinq bonnes minutes.

Il laissa tomber sa serviette de toilette sur une chaise longue (on était censé se procurer un drap de bain à rayures bleues et blanches à l'accueil, mais apparemment, Monsieur se croyait au-dessus des règles), s'approcha du bord de la piscine et, sans même se donner la peine de goûter l'eau d'un doigt de pied, plongea dedans. Frances s'éloigna tranquillement d'une brasse.

Elle était désormais condamnée à rester dans l'eau. Hors de question de sortir devant lui. Elle aurait cru qu'à son âge elle se moquerait pas mal qu'on l'observe et qu'on la juge en maillot de bain, mais c'était apparemment le genre de complexe qui se déclarait à douze ans et ne s'arrêtait jamais.

Le souci, c'était qu'elle tenait à renvoyer à cet homme l'image d'une femme forte dans toutes leurs futures interactions. Or son corps blanc et ramollo, surtout comparé à celui de cette maudite Masha, parfaite incarnation de l'Amazone, reflétait avant tout son côté bon vivant et son faible pour les boules Lindor. Pas de quoi impressionner le tueur en série qui était à n'en pas douter du genre à noter les femmes en fonction de son envie ou non de les mettre dans son lit.

À l'image de son tout premier petit ami – ça remontait à plus de trente ans – qui lui avait confié préférer les femmes avec des seins plus petits que les siens alors même qu'il les tenait au creux de ses mains, s'imaginant peut-être qu'elle serait contente de le savoir.

Et qu'avait-elle dit à ce garçon qui donnait son avis sur les parties de son anatomie comme s'il était en train de choisir un plat à la carte dans un restaurant ? « Désolée. »

Et lui de répondre gentiment : « Pas grave. »

Elle ne pouvait même pas mettre en cause l'éducation qu'elle avait reçue pour justifier sa réaction des plus lamentables. Quand elle avait huit ans, un homme avait mis la main aux fesses de sa mère dans une rue de banlieue. « Joli cul », avait-il lancé sur un ton amical. Frances avait pensé : *Oh, il est gentil, le monsieur, de dire ça.* Et la seconde suivante, elle avait regardé, stupéfaite, sa mère – un petit bout de femme d'un mètre cinquante-cinq à peine – s'élancer à sa poursuite, le pousser dans un coin et lui envoyer un sac plein de livres reliés empruntés à la bibliothèque sur la tête, telle une championne de lancer de disque.

Bon. La plaisanterie avait assez duré. Elle allait sortir de l'eau. Et sans se précipiter jusqu'à sa serviette pour s'enrouler dedans.

Mais… une petite minute.

Elle n'avait aucune envie de sortir de l'eau ! Elle était là en premier. Pourquoi faudrait-il qu'elle s'en aille juste parce qu'il était là ? Elle profiterait de son bain aussi longtemps que ça lui chantait et ensuite seulement, elle sortirait.

Elle plongea et nagea au fond de la piscine, rasant les galets tachetés de lumière et étirant ses jambes agréablement douloureuses à la suite de la marche qu'elle avait faite dans la matinée. Un moment si agréable, si délassant. Elle se sentait bien. Son dos ne la faisait plus autant souffrir après un second massage avec Jan et elle avait sans aucun doute déjà commencé sa métamorphose. Puis, sortis de nulle part, les mots de la critique s'insinuèrent dans son esprit : *un roman de gare misogyne qui laisse un mauvais goût dans la bouche.*

Frances revit la jolie Zoe lui dire qu'elle lirait *Le Baiser de Nathaniel*, juste pour lui faire plaisir. Cette pauvre enfant n'avait pourtant pas besoin de lire un roman de gare misogyne. Frances avait-elle sans le vouloir passé trente ans à écrire de la littérature bas de gamme témoignant d'une forme de mépris pour les femmes ? Elle remonta à la surface et prit, sans la moindre retenue, une grande bouffée d'air qui aurait pu passer pour un sanglot.

Haletant, le tueur en série se tenait à l'autre bout du bassin, le dos contre la paroi carrelée et les bras sur le bord dallé. Il la regardait d'un air… *apeuré.*

Je rêve ! songea-t-elle. *Je n'ai plus vingt ans, d'accord, mais je ne suis quand même pas vilaine à faire peur !*

« Euh… », commença-t-il en grimaçant. Il venait de *grimacer.* Il la trouvait donc si répugnante !

« Quoi ? » Frances redressa les épaules, l'image de sa mère en train d'abattre son sac sur la tête du passant aux mains baladeuses à l'esprit. « On n'est pas censés parler.

– Euh… vous… » Il passa les doigts sous son nez.

Qu'est-ce qu'il voulait dire ? Qu'elle sentait mauvais ?

Elle ne sentait pas mauvais !

Frances fit le même geste. « Oh ! »

Elle saignait. Elle n'avait jamais saigné du nez de toute sa vie. Cette satanée critique venait de lui provoquer un saignement de nez.

« Merci », dit-elle froidement. Pour la deuxième fois en vingt-quatre heures, elle se retrouvait dans une position de faiblesse des plus gênantes face à cet homme qu'elle ne connaissait ni d'Ève ni d'Adam.

Elle mit la tête en arrière et fit la nage du petit chien jusqu'aux marches.

« En avant, la tête, conseilla le tueur en série.

– Pff, faut la mettre en arrière. » Elle remonta les marches en retenant son maillot d'une main et en essayant d'arrêter le saignement de l'autre. De gros caillots s'écoulaient de son nez, c'était dégoûtant. Incroyable. Pour un peu, on aurait dit qu'elle venait de prendre une *balle*. Elle détestait la vue du sang. Et tout ce qui était vaguement relatif au médical. Ce qui expliquait, entre autres, pourquoi l'idée d'enfanter ne l'avait jamais séduite. Elle regarda l'immensité bleue du ciel et fut prise de nausée.

« Je crois que je vais m'évanouir.

– Non, ça va aller.

– Je fais de l'hypotension. Je tombe souvent dans les pommes. Là, je pourrais très bien tomber dans les pommes.

– Je vous tiens. »

Elle s'agrippa à son bras et il l'aida à sortir de l'eau. Ses gestes, sans être brusques, trahissaient un certain détachement. Il émit un grognement de concentration mêlée d'effort, comme s'il essayait de faire passer un meuble massif dans l'embrasure d'une porte étroite. Un réfrigérateur, par exemple. Il la traitait comme un réfrigérateur. Déprimant.

Son nez continuait de saigner abondamment. Il la fit asseoir sur la chaise longue, l'enveloppa dans une serviette de bain et lui en présenta une autre devant le visage.

« Pincez les ailes de votre nez fermement, dit-il. Comme ça. » Il lui pinça le nez, puis guida la main de Frances pour qu'elle prenne le relais. « Voilà. Ça va aller. Ça va s'arrêter.

– Je suis certaine qu'il faut mettre la tête en arrière, protesta Frances.

– Non, c'est en avant. Sinon, le sang coule dans la gorge. Je suis sûr de moi. »

Elle laissa tomber. Il avait peut-être raison. Il était du genre catégorique, et les gens catégoriques ont souvent raison, même si c'est très agaçant.

La nausée et le vertige commencèrent à passer. Les doigts de part et d'autre de ses narines, elle risqua un regard dans sa direction. Il était solidement planté devant elle, si bien que ses yeux étaient au niveau de son nombril.

« Ça va ? » Il eut une quinte de toux digne d'un malade de la peste bubonique.

« Oui. Merci. Je m'appelle Frances. » Elle lui tendit sa main libre qu'il fit disparaître au creux de la sienne en la serrant.

« Tony.

– Merci de votre aide, vraiment. » Ce n'était probablement pas un mauvais bougre, même s'il l'avait déplacée comme un réfrigérateur. « Et merci… vous savez… de vous être arrêté sur la route quand je… »

Il afficha une mine peinée à l'évocation de la scène.

« C'est la première fois que je saigne du nez. Je ne sais pas ce qui l'a provoqué, même s'il est vrai que j'ai un vilain rhume. À propos, vous n'avez pas l'air très en…

– Je vais y aller », l'interrompit Tony sur un ton mi-impatient, mi-agressif, comme pour se débarrasser d'une vieille dame qui l'aurait abordé à l'arrêt de bus pour lui raconter sa vie.

« On vous attend quelque part, peut-être ? » demanda Frances, vexée au plus haut point. Après l'épisode médical aigu qu'elle venait de vivre !

Tony la regarda. Il avait les yeux noisette, presque dorés. Frances pensa aussitôt à ce petit animal en voie d'extinction dans le bush, le bilby.

« Non. Je me disais juste que je devrais… aller m'habiller pour le dîner. »

Frances grommela. Ils avaient tout le temps avant le dîner.

S'ensuivit un moment de silence embarrassant.

Tony se racla la gorge. « Je ne suis pas certain de survivre à cette… expérience. » Il se toucha le ventre. « Ce n'est pas trop mon truc. Je ne m'attendais pas à tous ces délires de beatnik. »

Frances se radoucit et sourit. « Vous allez vous en sortir. C'est l'histoire de dix jours. Plus que neuf d'ailleurs.

– C'est vrai. » Il soupira et regarda l'horizon bleu brumeux. « C'est beau, ici.

– Oui. Et paisible.

– Donc, tout va bien ? Surtout, appuyez bien jusqu'à ce que ça s'arrête complètement.

– Oui. »

Elle regarda la serviette, maculée de sang, et chercha un coin plus propre pour se boucher le nez.

Quand elle releva les yeux, Tony se dirigeait déjà vers le portillon. Au moment où il leva le bras pour l'ouvrir, son maillot de bain lui tomba aux genoux, révélant son séant dans son entier.

« Putain », laissa-t-il échapper, désemparé.

Pas possible, songea Frances, croyant halluciner. Le type avait un smiley jaune vif tatoué sur chacune des fesses. Insolite à souhait. Comme découvrir qu'il portait un costume de clown sous ses vêtements.

Elle baissa la tête. Une seconde plus tard, elle entendit le portillon se refermer brutalement. Elle leva les yeux. Il avait disparu.

Des smileys sur les fesses. À combien de grammes devait-il être ? Voilà qui changeait complètement sa vision du bonhomme. Exit le type arrogant et sarcastique. Bienvenue, Tony ! Tony, le gars aux smileys tatoués sur le derrière !

Tony, le tueur en série aux smileys tatoués sur le derrière ?

Elle gloussa, renifla et sentit le sang couler dans sa gorge.

20

Masha

Encore un mail de lui. Quelques jours seulement après le premier. Masha regardait, interloquée, le nom de son ex-mari sur l'écran de son ordinateur. En objet : POJALOUISTA PROCHTI MASHA.

Ouvre, Masha, s'il te plaît.

Comme s'il s'adressait à elle directement. Une pièce jointe accompagnait le message. Elle s'entendit émettre un bruit, un petit cri aigu pathétique, comme un jouet qui couine quand on marche dessus.

Elle le revit passer son bras fort et chaud autour de ses épaules alors qu'ils étaient assis sur un affreux canapé fabriqué en URSS dans un appartement en tout point identique au leur, à l'exception de la présence extraordinaire dans ce salon-là d'un magnétoscope.

Sans ce fabuleux et néanmoins terrible magnétoscope, où serait-elle aujourd'hui ? *Qui* serait-elle ? Pas ici. Pas cette femme. Elle vivrait peut-être toujours avec lui.

Elle supprima le mail, alla dans la corbeille et cliqua sur « Supprimer définitivement ».

Elle était à un moment crucial de sa vie professionnelle. Elle devait rester concentrée. Pour ceux qui dépendaient d'elle : ses clients, son personnel. Elle n'avait pas de temps à consacrer à ces prétendues... Quelle était cette formule que Dalila utilisait ?

Ça rimait… Les cicatrices du temps jadis. Voilà. Elle n'avait pas de temps à consacrer aux cicatrices.

Et pourtant elle se sentait agitée, comme la mer par gros temps. Il fallait qu'elle travaille le détachement. D'abord, identifier l'émotion qui l'habitait, l'observer, la nommer, la laisser se dissiper. Elle chercha un mot qui pourrait décrire l'état dans lequel elle se trouvait. Le seul qui lui vint à l'esprit appartenait à sa langue maternelle : *toska*. Il n'y avait pas de terme approprié en anglais pour désigner cette douloureuse nostalgie de quelque chose qu'elle ne pouvait pas avoir et qu'elle ne désirait même pas. Les anglophones ne connaissaient peut-être pas ce sentiment.

Que lui arrivait-il ? Ça ne lui ressemblait pas du tout ! Elle se leva et se mit à faire des pompes sur son tapis de gym jusqu'à ce que la sueur lui perle au front.

Haletante mais de nouveau concentrée, elle retourna à son bureau et ouvrit le logiciel de surveillance sur son ordinateur. Elle avait fait installer des caméras sur le domaine – question de sécurité – et pouvait voir la majorité de ses protégés.

Le jeune couple descendait le sentier jusqu'aux sources chaudes. Jessica marchait devant, tête baissée, tandis que Ben, quelques pas derrière elle, regardait au loin.

Les Marconi s'étaient séparés. Napoleon se trouvait dans la roseraie. Il respirait une fleur, agenouillé. Masha sourit. En voilà un qui prenait le temps de vivre.

Pendant ce temps-là, sa femme courait et approchait le sommet de Tranquillity Hill. Masha l'observa un moment, impressionnée par son rythme malgré la raideur de la côte. Elle n'égalait pas Masha mais elle était rapide.

Où était la fille ? Masha cliqua sur les images granuleuses en noir et blanc et la repéra dans la salle de gym, en train de soulever des poids.

Tony Hogburn quittait la zone de la piscine où Frances

Welty, assise sur une chaise longue, se tamponnait le visage avec une serviette.

Lars Lee se prélassait dans un hamac sous la pergola, sirotant une boisson qu'il avait dû se procurer auprès du personnel de cuisine à force de persuasion. En plus de la langue des signes, il avait probablement usé de son charme. Masha connaissait ce genre d'homme par cœur.

Qui d'autre ? Elle cliqua sur les images des couloirs de l'étage et tomba sur une femme en sarong qui marchait d'un pas vif. Carmel Schneider. L'autre femme célibataire.

Carmel retira ses lunettes et s'essuya le visage. Tiens donc. Elle pleurait ?

« Inspire profondément », murmura Masha en voyant Carmel se battre avec la clé de sa chambre et, frustrée, taper du poing sur la porte.

La porte finit par s'ouvrir et Carmel faillit tomber. Si seulement Masha pouvait l'observer à l'intérieur de sa chambre. Yao et Dalila s'y étaient farouchement opposés, prétextant que c'était illégal. Quelle pudibonderie ! Comme si ce qui l'intéressait, c'était de voir ses pensionnaires dans le plus simple appareil ! Elle voulait juste les connaître plus intimement pour faire son travail du mieux qu'elle pouvait.

Elle devrait se contenter du son. Elle tourna une molette sur le côté de son écran et entra le numéro de chambre de Carmel.

Une voix de femme entrecoupée de larmes sortit des enceintes de l'écran.

« Ressaisis-toi. Ressaisis-toi. Ressaisis-toi. »

21

Carmel

Dans sa chambre, Carmel se mit une gifle. Puis une deuxième. Puis une troisième, si forte qu'elle fit voler ses lunettes.

Elle les ramassa, alla dans la salle de bains et se regarda dans le miroir. Elle avait la joue rouge.

Pendant un moment là-bas, quand elle faisait ses longueurs dans le bassin et que les endorphines s'agitaient dans son organisme après cette fabuleuse randonnée, elle s'était sentie bien, plus que bien – débordante de joie. Elle n'avait pas eu le temps de nager depuis des années.

Tandis qu'elle fendait l'eau, elle savourait sa liberté : nulle part où se rendre, rien à faire, personne dont il fallait prendre soin. Pas besoin d'aller chercher son aînée à son cours de modern jazz, de déposer la petite dernière au karaté, de vérifier les devoirs, d'acheter un cadeau d'anniversaire pour untel, de prendre rendez-vous chez le médecin ; l'infini cortège d'obligations qui constituaient sa vie et qui, prises séparément, semblaient un jeu d'enfant mais qui, mises bout à bout, menaçaient de l'ensevelir.

Ici, elle n'avait même pas à faire sa lessive. Carmel n'avait qu'à déposer son linge dans le couloir dans un petit sac en tissu et dans les vingt-quatre heures, une main invisible le lui rapporterait, propre et repassé. Elle avait littéralement pleuré de joie en le lisant dans son kit de bienvenue.

197

Elle s'était fixé un objectif de cinquante longueurs en nage libre, de plus en plus vite. En partant d'ici, elle serait en pleine forme ! Elle sentait presque les kilos superflus se détacher de son corps. Ce dont elle avait toujours eu besoin ? Du temps pour faire du sport et un garde-manger sans friandises. Tandis qu'elle nageait, elle scandait dans sa tête en rythme avec les mouvements de ses bras : *quel bonheur, quel bonheur, quel bonheur*, respiration, *quel bonheur, quel bonheur, quel bonheur*, respiration.

Jusqu'à ce qu'une petite voix, un murmure à peine audible, s'insinue dans son esprit : *Qu'est-ce qu'elles peuvent bien faire à l'heure qu'il est ?*

Elle s'était efforcée de l'ignorer, répétant plus fort : *quel bonheur, quel bonheur.*

Mais le murmure avait enflé, enflé, jusqu'à devenir un cri : *Non, mais sérieusement, qu'est-ce qu'elles font, là ?*

À cet instant-là, elle avait senti sa santé mentale l'abandonner. La panique qu'elle avait éprouvée lui avait rappelé un de ses rêves récurrents dans lequel elle perdait ses quatre filles par pure négligence. Par exemple, elle les laissait sur le bord de la route ou oubliait jusqu'à leur existence et sortait danser.

Elle avait essayé de se calmer, de se raisonner. Ses enfants n'étaient pas perdues au milieu de nulle part, elles étaient avec leur père et Sonia, sa nouvelle petite amie, sa merveil-leuse future femme. Carmel savait d'après leur itinéraire de voyage qu'aujourd'hui, ils visitaient Paris et séjournaient dans le « FA-bu-leux » appartement Airbnb que Sonia avait déjà loué, car Sonia « a-DO-rait voyager ». Il ferait froid, bien sûr, en plein mois de janvier, mais les filles avaient de nouveaux man-teaux. Ce voyage, c'était une occasion unique, une expérience incroyablement enrichissante et la possibilité pour leur mère de s'accorder une merveilleuse pause pour se ressourcer.

Leur père les aimait. La nouvelle petite amie de leur père aussi. « Sonia a dit qu'elle nous aimait plus que tout au monde », lui avait raconté Rosie après leur troisième rencontre avec Madame. Et Carmel de répondre : « C'est super ! » quand en réalité elle pensait : « Eh bien, elle m'a tout l'air d'une grande malade, celle-ci ! »

Joel et Carmel avaient divorcé à l'amiable. C'était la version de Joel, en tout cas. Carmel vivait les choses bien différemment. Elle avait eu l'impression de mourir sans que personne s'en aperçoive. Mais bon. Joel ne l'aimait plus. Cela avait dû être tellement difficile pour lui, de vivre avec une femme qu'il n'aimait plus. Il avait lutté, le pauvre, mais il se devait d'être en accord avec lui-même.

Ce sont des choses qui arrivent. Souvent. La femme abandonnée doit rester digne, c'est essentiel. Elle ne doit ni pleurer ni gémir, sauf sous la douche, quand les enfants sont à l'école et qu'elle se retrouve seule dans sa maison de banlieue, comme toutes les autres femmes qui pleurent et qui gémissent. Et interdiction d'être garce, ou même désobligeante, en ce qui concerne sa remplaçante en tout point supérieure à elle. La femme abandonnée doit prendre sur elle, ne rien laisser paraître, et si elle peut retrouver sa silhouette d'antan, c'est mieux pour tout le monde.

Carmel venait de toucher le mur et de faire son virage quand elle s'était rendu compte de la présence de quelqu'un d'autre dans le bassin. La femme blonde à l'air sympathique. Carmel avait failli l'accueillir avec un « Coucou ! » avant de se souvenir qu'il fallait observer le silence. Elle l'avait donc ignorée.

Elle avait continué de nager, songeant que cette femme avait la même couleur de cheveux que Sonia. Elles devaient l'une comme l'autre dépenser une petite fortune en coiffeur.

Lulu, la fille de Carmel, avait les cheveux clairs. Elle ne ressemblait en rien à sa mère, ce qui ne lui avait posé aucun problème jusqu'au jour où Lulu lui avait raconté qu'au restaurant, un soir qu'ils dînaient tous ensemble avec papa et Sonia, une dame s'était arrêtée près d'eux et lui avait dit : « Tu as de très beaux cheveux, toi, comme ta maman. »

Et Carmel de répondre, d'une voix aiguë et forcée : « Ah, c'est marrant. Tu lui as dit que Sonia n'était pas ta maman ? »

À en croire Lulu, son père avait déclaré que ce n'était pas la peine de corriger les gens qui se trompaient. Carmel avait protesté. « Bien sûr que si, ma chérie, Sonia n'est pas ta mère, tu dois le dire à haute et intelligible voix chaque fois que les gens se trompent. » *In petto* évidemment car, en réalité, elle avait dit : « Va te brosser les dents, Lulu. »

Le souvenir de cette scène avait fait accélérer Carmel, ses bras et ses jambes fendant l'eau de plus en plus fort, de plus en plus vite, mais elle n'avait pas pu soutenir le rythme, elle n'avait pas la condition physique nécessaire, elle était grosse, paresseuse, dégoûtante. Et elle avait pensé à ses quatre filles sagement assises pendant que Sonia les coiffait à l'autre bout de la planète, à Paris, où elle n'avait jamais mis les pieds. Et tout à coup, elle avait bu la tasse.

Elle était sortie de l'eau en évitant tout contact visuel avec la gentille dame blonde, règlement oblige et fort heureusement, car elle pleurait comme une imbécile, et elle avait continué de pleurer jusqu'à sa chambre. Ce qui n'avait pas pu échapper au grand gaillard qu'elle avait croisé sur le chemin.

« Ressaisis-toi », dit-elle à son reflet dans le miroir.

Elle se blottit dans ses propres bras.

Ses filles lui manquaient. Le vide laissé par leur absence se manifesta aussi soudainement qu'un accès de fièvre. Elle aurait donné n'importe quoi pour sentir leurs magnifiques petits corps se lover contre le sien, dont elles disposaient d'ordinaire avec insouciance et possessivité. Leur façon de se laisser tomber sur ses genoux comme si elle était une chaise, ou d'enfouir leur petite tête toute chaude dans son ventre ou sa poitrine. Elle passait son temps à crier à l'une ou à l'autre : « Laisse-moi un peu respirer ! » Avec ses filles, elle se sentait indispensable. Elles avaient besoin d'elle. En fait, elles dépendaient d'elle pour tout. À la maison, c'était tout le temps, « Tu as vu maman ? », « Je vais le dire à maman ! », « Maaaman ! ».

À présent elle était dégagée de toute obligation, libre de flotter dans les airs tel un ballon de baudruche.

Elle défit l'attache de son maillot de bain et le laissa tomber sur le sol de la salle de bains tout en examinant son corps nu dans le miroir.

« Je suis tellement désolé, avait commencé Joel en lui servant un verre de vin, voilà un an. Je tiens toujours profondément à toi, mais nous nous devons d'être honnêtes dans notre relation, tu ne crois pas ? C'est terrible de dire ça, mais la vérité, c'est que je ne te désire plus. »

Monsieur pensait sincèrement être noble et éthique en agissant de la sorte. Il se voyait comme un mec bien. Il ne l'aurait jamais trompée. Alors il l'avait quittée, pour aussitôt s'inscrire sur un site de rencontres en ligne et la remplacer. Il avait la conscience parfaitement tranquille. Il était homme à garder ses affaires en bon état et, s'il n'était pas possible de leur rendre leur « premier éclat », il en changeait pour un modèle plus récent.

Devant le miroir, Carmel prit ses seins dans ses mains en coupe et les repositionna à leur place initiale, celle qu'ils avaient au temps de leur « premier éclat ». Elle regarda les vergetures sur son ventre flasque et repensa à une publication complètement mièvre qu'elle avait lue sur Facebook – les vergetures étaient magnifiques pour ce qu'elles représentaient, à savoir créer la vie, et patati et patata. Peut-être, oui, à condition que le père de vos bébés aime toujours votre corps.

Quand Joel lui avait demandé si Sonia et lui pouvaient emmener les filles en Europe pendant les grandes vacances – visite de Disneyland à Paris, ski en Autriche, patinage à Rome –, Carmel avait protesté. « Tu te fous de moi ? Tu fais le voyage dont on avait parlé tous les deux ? Et tu le fais sans moi ? » *In petto*

évidemment, car en réalité, elle avait dit : « Ça a l'air super ! »
Et elle s'était occupée des passeports des filles.

Elle avait dit à sa sœur qu'elle allait profiter de leur absence
pour adopter le régime paléo et s'adonner au cardio-training,
à la musculation et au yoga. Objectif : transformer son corps.

Elle ne voulait pas récupérer Joel, non. Tout ce qu'elle voulait, c'était qu'il reste bouche bée en la voyant. Pas nécessaire-
ment littéralement, quoique… ce serait agréable. Et redevenir
aussi jolie que possible, pour peut-être ensuite jeter un œil à
l'un de ces sites de rencontres qui servent à remplacer son
conjoint. Peut-être, ou peut-être pas.

« Mais il est très bien comme il est, ton corps, idiote ! Tu n'es
ni grosse ni mince. Tu es normale. Tu es attirante et intelligente.
Tu devrais passer le mois de janvier à te la couler douce dans
un hamac en dégustant du fromage ! » s'était écriée sa sœur
Vanessa. Elle était furieuse contre Joel et contre la tyrannie de
la minceur imposée par les hommes.

Carmel laissa ses seins retomber et se toucha le ventre. Normale, c'était insuffisant. Et ce n'était un secret pour personne. Il
y avait un grave problème d'obésité dans ce pays ! Loin d'elle
l'idée de stigmatiser les gros, mais ce qui valait pour les autres
ne valait pas pour elle. Car ne méritait-elle pas d'être pointée du
doigt ? Elle faisait deux tailles de plus qu'avant et cela n'avait
rien à voir avec ses quatre grossesses, non. Elle n'avait pas pris
soin d'elle, voilà tout. Les femmes sont censées prendre soin
d'elles. C'est écrit noir sur blanc sur les sites de rencontres :
J'aimerais rencontrer une femme qui prend soin d'elle. Traduction : *Je veux une femme mince.*

Si encore le mode d'emploi pour prendre soin de soi était
confidentiel ! Mais non ! Tout le monde savait que l'important,
c'était de supprimer les sucres ajoutés et les mauvaises graisses
de l'alimentation ! Les célébrités révélaient leurs secrets sans se
faire prier. En cas de petite faim, manger une poignée de fruits
secs ou deux carrés de chocolat noir, riche en antioxydants.

Boire beaucoup d'eau, éviter le soleil, monter les marches. Ce n'était pas sorcier ! Mais elle, montait-elle les marches ? Non, jamais.

À sa décharge, elle avait souvent les filles avec elle. Dans les escaliers, elle pouvait compter sur l'une d'entre elles pour disparaître en courant et sur une autre pour s'asseoir en disant que ses jambes ne voulaient plus marcher. Elle aurait quand même pu trouver des occasions de brûler des calories sans faire de sport à proprement parler. Pourtant elle ne l'avait pas fait. Elle avait négligé sa silhouette, sa coupe de cheveux, rarement entretenue, ses sourcils, rarement épilés, jusqu'à ses jambes, rarement rasées. Comment s'étonner que son mari l'ait quittée ! Dans la vie, on n'a que ce qu'on mérite, ainsi qu'elle essayait de l'apprendre à ses filles.

Elle pensa aux longues lignes sculptées de la silhouette de Masha.

Elle l'imagina à sa place, dans l'entrebâillement de la porte, quand Joel et Sonia déposeraient les filles. Bon, pour commencer, Joel n'aurait pas quitté Masha, mais imaginons… Masha n'aurait pas le cœur battant de douleur et de honte à la vue de son ex-mari et de sa nouvelle petite amie. Elle ne se contorsionnerait pas derrière la porte pour se dérober au regard de Joel. Elle ne rentrerait pas la tête dans les épaules pour protéger son pauvre cœur brisé. Non. Masha se dresserait fièrement, de toute sa hauteur.

Sa sœur lui répétait que l'absence de désir de Joel, c'était son problème à lui, pas le sien. Elle l'exhortait à apprendre à s'aimer, lui envoyait des liens vers des articles sur l'alimentation intuitive et l'idée qu'on peut être en bonne santé quel que soit son poids. Mais Carmel savait que lesdits articles étaient écrits par des gros pour aider d'autres gros à se sentir mieux dans leur triste vie de gros.

Si elle pouvait transformer sa silhouette, elle pouvait transformer sa vie, tourner la page de son mariage raté. Ce n'était pas un leurre. C'était un fait.

Sa sœur, qui était à la fois riche et généreuse – une combinaison des plus remarquables – avait donné une carte à Carmel le jour de son anniversaire. Dessus, elle avait écrit : *Carmel, tu n'as pas besoin de perdre du poids. Tu es belle et Joel est un idiot superficiel. Tu ne devrais pas te soucier de ce qu'il pense. Mais puisque tu sembles déterminée à te lancer dans un régime, autant que tu le fasses dans le confort et le raffinement ! Je t'ai réservé une place à Tranquillum House. À toi la cure détox de dix jours pendant l'absence des filles ! Profite ! Bises. Ness. P-S : ensuite, retour à la maison et cure de fromage !!*

Aucun cadeau ne lui avait fait autant plaisir depuis qu'elle ne croyait plus au père Noël.

Elle repensa alors à la promesse de Masha : « Dans dix jours, vous ne serez plus les mêmes. » Une petite voix se mit à prier dans sa tête : *Oh oui, je vous en supplie, je vous en supplie, faites que ce soit vrai, je vous en supplie, je vous en supplie, laissez-moi devenir une autre femme.* Elle regarda son visage implorant dans le miroir. Elle avait l'air d'une gourde. Sa peau était rêche et rouge comme les mains d'une vieille blanchisseuse. De minuscules lignes striaient sa lèvre supérieure, formant comme une palissade sur la seule partie de son corps qui était fine, si fine qu'elle disparaissait quand elle souriait. Les lèvres étaient censées être des boutons de rose charnus, pas des traits fins et mesquins quasiment invisibles.

Oh, Carmel, évidemment qu'il ne te désirait plus ! Qu'est-ce que tu croyais ? Regarde-toi ! Des claques, tu mérites des claques. Elle leva la main, prête à s'infliger une autre gifle.

Quelqu'un frappa discrètement à la porte. Carmel sursauta. Elle enfila son peignoir et alla ouvrir.

Sur le seuil, Yao, tête baissée – pas de contact visuel –, lui tendit une petite carte.

Carmel la prit, il tourna aussitôt les talons. Elle referma la porte.

Dans ses mains, une épaisse carte carrée couleur crème pareille à un faire-part de mariage. Le message, rédigé à l'encre noire dans une écriture épaisse, avait un caractère officiel.

Chère Carmel,

En dépit du temps libre inscrit sur votre emploi du temps du jour, nous vous demandons de vous rendre dans les plus brefs délais au spa pour profiter de notre Soin visage relaxant et rajeunissant d'une durée de quatre-vingt-dix minutes. Vous serez libérée juste avant le dîner. Votre esthéticienne vous attend.

Bien à vous,

Masha

P-S : Yao est votre conseiller bien-être référent, mais soyez assurée que je ferai également tout ce qui est en mon pouvoir pour vous procurer tout le bien-être, l'apaisement et le bonheur dont vous avez besoin et que vous méritez.

C'est à ce moment-là que Carmel Schneider s'en remit à Masha avec la même volupté qu'une novice s'abandonne entre les mains de Dieu.

22

Yao

Il était 21 heures. Après avoir été nourris, les pensionnaires étaient tous retournés dans leur chambre sans encombre. Avec un peu de chance, ils dormaient sur leurs deux oreilles. Munis de blocs-notes, Yao et Dalila venaient de rejoindre Masha autour de la table ronde disposée dans l'angle de son bureau pour faire le point, comme tous les soirs, sur la journée.

Masha tapotait la table du bout des doigts. Elle adoptait toujours un comportement différent au cours de ces réunions. La femme d'affaires en elle refaisait surface à travers les mots qu'elle choisissait, le tranchant de sa voix et la raideur de sa posture. Dalila trouvait cela ridicule, mais Yao, complètement étranger au monde de l'entreprise, était sous le charme.

« Bien. Point suivant à l'ordre du jour. Le silence. Quelqu'un l'a-t-il rompu aujourd'hui ? » demanda Masha qui semblait crispée. Elle devait être sur les nerfs à cause du nouveau protocole. Yao lui-même se sentait agité.

« Lars, oui, répondit Dalila. Il essayait de se soustraire à la prise de sang quotidienne. Je lui ai dit d'arrêter de se comporter comme un bébé. »

Yao ne parlerait jamais comme ça à un pensionnaire. Dalila disait ce qu'elle pensait sans ambages, alors que Yao se faisait parfois l'effet de... tricher. De jouer un rôle, en somme. Par exemple, s'il aidait un client impoli à faire la planche, il l'encourageait gentiment en disant « Oui, c'est bien ! » alors qu'il pensait : *Tu n'essaies même pas, malotru de mes deux.*

« Frances m'a écrit un mot, enchaîna Yao. Elle voulait sauter la prise de sang aujourd'hui vu qu'elle avait saigné du nez. Je lui ai dit : raison de plus pour la faire.

– Personne n'aime les prises de sang, grommela Masha. Moi-même, je déteste les aiguilles. » Elle frissonna. « Quand nous étions candidats à l'immigration, nous avions des tonnes de prises de sang à faire, pour le sida, la syphilis… À l'époque, votre gouvernement voulait des travailleurs qualifiés, mais il fallait aussi qu'on soit en bonne santé. Ils inspectaient même nos dents. J'entends encore mon ami me dire : Ils ne s'y prendraient pas autrement s'ils choisissaient un cheval ! » Elle eut une moue dédaigneuse, comme si sa fierté prenait un coup à l'évocation de ce souvenir. « Mais quand on n'a pas le choix… », ajouta-t-elle, les yeux dans le vague.

Yao regarda les clavicules de Masha sous les bretelles de son débardeur blanc tout simple. Avant de la rencontrer, il n'avait jamais considéré les clavicules comme une partie particulièrement sensuelle de l'anatomie féminine.

« Tu es amoureux de cette femme ou quoi ? lui avait dit sa mère au téléphone, la semaine précédente. C'est pour ça que tu travailles comme un chien pour elle ?

– Maman, elle a presque le même âge que toi, avait-il répondu. Et je ne travaille pas comme un chien pour elle.

– Plutôt comme un *toutou*, lui avait dit Dalila, allongée nue près de lui. Tu en pinces pour elle. » La belle Dalila était une amante experte, il l'aimait beaucoup, mais leurs ébats lui faisaient toujours l'effet d'une transaction, même s'il n'y avait pas d'argent en jeu.

« Je lui suis reconnaissant, avait-il répondu, les mains derrière la tête, les yeux rivés au plafond. Elle m'a sauvé la vie.

– N'importe quoi. C'est *toi* qui lui as sauvé la vie.

207

– Non, c'est mon tuteur. Moi, je n'avais aucune idée de ce que je fabriquais.

– Et maintenant, tu l'aaaaaaimes.

– Comme une sœur.

– Ouais, bien sûr.

– Comme une cousine. »

Dalila avait ricané tout en remettant son soutien-gorge.

Il tenait énormément à Masha. Était-ce si étrange ? D'aimer sa patronne ? Sûrement pas tant que ça quand on vivait sous le même toit et que ladite patronne avait le physique de Masha. C'était une femme intéressante et stimulante. Son accent, des plus exotiques, était absolument craquant. Et son corps… Soit. Il en pinçait pour elle. Et peut-être que ses sentiments étaient bizarres, qu'ils révélaient une faille dans sa personnalité ou un dysfonctionnement lié à l'enfance, même si la sienne avait été heureuse et tout à fait ordinaire, celle d'un garçon timide et sérieux qui réagissait peut-être de manière un peu trop émotive, mais ne se faisait guère remarquer. Ses parents étaient des gens humbles qui parlaient d'une voix calme et posée ; ils ne l'avaient jamais poussé. Ils préféraient ne pas avoir trop d'attentes, cela évitait les déceptions. Son père le lui avait carrément dit un jour, sans une once d'ironie : « Pars du principe que tu vas échouer, Yao, comme ça, tu ne seras jamais déçu. » Voilà pourquoi Yao trouvait le narcissisme de Masha si rafraîchissant. Elle était hors norme. Elle n'avait jamais donné dans l'auto-dénigrement et ne comprenait pas que les autres le fassent.

Sans compter que Masha lui avait bel et bien sauvé la vie.

Après son arrêt cardiaque, elle avait écrit à Finn et à Yao pour les remercier. Elle leur avait raconté que son expérience de mort imminente avait changé sa vie à jamais. Que lorsqu'elle flottait au-dessus d'eux, elle avait remarqué une minuscule tache de naissance rouge sur le crâne de Yao. Elle l'avait parfaitement décrite : en forme de fraise.

Finn ne lui avait jamais répondu. « C'est une timbrée. Pas

besoin de flotter au-dessus de nous pour voir ta tache de nais-sance. Elle l'a probablement remarquée quand elle était assise à son bureau, avant de s'effondrer. »

Mais Yao avait été intrigué par son expérience de mort imminente. Il lui avait envoyé un mail et ils avaient entretenu une correspondance irrégulière sur plusieurs années. Elle l'avait informé qu'une fois remise de son opération du cœur, elle avait renoncé à sa « brillante carrière » (ses mots) et vendu ses parts de l'entreprise pour acheter une magnifique demeure coloniale à la campagne. Elle comptait la rénover et y ajouter une piscine. Son projet initial était d'ouvrir un gîte de luxe, mais son intérêt croissant pour le bien-être l'avait fait réfléchir.

Elle avait écrit : *Yao, j'ai transformé mon corps, mon esprit, mon âme, et c'est une possibilité que je veux offrir aux autres.*

Il y avait dans ses mails une grandiloquence que Yao trou-vait drôle et touchante, mais elle n'avait pas plus d'importance que ça à ses yeux. C'était juste une ancienne patiente pleine de reconnaissance et de tournures de phrases amusantes.

Mais juste après son vingt-cinquième anniversaire, tous les pans de sa vie s'étaient écroulés les uns après les autres, tels des dominos. D'abord, ses parents lui avaient annoncé qu'ils divorçaient. Ils avaient vendu la maison de famille pour emmé-nager chacun dans un appartement. Un épisode déroutant et éprouvant. Puis, en plein milieu de ce drame, sa fiancée, Ber-nadette, avait rompu. Il n'avait rien vu venir. Il croyait qu'un amour profond les unissait. Le mariage était organisé, la lune de miel réservée. C'était à n'y rien comprendre. Une rupture, ce n'était pas un drame, et pourtant, à sa grande honte, il avait eu le sentiment de vivre un cataclysme, comme si les fondations de son existence se dérobaient sous ses pieds.

Pour couronner le tout, il s'était fait voler sa voiture.

Et avait commencé à faire de l'eczéma. Le stress.

Finn avait quitté la région et le service d'ambulances avait transféré Yao dans une unité où il ne connaissait personne et où la plupart des interventions impliquaient violence et drogue. Une nuit, un homme lui avait mis un couteau sous la gorge avant de dire : « Si tu lui sauves pas la vie, je te tranche la gorge. » La femme était déjà morte. Quand la police était arrivée, l'homme s'était jeté sur les agents avec son arme et il avait été abattu. Yao avait bel et bien sauvé une vie au cours de cette intervention. La sienne.

Il était retourné au travail. Deux jours plus tard, il s'était réveillé quelques minutes avant la sonnerie, comme d'habitude, mais quand elle avait retenti, catastrophe, il avait senti son cerveau imploser, une sensation physique. Il avait cru faire un accident vasculaire cérébral. Il avait fini à l'hôpital psychiatrique.

« Vous avez manifestement beaucoup subi ces derniers temps, lui avait dit un médecin aux yeux cernés.

– Personne n'est mort.

– Mais pour vous, c'est comme si, n'est-ce pas ? »

C'était exactement l'impression qu'il avait eue. Finn, sa fiancée, la maison de son enfance, sa voiture… c'était une véritable hécatombe.

« Avant, on appelait ce qui vous arrive une dépression nerveuse, avait dit le docteur. Maintenant, on parle d'épisode dépressif majeur. »

Il avait adressé Yao à un psychiatre et lui avait prescrit des antidépresseurs. « Un épisode dépressif bien géré peut s'avérer une chose positive. Essayez de voir ça comme une chance. Une chance de grandir et de mieux vous connaître. »

Le lendemain de son retour à la maison, il avait reçu un mail de Masha l'invitant à lui rendre visite et à profiter d'une des chambres récemment rénovées le jour où il aurait besoin de s'extirper de sa « vie de fou ».

Yao y avait vu un signe.

Votre proposition tombe à point nommé, avait-il répondu. *Je passe une période difficile. Je vais peut-être venir me reposer quelques jours.*

Il n'avait pas reconnu Masha lorsque, à son arrivée, une déesse toute de blanc vêtue était apparue sur la véranda et lui avait chuchoté à l'oreille en le prenant dans ses bras : « Je vais vous guérir. »

C'était comme apercevoir la terre ferme après avoir longuement dérivé en mer. Une sensation qu'il espérait faire vivre à tous les pensionnaires qu'il accueillait désormais à Tranquillum House.

Masha s'était occupée de Yao comme d'un oisillon tombé du nid. Elle lui avait préparé de bons petits plats, l'avait initié au yoga et à la méditation. Ils avaient appris le tai-chi ensemble. Ils avaient passé trois mois en tête à tête dans cette maison. Ils ne couchaient pas ensemble mais ils partageaient quelque chose. Comme un parcours. Un retour aux sources. Pendant cette période, son corps avait changé – il était devenu plus ferme, plus fort à mesure que son esprit guérissait. Yao s'était métamorphosé grâce à une forme de paix et de certitude qu'il n'avait encore jamais éprouvée. Il avait mué et laissé son ancienne peau derrière lui.

Le vieux Yao mangeait trop de nourriture industrielle et faisait trop peu de sport. C'était un anxieux doublé d'un insomniaque. Il se réveillait souvent en plein milieu de la nuit, taraudé par les complications qui *auraient pu* avoir lieu au cours de sa journée de travail.

Le nouveau Yao, lui, faisait des nuits complètes et se levait frais et dispos le matin. La vision de sa fiancée au lit avec un autre homme ne l'obsédait plus. D'ailleurs, Bernadette n'occupait plus que rarement ses pensées, jusqu'à ce qu'elle en sorte complètement. Le nouveau Yao vivait le moment présent et se passionnait pour le « bien-être », inspiré par Masha et sa vision de Tranquillum House. Au lieu de se contenter de soigner les gens, comme Yao l'avait fait en tant que secouriste, l'idée, c'était de les *transformer*, comme lui-même avait été transformé. Une

211

entreprise qui relevait presque du religieux, si ce n'est que tout ce qu'il faisait reposait sur la science et la recherche empirique.

Ses parents lui avaient rendu visite séparément. Tous deux lui avaient dit qu'il était temps qu'il rentre à Sydney et remette de l'ordre dans sa vie. Mais six mois après son arrivée, Masha et Yao avaient ouvert les portes de Tranquillum House et reçu leurs premiers clients. Ils rencontraient un franc succès. Et c'était amusant. Bien plus amusant qu'être ambulancier.

À présent cinq ans avaient passé. Dalila les avait rejoints au bout d'un an et le trio ne cessait d'apprendre, de redéfinir et d'améliorer les retraites proposées. Masha payait généreusement. Un travail de rêve.

« Demain, je commence les séances de thérapie individuelle, annonça Masha. Je partagerai mes notes avec vous.

– Bien, fit Yao. Plus on en sait sur nos pensionnaires, mieux c'est. »

Cette retraite, première dans son genre, allait modifier la façon dont ils pratiquaient leur métier. Quoi de plus normal que d'être nerveux ?

« J'ai besoin d'en savoir davantage sur le passé de Tony Hogburn, dit Dalila. Il y a quelque chose chez cet homme qui m'échappe.

– Tout va bien se passer », dit Yao, presque pour lui-même.

Masha lui prit le bras et le regarda de ses incroyables yeux verts brillant de cette énergie et de cette passion qu'il trouvait si stimulantes.

« Mieux que bien, Yao. Magnifiquement bien. »

23

Frances

Quatrième jour de la retraite.

Frances trouvait qu'elle s'était adaptée au rythme paisible de la vie à Tranquillum House avec une facilité surprenante. Elle n'avait presque jamais à décider comment occuper son temps.

La journée commençait systématiquement par une séance de tai-chi dans la roseraie avec Yao. Son planning incluait toujours au moins un – parfois deux – massage curatif avec Jan. Certains jours, elle devait même retourner au spa – si on lui « prescrivait » un soin du visage par exemple. Elle avait connu plus pénible, comme prescription ! Les produits sentaient divinement bon et lui laissaient un teint de pêche éclatant, un moment fantasmagorique donc, même si ses cheveux rebiquaient comme des pétales de fleur. Il y avait également les cours de yoga dans le studio et les marches en conscience dans la campagne environnante. Ils empruntaient chaque jour un sentier plus raide à un rythme plus soutenu.

En fin d'après-midi, quand il faisait moins chaud, certains clients allaient courir avec Yao (les Marconi semblaient ne rien faire d'autre que courir, même pendant leur temps libre ; assise sur son balcon, Frances les regardait grimper Tranquillum Hill à toute allure comme si leur vie en dépendait), tandis que d'autres participaient à un cours de fitness tout doux dans la roseraie avec Dalila. Dalila semblait s'être donné pour mission

213

de faire faire des vraies pompes à Frances (pas sur les genoux, version fillette) et comme la malheureuse n'avait pas le droit de parler, elle ne pouvait pas décliner. « Des pompes ? Très peu pour moi ! De toute façon, ça ne sert à rien ! » Mais, à en croire Dalila, il n'y avait pas mieux pour faire travailler tous les muscles du corps.

Frances laissait Yao lui faire une prise de sang et prendre sa tension quotidiennement sans protester. Toujours sans un mot, elle montait sur la balance, qu'elle préférait ne pas regarder, même si elle supposait que son poids baissait, non, dégringolait, avec tout ce sport et ces calories en moins. Elle n'avait pas bu une goutte de vin !

Le noble silence, qui lui avait d'abord semblé si vain, si stupide, totalement arbitraire et impossible à observer, s'étoffait à mesure que les jours passaient ; il s'intensifiait, comme une vague de chaleur. Et d'ailleurs, les températures avaient augmenté. La chaleur de l'été était sèche, vive et blanche, comme le silence lui-même.

Au début, sans la distraction du bruit et des conversations, ses pensées tournaient en boucle : Paul Drabble, l'argent qu'elle avait perdu, la surprise, la douleur, la colère, la surprise, la douleur, la colère, le fils de Paul qui n'était peut-être même pas son fils, le livre qu'elle avait écrit portée par un amour délirant et qui avait été refusé, sa carrière probablement terminée, la critique qu'elle n'aurait jamais dû lire. Elle n'avait pas trouvé de solution ni eu de révélation fracassante, mais le fait d'observer le tourbillon de ses pensées les avait vraisemblablement ralenties jusqu'à ce qu'elles s'arrêtent complètement, et elle s'était rendu compte qu'à certains moments elle ne pensait à rien. Strictement rien. Son esprit était totalement vide. Et ces moments fort appréciables.

Les autres pensionnaires se résumaient à des silhouettes silencieuses dans sa vision périphérique. Ils ne la gênaient pas, mais les ignorer était devenu parfaitement normal, comme ne pas dire bonjour quand elle trouvait quelqu'un dans un bassin d'eau chaude bouillonnante et sulfureuse où elle entrait sans même un regard.

Une fois, elle avait passé ce qui lui avait semblé une éternité dans la Grotte secrète avec l'Apollon ; ils n'avaient pas échangé une parole, absorbés l'un comme l'autre dans leurs pensées les plus intimes face à la vallée qui s'étendait devant eux. Et en dépit de leur silence, elle avait eu le sentiment de partager quelque chose de spirituel avec lui.

Il y avait eu d'autres agréables surprises.

Par exemple, la veille, dans l'après-midi, elle avait croisé Zoe dans les escaliers ; la jeune fille lui avait glissé quelque chose dans la main et Frances avait réussi à regarder droit devant sans un mot (ce qui était incroyable, car dans ce genre de situation, elle était d'une nullité absolue ; elle s'était même entendu dire par ses deux ex-maris qu'il n'y aurait pas pire espion qu'elle. Ils avaient beau être très différents l'un de l'autre, chacun se croyait en revanche hautement qualifié pour entrer à la CIA du jour au lendemain) et, une fois dans sa chambre, elle avait trouvé un chocolat au beurre de cacahuète au creux de sa main. Elle n'avait jamais rien mangé d'aussi délicieux de toute sa vie. En dehors de Zoe, Frances avait très peu d'interactions avec les autres. Elle ne sursautait plus quand Napoleon éternuait. Elle avait remarqué que la vilaine toux de Tony s'était calmée pour finalement disparaître complètement. La sienne aussi avait disparu, d'ailleurs. À peu près au même moment. Ses voies respiratoires étaient totalement dégagées. Sa coupure au pouce avait cicatrisé et son dos la faisait moins souffrir chaque jour. C'était vraiment un « parcours de guérison ». Dès son retour chez elle, elle enverrait une carte à Ellen pour la remercier chaleureusement de son conseil.

Aujourd'hui, son programme incluait une séance de psychothérapie individuelle avec Masha juste après le déjeuner. Frances n'avait jamais eu recours à quelque forme de psychothérapie que ce soit. Elle avait des amies pour ça. Elles s'écoutaient et s'épaulaient. La plupart du temps, il s'agissait d'un échange. Frances avait du mal à s'imaginer assise en face d'une personne à qui elle raconterait ses problèmes sans ensuite l'écouter et lui prodiguer ses conseils avisés (elle se targuait d'être de bien meilleur conseil pour ses amies qu'elles ne l'étaient pour Frances, mais leurs problèmes n'étaient pas aussi complexes que les siens).

Mais le silence, la chaleur et les massages quotidiens avaient concouru à la naissance d'une forme de résignation tranquille chez Frances. Masha pouvait la « conseiller » si ça lui faisait plaisir.

Au déjeuner, Frances se vit servir un curry de légumes. Elle n'entendait plus les bruits de mastication des autres clients et prenait un plaisir absolument extraordinaire à manger – extraordinaire car elle se considérait déjà comme une femme qui appréciait les plaisirs de la table ! Le curry, qu'elle savourait par petites bouchées, avait un léger et délicieux goût de safran. C'était toujours aussi bon, le safran ? Aucune idée, mais elle avait le sentiment de vivre un moment d'épiphanie.

Après le déjeuner, méditant toujours sur le miracle du safran, Frances ouvrit la porte sur laquelle figurait le mot PRIVÉ, monta les deux étages qui menaient au bureau de Masha tout en haut de la tourelle. Elle frappa.

« Entrez », dit une voix sur un ton un rien péremptoire.

Frances s'exécuta tout en repensant aux fois où elle était convoquée chez le directeur du pensionnat.

Occupée à écrire, Masha lui fit signe de s'asseoir en face d'elle le temps qu'elle finisse ce qu'elle faisait.

En temps normal, sa conduite aurait agacé Frances au plus haut point, et elle n'était pas encore suffisamment zen pour ne pas se dire qu'il était tout à fait légitime qu'elle s'agace. Primo, elle payait, deuxio, elle était à l'heure, alors merci bien, mais elle n'était pas l'employée de Masha. Pourtant, elle s'abstint de soupirer, de se racler la gorge ou de se tortiller car Frances avait commencé sa métamorphose, elle était vraiment plus mince, et hier elle avait réussi à faire deux pompes d'affilée sur les orteils. Bientôt, elle aurait probablement le même corps que Masha.

Prise d'une irrépressible envie de rire, elle entreprit d'étudier la pièce pour se calmer.

Quel magnifique bureau ! songea-t-elle, envieuse. Dans pareil environnement, elle parviendrait probablement à écrire un chef-d'œuvre sans manger un seul carré de chocolat ! Sur chacun des quatre murs, d'immenses fenêtres offraient une vue à trois cent soixante degrés sur la luxuriante campagne ondoyante. De ce point de vue en hauteur, le panorama ressemblait à un tableau Renaissance.

Frances constata qu'au même titre que l'interdiction de parler, celle d'utiliser des appareils électroniques ne semblait pas s'appliquer à Masha. Madame était équipée des toutes dernières technologies : elle avait non pas un, mais deux énormes écrans aux lignes élégantes sur son bureau, ainsi qu'un ordinateur portable.

S'enfermait-elle ici pour surfer sur Internet alors qu'elle astreignait ses clients à une détox numérique ? Frances sentit sa main droite tressauter. L'envie d'attraper la souris, de tourner un des écrans et de cliquer sur un site d'information la démangeait. Que s'était-il passé au cours des quatre derniers jours ? Si ça se trouve, les zombis avaient envahi la planète ou un couple de célébrités s'était séparé et Frances n'en savait rien.

Elle détourna son attention des écrans et se concentra sur les objets posés sur le bureau. Pas de cadres photo trahissant des détails de sa vie personnelle. Il y avait en revanche plusieurs ravissants objets d'art que Frances aurait bien vus chez elle. Elle tendit la main vers un coupe-papier dont la poignée dorée était décorée d'un motif très élaboré représentant des... éléphants ?

« Attention, fit Masha. Ce coupe-papier est aussi tranchant qu'un poignard. Vous pourriez tuer quelqu'un avec, Frances. »

Frances retira sa main aussi vite qu'un voleur à l'étalage.

Masha sortit le coupe-papier de son étui. « Il a au moins deux cents ans, dit-elle en posant le pouce sur la pointe de la lame. Il est dans la famille depuis très longtemps. »

Frances laissa échapper un murmure admiratif. Elle ne savait si elle avait le droit de parler, ce qui, tout à coup, l'agaça.

« Je suppose que le noble silence n'est pas de mise ? » demanda-t-elle d'une voix qui, faute d'avoir été sollicitée, lui sembla étrange et peu familière. Elle pouvait être fière d'elle ! Elle n'avait même pas parlé toute seule dans l'intimité de sa chambre, alors que d'ordinaire, elle n'avait pas besoin de la compagnie de qui que ce soit pour bavarder ! Elle décrivait gaiement ce qu'elle fabriquait ou s'adressait gentiment à des objets. « Où te caches-tu, mon petit épluche-légumes ? »

« Vous êtes donc femme à respecter les règles ? » demanda Masha en l'observant, le menton appuyé sur les mains. Ses yeux étaient d'un vert incroyable.

« De manière générale, oui. »

Masha continua de la regarder dans les yeux.

« Mais j'avais des articles interdits dans ma valise, comme vous devez le savoir. » Un aveu qu'elle fit d'une voix calme, pour son plus grand plaisir, même si elle se sentit rougir.

« Oui, je le sais.

— Et je continue de lire, ajouta Frances d'un ton de défi.

— Vraiment ?

— Oui.

— Le livre vous plaît ? » demanda Masha en reposant le coupe-papier sur son bureau.

Frances réfléchit à la question un instant. C'était un roman policier mais l'auteur avait introduit une ribambelle de personnages dès le début et jusqu'à présent, personne ne s'était fait zigouiller. Le rythme était lent. Allez, vite, il faut tuer quelqu'un, maintenant !

« Assez, oui.

– Dites-moi, Frances, être une personne différente à la fin de votre retraite, c'est quelque chose que vous *souhaitez* ?

– Eh bien… » Elle prit une boule de verre colorée sur le bureau. Un geste quelque peu mal élevé qu'elle ne put réprimer, guidée par l'envie de sentir son poids et sa fraîcheur au creux de sa main. « Je crois, oui.

– Je n'en suis pas convaincue, répondit Masha. Je crois que vous êtes ici pour vous reposer, et que vous êtes plutôt satisfaite de ce que vous êtes aujourd'hui. Je crois que tout ça vous fait doucement rire. Vous êtes du genre à ne pas prendre les choses trop au sérieux dans votre vie, n'est-ce pas ? » Son accent était plus prononcé à présent.

Frances tâcha de garder à l'esprit que cette femme n'avait aucun pouvoir sur elle.

« C'est un problème si je suis là pour me reposer ? » Frances remit la boule en verre sur le bureau et la poussa légèrement, pour ne plus être tentée de la prendre, mais elle commença à rouler, obligeant Frances à l'arrêter du bout des doigts de crainte qu'elle ne tombe. Ridicule, songea-t-elle en posant les mains sur ses genoux. Pourquoi était-elle mal à l'aise ? Comme une adolescente ? Elle était dans un centre de bien-être, bon sang !

Masha ne répondit pas. « Je me demandais…, avez-vous le sentiment d'avoir été véritablement mise à l'épreuve dans votre vie ? »

Frances gigota sur sa chaise. « J'ai traversé des deuils, répondit-elle sur la défensive.

– À cinquante-deux ans, c'est normal, fit Masha avec un geste dédaigneux. Ce n'est pas ce que je vous demande.

– J'ai de la chance, dit Frances. Beaucoup de chance, et je le sais.

– De la chance dans le "pays de la chance", ironisa Masha en ouvrant les bras, comme pour englober le paysage qui les entourait.

– Cette formule que vous utilisez est complètement dévoyée »,
fit-elle observer d'un ton suffisant qui lui rappela celui de son
premier mari, Sol, qui se sentait toujours obligé de relever
quand quelqu'un parlait de l'Australie comme du « pays de
la chance ». « L'auteur à qui on doit cette expression voulait
dire que nous sommes un pays prospère mais que nous n'avons
rien fait pour.

– Donc vous n'avez pas de chance, vous autres, Australiens ?

– Mais… pas du tout. Nous sommes très chanceux, mais… »
Frances s'interrompit. Que voulait dire Masha exactement ?
Qu'elle n'avait aucun mérite ?

« Je vois que vous n'avez jamais eu d'enfants », dit Masha,
les yeux rivés sur un dossier qu'elle avait ouvert devant elle.
Frances se prit à tendre le cou pour y jeter un œil, comme si
son dossier pouvait lui révéler un secret. Masha savait qu'elle
n'avait pas eu d'enfants pour la simple et bonne raison qu'elle
l'avait précisé en remplissant sa fiche d'inscription. « C'était un
choix de votre part ou la vie a décidé pour vous ?

– Un choix. » *Ça ne te regarde pas, ma cocotte.*

Elle repensa à Ari – ou le garçon qui se faisait appeler ainsi –
et aux jeux vidéo qu'il était censé lui montrer quand elle les
rejoindrait, lui et son père, aux États-Unis. Où se trouvait-il à
l'heure qu'il était ? Au téléphone avec une autre femme ?

« Je vois. »

Masha en concluait-elle que Frances était une égoïste ? Une
critique qu'elle avait déjà entendue, ce qui ne l'avait pas spécialement dérangée.

« Et *vous*, Masha, vous en avez, des enfants ? » Frances se
sentait tout à fait le droit de poser des questions. Cette femme
n'était pas sa psy. Si ça se trouve, elle n'avait même pas les
diplômes requis. Elle se pencha en avant et demanda, curieuse :
« Vous avez un petit ami ?

– Ni petit ami ni enfants. » Masha était très calme. Elle la
fixait avec une telle détermination que Frances ne put s'empê-

cher de se demander si elle mentait, même si elle n'imaginait pas une seule seconde Masha en couple. C'était le genre de femme à prendre beaucoup trop de place.

« Vous avez parlé de deuils. Pouvez-vous m'en dire davantage ?

– Mon père est décédé quand j'étais très jeune.

– Le mien aussi. »

Une révélation des plus personnelles qui décontenança quelque peu Frances. Après tout, elle n'avait rien demandé.

« Je suis désolée », dit-elle en repensant à son dernier moment avec son père. C'était l'été. Un samedi. Elle devait se rendre à son travail – elle faisait quelques heures comme caissière chez Target. Elle l'avait trouvé assis dans le salon à écouter *Hot August Night* tout en fumant une cigarette. Les yeux fermés, il fredonnait en chœur avec Neil Diamond qu'il considérait comme un génie. Frances l'avait embrassé sur le front. « À plus tard, ma chérie », avait-il dit sans ouvrir les yeux. Pour Frances, l'odeur de cigarette, c'était l'odeur de l'amour. Raison pour laquelle elle avait si souvent fréquenté des fumeurs.

« Mon père s'est fait renverser par une voiture à un passage clouté. La conductrice avait le soleil dans les yeux. Il était sorti pour se promener.

– Le mien a été abattu dans un marché pour le compte de la mafia russe. Comme pour le vôtre, c'était un accident. Le tueur l'a pris pour quelqu'un d'autre.

– Sérieusement ? » Frances essaya de ne pas avoir l'air trop avide de détails savoureux.

Masha haussa les épaules. « Ma mère disait que mon père avait un visage trop commun. Trop quelconque. Elle lui en a beaucoup voulu de ressembler à monsieur Tout-le-Monde. »

Une phrase qui portait à sourire mais voyant la mine de Masha, Frances s'abstint.

« Ma mère en a beaucoup voulu à mon père d'être sorti pour se promener. Pendant des années, elle a dit : Il faisait tellement chaud ce jour-là ! Pourquoi n'est-il pas resté dedans comme tout le monde ? Pourquoi fallait-il qu'il aille toujours se promener ? »

Masha hocha la tête. Une fois.

« Mon père n'aurait jamais dû se trouver dans ce marché. C'était un homme très intelligent, il avait un poste haut placé dans une entreprise qui fabriquait des aspirateurs, mais après la chute de l'URSS, quand l'inflation est montée en flèche, toutes nos économies se sont envolées. Son entreprise ne pouvait plus le payer en liquide, alors ils le payaient en aspirateurs. Et lui, il les revendait. C'est pour ça qu'il allait au marché. Il n'aurait pas dû en être réduit à ça. C'était indigne de lui.

– C'est affreux », dit Frances.

Pendant un instant, Frances eut l'impression que l'incommensurable gouffre qui les séparait, qu'il s'agisse de leur culture, de leur enfance, de leur morphologie, pouvait être comblé par ce qu'elles avaient en commun : un père mort par accident et une mère éplorée et amère. Mais tout à coup, Masha renifla, comme dégoûtée par un comportement inqualifiable, et ferma le dossier de Frances. « Eh bien, ç'a été un plaisir de discuter avec vous, Frances, de vous connaître un peu mieux. »

Une phrase qu'elle prononça comme s'il n'y avait rien d'autre à savoir sur Frances.

« Comment avez-vous atterri en Australie ? » demanda Frances, qui aurait donné n'importe quoi pour que la conversation se poursuive. Elle n'avait aucune envie d'observer de nouveau le silence à présent qu'elle avait retrouvé le plaisir de communiquer. Masha ne voulait pas en savoir davantage sur elle ? Pas de souci ! Mais la réciproque n'était pas valable !

« Mon ex-mari et moi avions fait des demandes auprès de plusieurs ambassades, dit Masha froidement. États-Unis, Canada, Australie. Moi, je voulais aller aux États-Unis, lui au Canada, mais c'est l'Australie qui avait besoin de nous. »

Ils n'auraient pas choisi l'Australie ? Frances s'efforça de ne pas le prendre contre elle, même si elle avait le sentiment que c'était ce que Masha voulait.

Et puis, elle avait dit *ex-mari*, non ? Un autre point commun ! Cela dit, Frances avait bien conscience qu'elle ne ferait pas parler Masha si elle s'aventurait sur le terrain de leurs divorces respectifs. Il y avait quelque chose chez cette femme qui lui rappelait une amie de faculté, qui était à la fois très égocentrique et très anxieuse. Le seul moyen d'obtenir ses confidences, c'était de la flatter. En y mettant les gants, cela va sans dire. C'était un peu comme désamorcer une bombe : vous pouviez l'offenser sans le vouloir à tout moment.

« Je trouve que c'est très courageux de recommencer à zéro dans un autre pays, dit Frances.

— Eh bien, nous n'avons pas eu à voyager en haute mer dans une embarcation de fortune, si c'est ce que vous imaginez. Le gouvernement australien a pris nos billets d'avion en charge. Nous avons été accueillis à la sortie de l'aéroport puis logés dans un appartement aux frais de la princesse. Vous aviez *besoin* de nous. Nous étions tous les deux des gens brillants. Moi, j'avais une licence de mathématiques et mon mari était un scientifique de carrure internationale extrêmement doué. » Le ton qu'elle employa en disant ces derniers mots lui conférait davantage un statut de veuve que de femme divorcée. Son regard semblait plongé dans un passé que Frances mourait d'envie de connaître.

« Alors nous avons de la chance que vous ayez immigré, dit-elle humblement, au nom du peuple australien.

— Je ne vous le fais pas dire. » Masha se pencha en avant, tout à coup rayonnante. « Vous savez d'où nous est venue l'idée d'immigrer ? D'un magnétoscope ! Sans ce magnétoscope, il n'y aurait rien à raconter ! Quand je pense qu'aujourd'hui, plus personne n'en a ! La technologie…

— Un magnétoscope ?

— Nos voisins de palier avaient un magnétoscope. Personne ne pouvait s'offrir ce genre de choses, mais ils en avaient hérité après le décès d'un membre de leur famille en Sibérie. C'étaient de bons amis, ils nous invitaient souvent à regarder des films. » Les yeux dans le vague, elle se souvenait.

Frances resta immobile, craignant d'interrompre ce soudain moment de confidences. C'était comme lorsque votre patron, toujours hyper tendu, vous accompagnait au pub et se mettait à vous parler d'égal à égal après avoir bu un verre.

« C'était une fenêtre sur un autre monde. Un monde capitaliste. Tout semblait si différent, si fabuleux, si… *foisonnant.* » Masha sourit d'un air rêveur. « *Dirty Dancing, Recherche Susan désespérément, Breakfast Club* – il n'y en avait pas tant, car les cassettes coûtaient affreusement cher, les gens se les échangeaient. Les voix étaient toutes faites par la même personne qui se pinçait le nez, comme ça, vous voyez, pour déguiser sa voix, parce que, bien sûr, c'était illégal, dit-elle d'une voix nasillarde. Sans ce magnétoscope, sans ces films, nous n'aurions peut-être pas travaillé si dur pour partir. Ça n'a pas été facile.

– La réalité a-t-elle été conforme à vos espérances ? » demanda Frances en repensant au contraste entre l'univers brillant et éclatant de couleurs des films des années quatre-vingt et la banlieue de Sydney qui lui semblait si fade lorsqu'elle sortait du cinéma, les yeux plissés, avec ses copines. « C'était aussi merveilleux que dans les films ?

– Oui. » Masha prit la boule en verre et la posa sur la paume de sa main tendue, comme pour la mettre au défi de rouler. Elle resta parfaitement immobile. « Et non. »

Elle remit la boule sur le bureau d'un geste résolu, se rappelant soudain son statut de directrice. Comme lorsque votre patron se souvient qu'il devra vous donner des ordres le lendemain.

« Bien, demain, nous romprons officiellement le silence et vous pourrez faire connaissance avec les autres pensionnaires.

– Je suis impatiente de…

– Profitez de votre dîner car on ne vous servira pas à manger. Ce sera votre premier jour de jeûne. »

Elle fit un geste de la main que Frances interpréta comme une invitation à se lever. Ce qu'elle fit.

« Vous avez déjà jeûné, Frances ? » Masha prononça le mot « jeûné » comme s'il s'agissait d'une pratique aussi exotique qu'exquise – comme la danse du ventre par exemple – en la regardant droit dans les yeux.

« Pas vraiment, avoua Frances. Mais... ce n'est pas un jeûne strict, n'est-ce pas ? »

Masha se fendit d'un sourire radieux. « Eh bien, il se peut que la journée de demain soit une mise à l'épreuve, Frances. »

24

Carmel

« Vous avez déjà perdu du poids, à ce que je vois, dit Masha en consultant le dossier de Carmel, venue pour sa séance de psychothérapie.

– C'est vrai ? fit Carmel, qui avait l'impression qu'on lui décernait un prix. Combien ? »

Masha ignora sa question et poursuivit sa lecture, faisant glisser son doigt sur la page.

« Je pensais avoir perdu un peu, mais je n'étais pas sûre. » Sa voix, qu'elle n'avait pas sollicitée depuis plusieurs jours, vibrait de plaisir. Elle n'avait pas osé espérer. Lors de sa pesée quotidienne, Yao s'était délibérément positionné de sorte qu'elle ne puisse pas voir l'affichage tant redouté de la balance.

Soupçonnant que son tour de taille s'affinait – ses vêtements n'étaient-ils pas plus lâches ? –, elle avait repris l'habitude de se toucher le ventre en secret, comme lors de sa première grossesse. Une période euphorique où elle sentait son corps changer de manière inédite et miraculeuse. Cette retraite lui donnait exactement la même sensation.

« Je suppose que je perdrai encore plus quand on commencera le jeûne demain ? » Carmel tenait à manifester son enthousiasme et son engagement. Elle était prête à tout.

Masha resta muette. Elle ferma le dossier de Carmel et posa le menton sur ses mains croisées.

« J'espère que ce n'est pas qu'une question de rétention d'eau. Lorsqu'on commence un régime, on perd surtout de l'eau, non ? »

Toujours pas de réponse.

« Je sais qu'ici vous contrôlez l'apport calorique des repas. J'imagine que le vrai défi sera de maintenir ma perte de poids en rentrant chez moi. Je suis preneuse si vous avez des conseils nutritionnels pour m'aider à continuer. Des plannings repas à la semaine peut-être ?

– Vous n'avez pas besoin de plannings repas. Vous êtes une femme intelligente. Vous savez quoi faire pour perdre du poids. Vous n'êtes ni spécialement grosse ni spécialement mince. Vous souhaitez vous affiner ? Libre à vous. La question ne m'intéresse pas.

– Oh ! Désolée.

– Dites-moi quelque chose sur vous qui n'a rien à voir avec votre poids.

– Eh bien, j'ai quatre petites filles, dit Carmel en souriant. Elles ont dix, huit, sept et cinq ans.

– Je suis au courant. Vous êtes mère. Dites-moi autre chose.

– Mon mari m'a quittée. Il a une nouvelle petite amie. Et ça fait…

– Autre chose. » Masha accompagna ses paroles d'un geste aussi agacé que dédaigneux, comme si cela n'avait aucune importance.

« Autre chose ? Mais quoi ? Je n'ai pas le temps pour quoi que ce soit d'autre. Je suis une maman tout ce qu'il y a de plus banal. Débordée, stressée et en surpoids. » Elle regarda le bureau de Masha à la recherche de photos de famille. Elle ne devait pas avoir d'enfants. Sinon, elle saurait à quel point la maternité vous avale tout entière. « Je travaille à temps partiel, j'ai une mère âgée qui ne va pas très bien, je suis tout le temps fatiguée. Tout le temps, tout le temps fatiguée. »

Masha poussa un soupir réprobateur.

« Je sais : je dois dégager du temps pour faire du sport »,
proposa Carmel, espérant que c'était ce qu'elle voulait entendre.

« En effet. Mais cela ne m'intéresse pas non plus.

– Quand les filles seront plus grandes, j'aurai davantage de
temps pour...

– Parlez-moi de votre enfance. Quel genre d'élève étiez-
vous ? Première de la classe ou plutôt cancre ? Dissipée ? Forte
tête ? Timide ?

– J'étais parmi les premiers en général. » Toujours. « Ni
dissipée ni timide. Pas forte tête non plus. » Elle réfléchit.
« Quoique, parfois, je pouvais faire la forte tête. Si j'étais
convaincue de quelque chose. »

Elle se souvenait d'une vive dispute avec un professeur qui
avait mal orthographié un mot au tableau. Carmel avait ouver-
tement relevé l'erreur mais le professeur ne l'avait pas écoutée.
Elle n'en avait pas démordu, même quand le professeur s'était
mis à lui hurler dessus. Elle pouvait se montrer très autoritaire
quand elle était sûre de son fait, ce qui n'arrivait pas si souvent
que ça.

« Intéressant, dit Masha. Parce que là, vous ne semblez pas
vraiment autoritaire ou sûre de vous.

– Vous devriez me voir le matin quand je crie après mes
gosses !

– Pourquoi je n'ai pas vu cette partie de votre personnalité ?
Où se cache cette Carmel ?

– Euh... nous ne sommes pas autorisés à parler ?

– Pas faux. Mais voyez, même en faisant cette remarque tout
à fait pertinente, vous avez l'air de poser une question. Votre
voix monte à la fin de vos phrases. Comme ça ? Comme si vous
doutiez ? De tout ce que vous dites ? »

L'imitation de Masha mit Carmel très mal à l'aise. S'exprimait-
elle vraiment comme ça ?

« Et votre façon de marcher, poursuivit Masha. Il y a ça,
aussi : votre façon de marcher. Insupportable.

« – Insupportable ? Ma façon de marcher ? » bafouilla Carmel, stupéfaite de la grossièreté de cette réflexion.

Masha se leva et se posta à côté de son bureau. « Je vous montre comment vous marchez. » Elle rentra les épaules, baissa la tête et traversa la pièce d'un pas précipité. « Comme si vous espériez que personne ne vous voie. Pourquoi vous faites ça ?

– Je ne crois pas que je marche vraiment comme…

– Si. » Masha retourna s'asseoir. « Mais cela n'a pas toujours été le cas à mon avis. Avant, vous marchiez probablement normalement. Vous voulez que vos filles marchent comme vous ? » Question rhétorique. « Vous êtes dans la fleur de l'âge ! Où que vous alliez, vous devriez marcher d'un pas décidé, la tête haute ! Comme si vous entriez en scène ! Ou que vous partiez au combat ! »

Carmel la dévisagea. « J'essaierai ? » Elle se racla la gorge et reprit, d'un ton affirmatif : « J'essaierai. J'essaierai de le faire.

– Bien, dit Masha en souriant. Au début, cela vous paraîtra étrange. Il faudra faire semblant. Mais ensuite, vous vous rappellerez. Vous vous direz, Oh, c'est vrai, c'est comme ça que je parle, comme ça que je marche. C'est moi, Carmel. » Elle posa son poing fermé sur son cœur. « Je suis cette femme-là. »

Elle se pencha en avant et poursuivit à voix basse, les yeux pétillants : « Je vais vous dire un petit secret. Vous aurez l'air plus mince si vous marchez comme ça ! »

Carmel esquissa un sourire, ne sachant pas trop si elle plaisantait.

« Tout vous semblera plus clair dans les prochains jours », dit Masha avec un geste sans équivoque.

Carmel se leva aussitôt, comme si elle avait empiété sur la séance du prochain client de Masha.

Celle-ci prit un carnet et commença à griffonner dedans.

Carmel hésita un instant. Elle essaya d'ouvrir ses épaules.

« Vous pourriez juste me dire combien j'ai perdu depuis mon arrivée ? »

Masha ne daigna pas lever les yeux. « Fermez la porte derrière vous. »

25

Masha

Masha observait l'homme assis de l'autre côté de son bureau. Un colosse aux pieds solidement ancrés au sol et aux épaisses mains fermées sur les cuisses, comme un prisonnier qui espère être placé en liberté conditionnelle.

Elle repensa à ce que Dalila avait dit concernant Tony Hogburn. L'idée qu'il y avait quelque chose d'inhabituel et de mystérieux chez lui. Elle n'était pas de cet avis. Elle voyait un homme simple et grognon, pas spécialement complexe. Il avait déjà perdu du poids. Comme tous les gros buveurs de bière quand ils arrêtent d'en consommer. Le processus était beaucoup plus lent pour les femmes comme Carmel, qui avait pourtant beaucoup moins de kilos en trop. Carmel n'avait d'ailleurs pas perdu un gramme, mais à quoi bon le lui dire ?

« Comment avez-vous entendu parler de Tranquillum House, Tony ?

– Sur Internet. J'ai tapé "Comment changer de vie".

– Ah ! » Elle se cala dans son fauteuil et croisa les jambes, curieuse de voir si Tony allait la déshabiller du regard. Ce qu'il fit, immanquablement – il était en vie, le bonhomme –, mais à peine deux ou trois secondes. Puis : « Pourquoi vous voulez changer de vie, Tony ?

– Eh bien, parce que la vie est courte, Masha. »

Il regarda le paysage qui s'étendait au loin derrière elle. Il semblait beaucoup plus calme et sûr de lui que lorsqu'il s'était plaint de la confiscation de ses articles de contrebande. Les bienfaits de Tranquillum House !

« Je ne veux pas gâcher le temps qu'il me reste, reprit-il. J'aime bien votre bureau. Vous dominez le monde d'ici. Je me sens claustrophobe dans le studio de yoga.

– Et qu'est-ce que vous espérez changer ?

– Je veux juste être en meilleure santé, en meilleure forme. Me délester de quelques kilos. »

Se délester de quelques kilos. Une expression souvent utilisée par les hommes. Sans honte ni émotion, comme si les kilos étaient des poids qu'ils pouvaient poser sans la moindre difficulté dès lors qu'ils en prenaient la décision. Les femmes, elles, disaient qu'elles voulaient perdre du poids en baissant les yeux, comme si les kilos en trop faisaient partie d'elles, tel un terrible péché qu'elles avaient commis.

« J'étais en super forme avant. J'aurais dû m'occuper de ça plus tôt. Je regrette vraiment de… » Il s'interrompit et se racla la gorge, comme s'il en avait trop dit.

« Qu'est-ce que vous regrettez ?

– Rien… rien de ce que j'ai fait. Plutôt ce que je n'ai pas fait. J'ai passé les vingt dernières années à… à me morfondre. »

Pendant une fraction de seconde, Masha chercha l'équivalent russe du verbe se morfondre. Un mot qu'elle entendait rarement.

« Vingt ans, c'est long. » Quel idiot, songea Masha. Elle, elle ne s'était jamais morfondue. Pas une fois. C'était bon pour les faibles.

« Je crois que c'est devenu une habitude. Je ne sais pas trop comment m'en débarrasser. »

Elle attendit. Les femmes appréciaient qu'on leur pose des questions personnelles, mais avec les hommes, mieux valait patienter, garder le silence et voir ce qu'il en sortait.

Plusieurs minutes s'écoulèrent. Elle s'apprêtait à jeter l'éponge quand Tony se mit à gigoter sur sa chaise.

« À propos de votre expérience de mort imminente…, commença-t-il sans la regarder, vous avez dit que vous n'aviez plus peur de la mort ou quelque chose comme ça ?

– C'est exact. » Elle l'observa, curieuse de comprendre son intérêt pour le sujet. « Je n'ai plus peur. C'était un moment magnifique. Les gens pensent que mourir, c'est comme s'endormir, mais pour moi, ç'a été comme un éveil.

– Un tunnel ? C'est ça, que vous avez vu ? Un tunnel de lumière ?

– Pas un tunnel. » Elle se tut, songeant à recentrer la conversation sur lui. Elle s'était déjà trop dévoilée avec cette Frances Welty, qui avait failli faire tomber sa boule de verre, une vraie gosse celle-ci, avec ses cheveux souples, son rouge à lèvres carmin et ses questions curieuses et avides. Pendant un moment, Masha en avait oublié sa position.

Difficile d'ailleurs de concevoir que Frances et elle avaient exactement le même âge. Elle lui rappelait une camarade de classe de CE1. Une jolie petite fille potelée et vaniteuse qui avait toujours les poches pleines de bonbons Vzletnaya. Les gens comme Frances vivaient une vie aussi douce que les bonbons Vzletnaya.

Ce qui n'était pas, selon elle, le cas de Tony. « Ce n'était pas un tunnel, mais un lac. Un immense lac de lumière scintillant de couleurs. »

Elle n'avait jamais confié cela à un de ses petits protégés. Yao le savait, mais pas Dalila. Tandis que Tony passait la main dans sa barbe de trois jours en réfléchissant à ce qu'elle venait de dire, Masha revit cet incroyable lac de couleurs : écarlate, turquoise, citron. Ce lac, elle ne l'avait pas simplement vu. Non, elle l'avait perçu de tous ses sens. Elle l'avait respiré, entendu, senti, goûté.

« Vous avez vu… des êtres chers ?

– Non », mentit Masha tout en se souvenant de cette apparition. Celle d'un jeune homme qui traversait le lac de lumière pour la rejoindre, des cascades de couleurs jaillissant de tout son être.

Un jeune homme si ordinaire et pourtant si exquis. Il portait une casquette de base-ball, comme beaucoup de jeunes hommes. Il l'avait enlevée et s'était gratté la tête. Elle ne l'avait vu que bébé, son magnifique bébé joufflu qui n'avait pas encore fait ses dents, mais elle avait su au premier regard que c'était son fils, c'était l'homme qu'il serait devenu, l'homme qu'il aurait dû devenir, et tout cet amour vivait encore en elle, aussi neuf, puissant et bouleversant que la première fois qu'elle l'avait pris dans ses bras. Elle ignorait si revivre cet amour avait été un don précieux ou une punition cruelle. Peut-être les deux.

Elle n'aurait su dire si elle avait vu son fils pendant une éternité ou quelques secondes à peine. Elle n'avait à ce moment-là aucune notion du temps. Puis il était parti, et elle s'était retrouvée dans son bureau, flottant au-dessus des deux hommes qui essayaient de ranimer son corps sans vie. Ses jambes formaient un angle bizarre, comme si elle avait atterri là après une chute d'un point très élevé. À côté, un bouton de sa blouse en soie qu'ils avaient déchirée. Sur la partie dégarnie du crâne du jeune homme, une tache de naissance en forme de fraise. Et sur son front, la transpiration qui se formait à mesure qu'il envoyait des chocs électriques dans sa poitrine. Étrangement, elle avait ressenti toutes ses émotions : sa peur, sa détermination.

Elle n'avait pas d'autres souvenirs conscients des heures qui avaient suivi. La première image qu'elle se rappelait, c'était cette belle infirmière élancée qui l'avait saluée. « Bonjour, la belle au bois dormant ! » Vingt-quatre heures s'étaient écoulées quand Masha s'était réveillée enfermée dans les tristes limites de son enveloppe corporelle. Un véritable retour en prison.

Mais elle avait vite compris que la femme n'était pas une infirmière. C'était le chirurgien qui avait pratiqué un quadruple pontage sur son cœur. Au cours des années suivantes, Masha réfléchirait souvent à ce qui aurait été différent dans sa vie si elle avait été opérée par un chirurgien cardiaque lambda. À cause de ses préjugés, elle n'aurait fait aucun cas de ce qu'il avait à dire, même s'il avait raison. Elle l'aurait mis dans la même catégorie que tous ces hommes grisonnants qui travaillaient pour elle et ne lui arrivaient pas à la cheville. Mais cette femme ! Elle avait su la mettre au pas. Car Masha éprouvait de la fierté à voir une autre femme qui excellait dans sa profession, pourtant majoritairement masculine. Sans compter qu'elle était grande, comme Masha, et quelque part, ce n'était pas qu'un détail. Alors quand elle lui avait recommandé de réduire les facteurs de risques, s'agissant de son alimentation, de sa pratique sportive et de sa consommation de tabac, Masha l'avait écoutée avec beaucoup d'attention. « Ne laissez pas votre cœur pâtir de votre mental », lui avait-elle dit. Elle voulait lui faire comprendre que son état d'esprit était aussi important que l'état de son organisme. « Au tout début de mon internat en chirurgie cardiaque, on parlait de "barbe symptomatique". L'idée que si un patient va mal au point de ne même pas prendre la peine de se raser, alors ses chances de guérir sont plus faibles. Vous devez prendre soin de vous de manière globale, Masha. » Le lendemain, pour la première fois depuis des années, elle s'était rasé les jambes, et avait commencé son programme de réadaptation cardiaque déterminée à être la meilleure. Elle s'était attaquée au défi de son cœur et de sa santé avec la même ardeur qu'elle s'était autrefois attaquée aux défis professionnels que présentait sa carrière, et, naturellement, elle avait surpassé toutes les attentes. « Juste ciel ! » s'était écriée la chirurgienne quand Masha avait fait son premier bilan avec elle.

Elle ne s'était jamais effondrée. Elle s'était reconstruite. Pour cette grande et attirante femme médecin. Pour le jeune homme du lac.

« Ma sœur aussi a vécu une expérience de mort imminente,

dit Tony. Suite à une chute de cheval. Après son accident, elle a changé. De métier. De vie, quoi. Elle s'est mise au jardinage. » Il regarda Masha d'un air gêné. « Ça ne m'a pas plu.

– Vous n'aimez pas le jardinage ? » fit-elle sur un ton taquin.

Il esquissa un sourire et, l'espace d'un instant, elle eut en face d'elle un homme beaucoup plus séduisant.

« Je crois que je ne voulais pas que ma sœur change. J'avais l'impression qu'elle était devenue une étrangère. Ou qu'elle avait vécu quelque chose que je ne pouvais pas comprendre.

– Les gens ont peur de ce qui leur échappe. Je ne croyais pas en la vie après la mort avant. Aujourd'hui, oui. Et grâce à ça, j'ai une vie plus harmonieuse.

– Je vois. »

Masha attendit.

« Bref… » Tony soupira et passa les mains sur ses cuisses, comme s'il en avait terminé.

Masha n'obtiendrait rien de plus aujourd'hui. Peu importait. Les prochaines vingt-quatre heures lui en apprendraient bien davantage sur cet homme. Lui aussi découvrirait des choses sur lui-même.

Une puissante sensation de calme s'installa en elle tandis que Tony quittait son bureau en remontant son pantalon. Les derniers vestiges de doute s'étaient dissipés. Peut-être parce qu'elle avait pensé à son fils.

Les risques étaient calculés. Justifiés.

Personne ne gravit une montagne sans prendre de risques.

26

Napoleon

L'aube se levait sur Tranquillum House. Le cinquième jour de la retraite commençait.

Napoleon répéta le geste « séparer la crinière du cheval sauvage » trois fois de chaque côté. Un de ses préférés, même s'il entendait ses genoux craquer comme un pneu sur du gravier lorsqu'il pliait les jambes. Son kinésithérapeute lui avait dit de ne pas s'en inquiéter : le cartilage craque chez tout le monde, passé la cinquantaine.

Yao animait le cours dans la roseraie, nommant à voix basse chaque mouvement pour les neuf pensionnaires qui formaient un arc de cercle, tous vêtus de leur peignoir vert (ils s'en défaisaient de plus en plus rarement à présent). À l'horizon, deux montgolfières s'élevaient dans le ciel au-dessus des vignes si lentement qu'on aurait dit un tableau. Napoleon et Heather s'étaient offert un vol en montgolfière une fois, au cours d'une escapade romantique – dégustation de vin, boutiques d'antiquités – dans une vie antérieure, avant d'avoir des enfants.

Amusant, songea Napoleon, comme les gens se disent que leur vie ne sera plus jamais la même quand ils fondent une famille. Et c'est vrai, dans une certaine mesure. Mais c'est tellement rien, comparé au bouleversement que l'on vit quand on perd un enfant.

Aussi, lorsque le premier jour Masha leur avait promis qu'ils quitteraient Tranquillum House métamorphosés à un point qu'ils n'auraient jamais imaginé, Napoleon s'était laissé envahir par l'amertume et le cynisme. Cela ne lui ressemblait pas : il croyait aux vertus du développement personnel et le fait que les gens se passionnent pour ce qu'ils faisaient – ce qui était manifestement le cas de Masha – suscitait son admiration. (Sa femme au contraire se méfiait des gens qui débordaient d'enthousiasme et sa fille Zoe, encore jeune, les trouvait un peu ridicules.) Mais lui et sa famille n'étaient-ils pas déjà métamorphosés à un point qu'ils n'avaient jamais imaginé ? Tout ce qu'il leur fallait, c'était la paix, le calme et de meilleures habitudes alimentaires.

J'admire et je salue votre enthousiasme, Masha, mais la métamorphose, nous avons déjà donné, merci bien.

« La grue blanche déploie ses ailes », dit Yao et, suivant son exemple, ils firent le même mouvement gracieux tous ensemble pour un effet des plus esthétiques.

Napoleon, qui se tenait derrière les autres, comme toujours depuis qu'il avait atteint un mètre quatre-vingt-dix, regarda sa femme et sa fille lever les bras en même temps. Elles se mordillaient la lèvre inférieure comme des écureuils quand elles étaient concentrées.

Il entendit les genoux de son voisin craquer aussi, ce qui ne fut pas pour lui déplaire car il avait au minimum dix ans de moins que lui. C'était un très bel homme, ce qui n'avait pas pu échapper à Heather. Le regardait-elle en cachette ? Non, elle avait les yeux opaques, telle une poupée. Comme d'habitude, elle était enfouie au plus profond, au plus triste d'elle-même.

Heather était une femme brisée.

Elle avait toujours été fragile. Comme une porcelaine.

Au début de leur relation, il avait vu en elle une fille fougueuse, drôle, solide, athlétique, capable, le genre de filles qu'on peut emmener voir un match de football ou dormir à la belle étoile, et il n'avait pas tort, c'était tout à fait ce genre de fille. Elle adorait le sport, le camping, elle n'était pas particulièrement exigeante, ni sur le plan matériel ni sur le plan émotionnel. Au contraire, elle avait du mal à admettre qu'elle puisse avoir besoin de quoi que ce soit ou de qui que ce soit. Peu de temps après leur rencontre, elle s'était cassé un orteil en essayant de déplacer une bibliothèque toute seule alors que Napoleon était censé la rejoindre – il aurait pu soulever ce meuble en contre-plaqué d'une seule main, mais non, il avait fallu qu'elle le fasse elle-même.

La fragilité cachée derrière la fougue était apparue progressivement, par petites touches étranges. Une attitude bizarroïde par rapport à certains aliments qui pouvait trahir un estomac délicat, ou plus. Une difficulté à regarder les gens dans les yeux si une dispute devenait trop chargée émotionnellement. Une incapacité à dire « je t'aime » sans se crisper au niveau de la mâchoire, comme si elle s'attendait à prendre un coup. Parce qu'il était romantique, Napoleon s'était imaginé qu'il pourrait protéger son drôle de petit cœur fragile, comme un oisillon au creux de sa main. Parce qu'il était amoureux et viril, il pensait pouvoir protéger sa femme des hommes peu recommandables, des meubles trop lourds et des aliments qui l'embêtaient.

Quand il avait fait la connaissance de ses parents, des gens curieusement indifférents, il avait compris que Heather avait grandi sans affection et que, à force d'avoir été privée de ce qu'elle aurait dû recevoir en abondance, elle ne croyait jamais vraiment en l'amour qu'on lui portait. Les parents de Heather n'étaient pas maltraitants, juste suffisamment distants pour glacer n'importe qui. En leur présence, Napoleon se montrait affectueux à l'excès, comme s'il pouvait d'une manière ou d'une autre les inciter à aimer leur fille comme elle méritait de l'être. « Heather n'est-elle pas ravissante dans cette robe ? » « Heather vous a-t-elle dit qu'elle s'était classée première au concours de sage-femme ? » Jusqu'au jour où Heather l'avait regardé en articulant silencieusement les mots *Arrête de faire ça*. Il n'avait jamais recommencé, même s'il multipliait toujours les gestes de tendresse lorsqu'ils rendaient visite à sa famille, espérant ainsi lui montrer qu'elle était aimée, aimée à la folie.

À l'époque, il était trop jeune et trop heureux pour comprendre que l'amour ne suffisait pas. Trop innocent pour savoir que la vie pouvait vous briser de mille façons.

La mort de leur fils avait brisé Heather.

La mort d'un fils brise peut-être toutes les mères.

Napoleon sentait l'ombre sinistre et malveillante du jour anniversaire du drame approcher. Plus que vingt-quatre heures. C'était irrationnel d'avoir peur d'une date, si triste soit-elle. Il tâchait de garder à l'esprit que c'était normal. Tout le monde éprouve la même chose en ce genre d'occasion. Lui-même, l'année précédente, avait été envahi par ce fatalisme macabre, cette impression que le drame allait se produire de nouveau, comme s'il s'agissait d'une histoire qu'on lui avait racontée et qu'il ait su ce que la journée lui réservait.

Il avait espéré que cette retraite l'aiderait à envisager l'approche de l'anniversaire plus calmement. L'endroit était si beau, la maison si paisible et, oui, si tranquille, le personnel tellement gentil et attentionné. Pourtant, Napoleon se sentait nerveux. Au dîner, la veille, sa jambe droite s'était mise à trembler de façon incontrôlable. Il avait dû poser la main sur sa cuisse pour l'immobiliser. Était-ce lié au seul anniversaire ? Ou au silence également ?

Oui, le silence, sûrement. Tout ce temps, seul avec ses pensées, ses souvenirs et ses regrets… il détestait ça.

Le soleil monta plus haut dans le ciel tandis que les pensionnaires exécutaient les mouvements lents et amples que leur montrait Yao.

Napoleon aperçut le profil de l'homme massif qui avait essayé d'introduire des produits interdits dans le centre. Il lui avait semblé susceptible de créer des problèmes et Napoleon avait gardé un œil sur lui – déformation professionnelle oblige –, mais il s'était manifestement calmé, comme un élève qui dès le premier jour donne l'impression qu'il va être une véritable plaie mais se révèle au bout du compte un chouette gosse. Il y avait quelque chose dans le profil de cet homme qui lui rappelait quelqu'un ou quelque chose de son passé. Un acteur de série télé qu'il aimait bien quand il était petit, peut-être ? Ça devait être un bon souvenir car les sentiments qu'il provoquait étaient agréables. Pourtant, Napoleon n'arrivait pas à mettre le doigt dessus.

Il reconnut au loin l'appel d'un psophode à tête noire. Il aimait bien le chant de ce passereau, un long sifflement musical se terminant par une note de craquage qui faisait tellement partie du paysage sonore australien qu'il fallait quitter le pays pour se rendre compte qu'il vous manquait, qu'il apaisait votre âme.

« Repoussez le singe », dit Yao.

Napoleon fit le mouvement tout en se replongeant trois ans en arrière : même date, même heure. Le jour d'avant.

Trois ans plus tôt, Napoleon faisait l'amour à sa femme mal réveillée pour la dernière fois de leur vie conjugale. (Il supposait que c'était la dernière fois, même s'il n'avait pas complètement renoncé. Il saurait quand elle serait prête, si elle l'était un jour. Un regard suffirait. Il comprenait. Faire l'amour semblait dérisoire à présent, déplacé, trivial. Ce qui ne l'empêchait pas d'être plutôt partant.) Elle s'était rendormie – c'était une bonne dormeuse à l'époque – et Napoleon avait quitté la maison sans bruit pour rejoindre la baie. Il gardait son surfski sur la galerie de toit de sa voiture tout au long des vacances d'été. Quand il était rentré, Zach prenait son petit déjeuner devant l'évier, torse nu – une habitude chez lui –, les cheveux pleins d'épis. Il avait levé les yeux, souri et annoncé : « Y a plus de lait », façon de dire qu'il avait tout bu. Il avait ajouté qu'il l'accompagnerait peut-être pour faire du paddle le lendemain. Ensuite, Napoleon avait travaillé au jardin pendant plusieurs heures puis nettoyé la piscine tandis que Zach était allé à la plage avec son ami Chris. Napoleon s'était assoupi sur le canapé et les filles étaient sorties

– Heather pour aller au travail, Zoe pour aller à une fête. Au retour de Zach, Napoleon avait fait des grillades pour eux deux, après quoi ils s'étaient baignés dans la piscine, avaient parlé de l'Open d'Australie (Serena Williams avait-elle une chance de remporter le tournoi ?), des théories du complot (Zach s'y intéressait beaucoup) et de Chris, qui projetait de suivre des études de gastro-entérologie. Zach était sidéré par l'étrange précision des projets professionnels de son ami ; lui-même n'avait pas la moindre idée de ce qu'il aurait envie de faire le lendemain, alors comment pouvait-il savoir ce qu'il avait envie de faire durant le restant de ses jours ? Napoleon lui avait dit que ce n'était pas grave, qu'il avait tout le temps pour choisir un métier et que de toute façon, aujourd'hui, personne ne faisait le même métier toute sa vie (il était absolument certain de lui avoir dit que ce n'était pas grave ; il avait cherché dans sa mémoire un millier de fois), puis ils avaient joué au ping-pong, histoire d'être en phase avec l'actualité sportive – Napoleon avait gagné la belle – avant de regarder *La Famille Tenenbaum,* qu'ils avaient apprécié tous les deux. Ils avaient beaucoup ri. Ils avaient veillé bien trop tard, voilà pourquoi Napoleon était fatigué le lendemain. Voilà pourquoi il avait activé la répétition d'alarme de son réveil.

Une décision prise en une fraction de seconde qu'il regretterait jusqu'à son dernier souffle.

Napoleon se rappelait cette journée dans les moindres détails car il avait épluché ses souvenirs encore et encore, à la manière d'un enquêteur de la criminelle qui passe les indices au crible. Et il se revoyait, encore et encore, tendre le bras vers le téléphone et couper le son. Et il imaginait, encore et encore, cette autre vie, celle où il prenait une autre décision, la bonne décision, celle qu'il prenait toujours : éteindre le réveil et se lever.

« Saisissez la queue de l'oiseau », poursuivit Yao.

C'était Heather qui avait trouvé Zach.

Il n'avait jamais entendu un son semblable au cri de sa femme ce matin-là.

Il se revoyait monter les marches : il avait l'impression d'avoir mis des siècles, comme s'il se déplaçait dans la boue ou dans un monde onirique.

Zach avait utilisé sa nouvelle ceinture pour faire le nœud coulant.

Une ceinture en cuir marron de chez R. M. Williams que sa mère lui avait offerte à Noël, quelques semaines plus tôt. Il l'avait trouvée superbe. Elle avait coûté quatre-vingt-dix-neuf dollars, un prix indécent. « Elle est drôlement chic, cette ceinture », avait fait remarquer Napoleon quand Heather la lui avait montrée. Il se souvenait d'avoir récupéré le ticket de caisse dans le sac en plastique et tiqué. Heather avait haussé les épaules. Elle dépensait beaucoup trop pour les fêtes.

Tu as anéanti ta mère, mon grand.

Il n'avait pas laissé de mot ni de lettre. Il n'avait pas fait le choix d'expliquer son geste.

« Menez le tigre à la montagne », reprit Yao.

Quel âge pouvait-il avoir ? Dix ans de plus que Zach, peut-être ? Son fils aurait pu travailler dans un endroit comme celui-ci. Il aurait pu se laisser pousser les cheveux. Ou la barbe, comme beaucoup ces derniers temps. Il l'aurait bien portée. Il aurait pu avoir une vie fantastique. Pleine d'opportunités. Il était intelligent, beau, viril, habile de ses mains. Il aurait pu apprendre un métier, entrer en droit ou en médecine, faire une école d'architecture. Voyager. Se droguer. Pourquoi n'avait-il pas simplement décidé de se droguer ? Quel bonheur, d'avoir un fils qui fait des mauvais choix, pourvu qu'ils ne soient pas irréversibles ! Un gosse qui se drogue, qui deale même, qui se fait arrêter, qui tourne mal ! Napoleon aurait pu le remettre sur le droit chemin.

Zach n'avait jamais eu de voiture à lui. Pourquoi choisir de mourir avant d'avoir connu le plaisir incommensurable d'avoir sa propre voiture ?

Apparemment, le jeune homme devant lui conduisait une Lamborghini.

Zach avait choisi de tourner le dos à ce monde aux mille merveilles : les psophodes à tête noire, les Lamborghini, les jeunes filles aux longues jambes, et les hamburgers en prime. Il avait choisi de transformer un cadeau de sa mère en arme meurtrière.

Ça, c'était un mauvais choix, fiston. Un très mauvais choix. Une grave erreur.

Il entendit un bruit et se rendit compte que c'était lui. Zoe se retourna. Il esquissa un sourire, cherchant à la rassurer. *Je vais bien, Zoe, je passe juste un savon à ton frère.* Ses yeux se brouillèrent.

« L'aiguille au fond de la mer », dit Yao.

Mon garçon. Mon garçon. Mon garçon.

Il n'était pas anéanti. Il ne cesserait jamais de pleurer Zach mais la semaine qui avait suivi l'enterrement, il avait pris une décision. *Ne pas se laisser briser.* Il était de son devoir de guérir, d'être là pour sa femme et sa fille, de traverser cette épreuve. Alors il avait compulsé la littérature consacrée au sujet, acheté des livres en ligne, lu chaque mot, téléchargé des podcasts, fait des recherches sur Internet. Il avait rejoint le groupe de parole des Survivants du suicide et y allait aussi assidûment que sa mère assistait à la messe le dimanche, excepté que les réunions avaient lieu le mardi soir. À présent, il présidait le groupe. (Heather et Zoe trouvaient qu'il parlait trop, mais ce n'était que dans ses activités sociales. Le mardi soir, il ne disait presque rien. Assis sur sa chaise pliante, il écoutait inlassablement, sans se dérober, tandis qu'un raz-de-marée de douleur détruisait tout autour de lui.) Il donnait des conférences devant des groupes de parents et des élèves ainsi que des interviews à la radio, il publiait une newsletter en ligne et s'investissait dans les collectes de fonds.

Un soir que Heather était au téléphone, il l'avait entendue

dire : « C'est son nouveau passe-temps. » Il ne savait pas à qui elle s'adressait car il n'avait jamais abordé le sujet avec elle, mais cette phrase était restée gravée dans sa mémoire ; son ton aussi, plein d'amertume, proche de la haine. Ça l'avait blessé car c'était à la fois un odieux mensonge et la honteuse vérité.

En cherchant bien, lui aussi pouvait trouver de la haine pour elle au fond de son cœur. Le secret d'un mariage heureux, c'était de ne pas chercher.

Il observa sa femme levant ses bras tout fins vers le soleil pour « maîtriser son énergie vitale » et ressentit une douloureuse tendresse pour elle. Elle ne pouvait pas guérir et refusait même d'essayer. Elle n'était allée au groupe de parole qu'une seule fois. Elle ne voulait pas entendre d'autres parents parler de leurs fils décédés car, pour elle, Zach valait mille fois ces imbéciles. Napoleon partageait cet avis, mais il trouvait du réconfort à donner de son temps à cette communauté dont il n'avait jamais demandé à faire partie.

« La grue blanche déploie ses ailes. »

Parfois, il n'y a pas de signe.

Voilà ce qu'il disait aux parents accablés de chagrin qui assistaient à la réunion du groupe pour la première fois. Il leur parlait des études qui suggéraient que chez les adolescents le suicide découlait souvent d'une décision impulsive. Beaucoup d'entre eux avaient des pensées suicidaires pendant à peine huit heures avant de passer à l'acte. Certains ne prenaient pas plus de cinq minutes de réflexion avant de commettre l'irréparable. Les imbéciles.

Mais il ne leur révélait pas tout ce qu'il avait appris au cours de ses recherches. Par exemple, il taisait que les suicidaires qui ont survécu à leur tentative racontent souvent que leur première pensée après qu'ils avaient avalé les cachets, sauté dans le vide ou ouvert leurs veines ressemblait à *Oh mon Dieu, qu'est-ce que je viens de faire ?*. Que la plupart d'entre eux sortent transformés de cette expérience et mènent une vie heureuse, parfois avec une prise en charge psychiatrique minimale. Que si la décision de mettre fin à leurs jours est contrariée de quelque manière que ce soit, si le moyen envisagé pour y arriver leur est ôté, leurs pensées suicidaires disparaissent souvent avec le temps pour ne jamais refaire surface. Que, lorsque le gaz avait été progressivement supprimé en Grande-Bretagne, le taux de suicide avait diminué d'un tiers car, une fois que les gens avaient perdu la possibilité de mettre la tête dans leur four sur une impulsion, leurs sombres et atroces pulsions avaient eu le temps de disparaître. Car en quoi cela pouvait-il aider les parents de savoir que la malchance avait joué un rôle non négligeable dans la disparition de leur enfant ; qu'il aurait peut-être suffi d'un simple coup de fil, d'une diversion, d'une interruption au bon moment ?

Mais Napoleon, lui, le savait, car il s'agissait de Zach. Un garçon impulsif. L'incarnation même de l'impulsivité. Il ne réfléchissait jamais aux choses en détail. Ni aux conséquences de ses actes. Il vivait dans l'instant, comme il se doit. Il pratiquait la pleine conscience. Hier n'existait pas. Demain non plus. Seul le moment présent comptait. *Je ressens telle émotion, j'agis en fonction.*

Si tu cours après les vagues sur la plage, tu vas mouiller tes nouvelles chaussures de course et elles seront détrempées toute la journée. Si tu cours en extérieur en plein pic de pollen malgré nos avertissements, tu feras une crise d'asthme. Si tu renonces à la vie, tu ne pourras pas la récupérer, fiston, ce sera trop tard.

« Zach, tu dois réfléchir, bon sang ! » Napoleon le lui répétait tout le temps.

Voilà pourquoi Napoleon savait avec certitude que, s'il s'était levé à l'heure prévue, s'il n'avait pas activé la répétition d'alarme ce matin-là, s'il avait toqué à la porte de Zach pour lui dire « Viens faire du paddle avec moi ! », alors aujourd'hui, il ne vivrait pas avec une femme brisée et une fille qui ne chantait plus sous la douche, et son fils fêterait bientôt ses vingt et un ans.

N'était-il pas censé connaître et comprendre les garçons mieux que quiconque ? Il avait un tiroir rempli de cartes et de lettres envoyées par les garçons qu'il avait eus en cours et par leurs parents, et dans chacune il pouvait lire combien il était spécial à leurs yeux, combien il leur avait apporté, qu'ils ne l'oublieraient jamais, qu'il les avait sauvés du gouffre, remis dans le droit chemin, qu'ils seraient éternellement reconnaissants à leur merveilleux professeur, Mr Marconi.

Pourtant, il avait, d'une manière ou d'une autre, trahi son propre garçon. Le seul garçon qui comptait vraiment.

La première année, il avait cherché des réponses. Parlé à chacun de ses amis, de ses coéquipiers, de ses professeurs, de ses entraîneurs. Aucun d'eux n'avait de réponses. Il n'y avait rien de plus à savoir.

« Déployez l'éventail », dit Yao.

Napoleon s'exécuta. Et tandis que ses muscles s'allongeaient et que le soleil réchauffait son visage, il sentit le goût de la mer sur ses lèvres inondées de larmes.

Mais il n'était pas anéanti.

27

Zoe

Découvrant le visage baigné de larmes de son père, Zoe se demanda s'il avait conscience de pleurer. Car il avait beaucoup pleuré sans avoir l'air de s'en rendre compte, comme si son corps évacuait le chagrin à son insu.

« Touchez le ciel », dit Yao.

Zoe suivit des yeux l'arc gracieux que Yao décrivit avec les bras et tomba sur le visage de sa mère, marqué de rides profondes. Elle entendit de nouveau l'horrible cri qu'elle avait poussé ce matin-là. Un cri pareil à celui d'un animal pris au piège. Un cri déchirant qui avait tailladé la vie de Zoe de part en part telle une lame de rasoir.

Le lendemain, cela ferait trois ans. Serait-ce un jour plus facile pour ses parents ? Ce n'était assurément pas le cas pour l'instant. Inutile d'espérer que les choses s'arrangeraient une fois cet anniversaire passé. Elle y avait cru les deux années précédentes mais aujourd'hui, elle savait qu'une fois de retour à la maison, la situation demeurerait inchangée.

C'était comme si ses parents souffraient d'une horrible maladie incurable qui ravageait leur corps. Ou qu'ils aient été victimes d'une agression, d'un passage à tabac à coups de batte de base-ball. Avant la mort de Zach, elle croyait que le chagrin siégeait dans la tête. Elle ignorait qu'il pouvait être si physique, qu'il retentissait sur tout l'organisme, perturbait le système digestif, le cycle menstruel, le rythme du sommeil, l'équilibre de la peau. Elle ne souhaitait cela à personne. Pas même à son pire ennemi.

Parfois Zoe avait le sentiment qu'elle attendait juste que sa vie passe, qu'elle la subissait, cochant les événements, les jours, les mois, les années, comme s'il fallait simplement qu'elle traverse quelque chose, quoi exactement, elle l'ignorait, et qu'ensuite les choses s'arrangeraient. Mais la traversée était sans fin, les choses ne s'arrangeaient pas et elle ne lui pardonnerait jamais. Sa mort était un ultime doigt d'honneur.

La voix de son amie Cara résonna dans sa tête. « Au moins, vous n'étiez pas proches. »

Au moins, vous n'étiez pas proches. Au moins, vous n'étiez pas proches. Au moins, vous n'étiez pas proches.

28

Heather

Heather ne remarqua pas les larmes de Napoleon pendant le cours de tai-chi.

Elle repensait à ce qui était arrivé la semaine précédente, après une longue et épuisante garde de nuit au cours de laquelle elle avait aidé deux petits garçons à naître.

Comment ne pas penser à Zach lorsqu'elle tenait un garçon tout juste sorti du ventre de sa mère et découvrait ces yeux pleins de tristesse et de sagesse qu'ont tous les bébés ? Comme s'ils venaient d'un autre royaume où on leur avait révélé quelque splendide vérité qu'ils ne pouvaient pas partager. Chaque jour apportait la vie en un flot incessant.

À la fin de sa garde, tandis qu'elle se dirigeait vers la cafétéria de l'hôpital pour prendre un café, Heather était tombée sur un visage familier, un visage du passé qu'elle avait reconnu au premier regard. Une maman du football. Des années avaient passé. Avant que Zach change de sport. Lisa Machin-chose. Une femme avenante et pétillante. Elle avait songé à détourner le regard, à faire comme si elle ne l'avait pas vue, mais trop tard. Le visage de Lisa Machin-chose s'était éclairé lorsqu'elle avait croisé le regard de Heather. *Hey, on se connaît !* Puis, comme cela arrivait souvent, elle s'était assombrie, se souvenant de ce qu'on lui avait raconté. On pouvait presque lire dans ses pensées : *Merde ! C'est cette mère dont on m'a parlé ! Trop tard pour l'éviter.*

Certaines personnes changeaient carrément de trottoir. Elle s'en était rendu compte à plusieurs reprises. D'autres avaient un mouvement de recul. Littéralement. Comme si ce qui était arrivé à la famille de Heather était infâme et honteux. Mais cette femme faisait partie des courageux. Elle ne s'était pas dérobée, elle ne s'était pas cachée, elle n'avait pas fait semblant.

« J'ai appris pour Zach, je suis tellement désolée. » Elle avait prononcé son nom sans baisser la voix.

« Merci », avait répondu Heather, qui rêvait de son café. Elle se tourna vers le garçon à côté de la femme, il avait des béquilles. « Tu dois être… Justin ? » Son prénom lui était revenu avec tant d'autres souvenirs de ces samedis matin à grelotter au bord du terrain de football. Et soudain, sans prévenir, la colère avait explosé dans sa poitrine et elle s'était déchaînée contre le gosse, ce gosse stupide et bien en vie.

« Je me souviens de toi, avait-elle sifflé. C'est toi, qui ne faisais jamais de passe à Zach ! »

Il l'avait regardée, bouche bée et glacé d'horreur.

« Tu ne lui faisais jamais de passe ! Pourquoi tu ne lui faisais jamais de passe ? » Heather s'était tournée vers Lisa. « Vous auriez dû lui dire de faire des passes ! » Elle avait haussé la voix au-delà de ce qui est acceptable dans un lieu public.

La plupart des gens auraient balbutié un mot d'excuse avant de se sauver. Certaines personnes auraient riposté. *La mort de votre fils ne vous autorise pas à être grossière.* Mais cette Lisa, cette femme que Heather connaissait à peine, une femme qui un jour (Heather s'en souvenait à présent) avait pris Zoe chez elle pour la faire manger après que Zach avait fait une crise d'asthme sur le terrain, avait plongé son regard triste dans celui de Heather et dit : « Vous avez raison, Heather, j'aurais dû lui dire de faire des passes. »

Et Justin, qui avait tout juste neuf ans à l'époque où il jouait avec Zach, avait dit de sa voix grave : « Zach était un super

buteur, Mrs Marconi. J'aurais dû lui passer le ballon plus souvent. J'aurais dû jouer plus collectif. »

Quelle générosité, quelle gentillesse, quelle maturité chez ce
jeune homme ce jour-là. Heather avait regardé son visage – les
taches de rousseur sur son nez, le petit bouc noir autour de
sa bouche – et elle avait revu le visage grotesque de son fils le
dernier jour de sa vie.

« Je suis tellement désolée », avait-elle dit d'une voix faible
et tremblante de regret, et elle était partie sans les regarder et
sans son café. Une fois de plus, elle s'en était prise à quelqu'un
d'autre alors qu'elle ne pouvait s'en prendre qu'à elle-même.

« Le serpent rampe dans l'herbe. »

Elle se revit assise seule dans la chambre de Zach, ouvrant
le tiroir de sa table de chevet. C'était elle le serpent qui rampe
dans l'herbe.

29

Frances

Peu avant 15 heures, Frances se dirigea avec une certaine impatience vers le studio de méditation où le noble silence prendrait fin. Elle n'avait rien avalé de solide depuis la veille au soir et la faim se faisait durement sentir. Lorsque la cloche avait retenti pour le petit déjeuner et le déjeuner, Frances s'était rendue dans la salle à manger pour y trouver une rangée de smoothies sur le buffet, chacun portant le nom d'un pensionnaire. Frances avait pris le sien et tâché de le boire lentement, en pleine conscience, mais elle l'avait englouti en moins de temps qu'il ne faut pour dire ouf et, à sa grande honte, tout le monde avait pu entendre son estomac gargouiller.

Elle ne mourait pas vraiment de faim, mais le rituel associé à la nourriture, plus que la nourriture elle-même, lui manquait terriblement. Peut-être que, si elle avait été à Sydney, à courir partout pour faire une course ou l'autre, elle n'aurait pas trouvé aussi difficile de sauter quelques repas (non que ce soit dans ses habitudes, elle n'avait jamais compris les gens qui disaient avoir oublié de déjeuner par exemple), mais à Tranquillum House, surtout pendant le noble silence, les repas étaient cruciaux pour morceler la journée.

Elle avait essayé de se distraire en bouquinant dans le hamac mais son livre avait pris un tour étrange, difficile à supporter avec le ventre vide.

En entrant dans le studio, elle reprit courage. Les lumières étaient éteintes et seule la lueur dansante des bougies disposées en grappes çà et là éclairait la pièce. Il y faisait frais, un genre de brûleur d'huiles essentielles répandait un parfum capiteux et des enceintes invisibles diffusaient une musique d'ambiance étrange.

Frances était sensible aux atmosphères soignées. Des lits très bas, comme des lits de camp, avaient été installés autour de la pièce avec des couvertures et des oreillers. Dessus, des casques et des masques de sommeil, à côté, des bouteilles d'eau, le tout rappelant la cabine business obligeamment préparée avant un vol long-courrier.

Masha, Yao et Dalila étaient assis en tailleur au milieu de la pièce. Les membres de la famille Marconi et le bel Apollon aussi.

« Bienvenue ! Rejoignez le cercle », dit Masha tandis que d'autres pensionnaires arrivaient derrière Frances.

Masha portait une longue robe en satin et dentelle sans manches à mi-chemin entre la robe de mariée et la nuisette. Elle avait maquillé ses yeux de sorte qu'ils étaient encore plus impressionnants que d'ordinaire. Yao et Dalila, tous deux jeunes et beaux, semblaient presque quelconques et fades à côté de cette créature céleste.

Quelques instants plus tard, tout le monde était arrivé. Frances était assise entre Heather et le jeune Ben. Elle se demanda comment Ben se sentait. Sa voiture devait lui manquer. Le regard de Frances s'arrêta sur sa jambe bronzée et poilue, éclairée par la bougie – pas un regard lubrique, Dieu merci, un regard fasciné, parce que ces quelques jours de méditation silencieuse rendaient tout fascinant. Chaque poil sur la jambe de Ben ressemblait à un minuscule arbre dans une jolie petite forêt.

Ben se racla la gorge et bougea la jambe. Frances se redressa et croisa le regard du bel Apollon assis en face d'elle dans le cercle. Il avait le dos bien droit et arborait un air solennel, mais quelque chose dans son maintien indiquait qu'il ne prenait rien de tout cela trop au sérieux. Elle s'apprêtait à détourner les yeux, par automatisme, quand il lui fit un clin d'œil. Frances lui rendit la pareille, ce qui le fit littéralement sursauter. Et pour cause : Frances avait du mal à ne fermer qu'un œil et toute tentative de faire un clin d'œil ressemblait chez elle à un terrible tic facial.

« Nous voilà à la fin de notre noble silence », dit Masha. Elle sourit et brandit le poing de la victoire. « Nous avons réussi ! »

Personne n'osa parler mais un léger murmure de bruits se fit entendre : expirations, corps qui bougent, petits rires reconnaissants.

« J'aimerais réintroduire la conversation et le contact visuel progressivement. Nous allons tour à tour nous présenter et dire, en quelques mots, ce qui nous passe par la tête : vous pouvez peut-être expliquer pourquoi vous avez décidé de venir à Tranquillum House, ce que vous avez préféré jusqu'à présent, ce que vous avez trouvé le plus éprouvant. Peut-être donneriez-vous n'importe quoi pour un cappuccino ou un verre de sauvignon ! Je comprends ! Partagez vos difficultés avec le groupe ! Un être cher vous manque ? Dites-le-nous ! À moins que vous souhaitiez plutôt rester dans le factuel : âge, métier, hobbies, signe astrologique. »

Masha sourit de son plus beau sourire et tout le monde le lui rendit.

« Vous pouvez réciter un vers, si vous voulez, poursuivit-elle. Peu importe ce que vous direz. Savourez simplement le fait de parler, de regarder les autres, de communiquer. »

Autour du cercle, les uns se raclèrent la gorge, les autres corrigèrent leur posture, d'autres encore se touchèrent les cheveux, manière de se préparer à prendre la parole en public.

« Et pendant que nous faisons connaissance, Yao et Dalila vont vous distribuer vos smoothies de l'après-midi. »

Masha était si envoûtante, si charismatique que Frances n'avait pas remarqué que les deux conseillers bien-être s'étaient levés. Ils allaient et venaient sans bruit dans la pièce, déposant à côté de chaque pensionnaire la même boisson d'un vert émeraude dans un grand verre. Oh non, des épinards ? se demanda Frances, inquiète, mais lorsqu'elle le goûta, elle reconnut des saveurs de pomme, de melon d'hiver et de poire, avec une pointe discrète de mousse et d'écorce. Le mélange lui évoqua une promenade le long d'un ruisseau babillard dans une forêt tachetée de lumière. Elle l'avala d'un trait, comme une tequila.

« Et si vous commenciez, Frances ? dit Masha.

– Oh, d'accord. Eh bien, je m'appelle Frances. Salut. » Elle posa son verre vide, inclina la tête et passa sa langue sur ses dents au cas où il y aurait des traces de rouge à lèvres. Elle se rendit compte qu'elle se coulait automatiquement dans la peau de l'auteur à succès qui s'adresse à son public : un personnage chaleureux, humble, gracieux, mais un rien sur la réserve pour décourager toute tentative d'accolade de la part de ses lecteurs au cours d'une séance de dédicace.

« Je suis venue ici parce que j'étais, comme qui dirait, mal en point : ma santé, ma vie personnelle, ma carrière. » Elle s'autorisa à regarder chaque personne dans les yeux, ce qui lui sembla étrangement intime. « J'écris des romans sentimentaux et mon dernier livre a été refusé. Et j'ai été victime d'une arnaque amoureuse sur Internet. Donc... »

Pourquoi leur parlait-elle de ça ? Blablabla et blablabla.

Tony la regardait droit dans les yeux. Il avait plus de barbe qu'auparavant et ses traits étaient mieux dessinés. Les hommes perdent du poids tellement facilement, c'est agaçant. Elle se sentit fléchir. Était-ce du mépris qu'elle voyait dans son regard ou pas du tout ?

« Donc les cinq premiers jours se sont bien passés ! J'ai apprécié le silence plus que je ne l'aurais imaginé. J'ai l'impression que ça a apaisé mes pensées. » Tout à coup, elle n'avait qu'une envie : parler. Peu importait si elle en disait trop sur elle. Les mots sortaient tout seuls de sa bouche. Elle ressentait la même avidité que lorsqu'on s'installe, affamé, devant un bon repas et qu'après la première bouchée on enfourne la nourriture comme une machine. « Comme je vous disais, mon livre a été refusé, mais en plus, il y a eu cette critique vraiment méchante qui m'a beaucoup contrariée. Au début, j'y pensais tout le temps, c'était obsessionnel, mais maintenant, je n'y pense plus du tout, alors je suis contente, et, bon, je suis en manque de café, de champagne, d'Internet, de… » *Tais-toi, Frances.* « Vous savez, de tous les plaisirs normaux d'une vie normale. »

Elle se racla la gorge, les joues rouges.

« À mon tour, dit l'Apollon. Je m'appelle Lars. Je suis addict aux retraites bien-être. J'alterne : mise au vert, excès, mise au vert, excès. Ça me réussit plutôt bien. »

À en juger par tes pommettes saillantes et ton teint doré, ça te réussit, en effet, beau Lars ! songea Frances.

« Je suis avocat en droit de la famille, alors quand je sors du travail j'ai vraiment besoin de ma dose de vin. » Il s'interrompit, comme pour laisser le temps à son public de rire. Personne n'en fit rien.

« Je fais toujours une retraite en janvier car le mois de février est le plus chargé de l'année. Le téléphone commence à sonner le jour de la rentrée des classes. Les gens se rendent compte que passer un été de plus ensemble à jouer au papa et à la maman, c'est impossible.

– Aïe, aïe, aïe, fit Napoleon sombrement.

– Et ma foi, ici, j'aime la nourriture, le lieu et je me sens bien. Il n'y a rien qui me manque trop, en dehors de mon compte Netflix. » Puis il leva son verre de smoothie en l'honneur de ses compagnons de retraite.

L'hyperémotive à lunettes enchaîna. Elle semblait bien moins agitée que le premier jour.

« Je m'appelle Carmel. Je suis ici pour perdre du poids. Évidemment. »

Frances soupira. *Évidemment ? Qu'est-ce que ça voulait dire ?* Carmel était plus mince qu'elle.

« J'adore tout, ici. Absolument tout. » Elle regarda Masha avec une intensité troublante. Elle leva son verre et but à longs traits.

Vint le tour de Jessica, qui parla avec empressement, comme si elle n'attendait que ça. « Alors moi, c'est Jessica. »

Assise en tailleur, les mains sur les genoux, elle avait tout de l'enfant qui pose pour la photo de classe. Frances entrevit la jolie petite fille qu'elle était dans un passé pas si lointain, avant qu'elle succombe à la tentation du bistouri.

« Nous sommes venus ici parce que nous avons de sérieux problèmes de couple.

– Inutile de mettre tout le monde dans la confidence, murmura Ben.

– C'est vrai, chéri, mais tu sais quoi ? Tu avais raison quand tu disais que je suis obsédée par les apparences. » Elle se tourna vers lui et le regarda fixement. « Oui, tu avais raison, chéri ! » Sa voix dérailla dans les aigus.

« Ouais, mais… Okay, ça promet… » Ben se voûta et sa nuque devint rouge.

« On se dirigeait droit vers le *divorce* », poursuivit Jessica avec une gravité touchante, comme si le mot « divorce » allait susciter l'émoi de tous.

« Je peux vous donner ma carte », offrit Lars.

Jessica l'ignora. « Ces quelques jours de noble silence ont été vraiment bénéfiques pour moi, vraiment éclairants. » Elle se tourna vers Masha. « Je… il y avait tellement de bruit dans ma tête avant que j'arrive ici. J'étais comme obsédée par les médias sociaux, j'en suis consciente maintenant. Ça parlait, parlait, parlait en permanence. » Elle mima quelqu'un qui bavasse sans discontinuer. « À présent, je vois les choses plus clairement.

Tout a commencé avec l'argent. On a gagné au loto, vous savez, et tout a changé, et ça nous a vraiment détruits.

– Vous avez gagné au loto ? fit Carmel. C'est la première fois que je rencontre quelqu'un qui a gagné au loto.

– On voulait garder ça… secret, poursuivit Jessica en posant un doigt sur sa bouche, mais on a changé d'avis.

– Ah bon ? fit Ben.

– Combien avez-vous gagné ? » demanda Lars. La seconde suivante, il leva la main et dit : « Objection ! Ne répondez pas à cette question ! Ça ne me regarde pas.

– Comment vous avez appris la nouvelle ? demanda Frances, curieuse de tout savoir sur le moment qui avait changé leur vie. Racontez-nous.

– Je suis très heureuse que le silence vous ait éclairée, Jessica », intervint Masha. Elle avait un don pour balayer d'un revers de la main ce qui ne l'intéressait pas. « À qui le tour ?

– Bon, je suis Ben, le mari de Jessica. Elle vous a déjà dit pourquoi on est là. Je vais bien. Le silence, pas de problème. La cuisine est meilleure que ce que je pensais. Je ne sais pas trop quel objectif on poursuit, mais tout va bien. À part que ma nouvelle voiture me manque.

– Quel genre de voiture ? demanda Tony.

– Une Lamborghini », répondit Ben, le regard plein de tendresse, comme si on lui avait demandé le nom de son nouveau-né.

Tony se fendit d'un sourire. Un sourire des plus inattendus, qui transformait complètement son visage. Ses joues rebondies, ses yeux noyés dans une multitude de rides. On aurait dit un bébé qui faisait risette. « Je comprends mieux !

– Je me suis toujours dit que, si je gagnais au loto, je m'offrirais une Bugatti, dit Lars d'un air rêveur.

– Pff, fit Ben. Les Bugatti ne méritent pas leur réputation.

– Monsieur trouve que les Bugatti ne méritent pas leur réputation ! On parle de la plus belle voiture au monde, quand même !

— Moi, si je décrochais le gros lot, je me paierais une jolie petite Ferrari, intervint Zoe.

— Ouais, bon, les Ferrari, c'est…

— Qui ne s'est pas encore présenté ? interrompit Masha. Tony ?

— Ce n'est plus un secret pour personne, le vilain petit contrebandier, c'est moi, commença-t-il en souriant. Je suis là pour perdre du poids. Ce qui me manque ? La bière, la pizza, les grillades à la sauce aux prunes, les frites à la crème aigre, les tablettes de chocolat grand format – vous voyez le topo. » Son enthousiasme initial se dissipa et il baissa les yeux, incapable de soutenir le regard des autres.

« Merci », dit-il d'un ton cérémonieux en fixant le sol.

Frances resta sceptique. Il n'était pas venu ici seulement pour perdre du poids.

Napoleon leva la main.

« On vous écoute, Napoleon », dit Masha.

Il leva le menton et se mit à réciter. « Aussi étroit soit le chemin, / Nombreux les châtiments infâmes, / Je suis le maître de mon destin, / Je suis le capitaine de mon âme. » Ses yeux luisaient dans la pénombre de la pièce éclairée par les bougies. « C'est, euh, un extrait du poème préféré de Nelson Mandela, *Invictus*. » Il sembla hésitant un instant. « Vous avez bien dit qu'on pouvait réciter un poème.

— Tout à fait, dit Masha chaleureusement. J'aime ce que ça dit.

— Eh bien, ça m'est venu comme ça. Je suis professeur de lycée. Les élèves aiment entendre qu'ils sont maîtres de leur destin, même si… » Il émit un drôle de rire. Heather, assise à côté de lui, posa doucement la main sur son genou pris de secousses, mais il ne sembla pas s'en rendre compte. « Demain est le troisième anniversaire de la mort de notre fils. Voila pourquoi nous sommes ici. Il s'est donné la mort. Mon fils a choisi d'être maître de son destin en se donnant la mort. »

Un silence immobile s'installa dans la pièce, comme si tous retenaient leur souffle. Les minuscules flammes dorées tremblotaient.

Frances serra les lèvres de peur de laisser échapper une parole. Elle avait le sentiment que son corps ne pouvait pas contenir ses émotions, trop intenses, trop pesantes, qu'elle risquait d'éclater en sanglots ou d'éclater de rire, de dire quelque chose de trop sentimental ou de trop intime. Comme si elle avait trop bu dans une situation inappropriée, un rendez-vous professionnel avec des directeurs éditoriaux par exemple.

« Je suis désolée pour votre perte, Napoleon », dit Masha en tendant la main, comme pour le toucher. Mais il était trop loin. « Sincèrement désolée.

– Eh bien, merci, Masha », répondit Napoleon sur un ton familier.

À se demander si ce n'était pas lui qui avait trop bu. Il avait peut-être trouvé la bouteille de vin que Zoe avait introduite en douce. À moins qu'il fasse une dépression nerveuse. Ou que sa réaction soit tout à fait naturelle après cinq jours de silence.

Zoe regardait son père, le front plissé comme celui d'une vieillarde. Frances essaya d'imaginer à ses côtés le garçon qui manquait à l'appel. *Oh, Zoe*, songea-t-elle. La jeune fille n'avait pas précisé comment son frère était mort et France s'était effectivement dit que, peut-être, il s'était suicidé. Son amie Lily, qui écrivait autrefois de très beaux romans historiques, avait perdu son mari dix ans plus tôt et tout ce qu'elle avait dit aux gens, c'était que Neil était mort subitement. Tout le monde lisait entre les lignes. Lily n'avait plus écrit une ligne depuis.

« Qui d'autre souhaiterait...

– Je sais ! s'écria Napoleon en regardant Tony. Je sais qui vous êtes ! Ça me rend dingue depuis le début ! Chérie, tu ne le reconnais pas ? »

Heather, le regard perdu dans son verre, leva la tête. « Non.

– Moi, je l'ai reconnu, dit Lars d'un ton fier. Dès le premier jour. »

Frances regarda Tony qui, mal à l'aise, se grattait la barbe sans pour autant sembler perplexe, comme s'il savait très bien de quoi ils parlaient. Qui donc était-il ? Un tueur en série connu ?

« Heather ! Tu le connais ! Je te jure que tu le connais !

– D'où ? Du lycée ? Du travail ? » Heather secoua la tête. « Je ne…

– Je te donne un indice. » Il se mit à chanter : « We are the Navy Blues ! »

Heather observa Tony et tout à coup son visage s'éclaira. « Smiley Hogburn !

– Bingo ! Smiley Hogburn ! » fit Napoleon, en levant les deux pouces. La seconde suivante, il sembla douter. « C'est bien vous ? »

Tony avait l'air tendu. « *C'était* bien moi. Il y a de ça trente ans. Et autant de kilos.

– Mais, Smiley Hogburn jouait au Carlton ! s'exclama Jessica. C'est mon club préféré ! On parle d'une légende, là ! » À son ton, il était évident qu'elle pensait que les autres se trompaient.

« Vous ne deviez pas être née », dit Tony.

Frances se tourna vers Ben. « Carlton est une équipe de *football*, je présume ? » dit-elle à voix basse. Elle était totalement ignorante de tout ce qui avait trait au sport, si bien qu'un ami lui avait demandé un jour si elle n'avait pas passé sa vie dans un bunker.

« Affirmatif, dit Ben. De football australien.

– Le sport où ils sautent ? »

Ben ricana. « Ça, pour sauter, ils sautent ! »

Smiley Hogburn, songea Frances. Ce nom lui disait en effet vaguement quelque chose. Elle commença à réviser son jugement sur Tony. Il avait joui d'une certaine notoriété. Comme elle. Enfin… sa carrière était derrière lui, probablement à cause d'une blessure – les joueurs sautaient vraiment partout – alors que celle de Frances n'était pas totalement terminée.

« Tony Hogburn ! Je le savais ! » répéta Lars, manifestement en mal de reconnaissance. « Je ne suis pas très physionomiste d'habitude, mais je vous ai reconnu au premier coup d'œil.

– Vous avez dû arrêter de jouer à cause d'une blessure ? » demanda Frances, persuadée de poser une question à la fois pertinente et empathique. Sûrement un problème de ligaments.

Tony parut quelque peu amusé. « Un tas de blessures.

– Oh, je suis navrée.

– Deux reconstructions du genou, une prothèse de hanche… » Tony semblait dresser un état des lieux à propos de son corps. Il soupira. « Instabilité chronique de la cheville.

– On vous appelait Smiley Hogburn parce que vous souriiez tout le temps ou parce que vous ne souriiez jamais ? demanda Zoe.

– Parce que je souriais tout le temps, dit Tony sans l'ombre d'un sourire. J'étais un garçon simple et insouciant à l'époque.

– Non ! C'est vrai ? dit Frances, incapable de cacher sa surprise.

– Eh oui ! » Il lui sourit. Apparemment, il la trouvait drôle.

« Ce n'est pas vous qui aviez des smileys tatoués sur les fesses ? dit Lars.

– C'est lui ! fit Frances. Je les ai vus !

– Imaginez-vous ça, fit Lars d'un ton suggestif.

– *Frances* », dit Tony en mettant un doigt devant sa bouche comme s'ils avaient quelque chose à cacher. Mais ! Il était en train de la draguer ou quoi ?

« Oh, non, ce n'est pas ce que vous croyez. » Elle regarda Masha nerveusement. « C'était un accident.

– Mon frère avait un poster de vous dans sa chambre ! » s'exclama Dalila, débarrassée de sa voix de yogi. Elle sortait du

263

rang. « Celui où vous sautez à presque deux mètres et l'autre joueur vous tire sur le short et on voit vos tatouages ! Hilarant !

– Eh bien ! Il y a un athlète célèbre parmi nous », dit Masha d'une voix tendue. Elle avait peut-être peur qu'il lui vole la vedette.

« Un ancien athlète, corrigea Tony. C'était il y a très long-temps.

– Alors… qui n'a pas encore pris la parole ? poursuivit-elle.

– Dépression post-sportive ? C'est pour ça que vous êtes là ? demanda Napoleon. J'ai lu un article sur le sujet. Ça affecte de nombreux sportifs de haut niveau. Il faut vous concentrer sur votre santé mentale, Smiley… euh… – j'espère que ça ne vous embête pas que je vous appelle Smiley –, j'insiste, car la dépression est un mal insidieux et…

– À qui le tour ?

– J'y vais, dit Zoe. Je m'appelle Zoe. »

Elle s'arrêta pour rassembler ses idées. À moins qu'elle soit nerveuse. *Pauvre enfant.*

« Comme papa l'a déjà dit, nous avons décidé de venir à Tranquillum House parce que c'est trop difficile d'être à la maison au mois de janvier. C'est là que mon frère s'est pendu. »

Masha émit un drôle de bruit, visiblement surprise, et porta la main à sa bouche. Frances n'avait encore jamais vu Masha manifester le moindre signe de faiblesse. Même quand elle lui avait parlé de son père, qu'elle pleurait toujours, elle avait gardé une parfaite maîtrise d'elle-même.

Elle vit Masha déglutir compulsivement plusieurs fois avant de retrouver son sang-froid et de se concentrer sur Zoe. Ses yeux semblaient pourtant un peu larmoyants, comme si elle avait avalé de travers.

Zoe regarda le plafond. Les gens semblaient pencher vers elle, alourdis par le poids de leur compassion inutile.

« Oh, attendez, papa n'a probablement pas dit que Zach

s'était pendu, mais au cas où vous vous demandiez comment il s'y était pris, voilà ! La pendaison a la cote. »

Elle sourit et se mit à se balancer en petits cercles. Les piercings argentés à ses oreilles brillaient.

« Un de ses amis a dit qu'il trouvait super courageux de la part de Zach de choisir de mourir comme ça. Plutôt que d'avaler tout un tube de comprimés. Comme si on parlait de faire du saut à l'élastique. Sérieux ! » Elle dégagea ses cheveux de son front en soufflant. « Bref. Depuis qu'on sait tout ce qu'il y a savoir sur le suicide, on ne dit plus aux gens comment il s'y est pris. À cause de la contagion suicidaire. Parce que le suicide est vraiment contagieux. Mes parents étaient terrifiés que je l'attrape moi aussi. Comme la varicelle. Ha ! ha ! Mais non, je ne l'ai pas attrapé !

– Zoe ? dit Napoleon. Ma puce, peut-être que ça suffit.

– On n'était pas proches », dit-elle au groupe. Elle regarda ses mains et se répéta. « Parfois les gens pensent que, comme on était jumeaux, on était super proches, mais on n'allait pas dans le même lycée, on n'avait pas les mêmes centres d'intérêt, on ne partageait pas les mêmes valeurs.

– Zoe, dit sa mère. Peut-être que ce n'est pas le moment de…

– Il s'est levé aux aurores, ce matin-là. » Zoe se mit à jouer avec une de ses nombreuses boucles d'oreilles. Son verre était renversé contre sa cuisse. « Il ne se levait jamais de bonne heure. Il a sorti le bac à déchets recyclables parce que c'était son tour, il est remonté dans sa chambre et il s'est tué. » Elle soupira, comme si elle s'ennuyait. « On sortait les poubelles chacun notre tour. Je ne sais pas s'il cherchait à dire quelque chose en sortant ce satané bac. Ça m'a vraiment soûlée. Du genre, merci beaucoup, Zach, bravo, ça compense ton suicide.

– Zoe ? » dit Heather d'un ton sec.

Elle se tourna vers sa mère très lentement, comme si elle souffrait du dos. « Quoi ? »

Heather prit le verre renversé et le reposa à la verticale sur

265

le sol. Elle se pencha vers sa fille et lui écarta les cheveux des yeux.

« Il y a quelque chose… » Heather regarda les autres pensionnaires un à un. « Il y a quelque chose qui cloche. »

Elle se tourna vers Masha. « Vous nous avez drogués ? »

30

Masha

Concentre-toi. Uniquement. Sur ta respiration. Concentre-toi.
Uniquement. Sur ta respiration.

Masha allait bien, parfaitement bien ; elle était en pleine pos-
session de ses moyens. L'espace d'un instant, lorsque Zoe avait
fait cette révélation, Masha avait bien failli se disperser complètement ; le temps s'était évanoui. Mais à présent elle avait repris
son sang-froid, respirait régulièrement, maîtrisait la situation.

Cette information concernant le frère aurait dû sortir au cours
d'une séance de thérapie individuelle avec l'un ou l'autre des
membres de la famille. Ils avaient tous volontiers admis qu'ils
étaient ici à l'occasion de l'anniversaire de sa mort, mais personne n'avait parlé de suicide. Masha aurait dû deviner ce que
leur attitude évasive cachait. Cela ne lui ressemblait pas de
passer à côté de ce genre de choses. Elle était extrêmement
perspicace. Ils l'avaient délibérément induite en erreur et elle
s'était sentie prise au dépourvu. Prise *en traître*.

Et maintenant, cette question de Heather : « Vous nous avez
drogués ? »

Avant que Heather prenne la parole, Masha avait observé
ses protégés, constaté qu'ils se laissaient aller à leurs manies
plus librement, que leurs pupilles se dilataient et leur langue se
déliait. Ils perdaient clairement leurs inhibitions, s'exprimaient
avec une aisance et une sincérité qui faisaient plaisir à voir.

Certains, comme Napoleon, s'agitaient, tandis que d'autres, comme Frances, étaient très calmes. Les uns étaient tout rouges, les autres tout pâles.

En ce moment précis, Heather était un mélange des deux : son visage terreux était teinté de couleurs fiévreuses.

« J'exige une réponse, reprit-elle. Vous nous avez drogués ?

– D'une certaine manière », répondit Masha placidement.

La question de Heather tombait mal. Elle ne l'avait pas anticipée, ce qui était une erreur, car en tant que sage-femme Heather était la seule de ses pensionnaires à avoir une expertise dans le domaine médical. À sa connaissance en tout cas. Mais Masha allait gérer la situation.

« Qu'est-ce que ça veut dire : d'une certaine manière ? »

Le ton de Heather, brusque, irrespectueux, lui déplut au plus haut point.

« Eh bien, n'imaginez pas que... » Elle cherchait les mots justes. « ... vos sens vont s'engourdir. Ce que l'on cherche à faire au contraire, c'est les stimuler.

– Qu'est-ce que vous nous avez fait prendre ? Dites-le-nous ! Tout de suite ! » Heather se mit sur les genoux, prête à bondir. Un véritable roquet. Masha lui aurait volontiers envoyé un bon coup de pied.

« Attends, qu'est-ce qui se passe ici ? » demanda Napoleon à sa femme.

Masha jeta un coup d'œil à Yao et Dalila : *Tenez-vous prêts si besoin.* Tous deux répondirent d'un hochement de tête imperceptible et se saisirent de la discrète pochette médicale attachée à leur ceinture.

Ce n'était pas comme ça que les choses devaient se passer.

31

Lars

Adepte des centres de soins et de bien-être depuis longtemps, Lars avait fait l'expérience de pratiques pour le moins bizarres et inhabituelles, mais là, c'était une première. Dire que son séjour ici était censé lui permettre, entre autres, de diminuer sa consommation de drogues récréatives ! Quelle ironie !

« On appelle ça le microdosage et c'est sans danger aucun », expliqua leur guide bien-aimée assise, comme à son habitude, en tailleur, le dos bien droit. Ses longues jambes blanches étaient si incroyablement entremêlées qu'elles se confondaient, laissant parfois Lars perplexe lorsqu'il essayait de voir laquelle était laquelle.

« Les bénéfices sont multiples : stimulation de la créativité et de la concentration, exacerbation de la conscience spirituelle, amélioration des relations, pour n'en citer que quelques-uns. En fait, vous fonctionnez un peu mieux que la normale avec seulement un dixième d'une dose classique de LSD.

– Attendez… quoi ? » dit Frances avec un petit rire hésitant, comme si elle n'était pas sûre d'avoir compris une histoire drôle. Lars était déjà conquis. « Excusez-moi. Vous n'êtes quand même pas en train de dire qu'on a tous pris du LSD ? »

Lars constata que la plupart des hôtes fixaient Masha sans comprendre. Des gens sûrement trop conventionnels pour faire face à la nouvelle, même si la cocaïne avait la cote dans les quar-

269

tiers résidentiels. Lui-même avait déjà testé la cocaïne, l'ecstasy, l'herbe, mais jamais le LSD.

« Comme je vous l'ai expliqué, cette pratique s'appelle le microdosage.

– Non ! aboya Heather. Ça s'appelle mettre une drogue psychédélique dans nos smoothies à notre insu. »

Heather. À voir cette femme maigre, bronzée, aux quadriceps d'automate et aux yeux perpétuellement plissés de chagrin, Lars n'aurait jamais imaginé qu'elle pouvait porter un prénom aussi doux. Chaque fois qu'il l'avait observée pendant le silence, il avait eu envie de poser les pouces entre ses sourcils en lui disant : « Relax. » Maintenant, il culpabilisait de l'avoir trouvée agaçante. Elle avait perdu son fils. Elle avait tous les droits de froncer les sourcils.

« Ça s'appelle dépasser les bornes, poursuivit Heather, les yeux brillants de colère.

– Je ne suis pas sûr de comprendre », dit son mari, tellement perdu qu'il en était charmant. C'était un homme incroyablement grand et gauche, et son prénom, Napoleon, ne faisait qu'accentuer son attachante invraisemblance.

Lars n'avait pas l'impression d'être stone. Il se sentait vraiment bien depuis son arrivée à Tranquillum House, mais c'était généralement le cas lorsqu'il faisait une cure, quelle qu'elle soit. Les doses étaient peut-être trop faibles pour lui faire de l'effet, ou alors il avait développé un niveau de tolérance élevé. Il passa subrepticement un doigt sur le bord de son verre et le lécha. Il se remémora le jour où il avait bu son premier smoothie et dit à Dalila : « Un délice ! Qu'est-ce qu'il y a dedans ? » et Dalila de répondre : « On vous donnera les recettes à la fin de votre séjour. » Il s'était imaginé repartir avec des précisions sur le nombre de cuillères à café de graines de chia, pas le nombre de milligrammes de LSD.

« Mais... mais... on est venus ici pour se détoxifier ! s'exclama Frances en regardant Masha. Vous nous faites arrêter la caféine pour nous donner de l'*acide* ?

– C'est fou, vous m'avez confisqué mes bières pour ensuite me droguer ! Je ne me suis jamais drogué de ma vie, moi ! renchérit Tony, alias Smiley Hogburn.

– Parce que l'alcool n'est pas une drogue, d'après vous ? rétorqua Masha. Le LSD est dix fois moins nocif que l'alcool. Que dites-vous de cela ?

– Je suppose que l'apport en calories du LSD est nul », dit Carmel. Lars avait retenu son prénom sans mal car il avait une amie qui s'appelait Carmel, elle aussi bêtement convaincue qu'elle était grosse. Ses lunettes étaient de travers mais elle ne semblait pas s'en rendre compte. Elle avait passé les cinq derniers jours à errer avec cet air d'avoir pris un coup de massue que Lars voyait chez toutes ses clientes. Cet air qui faisait naître au plus profond de son être une rage brûlante, cette même rage qui avait été le carburant de toute sa carrière. La pauvre. Son mari l'avait quittée pour une poupée Barbie, il l'aurait parié.

« Est-ce que le LSD accélère aussi le métabolisme ? demanda-t-elle, pleine d'espoir. Parce que j'ai vraiment l'impression que j'élimine mieux. Je n'ai jamais pris de drogue non plus, mais je n'ai aucun problème avec vos méthodes que je respecte à cent pour cent, Masha. »

Mincir ne t'aidera pas à te sentir mieux, mon chou. Il faut que tu le plumes, ce salaud. Lars lui parlerait plus tard. Pour voir qui la représentait.

« Ma fille est mineure, reprit Heather. Comment avez-vous pu la droguer ?

– Je ne suis plus mineure, maman, dit Zoe. Je me sens plutôt bien, là ; en fait, je ne me suis pas sentie aussi bien depuis longtemps. C'est des microdoses. Tout va bien.

– Qu'est-ce qu'il ne faut pas entendre, fit Heather en soupirant. Pour l'amour du ciel.

– Masha, enchaîna Napoleon sur un ton on ne peut plus

271

sérieux. Écoutez, j'ai eu une terrible expérience avec la drogue quand j'étais adolescent. J'ai fait un mauvais trip, comme on dit, un des pires moments de ma vie, et j'ai toujours dit à mes gamins que ce jour-là, je me suis juré de ne plus jamais me droguer. Alors j'entends ce que vous dites mais, personnellement, je ne veux rien prendre.

– Bon sang, Napoleon, tu l'as déjà prise, sa drogue ! lança Heather entre ses dents. Tu n'écoutes pas ou quoi ?

– C'est n'importe quoi », dit le gamin à la Lamborghini. Comment s'appelait-il déjà ? Un prénom qui évoque un garçon sain, viril… Impossible de s'en souvenir. Il tremblait d'une rage contenue – on aurait dit qu'il faisait une attaque. Il reprit, la mâchoire serrée : « *Je n'ai pas choisi de prendre de la drogue.*

– Ben est farouchement antidrogues », expliqua sa femme.

Ben, songea Lars. Voilà. Ben. Et sa femme, adepte du bistouri, s'appelait… *Jessica*. Ben et Jessica. Aucune chance que ces deux-là aient signé un contrat de mariage. Grave erreur, vu la fortune qu'ils avaient à présent. Si leur mariage s'effondrait, il les voyait bien se faire dépouiller par leurs avocats.

« Même pour prendre de l'aspirine, il bloque. Sa sœur est une droguée. Une vraie. Ce n'était pas une bonne idée. » Elle posa la main sur l'épaule de Ben. « Je ne vois pas en quoi ça va aider notre couple. Je ne suis pas tellement contente moi non plus. Pas contente du tout. »

Mais son petit visage botoxé n'avait pas l'air tellement mécontent. Lars sentit monter en lui une profonde compassion pour Jessica. Pauvre petite fille en plastique. Tout cet argent et pas la moindre idée pour le dépenser, en dehors de ces opérations qui ne l'avantageaient pas.

« Je comprends votre peur, dit Masha. Les autorités vous ont formatés à force de désinformation.

– Je ne suis pas formaté, dit Ben. J'ai vu ce que ça fait, de mes propres yeux.

– Oui, mais vous parlez de drogues de rue, argumenta

Masha. Le problème avec les drogues de rue, c'est qu'on ne peut contrôler ni la composition ni le dosage.

– Je n'en reviens pas, fit Ben en se levant.

– Le LSD a été utilisé avec succès dans le traitement de l'addiction à la drogue. Votre sœur pourrait se soigner. Dans un endroit approprié.

– Je rêve, fit Ben en prenant son visage entre ses mains.

– Vous savez, ce grand homme, *Steve Jobs* », dit Masha.

Lars, qui s'attendait à ce qu'elle parle du dalaï lama, pouffa de rire.

« Je l'ai toujours beaucoup admiré, poursuivit-elle.

– On se demande pourquoi vous nous avez pris nos iPhone, alors, bougonna Tony.

– Savez-vous ce qu'il disait ? Il disait que prendre du LSD avait été une des expériences les plus importantes, les plus pénétrantes de toute sa vie.

– Ah, ben dans ce cas, intervint Lars, amusé, allons-y gaiement ! Prenons tous du LSD ! »

Masha secoua la tête tristement, comme si elle avait affaire à un groupe d'enfants inconséquents mais adorables. « Les effets secondaires des drogues psychédéliques sont négligeables. Au moment où je vous parle, des chercheurs respectés de l'Ivy League font des tests cliniques ! Jusqu'à présent, les résultats sont excellents ! Le microdosage vous a permis de vous concentrer sur vos séances de méditation et de yoga toute la semaine et a réduit les symptômes de manque dont vous auriez souffert à cause de l'arrêt de substances beaucoup plus dangereuses, comme l'alcool ou le sucre.

– Oui, mais, Masha… », dit Heather d'un ton plus calme que précédemment. Elle tendit les mains et écarta les doigts, comme si elle attendait que son vernis fraîchement appliqué sèche. « Les effets que je ressens, là – et je suppose que c'est pareil pour les autres –, ils ne sont pas dus à une simple microdose. »

Masha lui sourit, comme si elle méritait un bon point. « Oh, Heather, vous êtes une femme intelligente.

— Ce dernier smoothie était différent, n'est-ce pas ?

— Vous avez raison, Heather. Je m'apprêtais à vous l'expliquer mais vous m'avez coupé l'herbe sur le pied ! Oups ! Sous le pied ! » Ses dents fortes brillaient à la lumière des bougies. Difficile de dire si elle souriait ou grimaçait. « Nous arrivons à présent à la prochaine étape d'un tout nouveau protocole rigoureusement préparé et exécuté. » Elle balaya la pièce du regard, adressant à chacun un petit hochement de tête, comme si elle répondait par l'affirmative aux questions passées sous silence. *Oui, oui, oui*, semblait-elle dire. « Vous vous apprêtez à vivre une expérience qui va véritablement vous transformer. C'est une grande première ici à Tranquillum House et nous sommes tous très excités de vous offrir cette extraordinaire opportunité. »

Un merveilleux sentiment de bien-être, doux comme du miel, envahit Lars.

« Le smoothie que la majorité d'entre vous a bu contenait une dose de LSD et une forme liquide de psilocybine, substance que l'on trouve dans certains champignons hallucinogènes.

— *Des champignons hallucinogènes*, répéta Tony, écœuré.

— Oh ! mon Dieu, dit Frances. C'est comme si je revenais à mes années d'étudiante. »

Quelle bonne idée d'avoir choisi Tranquillum House pour cette cure, songea Lars. Quel endroit fabuleux ! Innovant et avant-gardiste !

« Des champignons hallucinogènes ? C'est ce que j'avais pris quand j'ai fait mon mauvais trip, gémit Napoleon.

— Ça ne va pas se reproduire, Napoleon, nous y veillerons. Nous sommes des professionnels de la santé qualifiés, nous sommes là pour vous aider, vous guider. Nous avons testé les substances que nous vous avons administrées pour nous assurer qu'elles étaient de la meilleure qualité. »

De la drogue de premier choix, pure... un délice ! pensa Lars, rêveur.

« Il s'agit de thérapie assistée par psychédéliques, dit Masha. La dissolution progressive de l'ego va vous permettre d'accéder à un niveau de conscience plus élevé. Un voile va se lever et vous verrez le monde comme vous ne l'avez jamais vu. »

Lars pensa à un de ses amis qui, dans sa quête d'éveil spirituel, avait traversé l'Amazonie pour participer à une cérémonie d'ayahuasca au cours de laquelle il avait vomi tripes et boyaux et s'était fait dévorer par des insectes. Par comparaison, cette expérience était divinement raffinée. L'éveil spirituel, version cinq étoiles !

« Quel tissu de conneries, dit Tony.

— Mais j'ai perdu la tête, poursuivit Napoleon. J'ai complètement perdu la tête et ça ne m'a pas plu du tout.

— Parce que vous n'étiez pas dans un environnement sûr. Les spécialistes parlent de disposition d'esprit et d'environnement, expliqua Masha. Pour une expérience positive, il faut le bon état d'esprit et un environnement contrôlé tel que celui créé pour vous aujourd'hui. Yao, Dalila et moi-même sommes ici pour vous guider et vous protéger.

— On va vous traîner en justice pour ça, vous en avez conscience ? » dit Heather d'un ton serein.

Masha lui sourit tendrement. « Dans un instant, je vais vous demander de vous diriger vers un de ces lits de camp ; vous pourrez vous y allonger et profiter de ce qui sera, je vous le garantis, une expérience véritablement transcendante.

— Et si on ne veut pas la vivre, cette expérience ? demanda Tony.

— Je crois qu'on est tous dans le même bateau maintenant, dit Lars, en lui donnant un petit coup d'épaule. Tout ce qu'il y a à faire, c'est se détendre et profiter du voyage. J'aime beaucoup votre sourire, à propos.

— Oh, moi aussi ! s'exclama Frances. J'adore son sourire !

C'est comme si tout son visage se chiffonnait… comme… comme du tissu.

– Au secours, marmonna Tony.

– Quant à vous, ajouta Frances en se tournant vers Lars, je vous trouve très beau. Irrésistiblement beau, en fait. »

Lars avait toujours beaucoup d'affection pour celles et ceux qui lui reconnaissaient sa beauté sans équivoque.

« C'est gentil, dit-il avec modestie. Je n'ai aucun mérite. Je suis issu d'une longue lignée d'hommes irrésistiblement beaux.

– Droguer les gens à leur insu doit être illégal, non ? » dit Jessica.

Sans rire ! Quelle idiote ! songea Lars.

« Je ne vous permets pas de me traiter d'idiote », dit Jessica.

Le sang de Lars se glaça dans ses veines. Cette fille lisait dans les pensées et disposait d'une immense fortune. Qui allait désormais l'empêcher de prendre le contrôle de la planète et mettre à exécution ses vils desseins ?

« Nous sommes venus pour une thérapie conjugale, rappela Jessica. C'est ce pour quoi nous avons payé. Tout cela n'est d'aucune utilité pour nous.

– Cette expérience aura un profond impact sur votre mariage, dit Masha. Ben et vous serez ensemble pour faire ce voyage. Vous serez assis côte à côte et vivrez cette expérience à deux. » Elle montra un des tas de coussins dans le coin. « Vos smoothies n'avaient pas la même composition que les autres. Nous avons lu les recherches avec soin et il semble que la MDMA soit la meilleure…

– De l'ecstasy ! aboya Heather. La MDMA, c'est de l'ecstasy. Elle vous a donné une drogue dite festive. Incroyable. Des gosses meurent chaque année à cause de l'ecstasy, mais que ça ne vous perturbe pas, surtout.

– Maman, tu es déprimante, là, dit Zoe.

– On s'en va », dit Ben en se tournant vers Jessica. Il lui tendit la main et regarda Masha. « Nous partons.

– Mais… attends, fit Jessica, ignorant son geste.

– Je vous le répète, dans un environnement contrôlé, l'usage de la MDMA est sans danger. Les tests cliniques réalisés dans le cadre de psychothérapies prescrites pour traiter le syndrome de stress post-traumatique, la phobie sociale ou apporter une réponse aux problèmes de couple ont été très concluants. L'administration d'une dose de MDMA en milieu clinique n'a jamais occasionné de décès ni même d'effets indésirables graves.

– Mais nous ne sommes pas en milieu clinique ! s'écria Heather.

– La MDMA est un empathogène. Il amplifie la capacité d'empathie et d'ouverture émotionnelle.

– C'est vrai que c'est une chouette expérience, les amis », dit Lars avec tendresse.

Masha lui lança un regard désapprobateur. « Mais il ne s'agit pas ici de danser dans un club jusqu'au bout de la nuit. Il s'agit de thérapie guidée. Ben, Jessica, vous vous rendrez compte que vous êtes plus sensibles aux sentiments de l'autre et plus ouverts à ses opinions. Vous allez bientôt communiquer comme jamais.

– Le consentement, dit Napoleon. J'ai le sentiment que c'est ce qui fait défaut dans cette situation. J'ai le sentiment que… Je suis presque certain que… » Il leva un doigt. « J'ai lu avec la plus grande attention les papiers que vous nous avez fait signer et je suis certain que nous n'avons pas consenti à ce qui se passe ici.

– Non, ça, c'est sûr », confirma Tony.

Jessica porta un doigt à sa bouche et se mit à mordiller son faux ongle.

Attention, songea Lars. *Ça coupe, ces trucs, non ?*

« Qu'est-ce qui coupe ? » demanda Jessica en regardant Lars du coin de l'œil. Puis elle se tourna vers Ben. « On devrait peut-être tenter l'expérience ? »

Les yeux rivés sur un horizon que lui seul pouvait voir, il

fit non de la tête. « Je n'ai pas choisi de prendre de la drogue, répéta-t-il. C'est dangereux. C'est mauvais. Ça détruit des vies.

— Je sais, chéri, mais peut-être qu'on devrait prendre les choses comme elles viennent ?

— Oui, fit Lars, foncez. J'ai vu plein de couples qui n'avaient rien à faire ensemble mais je pense que votre mariage a... » Il existait un mot parfait pour terminer sa phrase mais il venait de s'échapper de son cerveau.

Lars le vit voleter entre Jessica et Ben tel un papillon plein d'entrain et se poser, tremblotant, sur la main de Tony. Il se pencha pour le lire.

« Du potentiel ! Je pense que votre mariage a du potentiel ! »

Le temps ralentit, ralentit, ralentit... et reprit son rythme normal brutalement.

Dalila se tenait debout devant lui. Elle s'était téléportée, la petite coquine.

« Il est temps de vous allonger, Lars », dit-elle. La téléportation. Voilà une aptitude fort pratique que Lars adorerait développer. En rentrant, il commanderait *La Téléportation pour les Nuls*. Ah ! ah ! Le genre de boutade que sa nouvelle amie Frances apprécierait sûrement, mais Frances, étendue sur un lit de camp, s'en était remise en toute confiance à Yao qui lui ajustait un masque sur les yeux.

« Debout. » Dalila lui tendit la main. Lars fut captivé par une épaisse boucle de cheveux noirs et brillants qui lui tombait sur l'épaule. Il la regarda pendant une éternité, puis il lui prit la main.

« J'en connais un rayon, moi, sur les mariages malheureux », expliqua Lars tandis que Dalila l'aidait à se lever. Waouh, comme elle était forte et puissante. On aurait dit Wonder Woman. Elle lui ressemblait, d'ailleurs. Elle était merveilleuse à bien des égards. Bon, pas au point de la laisser s'approcher.

« On va en reparler dans un instant. On va s'allonger et commencer la thérapie guidée.

– Non, merci, mon chou, j'ai des années de thérapie derrière moi. Il n'y a rien que je ne sache déjà sur ma psyché. »

Il pensa à tous ces gros dossiers où s'empilaient des pages et des pages de mots censés percer les Grands Mystères de Lars, quand en réalité quelques malheureux paragraphes auraient suffi.

Quand Lars avait dix ans, son père avait quitté sa mère pour une dénommée Gwen. Il y avait peut-être des Gwen sympas en ce bas monde, mais Lars en doutait. Sa mère s'était fait avoir en beauté sur le plan financier au moment du divorce. À présent, Lars gagnait sa vie en saignant des hommes pleins aux as qui abandonnaient leur femme : un fantasme de vengeance infini et vain contre son père qui n'était plus de ce monde depuis longtemps, un métier satisfaisant sur les plans émotionnel et pécuniaire.

Lars voulait tout contrôler parce qu'il n'avait pas pu agir quand il était gosse ; il avait un rapport étrange à l'argent parce qu'il avait grandi sans ; il ne montrait pas ses failles dans ses relations parce qu'il refusait sa vulnérabilité. Il aimait Ray, mais il lui dissimulait une part de lui-même car il lui enviait son enfance heureuse et sans heurts et, inconsciemment, il mourait d'envie de lui envoyer son poing dans la figure. C'était aussi simple que ça. Il n'y avait rien d'autre à savoir. Rien d'autre à comprendre. Aussi, voilà quelques années, Lars s'était détourné de la thérapie au profit des centres de bien-être. Ray, lui, s'était mis au vélo et avait désormais le profil type du cycliste citadin : maigre et obsessionnel. Tout était pour le mieux dans le meilleur des mondes.

« Vous n'avez jamais fait ce genre de thérapie, dit Dalila.

– Non, merci, répéta Lars sur un ton ferme mais poli. Je veux juste profiter du trip. »

Il s'allongea confortablement. Le grand Tony, Smiley Hogburn, occupait la civière d'à côté. Agenouillée près de lui, Masha le bordait avec des gestes rapides et sûrs comme si c'était un nourrisson géant et grisonnant. Lars croisa son regard juste avant que Masha lui couvre les yeux avec le masque. C'était le regard d'un prisonnier terrifié. Pauvre Tony. *Détends-toi et profite, gentil géant.*

Dalila se pencha au-dessus de Lars. Elle avait le souffle chaud et sucré. « Je vais vous laisser un instant, mais je vais revenir pour voir comment vous vous sentez et on pourra parler de ce qui vous préoccupe.

– Je ne suis pas préoccupé. Et ne tentez pas une approche pendant que je dors, Dalila.

– Très drôle. On ne me l'avait jamais faite, celle-là. Masha et Yao sont là aussi. Vous n'êtes pas seul. Vous êtes entre de bonnes mains, Lars. Si vous avez besoin de quoi que ce soit, n'hésitez pas à demander.

– Adorable. »

Dalila lui mit le masque sur les yeux et le casque sur les oreilles.

« Cherchez les étoiles », dit-elle.

Du casque jaillit un morceau de musique classique qui coula directement dans son cerveau. Il percevait chaque note séparément, dans son entièreté, dans sa pureté absolue. C'était extraordinaire.

Un petit garçon aux cheveux bruns et au visage sale dit à Lars : « Viens avec moi. J'ai quelque chose à te montrer.

– Non, merci, mon grand, je suis occupé, là. »

Ce petit garçon, il le reconnaissait. C'était son moi enfant, le petit Lars qui essayait de lui transmettre un message.

« S'il te plaît, dit le petit garçon en lui prenant la main. Il faut vraiment que je te montre quelque chose.

– Peut-être plus tard, répondit Lars en se dégageant. Je suis occupé. Va jouer. »

N'oublie pas ce moment, songea-t-il. *N'oublie surtout pas ce moment.* Il raconterait tout à Ray en rentrant à la maison. Ça l'intéresserait. Il s'intéressait toujours à ce qui arrivait à Lars. Avec un air sérieux, ouvert et plein d'espoir.

Ray ne voulait rien lui *prendre*. Tout ce qu'il voulait, c'était son amour.

L'espace d'un instant, rien d'autre n'exista que cette simple pensée. Elle resta accrochée là, dans sa conscience, répondant à la moindre question, ouvrant la moindre porte, puis son esprit éclata en projetant des milliards de pétales violets.

32

Zoe

Pour la première fois de sa vie, Zoe voyait son père se soustraire au règlement. Il refusait de s'allonger et de mettre son casque. Elle trouvait ça drôle et impressionnant.

Une par une, Zoe pressa les extrémités de ses doigts contre ses pouces tout en regardant Masha qui essayait de convaincre son père d'obtempérer. Sa mère quant à elle criait : « Illégal… Inadmissible… Effroyable ! »

Une véritable boule de rage. C'était mignon. Que disait Zach déjà quand maman se mettait en colère ? « Quand elle se met en boule, on dirait un pitbull. »

Elle ferma les yeux. *Ben, là, on dirait trop un pitbull.*

Je croyais que tu ne me parlais plus. Sa voix résonnait clairement à son oreille.

Je te parle pas. Je te déteste. Je peux pas te piffer.

Ouais, ben moi non plus. Pourquoi t'arrêtes pas de dire à tout le monde qu'on n'était pas proches ?

Parce que c'est vrai. Avant que tu meures, on s'était pas parlé depuis, genre, un mois.

Parce que tu faisais ta chieuse.

Non, c'est parce que toi, tu faisais ton gros loser.

Va te faire voir.

Toi, va te faire voir. J'ai téléchargé ton générateur d'insultes shakespearien.

Je sais. C'est marrant, hein ? Ça te plaît ? Semi-harpie au grand clapet.

Et j'ai pété ta guitare électrique.

J'ai vu ça. Tu l'as balancée à travers la pièce. Ribaude acariâtre et lâche.

Je suis furieuse contre toi.

Je sais.

Tu l'as fait exprès. Pour te venger de moi. Pour avoir le dernier mot.

Mais non. Je me souviens même pas pourquoi on s'est pris la tête.

Tu me manques, Zach. Tous les jours, tu me manques.

Je sais.

Je serai plus jamais une fille comme les autres. C'est ta faute. Tu as fait de moi quelqu'un d'anormal et on se sent seul quand on est anormal.

Tu étais déjà un peu anormale.

Très drôle.

Tiens, je crois que les parents nous appellent.

Quoi ?

Zoe ouvrit les yeux. Le studio de yoga était grand comme mille terrains de football et ses parents, minuscules silhouettes au loin, lui faisaient signe. « Viens t'asseoir avec nous. »

33

Frances

Frances sentait les flocons de neige doux et froids lui chatouiller le visage tandis qu'elle fendait le ciel étoilé dans un traîneau tiré par des chevaux blancs avec son amie Gillian.

Sur ses genoux, une pile de livres. Tous ceux qu'elle avait écrits, y compris leurs traductions en diverses langues étrangères. Ils étaient ouverts par le haut, comme des boîtes de céréales. Frances plongea la main dans chacun d'entre eux, attrapant de pleines poignées de mots qu'elle dispersa dans le ciel.

« Touché ! » s'écria Sol, installé à l'arrière du traîneau avec Henry. Cigarette à la bouche, tous deux tiraient sur les adjectifs superflus à l'aide d'une catapulte.

« Laissez-les tranquilles, dit Frances d'un ton sec.

– Dégommons les adverbes maintenant ! s'exclama Sol gaiement.

– Même ceux qui riment ? demanda Henry aimablement.

– Okay pour les rimes imparfaites, dit Frances.

– Ce ne sont que des mots, Frances, intervint Gillian.

– Quelle profondeur d'esprit, railla Sol.

– Boucle-la, rétorqua Gillian.

– Elle ne t'a jamais aimé, dit Frances en se tournant vers Sol.

– Secrètement, elle a toujours voulu un mâle dominant. »

Frances lui sourit avec tendresse. Affreusement égocentrique mais terriblement sexy ! « Mon tout premier mari !

– Oui, j'ai été ton tout premier mari, confirma Sol, et tu as été ma seule deuxième femme.

– Les deuxièmes femmes sont tellement jeunes, tellement jolies. J'ai adoré être une deuxième femme.

– Au fait, Gillian m'a embrassé une fois, annonça Henry. C'était aux trente ans de je ne sais plus qui.

– Elle était ivre, dit Frances. Pas de quoi attraper la grosse tête.

– C'est vrai, j'avais trop bu, dit Gillian, mais je m'en suis voulu jusqu'au dernier jour.

– Henry, tu as été mon deuxième mari. Mais j'ai été ta première femme, donc pas aussi jolie.

– Pourquoi fais-tu l'inventaire de tes maris ? demanda Gillian.

– Les lecteurs s'impatientent s'ils ont du mal à identifier les personnages, expliqua Frances. Il faut leur donner un coup de main. C'est qu'on ne rajeunit pas.

– Mais nous ne sommes pas dans un livre, fit remarquer Gillian.

– Tu verras bientôt que si, répondit Frances. Évidemment, j'en suis le personnage principal.

– Eh bien, j'ai comme l'impression qu'elle t'en donne pour ton argent, cette immense Russe qui dirige ce centre, dit Gillian.

– Rien à voir avec elle. C'est de moi qu'il s'agit. Je ne sais pas encore qui jouera le rôle de mon amoureux.

– C'est tellement évident, pourtant ! Mais bon… il n'est pas pire aveugle que celui qui ne veut pas voir. » Elle regarda les étoiles au-dessus et cria d'une voix forte : « Vous aviez tous compris depuis le début, non ?

– Gillian ! Tu as essayé de briser le quatrième mur ? demanda Frances, outrée.

– Pas du tout, fit-elle malgré son air coupable. Je suis certaine que personne ne s'en est rendu compte.

– Une ficelle aussi inutile que vulgaire. »

285

Elle risqua un regard en direction du ciel et vit les étoiles comme autant d'yeux scrutateurs à l'affût de graves manquements dans son récit : sexisme, âgisme, racisme ou au contraire quota ethnique, discrimination liée au handicap, plagiat, appropriation culturelle, stigmatisation des gros, des prostituées, des végétariens, des agents immobiliers. La voix de la Toile, déesse omnipotente, gronda au-dessus de sa tête : *Honte à toi !*

« Ce n'est qu'une histoire, murmura Frances, penaude.

— C'est ce que j'essaie de te dire depuis tout à l'heure », dit Gillian.

Une phrase aussi longue et fine qu'une toile d'araignée, ornée de tant de fioritures – cascades de propositions, métaphores d'or et d'argent – qu'elle en était nébuleuse – profonde, d'aucuns diraient –, s'enroula autour du cou de Frances. La jugeant peu seyante, elle tira dessus sans ménagement et la jeta dans l'espace où elle flotta librement jusqu'à ce qu'enfin un timide auteur qui se rendait à un salon pour recevoir un prix s'en saisisse et l'utilise pour bâillonner un de ses cadavres exquis. C'était du plus bel effet. Un groupe de critiques, portant tous une barbe grise, applaudirent avec soulagement, heureux que la phrase ne finisse pas dans une lecture de plage.

« Il n'est pas pire aveugle que celui qui ne veut pas voir », répéta Jo qui révisait le texte, à cheval sur un crayon à papier géant. « Que c'est ringard comme expression ! Sans compter qu'on va s'attirer les foudres des associations de défense des droits des aveugles.

— Ce qui est drôle, c'est que je suis un personnage fictif, dit Paul Drabble, assis entre Sol et Henry, les bras autour de leurs épaules, à l'arrière du traîneau. Et que malgré ça, elle m'aimait plus qu'elle ne vous a jamais aimés.

— Sale imposteur, rétorqua Sol. Elle t'a même pas vu en chair et en os ! Elle t'a même pas sucé, connard !

— Oh, s'offusqua Jo.

286

« – Je suis bien d'accord, Jo. Supprime, conseilla Gillian. Frances, ma mère lit tes livres.

– Ôte-toi de là, cancrelat ! s'exclama Henry, en brandissant un poing menaçant vers Paul Drabble. Avant qu'on te réduise en bouillie !

– Tout n'est qu'illusion dans la vie, fit Gillian.

– Ôte-toi de là, cancrelat ! répéta Sol. Bien trouvé, Henry ! Tope là !

– Vous avez passé l'âge de toper, soupira Frances. Tous les deux. » Mais ses ex-maris étaient trop occupés à faire ami-ami. Elle avait toujours su qu'ils s'entendraient bien s'ils se rencontraient. Elle aurait dû les inviter à ses cinquante ans.

Elle se rendit compte que Paul Drabble avait disparu, d'un coup d'un seul. Il n'y avait aucune souffrance dans le vide qu'il avait laissé derrière lui. Finalement, il n'était rien pour elle. Rien du tout.

« Rien d'autre qu'une écriture dans la colonne crédits de mon relevé de compte, poursuivit-elle à voix haute.

– Dans la colonne débits, idiote, corrigea Gillian.

– Débits, crédits… quelle importance ? C'est de l'histoire ancienne.

– Je n'étais pas rien pour toi, moi. » Frances reconnut la voix d'Ari, le fils de Paul Drabble, mais elle ne se tourna pas. Elle ne pouvait pas le regarder.

« J'ai cru que j'allais devenir sa maman, dit-elle à Gillian. Pour la première fois de ma vie, j'ai envisagé de devenir maman.

– Je sais.

– La honte, chuchota Frances. C'est vraiment la honte.

– Tu viens de perdre un être cher, Frances. Tu as le droit de le pleurer, même si c'est la honte. »

La neige tomba sans bruit pendant des jours et des jours tandis que Frances pleurait la perte d'un garçon imaginaire et que Gillian, assise à côté d'elle, la tête inclinée, compatissait. À la fin, elles étaient deux silhouettes gelées couvertes de blanc.

Puis le printemps arriva – la neige fondit, les papillons se remirent à voleter, les abeilles à bourdonner. « Et mon père ? Pourquoi il n'est pas du voyage ? C'est moi qui écris cette histoire, Gillian, pas toi. Laisse papa monter à bord.

– Je suis là », dit son père, à l'arrière du traîneau.

Il était seul, dans la tenue de safari qu'il portait au repas de Noël en 1973, immortalisé à jamais sur la photo encadrée que Frances gardait sur son bureau. Elle tendit le bras et lui prit la main. « Salut, papa.

– Les garçons t'ont toujours fait tourner la tête », dit-il en secouant la tête. Frances sentit sa lotion après rasage Old Spice.

« J'étais trop jeune quand tu es mort. Voilà pourquoi, question garçons, j'ai fait de très mauvais choix. Je cherchais une figure paternelle.

– Ce n'est pas un cliché, ça ? demanda Jo, à califourchon sur son crayon géant qui lançait des ruades comme un cheval. Oh là là, ça secoue !

– Arrête de me corriger, toi, dit Frances. Tu as pris ta retraite. Va t'occuper de tes petits-enfants.

– N'essaie même pas de te cacher derrière un complexe d'Œdipe irrésolu, intervint Gillian. Tu n'as aucun problème avec ton père. Prends tes responsabilités. »

Frances pinça Gillian au bras.

« Aïe !

– Pardon. Je ne pensais pas que ça te ferait mal. Ce n'est pas comme si on était dans le réel. C'est juste une histoire que j'invente au fur et à mesure.

– À propos, j'ai toujours trouvé que tes intrigues méritaient d'être mieux structurées. Comme pour ta vie, d'ailleurs. Quelle drôle d'idée, de changer constamment de mari. Tu pourrais peut-être un peu anticiper, pour les derniers chapitres. Je n'ai jamais eu le courage de te le dire de mon vivant.

288

– Si, tu l'as dit, protesta Frances. Plus d'une fois, à vrai dire.

– Tu agis toujours comme si tu étais l'héroïne d'un de tes propres romans. Tu tombes dans les bras du premier homme que le narrateur met sur ta route.

– Ça aussi, tu me l'as déjà dit !

– Ah bon ? Eh bien, ce n'était pas très courtois de ma part.

– C'est ce que j'ai toujours pensé.

– J'aurais pu être plus empathique. À se demander si je n'étais pas un peu autiste.

– N'espère pas que je donne davantage d'épaisseur à ton personnage sous prétexte que tu es morte. Tu es finie. Concentrons-nous sur *mon* personnage.

– Facile ! Tu es la princesse. La princesse qui attend passivement qu'un autre prince pointe le bout de son nez.

– Je pourrais tuer l'émeu.

– Eh bien, on verra, Frances !

– On verra. » L'émeu ressuscité mais toujours incapable de voler traversa le ciel étoilé en courant. « Tu me manques beaucoup, Gillian.

– Merci. Je pourrais dire que tu me manques aussi, mais ce ne serait pas tout à fait vrai puisque je me trouve dans un état permanent de béatitude.

– Rien d'étonnant. C'est tellement beau, ici. Ça ressemble aux aurores boréales, non ?

– Et immuable.

– De quoi tu parles ? Les aurores boréales, c'est plutôt rare ! Ellen a payé une fortune pour en voir une et elle est rentrée bredouille.

– Ce que tu vois, Frances. Cette beauté. De l'autre côté. Il faut juste rester tranquille. Arrête de bouger. Arrête de parler. Arrête de désirer. Sois, c'est tout. Tu entendras, ou tu sentiras. Ferme les yeux et tu verras.

– Intéressant. Je t'ai parlé de la critique ?

289

– Frances, oublie cette satanée critique ! »

Eh bien ! Gillian semblait plutôt grincheuse pour quelqu'un qui n'avait rien à faire que s'allonger et profiter de l'exquise beauté de la vie après la mort.

34

Yao

« Où êtes-vous à présent, Frances ? demanda Yao après lui avoir enlevé son casque.

– Dans une histoire, Yao », répondit-elle. Il ne voyait pas ses yeux à cause du masque mais son visage était animé. « Une histoire que j'écris, mais je suis *dedans* aussi. Elle est plutôt sympa, cette histoire. Dans le genre réaliste magique, une atmosphère nouvelle pour moi. En fait, j'adore ! Rien n'a besoin de faire sens !

– D'accord. Qui y a-t-il dans l'histoire, à part vous ?

– Mon amie Gillian. Elle est morte. Dans son sommeil. À l'âge de quarante-neuf ans. La mort subite de l'adulte, ça s'appelle. Je croyais que ça ne touchait que les nourrissons. Je ne savais même pas que ça existait.

– Est-ce qu'elle a des choses à vous dire ?

– Pas vraiment. Je lui ai parlé de la critique.

– Frances, arrêtez avec cette fichue critique ! »

Ce n'était pas très professionnel, mais Yao ne pouvait pas cacher sa frustration. Pourquoi diable Frances revenait-elle sans cesse là-dessus ? Les mauvaises critiques sont inhérentes au métier d'auteur ! Elle devrait avoir l'habitude !

Essayez donc mon métier, Frances ! Sauveteur ! Vous allez voir ce que ça fait quand un psychopathe vous colle un couteau sous la gorge pendant que vous cherchez à sauver sa femme, enfin...

que vous faites semblant parce qu'elle est déjà morte ! Allez-y !
Vous me direz !

Frances releva son masque. Ses cheveux tenaient en l'air pour un effet des plus comiques, comme si elle sortait juste du lit. Elle regarda Yao dans les yeux.

« Je prendrai les linguine aux fruits de mer. Merci. » Elle ferma un menu imaginaire d'un coup sec, remit son masque et commença à chantonner *Amazing Grace*.

Yao prit son pouls et repensa à une nuit passée au chevet d'une fille ivre morte après une fête au temps lointain de l'université. Il avait écouté ses divagations inarticulées et veillé pendant des heures à ce qu'elle ne s'étouffe pas avec son vomi, pour finalement tomber de sommeil. Quand il s'était réveillé au petit matin, elle le fixait, à quelques centimètres de son visage, et lui avait dit, de son haleine écœurante : « Dégage.

– Je ne t'ai pas touchée, s'était défendu Yao. Il ne s'est rien passé.

– Dégage, bordel. »

Il s'était senti super mal, comme s'il avait effectivement abusé d'elle. Il n'aurait jamais couché avec une fille inconsciente et son projet dans la vie, c'était de sauver les gens, mais peu importait, car à ce moment-là, en tant que représentant de la gent masculine, il payait pour les péchés des autres et devait encaisser les coups sans broncher.

Guider Frances dans son voyage thérapeutique psychédélique n'avait rien à voir avec veiller une fille ivre. Et pourtant… ça y ressemblait quand même un peu.

« Je n'ai pas fait l'amour depuis tellement longtemps », dit Frances. Aux commissures de ses lèvres s'était formée de l'écume blanche.

Yao se sentit un peu nauséeux. « C'est moche. »

Il jeta un coup d'œil en direction de Masha, assise avec Ben et Jessica. Trois ombres démesurées sur le mur. Masha hochait la tête en les écoutant parler. Leur thérapie se passait plutôt bien, apparemment. Dalila quant à elle s'occupait de Lars. Assis sur sa civière, il échangeait tranquillement avec elle comme s'ils venaient de se rencontrer à une soirée.

Tous les pensionnaires sous sa surveillance allaient bien. Yao disposait d'un chariot d'urgence au cas où. Il n'y avait aucune inquiétude à avoir, et pourtant, à ce moment-là, inexplicablement, tous ses sens lui dictaient de fuir. Fuir !

35

Tony

Tony traversait un interminable terrain vert émeraude en courant avec, entre les mains, un ballon d'une drôle de forme qui pesait beaucoup plus lourd que d'ordinaire, genre l'équivalent de trois briques.

À côté de lui, Banjo, redevenu chiot, bondissait avec le même abandon joyeux qu'un tout-petit, se glissait parfois entre ses jambes, remuait la queue.

Tony comprit que, s'il voulait retrouver le bonheur, il devait simplement tirer entre les poteaux. Cet étrange ballon difforme représentait tout ce qu'il détestait chez lui : toutes ses erreurs, ses regrets, sa honte.

« Assis ! »

Banjo obéit. Il regarda son maître de ses grands yeux marron pleins de confiance.

« Pas bouger ! »

Banjo resta immobile, remuant la queue de droite et de gauche sur la pelouse.

Tony vit les poteaux blancs s'élever dans le ciel tels des gratte-ciel.

Il leva le pied et frappa. Le ballon dessina un arc parfait dans l'azur. Gagné par l'absolue certitude que son tir était bon, Tony sentit des vibrations dans sa poitrine. Il ne connaissait rien de plus fort. Pas même le sexe. Cela faisait tellement longtemps.

La foule gronda tandis que le ballon passait entre les poteaux, impeccablement centré, et une explosion de joie secoua tout son être, le propulsant haut dans le ciel, poing levé, comme une fusée.

36

Carmel

Assise sur un somptueux canapé en velours, Carmel se trouvait dans une prétentieuse boutique de mode spécialisée dans les corps sur mesure dernière génération.

Elle avait retiré son enveloppe charnelle. Elle se sentait merveilleusement bien, détendue. Exit cuisses, ventre, fesses, biceps et autres triceps. Adieu, cellulite, pattes-d'oie, ride du lion, cicatrice de césarienne, dégâts liés au soleil, ridules. Elle ne présentait aucun des sept signes du vieillissement. N'avait pas davantage les cheveux secs, crépus ou blancs. Rien à épiler, teindre ou traiter. Rien à allonger, aplatir, dissimuler ou camoufler.

Carmel, juste Carmel, sans son corps.

Montre-moi ton visage originel, celui que tu avais avant que tes parents naissent.

À ses côtés, ses petites filles attendaient qu'elle choisisse un nouveau corps. Chacune lisait sagement un mini-roman intelligent en mangeant des quartiers de fruits frais. Ni consoles ni en-cas sucrés. Pas de disputes. Carmel était la meilleure mère de tous les temps.

« Un nouveau corps parfait pour une nouvelle vie parfaite ! Je suis sûre que nous avons ça en stock », dit Masha qui tenait la boutique, habillée en princesse Disney.

Elle passa le doigt sur un portant rempli de différents modèles sur des cintres. « Non, non, pourquoi pas… Oh, celui-ci ! fit-elle en disposant un corps sur son bras. Il vous irait à ravir. Il est très demandé et il fait une silhouette flatteuse. »

Il s'agissait du modèle « Sonia ». Cheveux blonds, lisses et brillants. Taille de guêpe.

« Je n'aime pas les chevilles, dit Carmel. Je les voudrais plus fines. Et puis… la nouvelle petite amie de mon mari a exactement la même silhouette.

– N'en parlons plus, dans ce cas ! » Masha remit le cintre sur le portant et choisit un autre corps. « Que pensez-vous de celui-ci ? Superbe, n'est-ce pas ? Vous allez en faire tourner, des têtes ! »

C'était le corps de Masha.

« Il est magnifique, mais franchement, je ne pense pas pouvoir l'assumer. Il est trop… spectaculaire pour moi. »

Sa fille Lulu posa son livre. Elle avait de la pêche autour de la bouche. Carmel s'apprêtait à lui essuyer le visage mais se rappela qu'elle n'avait pas de doigts. C'était pratique, les doigts.

« Maman, il est là, ton corps, dit Lulu en montrant l'enveloppe charnelle de Carmel qui pendouillait sur une poignée de porte sans même un cintre.

– C'est l'ancien, ma chérie. Maman en veut un nouveau.

– Mais c'est le tien », insista Lulu, implacable, comme à son habitude.

Masha souleva l'ancienne enveloppe de Carmel. « C'est vrai qu'il a l'air très confortable.

– On ne pourrait pas au moins le reprendre d'une taille ou deux ?

– Bien sûr que si, répondit Masha en souriant. Nous allons lui refaire une beauté. Allez, passez-le. »

Carmel soupira et enfila son vieux corps.

« Il vous va vraiment bien. Disons qu'il y a quelques petits ajustements à apporter.

– J'aime assez les chevilles, concéda Carmel. Les filles, qu'est-ce que vous en pensez ? »

Les petites se jetèrent sur leur mère. Elle leur caressa la tête, s'émerveillant des veines bleues de ses mains et du bruit sourd de son cœur. Et quelle force quand elle en souleva deux pour les poser sur ses hanches !

« Je le prends, dit-elle.

– Vous allez l'aimer, votre corps », assura Masha.

37

Masha

Génial ! songea Masha. *Tout se passe comme sur des roulettes.*
La thérapie fonctionnait exactement comme les études le pré-
voyaient. Carmel Schneider venait de faire un immense pas en
avant dans son rapport à son corps. Il y avait eu un moment où,
allez savoir pourquoi, elle avait cherché à enlever ses vêtements,
mais Masha l'en avait empêchée et toutes deux avaient eu une
conversation tout à fait constructive sur l'acceptation de soi.

Quel triomphe ! Aussi tangible qu'un trophée en or massif
entre ses mains !

38

Napoleon

Assis le dos contre un mur du studio, Napoleon regardait le sol inspirer et expirer avec la même rapidité, la même vulnérabilité déchirante qu'un nourrisson endormi.

C'est comme la dernière fois, se rappela-t-il. Une simple illusion d'optique. Les murs et les sols ne respirent pas. Et quand bien même, où était le problème ? Était-ce si grave ?

Il avait aussi vu les murs respirer dans cette discothèque sordide et enfumée. Il avait même fini par croire qu'il était piégé à l'intérieur d'une amibe qui fonçait dans l'espace. Ce qui sur le moment lui avait paru parfaitement sensé. L'amibe l'avait avalé tout entier, comme la baleine avait avalé Jonas, et il y était resté coincé pendant mille ans.

Du haut de ses vingt ans, il avait acquis la conviction qu'on lui avait grillé le cerveau – lui qui en tirait une telle fierté. Dans les jours lugubres qui avaient suivi, il n'avait trouvé qu'une façon de se réconforter : scander *Plus jamais, plus jamais, plus jamais*.

Et pourtant, voilà qu'il était de nouveau pris au piège.

Je ne suis pas dans une amibe, se dit-il. *Je suis dans un centre de bien-être. On m'a fait prendre de la drogue à mon insu et je vais devoir attendre que ça passe.*

Heureusement, le studio, avec son éclairage à la bougie et son agréable parfum, n'avait rien à voir avec cette boîte pleine de visages menaçants.

Il tenait la main de ses deux femmes, Heather à sa gauche, Zoe à sa droite. Il n'avait voulu ni s'allonger, ni mettre le masque et le casque. La seule manière de ne pas perdre la tête, il le savait, c'était de s'asseoir bien droit et de garder les yeux ouverts.

Masha faisait mine de n'y voir aucun inconvénient, mais Napoleon devinait qu'au fond, ça l'agaçait qu'ils ne suivent pas la procédure normale. Les résultats ne seraient pas optimaux.

Napoleon avait même identifié le moment où elle avait décidé de ne pas insister. Comme s'il lisait dans ses pensées. *Il faut choisir ses priorités*, avait-elle songé. Et elle avait raison. C'était ce qu'il faisait avec ses élèves. Avec ses enfants aussi, quand ils étaient petits. Choisir ses priorités ne lui posait aucune difficulté.

« Il faut choisir ses priorités, murmura-t-il. Les choisir avec précaution.

– Je sais où sont les miennes, dit Heather. Je remuerai ciel et terre pour que cette femme finisse derrière les barreaux. » Masha allait d'un pensionnaire à un autre, disant à chacun quelques mots, vérifiant leur température en leur touchant le front. « Regardez-la se pavaner ! Pour qui elle se prend ? Florence Nightingale, peut-être ? La thérapie psychédélique, on aura tout vu. »

Napoleon se demanda s'il n'y avait pas dans la réaction de sa femme une forme de jalousie professionnelle.

« Tu vois les murs respirer, toi ? lui demanda-t-il pour qu'elle pense à autre chose.

– Ce sont juste les effets de la drogue.

– Je sais bien, chérie. Je me demandais simplement si on avait les mêmes.

– Moi, je les vois respirer, papa, dit Zoe. On dirait des poissons. C'est géant ! Et les couleurs, tu les vois ? » Elle avança les mains doucement puis les ramena vers elle, comme si elle les plongeait dans l'eau.

« Oui ! s'émerveilla Napoleon. Il y a comme un phénomène de phosphorescence.

— Super. Une petite dose de LSD, et c'est la complicité assurée entre père et fille. »

Napoleon se dit que Heather était décidément d'une humeur massacrante.

« Zach aurait trouvé la situation hilarante, dit Zoe. Qu'on soit shootés tous ensemble.

— Il est là, d'ailleurs, dit Napoleon. Coucou, Zach.

— Salut, papa. » La présence de son fils en short et torse nu face à lui ne lui sembla pas si incroyable. Il se promenait toujours torse nu. Napoleon avait le sentiment que tout était redevenu normal, comme avant, Zach, Zoe, Heather et lui qui étaient là à ne rien faire, sinon former une famille, une famille ordinaire, inconscients de la chance qu'ils avaient d'être tous en vie.

« Tu le vois ? demanda Napoleon.

— Oui, répondit Zoe.

— Moi aussi je le vois, dit Heather, la voix pleine de larmes.

— C'est ton tour de sortir la poubelle de tri, Zach », lança Zoe.

Zach fit un doigt d'honneur à sa sœur et Napoleon se mit à rire.

39

Frances

Frances se redressa, enleva son casque et ramena son masque autour de son cou.

« Merci », dit-elle à Dalila qui, assise à côté d'elle, lui souriait d'un air... condescendant, oui, c'était le mot. « C'était formidable. Sacrée expérience. J'ai le sentiment d'avoir appris un tas de choses. Combien je vous dois ?

– Je ne pense pas que vous ayez terminé », répondit Dalila.

Frances regarda autour d'elle.

Lars et Tony étaient côte à côte, chacun sur une civière. Tony avait la tête penchée d'un côté, les pieds en V. Lars, lui, affichait le profil d'un dieu grec et avait les pieds croisés, comme s'il faisait la sieste à bord d'un train en écoutant en podcast.

Dans un coin du studio, Ben et Jessica s'embrassaient tels deux jeunes amants qui s'éveillent au plaisir des baisers. Ils avaient l'éternité devant eux. Ils se caressaient lentement, passionnément, avec adoration.

« Eh bien ! fit Frances. Ils ne s'ennuient pas, ces deux-là, on dirait ! »

Elle poursuivit son tour d'horizon de la situation.

Allongée sur son lit de camp, ses épais cheveux bruns flottant telles des algues autour de sa tête, Carmel tenait ses mains en l'air et remuait les doigts comme si elle essayait de les voir à travers son masque.

Assis en rang d'oignons, Napoleon, Heather et Zoe étaient adossés à un mur, comme de jeunes voyageurs coincés à l'aéroport. En face d'eux, un garçon. Il fit un doigt d'honneur à Zoe.

« Qui est ce garçon ? demanda Frances. Celui qui est torse nu ?

– Il n'y a pas de garçon, répondit Dalila en lui remettant son casque.

– Je le vois rire. » Frances essaya en vain d'empêcher Dalila de replacer son masque sur ses yeux. « Je crois que je vais aller lui dire bonjour.

– Restez avec moi, Frances. »

40

Heather

Heather se concentrait sur sa respiration, déterminée à ce qu'une petite partie de son cerveau demeure fiable, sobre, capable de surveiller les effets de la psilocybine et du LSD – une fenêtre allumée dans une tour de bureaux plongée dans l'obscurité.

Elle savait par exemple qu'en réalité son fils pourrissait six pieds sous terre ; il n'était pas vraiment avec eux. Il semblait pourtant si réel. Quand elle avait tendu la main pour lui toucher le bras, elle l'avait reconnu sous ses doigts : sa chair ferme, sa peau lisse et hâlée. Il bronzait facilement et n'était jamais fichu de se mettre de la crème solaire, même si elle le harcelait.

« Ne t'en va pas, Zach. » Napoleon s'avança brusquement pour lui prendre les mains.

« Il est là, papa. Regarde, dit Zoe en le montrant du doigt. Juste là.

– Mon garçon. » Napoleon convulsa sous l'effet des sanglots gutturaux auxquels il laissait libre cours. « Il est parti. Mon garçon, mon garçon, mon garçon.

– Arrête », dit Heather. Ce n'était ni le lieu ni le moment.

La drogue. Tout le monde ne réagissait pas de la même façon à la drogue. Dans la salle d'accouchement, une simple inhalation de protoxyde d'azote suffisait à soulager certaines femmes quand d'autres continuaient de hurler de douleur.

Napoleon avait toujours été très sensible aux substances, quelles qu'elles soient. Un café allongé, et on aurait dit qu'il était sous amphétamines. Un analgésique vendu sans ordonnance, et il pouvait devenir complètement farfelu. La seule fois de sa vie où il avait eu une anesthésie générale, pour une chirurgie reconstructrice du genou l'année précédant la mort de Zach, il avait eu un réveil tellement compliqué qu'il aurait, selon une jeune infirmière à qui il avait fait la peur de sa vie, « parlé en langues » à propos du jardin d'Éden, même si on s'était demandé comment elle avait compris quelque chose si, en effet, il « parlait en langues ». « Elle doit avoir le don de parler en langues », avait dit Zach, ce qui avait beaucoup amusé Zoe. Et rien ne pouvait faire plus plaisir à Heather que de voir ses enfants se faire rire mutuellement.

Garde un œil sur ton mari, songea-t-elle. *Surveille-le.* Elle plissa les yeux et serra la mâchoire pour rester concentrée, mais elle se sentait dériver vers un océan de souvenirs sans pouvoir rien faire.

Elle marche dans la rue avec ses deux enfants dans une énorme double poussette et toutes les vieilles dames qu'elle croise l'arrêtent pour lui dire un mot. Mais comment va-t-elle réussir à faire ses courses ?

Elle est petite fille, elle regarde le ventre de sa mère et fait un vœu – faites qu'il y ait un bébé là-dedans pour que j'aie un petit frère ou une petite sœur – mais son vœu ne se réalise pas, les vœux, ça ne marche jamais ; quand elle sera grande, pas question d'avoir un seul enfant, pauvre petit esseulé.

Elle ouvre la porte de la chambre de son fils parce qu'elle veut lancer une machine, alors autant ramasser une partie des vêtements qu'il a laissés s'amonceler par terre, et tout son corps résiste à ce qu'elle voit, et elle se dit, je vais lancer une machine, ne fais pas ça, Zach, je veux m'occuper du linge, je veux continuer à vivre cette vie, s'il te plaît, s'il te plaît, laisse-moi continuer à vivre cette vie, mais elle s'entend crier car elle sait qu'il est trop tard, il n'y a rien à faire, la vie qui était la sienne une seconde plus tôt est terminée.

Elle est aux obsèques de son fils, sa fille prononce l'éloge funèbre, après quoi les gens ne cessent de la toucher, toutes ces mains, bas les pattes, c'est répugnant, et ils disent tous la même chose, « Oh, vous devez être si fière, Zoe a si bien parlé », comme si on était au concours d'éloquence du lycée, bon sang, on est à l'enterrement de son fils, et vous ne voyez pas que ma fille est seule à présent, comment elle va faire pour vivre sans son frère, elle n'a jamais vécu sans lui, on s'en fiche qu'elle ait bien parlé, elle tient à peine debout, c'est son père qui la soutient, ma fille ne peut même pas marcher.

Elle regarde Zoe faire ses premiers pas à tout juste onze mois, et Zach, qui n'a encore jamais envisagé de se lever, est stupéfait, il n'en revient pas, assis sur le tapis, ses petites jambes potelées étendues devant lui, il lève ses grands yeux étonnés vers sa sœur et on devine qu'il se dit : Qu'est-ce qu'elle fait ? et Heather et Napoleon éclatent de rire, et peut-être que les vœux se réalisent finalement, parce que ça, c'est une famille, ce qu'elle n'a jamais eu, jamais connu, jamais osé rêver, c'est un moment si parfait, si drôle, c'est sa vie à présent, une succession de moments parfaits et drôles, tel un chapelet que l'on égrène sans fin.

Sauf que non.

Elle est seule dans la chambre de Zach, elle pleure ; Napoleon et Zoe sont probablement quelque part dans la maison en train de pleurer aussi, chacun seul dans son coin, alors qu'une famille, c'est censé partager le chagrin, non ? Mais ils ne font pas ça bien, alors pour penser à autre chose, elle fouille dans les tiroirs de Zach comme elle l'a déjà fait cent fois, elle sait pourtant qu'elle n'y trouvera rien, ni mot ni explication, elle sait exactement à quoi s'attendre, sauf que cette fois, elle trouve quelque chose.

La voilà de retour dans le présent.

Napoleon se balançait toujours en sanglotant.

Combien de temps était-elle partie ? Une seconde ? Une heure ? Un an ? Aucune idée.

« Alors ? Comment ça se passe ? demanda Masha en s'asseyant en face d'eux. Peut-être le moment est-il venu d'une séance de thérapie familiale sur votre deuil ? »

Masha était dotée de multiples bras et jambes, mais hors de question pour Heather de reconnaître l'existence de tous ces membres, car ce n'était pas réel, les gens ont quatre membres, un point c'est tout. Heather n'avait jamais aidé à mettre au monde de bébé avec plus de quatre membres. Elle n'allait pas tomber dans le panneau.

« Lorsque vous dites que c'est votre faute, Napoleon, vous parlez de Zach ? » demanda Masha, faussement inquiète.

Heather s'entendit siffler : « Sorcière ! »

Changée en serpent avec une longue langue fourchue aussi rapide qu'un fouet, Heather transperça la peau de Masha de ses crochets pointus, injectant son venin dans ses veines, comme Masha avait elle-même empoisonné sa famille. « Comment osez-vous parler de notre fils ? Vous ne savez rien sur notre fils !

– Ma faute, ma faute, ma faute », disait Napoleon en se tapant violemment la tête contre le mur. Il risquait une commotion cérébrale.

Heather rassembla toute sa force mentale et rampa jusqu'à son mari. Elle lui prit la tête et serra ses oreilles et ses joues chaudes mal rasées entre ses paumes.

« Écoute-moi », dit-elle de la voix forte qu'elle prenait en salle d'accouchement pour que les femmes qui hurlaient de douleur l'entendent.

Les yeux de Napoleon, exorbités et injectés de sang, bougeaient dans tous les sens, comme ceux d'un cheval effrayé.

« J'ai activé le rappel de sonnerie, j'ai activé le rappel de sonnerie, j'ai activé le rappel de sonnerie.

– Je sais, dit Heather. Tu me l'as dit plein de fois, chéri, mais ça n'aurait rien changé.

– Ce n'était pas ta faute, papa », dit Zoe, sa pauvre petite esseulée qui n'avait plus rien d'une jeune étudiante ; elle parlait comme un zombie et son esprit vigoureux était déjà tout ratatiné, comme une tranche de bacon oubliée sur le gril. « C'était ma faute à moi.

– Bien », dit Masha. L'empoisonneuse. « C'est très bien ! Vous parlez tous du fond du cœur. »

Heather se tourna vers elle et lui cria à la figure : « Fermez-la ! »

Une gouttelette de salive sortit de sa bouche et dessina lentement un arc dans les airs pour terminer son vol en plein dans sa cible, l'œil de Masha.

Masha sourit. Elle s'essuya. « Excellent. Libérez votre rage, Heather. Libérez-la complètement. » Elle se leva et ses multiples membres se mirent à flotter autour d'elle comme autant de tentacules. « Je reviens dans un instant. »

Heather fit face à sa famille. « Écoutez-moi. Écoutez-moi bien. »

Napoleon et Zoe la regardèrent dans les yeux. Tous trois traversaient une zone de lucidité qui ne durerait pas longtemps. Heather devait dire ce qu'elle avait à dire, et vite. Elle ouvrit la bouche et commença à tirer un ver solitaire interminable du plus profond de sa gorge, et malgré les haut-le-cœur et les vomissements, il y avait du soulagement parce que, enfin, elle le libérait de force de son corps.

41

Zoe

Les murs ne respiraient plus. Les couleurs perdaient leur éclat. Zoe avait la sensation de redescendre, comme à la fin d'une fête, quand on sort d'une atmosphère étouffante et que l'air de la nuit vous éclaircit les idées.

« Zach était sous traitement, dit la mère de Zoe. Pour son asthme. »

Soit. Et alors ? Zoe sentait qu'à ce moment précis, sa mère estimait partager avec eux une information de la plus grande importance, mais elle savait d'expérience que ce qui est capital pour les parents semble souvent insignifiant aux enfants, et inversement.

« Eh oui, c'est ça en réalité, la théorie de la relativité ! dit Zach qui lisait toujours dans les pensées de sa sœur.

— Ne me prends pas la tête avec tes théories. Je suis toute seule à m'occuper des parents. C'est une lourde responsabilité, tête de nœud, parce que l'un comme l'autre, ils débloquent complètement.

— Je sais, je suis désolé, mendiante difforme et tavelée.

— Zoe, j'ai besoin que tu m'écoutes attentivement, dit sa mère.

— Je sais bien qu'il prenait des médicaments pour son asthme, dit Napoleon. Un traitement préventif. Pourquoi tu parles de ça ?

— Parmi les effets secondaires de son traitement, il y avait la dépression et les pensées suicidaires, expliqua Heather. Quand je t'ai dit que le spécialiste voulait lui prescrire ce médicament, tu m'as posé la question. "Y a-t-il des effets secondaires ?" et je… je t'ai répondu… "Non." »

Le regret défigurait son visage telles des griffures.

« Tu as répondu non, répéta le père de Zoe.

– J'ai répondu non », dit sa mère. Ses yeux imploraient le pardon. « Je suis tellement désolée. »

Une information de la plus grande importance, songea Zoe face à la paroi d'une falaise qui se dressait devant elle.

« Je n'avais même pas lu la notice, avoua sa mère. Je savais que le docteur Chang était le meilleur, qu'il ne prescrirait pas de médicaments aux effets secondaires graves, je lui faisais confiance, alors je t'ai répondu : "Non. C'est bon. J'ai vérifié." Mais je t'ai menti, Napoleon, je t'ai menti. »

Le père de Zoe plissa les yeux.

« Moi aussi, je lui aurais fait confiance, fit-il au bout d'un moment.

– Tu aurais lu la notice. Tu l'aurais lue en long, en large et en travers, tu aurais posé des questions à me rendre folle. C'est moi qui ai fait médecine dans cette famille, je l'aurais comprise, la notice, mais je ne l'ai même pas lue. Tout ça parce que je pensais que je n'avais pas de temps à perdre. Pas de temps à perdre ? Mais où avais-je la tête ? » La mère de Zoe se frotta les joues comme si elle essayait de disparaître. « Je l'ai lue six mois après sa mort. Je l'ai trouvée dans le tiroir de sa chambre.

– Mais, chérie, ça n'aurait rien changé, dit son père d'un ton morne. Il fallait maîtriser son asthme.

– Mais si on avait su qu'il y avait un risque de dépression, on aurait guetté les signes. » Heather voulait à tout prix lui faire comprendre l'étendue de sa culpabilité. « Tu aurais guetté les signes, Napoleon. Je sais que tu l'aurais fait.

– Il n'y a pas eu de signes, répondit-il. Parfois, il n'y a pas de signes. Pas de signes du tout. Il était parfaitement heureux.

– Il y en a eu, des signes », dit Zoe.

Ses parents se tournèrent vers elle, bouche grande ouverte, tels deux clowns passe-boules à la fête foraine.

« Je savais que quelque chose le travaillait. »

Elle se souvenait d'être passée devant sa chambre et de l'avoir vu allongé sur son lit à fixer le plafond. Il ne regardait pas son téléphone, n'écoutait pas de musique, ne lisait pas. Il était juste *allongé*, et ça ne lui ressemblait pas.

« Je me suis dit qu'il devait se passer quelque chose au lycée. Mais j'étais en colère contre lui. On ne s'adressait plus la parole et je ne voulais pas faire le premier pas. » Zoe ferma les yeux, pour ne pas voir la déception et le chagrin sur le visage de ses parents. « C'était à qui craquerait le premier.

– Oh, Zoe, ma douce, dit la voix lointaine de sa mère. Ce n'est pas ta faute. Tu sais bien que ce n'est pas ta faute.

– J'avais décidé de briser le silence le jour de notre anniversaire. Joyeux anniversaire, gros loser ! Voilà ce que j'avais prévu de lui dire.

– Quelle andouille », dit Zach.

Il la prit dans ses bras. Ils ne s'étreignaient jamais. Ils n'avaient pas ce genre de rapports. Parfois quand ils se croisaient dans l'entrée, ils se bousculaient sans crier gare et sans la moindre raison. Suffisamment fort pour se faire mal. Mais là, il la tenait dans ses bras, lui parlait à l'oreille, et c'était bien lui, c'était Zach, qui sentait le gel douche Lynx à plein nez, parce que à cause de la publicité il croyait que c'était un piège à filles, même s'il ne l'aurait jamais avoué.

Zach l'attira plus près de lui et chuchota à son oreille : « Je n'ai pas fait ça pour me venger. Ça n'avait rien à voir avec toi. » Il lui serra le bras pour s'assurer qu'elle enregistrait bien ce qu'il disait. *« Je n'étais pas moi-même. »*

42

Napoleon

Il ferait n'importe quoi pour ses petites femmes, n'importe quoi, alors il prit les lourds secrets qu'elles avaient portés et vit le soulagement avec lequel elles les lui livrèrent, et il avait à son tour un secret, parce qu'il ne leur dirait jamais à quel point leurs secrets le mettaient en colère, jamais, au grand jamais.

Les murs continuèrent de palpiter tandis que sa femme et sa fille lui tenaient les mains et il savait que ce cauchemar durerait une éternité.

43

Masha

Assis en tailleur sur des coussins l'un en face de l'autre, Ben et Jessica se tenaient par les avant-bras, tels deux équilibristes sur une poutre étroite. Une vision magnifique. Ben parlait du fond du cœur et Jessica écoutait, captivée par chacun de ses mots.

Masha n'avait pas besoin de les guider beaucoup. La MDMA, censée dissoudre les barrières, fonctionnait à merveille. Ils auraient pu passer des mois et des mois en thérapie pour en arriver là. Un raccourci instantané.

« Ton visage me manque, dit Ben. Ton magnifique visage. Je ne te reconnais plus. Je ne reconnais plus ni le couple qu'on formait, ni la vie qu'on vivait. Notre vieil appartement me manque. Mon ancien boulot aussi. Les amis qu'on a perdus. Mais ce qui me manque le plus, c'est ton visage. »

Ces mots étaient clairs, précis, articulés, sans faux-fuyants.

« Bien, dit Masha. Parfait. Jessica, qu'avez-vous à dire ?

– Ben m'attaque sur mon physique, répondit-elle. Je suis toujours la même. À l'intérieur, je suis toujours *Jessica*. Alors qu'est-ce que ça peut faire si j'ai l'air un peu différente ? Je ne fais que suivre la mode. Ce n'est pas important !

– Pour moi, ça l'est, dit Ben. Imagine que je massacre quelque chose qui t'est précieux, comment tu réagirais ?

– Mais je me sens belle. Je me trouvais moche avant et maintenant je me sens belle. » Elle leva les bras gracieusement, telle une ballerine. « Alors je te le demande : c'est à qui de décider si je suis jolie ou pas ? À moi, à toi, aux gens sur Internet ? »

À cet instant précis, elle était magnifique.

Ben réfléchit.

« C'est ton visage, alors je suppose que ça t'appartient.

– Mais, attends ! La beauté est… » Jessica pointa le doigt vers ses yeux et se mit à rire. « La beauté est *dans l'œil de celui qui regarde.* »

Tous deux s'esclaffèrent, resserrant leur étreinte, répétant la phrase de Jessica encore et encore. Masha esquissa un sourire sans comprendre. Pourquoi était-ce si drôle ? Une plaisanterie entre eux peut-être. Elle commença à s'impatienter.

Au bout d'un moment, ils arrêtèrent de rire, Jessica se redressa et toucha sa lèvre inférieure. « Bon, je te l'accorde, j'y suis peut-être allée un peu fort sur les lèvres la dernière fois.

– J'adorais ta bouche avant. Je trouvais tes lèvres magnifiques.

– Oui, j'ai compris, Ben.

– J'adorais notre vie aussi.

– On avait une vie merdique ! Une petite vie ordinaire et merdique.

– Merdique ? Je ne suis pas d'accord avec toi.

– J'ai l'impression que ta voiture compte plus que moi. Je suis jalouse de ta Lamborghini. C'est moi qui l'ai rayée. Eh oui, c'était moi. Parce que ça me met dans le même état que si tu me trompais avec une petite garce, alors je lui ai refait le portrait.

– Ça alors… », dit Ben en posant les mains sur le sommet de sa tête. « *Ça alors…* Incroyable. C'était toi ? » Il n'avait pas l'air en colère. Juste consterné.

« J'adore avoir tout cet argent, dit Jessica. J'adore être riche. Mais j'aimerais qu'on puisse rester nous-mêmes.

– Cet argent, dit Ben lentement, c'est comme un chien.

– Mmmm ?

315

– Un énorme chien incontrôlable.

– D'accord. D'accord… je vois. » Elle se tut un instant puis : « C'est quoi, le rapport avec un chien ?

– Eh bien, c'est comme si on venait de prendre un chien, le chien qu'on a toujours voulu, ce chien, on en a rêvé, il est super, mais il a tout chamboulé dans notre vie. Il nous embête, il réclame notre attention en aboyant en permanence, y compris la nuit, impossible de dormir, on ne peut *rien* faire sans le prendre en compte. Il faut le sortir, le nourrir, s'en occuper et… » Il fronça les sourcils, à la recherche du mot juste. « Tu vois, le problème avec ce chien, c'est qu'il mord. Nous, nos amis, nos familles. Il est méchant, ce chien, il a ça en lui.

– Mais on l'aime quand même, dit Jessica. On l'aime, ce chien.

– Oui, mais je pense qu'on devrait s'en débarrasser. Je pense que ce n'est pas le chien qu'il nous faut.

– On pourrait prendre un labradoodle, suggéra Jessica. C'est tellement mignon. »

N'oublie pas qu'elle est très jeune, songea Masha.

« Je crois que le chien représente l'impact de votre gain au loto dans votre vie, dit-elle. Ben l'emploie comme une… métaphore. » Le mot lui vint une fraction de seconde trop tard à son goût.

– Oui. » Jessica la regarda d'un air entendu en se tapotant le nez, l'air de dire qu'elle avait bien compris. « Si on prend un chien, il faudrait le faire avant l'arrivée du bébé.

– Quel bébé ? demandèrent Masha et Ben de concert.

– Je suis enceinte.

– C'est vrai ? s'exclama Ben. C'est génial !

– Mais…, commença Masha, ébranlée par la nouvelle. Vous n'avez jamais…

– Vous avez administré de la drogue à ma femme alors qu'elle est enceinte.

– Oui, fit Jessica, et franchement, ça me met très en colère. Vous méritez qu'on vous mette derrière les barreaux pour un bon bout de temps. »

44

Heather

Heather se réveilla mais garda les yeux fermés.

Elle était allongée de côté sur un support fin et doux et ses mains lui servaient d'oreiller.

D'après son horloge interne, il était environ 7 heures du matin.

Elle n'était plus sous l'effet de la drogue. Elle avait les idées claires. Elle se trouvait dans le studio de méditation et de yoga de Tranquillum House et, aujourd'hui, c'était l'anniversaire de la mort de Zach.

Elle s'était sentie nauséeuse pendant des années mais elle avait enfin vomi son secret ; à présent, une étrange sensation de fébrilité et de vide l'habitait, accompagnée d'une forme de mieux-être, de purification. Ironiquement, cette cure avait tenu ses promesses. Heather n'aurait d'autre choix que d'écrire sur le centre un témoignage élogieux : *Je me sens tellement mieux après mon séjour à Tranquillum House ! J'ai particulièrement apprécié le trip avec mon mari et ma fille.*

Évidemment, ils quitteraient les lieux sur-le-champ. Hors de question de boire ou manger quoi que ce soit qui provienne des cuisines de Masha. Ils rejoindraient leurs chambres, feraient leurs bagages, monteraient dans la voiture et tchao. Peut-être s'arrêteraient-ils dans la première ville qu'ils trouveraient en chemin pour commander un bon petit déjeuner – œufs, bacon et tout le tremblement – en l'honneur de Zach.

Heather avait à cœur de passer cette journée anniversaire en famille à parler de Zach et ne voulait surtout pas placer le lendemain, à savoir le jour des vingt et un ans de ses enfants, sous le signe de la honte ou du chagrin. Cette année, personne ne devait faire semblant d'oublier que c'était aussi l'anniversaire de Zoe.

Napoleon le disait depuis si longtemps : nous devons faire la distinction entre Zach et la façon dont il est mort. Zach ne devait pas se résumer à son suicide, il était tellement plus. Un souvenir ne devrait pas éclipser tous les autres. Mais elle ne l'avait pas écouté. D'une certaine manière, elle s'était dit que la tristesse de Zach ce jour-là annulait tout ce qu'il avait fait dans sa vie.

À présent, elle se rendait compte que Napoleon avait raison. Aujourd'hui, ils mettraient en commun leurs meilleurs souvenirs des dix-huit ans de l'existence de Zach, leur chagrin serait intolérable, mais Heather était mieux placée que quiconque pour savoir qu'on survit à l'intolérable. Depuis trois ans, elle pleurait le suicide de Zach. Il était temps de pleurer sa perte. La perte d'un garçon beau, bêta, intelligent, impétueux.

Pourvu que sa sœur tienne le coup aujourd'hui. Dire qu'elle prétendait qu'elle n'était pas proche de Zach. N'importe quoi ! Heather avait mal au cœur pour sa fille. Cette gosse adorait son frère. À dix ans, elle se glissait encore dans son lit les nuits où elle faisait des cauchemars. Heather devrait lui répéter jour après jour que ce n'était pas sa faute. Elle seule était responsable. Responsable de ne pas avoir remarqué le changement d'attitude de son fils, responsable de n'avoir donné à personne, y compris à Zach lui-même, un motif pour guetter toute altération de son comportement.

À un moment de la journée, il faudrait aussi signaler les agissements de cette déséquilibrée à la police.

Heather ouvrit les yeux. Elle était allongée sur un tapis de yoga, face à sa fille qui dormait, les paupières tremblotantes, si proche d'elle qu'elle sentait son souffle sur son visage. Elle lui toucha la joue.

45

Frances

Les yeux fermés, Frances voulut retirer son casque. Les fils s'emmêlèrent dans ses cheveux. Elle tira dessus.

Où était-elle ? La seule fois où elle s'était endormie avec un casque, c'était à bord d'un avion.

Elle entendit le bruit lointain de travaux. Une perceuse. Un marteau-piqueur. Une pelleteuse. Quelque chose dans le genre. Un vrombissement mécanique intermittent. Une tondeuse ? Un souffleur à feuilles. Elle ramena la couverture sur ses épaules et essaya de se replonger dans les délices du sommeil. Mais il n'y avait pas moyen. Le bruit revint, la tirant inexorablement de sa torpeur. Elle tendit l'oreille. Ce n'était pas le bruit d'une machine mais celui d'un ronfleur.

Avait-elle bu au point de rentrer avec un inconnu hier soir ? Pff, certainement pas. La dernière fois remontait à plusieurs décennies. Et elle ne ressentait ni les symptômes de la gueule de bois ni l'humiliation d'une partie de jambes en l'air minable. Elle avait les idées claires, comme si son esprit avait été nettoyé à haute pression.

Puis, tout à coup, la mémoire lui revint. Clic.

Elle se trouvait dans le studio de yoga et de méditation de Tranquillum House. La veille, elle avait bu un délicieux smoothie contenant des substances hallucinogènes qui l'avaient plongée dans un long rêve remarquablement beau et pénétrant, un

321

rêve mettant en scène Gillian, son père et ses ex-maris, un rêve plein de symboles et de métaphores visuelles qu'elle était impatiente d'interpréter. Yao et parfois Dalila ou Masha n'avaient cessé de l'interrompre, lui posant mille questions agaçantes et essayant de la guider dans telle ou telle direction. Frances les avait ignorés. Son rêve était trop plaisant et ils l'exaspéraient. Au bout d'un moment, ils avaient renoncé.

Elle avait voyagé dans l'espace.

Elle s'était changée en *fourmi*.

Et en papillon !

Elle avait traversé un superbe ciel étoilé à bord d'un traîneau avec Gillian et bien plus encore.

C'était comme se réveiller dans son propre lit pour la première fois après un long périple dans des contrées plus exotiques les unes que les autres.

Elle ouvrit les yeux. Il faisait noir. Elle se souvint qu'elle portait un masque. Les ronflements se firent plus forts quand elle le retira mais elle n'avait ni picotements ni troubles de la vue. Les couleurs étaient nettes. Au-dessus d'elle, la voûte en pierre du plafond et des rangées de luminaires, tous allumés.

Elle se redressa et regarda autour d'elle.

Les ronflements venaient de la civière d'à côté : allongé sur le dos, Lars avait la bouche grande ouverte. Il avait une couverture remontée jusqu'au menton et son masque sur les yeux. Son corps vibrait au rythme de ses ronflements. Quel plaisir d'entendre un homme si beau respirer si bruyamment, si désagréablement ! Ça rééquilibrait les choses, en quelque sorte !

Frances lui donna un petit coup de pied dans la jambe. Henry était un ronfleur. Une fois, vers la fin de leur mariage, alors qu'il portait un short, il avait regardé ses mollets et fait remarquer, perplexe : « Je ne sais pas d'où sortent tous ces bleus sur mes jambes. À croire que je me cogne sans m'en rendre compte. » *C'est moi. Enfin... mon pied droit*, avait songé Frances. Elle s'en

322

était voulu jusqu'au dernier jour de leur mariage, où ils avaient partagé la coutellerie – quelle dispute !

Elle poursuivit son tour d'horizon de la pièce.

Tony – pas question de l'appeler Smiley – venait de se redresser. À la façon dont il se tenait la tête entre les mains, il semblait avoir une bonne migraine.

Carmel était réveillée elle aussi. Elle passait ses doigts dans ses cheveux noirs crépus dans une vaine tentative de discipliner la touffe hirsute qui formait un halo autour de sa tête.

Elle croisa le regard de Frances. « Les toilettes ? » articula-t-elle silencieusement. Étrange. Elle était pourtant venue ici aussi souvent que Frances.

Frances lui montra les toilettes à l'autre bout de la salle. Carmel se leva d'un pas chancelant.

Ben et Jessica étaient assis l'un à côté de l'autre. Adossés à un mur, ils buvaient de l'eau en bouteille.

Heather et Zoe étaient allongées face à face sur un tapis de yoga. Heather caressait les cheveux de sa fille d'un air absent.

« De l'eau ? » Napoleon s'accroupit non sans difficulté devant Frances et lui tendit une bouteille. « Je ne pense pas qu'ils y aient mis de la drogue. Dans le doute, on peut boire l'eau du robinet, mais bon, ils pourraient très bien avoir empoisonné le réservoir…

– Merci. » Frances prit la bouteille, soudain assoiffée, et la vida aux trois quarts d'un trait. « J'en mourais d'envie.

– C'est plutôt bon signe qu'ils nous aient laissé de l'eau. » Il se redressa. « Ils ne nous ont pas totalement abandonnés.

– Que voulez-vous dire ? » Frances s'étira voluptueusement. Elle ne rêvait que d'une chose : un bon petit déjeuner.

« La porte est fermée à clé, dit Napoleon d'un air contrit, comme si c'était sa faute. Et je ne vois pas d'autre moyen de sortir. »

46

Carmel

« Tout ça fait partie de leur protocole, sans aucun doute », dit Carmel, qui ne comprenait pas pourquoi les autres semblaient si inquiets. « Ils ne vont pas nous laisser ici longtemps. Tout va bien. »

D'après Napoleon, seul à porter une montre, il était bientôt 14 heures. Le personnel de Tranquillum House ne s'était toujours pas manifesté. Ils étaient dans le studio depuis presque vingt-quatre heures.

Assis en cercle, comme lorsqu'ils s'étaient présentés la veille, ils avaient tous l'air épuisés et crasseux. Les hommes avaient besoin d'un bon coup de rasoir. Carmel mourait d'envie de se brosser les dents, même si elle n'avait rien avalé depuis presque quarante-huit heures – incroyable. D'ailleurs, elle n'avait pas particulièrement faim. Si la perte d'appétit comptait parmi les effets secondaires de l'expérience de la veille, qu'elle avait trouvée on ne peut plus agréable, alors elle ne voyait aucune objection à prendre de la drogue.

Chacun avait tenu à vérifier personnellement que la lourde porte en chêne en bas des escaliers constituait la seule issue, et qu'elle était incontestablement, irréfutablement verrouillée grâce à un pavé numérique de sécurité doré, récemment ajouté à côté de la poignée. Le déverrouillage de la porte nécessitait vraisemblablement un code ; de multiples combinaisons de chiffres avaient été testées, en vain.

Le code est peut-être le même que celui du portail à l'entrée de Tranquillum House, avait suggéré Frances.

Napoleon y avait déjà pensé, mais ne se souvenait pas dudit code.

Carmel non plus. En arrivant à Tranquillum House, elle s'était mise à pleurer, la vue de l'interphone lui rappelant celui de l'hôtel dans lequel elle avait passé sa lune de miel. Réaction qui lui semblait stupide à présent, d'autant que sa lune de miel n'avait pas été si géniale que ça. Elle avait eu une infection urinaire carabinée.

Ben pensait se souvenir du code d'accès du portail, mais si sa mémoire ne lui faisait pas défaut, la combinaison ne fonctionnait pas.

Idem pour Tony, même si le code qu'il avait en tête différait d'un chiffre par rapport à Jessica. Le résultat ne fut pas plus probant.

Carmel proposa d'essayer le numéro de téléphone du centre que, bizarrement, elle avait retenu. Nouvel échec.

Et si le code était constitué de lettres ? avait proposé Frances. Ils essayèrent plusieurs mots. Tranquillum. Cure. Masha.

Toujours rien.

Et si tout ça était une sorte de jeu, suggéra Zoe. Un escape game peut-être. Elle évoqua cette nouvelle mode bizarre où les gens se laissaient enfermer dans une pièce pour le plaisir de trouver le moyen d'en sortir. Elle avait déjà essayé. Un moment très amusant, avec plein d'indices cachés dans des objets en apparence ordinaires. Par exemple, Zoe et ses amis avaient eu à trouver et assembler les pièces d'une torche, dissimulées dans la pièce. La torche devait ensuite servir à éclairer le fond d'une armoire où de nouvelles instructions étaient données sous forme de message à décoder. Un minuteur sur le mur indiquait le temps qu'il restait et ils avaient réussi à sortir quelques secondes à peine avant le signal sonore.

Mais s'il s'agissait d'un escape game, il était particulièrement difficile. Le studio de yoga était pratiquement vide. En dehors des serviettes, des tapis, des lits de camp, des bouteilles d'eau, des casques, des masques et des bougies entièrement consumées, il n'y avait rien. Ni étagères remplies de livres où pourrait se cacher un message. Ni images sur les murs. Rien qui pourrait constituer un indice.

Les toilettes étaient dépourvues de fenêtres qu'ils auraient pu briser. Pas de bouche d'égout ni de conduites de climatisation…

« Ma parole, on est comme des prisonniers dans un cachot », dit Frances. Ce que Carmel trouva largement exagéré, mais bon, comment lui reprocher son imagination débordante ? Après tout, elle gagnait sa vie en écrivant des romans sentimentaux.

Ils avaient fini par se rasseoir, découragés et débraillés.

« Oui, Carmel, répondit Heather. Ça fait partie de leur protocole : mettre des substances illicites dans nos boissons, nous enfermer, etc. Pas de quoi s'inquiéter, tout est normal. »

Heather se permettait un ton bien familier et sarcastique pour s'adresser à quelqu'un qu'elle connaissait à peine.

« Je dis simplement qu'il n'y a pas de raison de ne pas faire confiance à leur protocole, dit Carmel qui tenait à rester raisonnable.

– Vous êtes aussi cinglée qu'elle. »

Voilà qui était franchement mal élevé. Carmel tâcha de ne pas oublier que Heather avait perdu son fils. Elle lui répondit d'une voix égale : « Je sais que nous sommes tous fatigués et stressés, mais ce n'est pas la peine de vous en prendre à moi.

– Parce qu'on ne s'en prend pas à moi, peut-être ? cria Heather.

– Chérie, dit Napoleon. Ne fais pas ça. » La douceur avec laquelle il réprimanda sa femme émut Carmel.

« Vous avez des enfants, Carmel ? reprit Heather sur un ton plus aimable.

– J'ai quatre petites filles, répondit Carmel avec circonspection.

– Alors, dites-moi, comment vous sentiriez-vous si quelqu'un donnait de la drogue à vos filles ? »

En effet, elle ne voudrait pas que la moindre drogue franchisse leurs précieuses lèvres. « Mes enfants sont toutes petites. De toute évidence, Masha ne…

– Avez-vous la moindre idée des graves conséquences qu'il pourrait y avoir sur notre santé à long terme ?

– Je ne me suis jamais sentie aussi mal de toute ma vie, dit Jessica.

– Qu'est-ce que je disais ? fit Heather d'un air satisfait.

– Et moi, je ne me suis jamais sentie aussi bien de toute ma vie », répliqua Carmel. Ce n'était pas tout à fait exact – elle avait vraiment besoin de se laver les dents – mais elle se sentait vraiment bien. Son esprit regorgeait d'images qu'elle n'avait pas encore eu le temps d'interpréter, comme si elle venait de passer la journée à visiter une exposition d'œuvres d'art incroyablement immersive.

« Je me sens plutôt bien moi aussi, admit Frances.

– Moi, j'ai un bon mal de tête, dit Lars.

– Oui, moi aussi, intervint Tony.

– Moi, j'ai l'impression que j'ai perdu une taille. » Carmel tira sur la ceinture désormais lâche de son legging. Elle fronça les sourcils, cherchant à se rappeler la révélation qu'elle avait eue la veille concernant son corps. Qu'est-ce que c'était déjà ? Il ne fallait pas lui accorder autant d'importance ? Ou tout le contraire, car elle n'en avait pas d'autre ? À vouloir plaquer des mots ordinaires sur cette soudaine prise de conscience, elle trouva qu'elle n'était ni si profonde ni si transcendante. « Même si je ne cherche pas à me transformer complètement. Je veux juste prendre des habitudes plus saines.

– Des habitudes plus saines ? fit Heather en se tapant le front du plat de la main. Bon sang ! Ce qui se passe ici va bien au-delà du rééquilibrage alimentaire !

– Maman. » Zoe posa la main sur le genou de sa mère. « Personne n'est mort. Nous sommes tous sains et saufs. Alors… s'il te plaît, détends-toi.

– Que je me détende ? » Elle lui serra la main. « Mais tu aurais pu y rester, Zoe. On aurait tous pu y rester ! Tu imagines, si l'un d'entre nous avait eu des troubles mentaux latents que la drogue aurait exacerbés ! Ou des problèmes cardiaques ! Ton père a de l'hypertension ! On ne prend pas de drogue quand on a de l'hypertension !

– En parlant de troubles mentaux, tu fais forte impression, là, murmura Zoe.

– N'en rajoute pas, dit Napoleon.

– On ne peut pas simplement crocheter la serrure ? demanda Frances en se tournant vers Tony, pleine d'espoir.

– Pourquoi vous me regardez ? J'ai une tête de cambrioleur ?

– Ce n'est pas ce que je voulais dire », s'excusa Frances. Mais comme elle, Carmel n'aurait pas été étonnée d'apprendre que Tony avait forcé deux ou trois serrures dans sa jeunesse.

« On pourrait essayer, dit Ben. Il nous faudrait une pointe ou quelque chose. » Il fouilla ses poches. Rien.

« Pour l'instant, il n'y a pas de quoi céder à la panique, dit Napoleon.

– De toute évidence, c'est un exercice, un problème qu'il faut résoudre et, au bout d'un moment, elle se rendra compte que c'est impossible. » Lars bâilla et s'allongea sur un tapis, le bras devant les yeux.

« Je suis sûre qu'ils nous observent, dit Jessica. Ce n'est pas une caméra dans l'angle, là-haut ? »

Ils regardèrent tous la minuscule caméra de surveillance au-dessus de l'écran fixé au plafond. Une lumière rouge clignotait.

« Yao m'a parlé d'un système d'interphonie de sécurité, dit Frances.

– Moi aussi, dit Carmel. Le jour où on est arrivés. »

Carmel avait l'impression que c'était dans une vie antérieure. Heather se leva d'un bond et, s'adressant à la caméra :

« Laissez-nous sortir immédiatement ! Nous ne sommes pas venus ici pour passer l'anniversaire de la mort de notre fils enfermés dans une pièce avec des étrangers ! »

Carmel tressaillit. L'anniversaire. C'était aujourd'hui. Cette femme avait le droit d'être aussi désagréable qu'elle le voulait.

Silence. Il ne se passa rien.

Heather tapa du pied. « Et dire qu'on a payé pour ça ! »

Napoleon se leva et prit sa femme dans les bras. « Qu'on soit ici ou ailleurs le jour anniversaire de la mort de Zach n'a pas la moindre importance.

– Si ! » Heather se mit à pleurer sans bruit, le visage enfoui dans sa chemise. À présent que sa rage était passée, elle avait l'air diminuée. Ce n'était plus qu'une mère minuscule, triste et traumatisée.

« Là, ça va aller », dit Napoleon.

Elle répétait les mêmes mots inaudibles, encore et encore. Au bout d'un moment, Carmel comprit. « Je suis désolée, je suis désolée, je suis désolée.

– Ce n'est pas grave, dit Napoleon. Tout va bien. Tout va bien. »

Troublés par l'insoutenable intimité de la scène, les autres détournèrent le regard. Y compris Zoe qui se dirigea vers un coin de la pièce et prit la posture du danseur, appuyant sa main libre contre le mur pour garder l'équilibre.

Carmel se tourna vers l'écran, comprenant soudain qu'elle n'avait qu'une idée en tête : s'éloigner, s'éloigner de la douleur de cette famille qui éclipsait complètement la sienne. Une furieuse envie de rentrer chez elle l'assaillit. Elle vivait dans une chouette maison. Elle y songea comme si elle le découvrait. Ce n'était pas un manoir, non, mais une maison familiale confortable et baignée de soleil, même lorsque ses quatre petites filles la mettaient à sac. Elle l'avait rénovée elle-même et pouvait être fière du résultat. Les gens disaient qu'elle avait le coup d'œil. Une fois chez elle, elle tâcherait de se souvenir d'en profiter.

« Je pourrais peut-être essayer de l'enfoncer, cette porte, dit Tony. Un bon coup de pied...

– Excellente idée ! » s'exclama Carmel. Ça arrivait tout le temps au cinéma ! Et ça semblait plutôt facile !

« Je m'en occupe, fit Ben.

– Un bon coup d'épaule, peut-être ? reprit Tony en s'échauffant le haut du corps.

– Laissez-moi faire, reprit Ben.

– La porte s'ouvre vers l'intérieur », dit Lars.

Silence. « C'est important ? demanda Frances.

– Réfléchissez, Frances », dit Lars.

Tony sembla découragé. « Il faut essayer de crocheter la serrure, alors. » La main sur le front, il inspira profondément. « Je commence à me sentir... oppressé. Il faut que je sorte d'ici. »

Carmel aussi.

47

Frances

Ils rassemblèrent tout ce qui pouvait faire office de crochet : une barrette, une boucle de ceinture et un bracelet. En dehors de ce bracelet et de son enthousiasme béat, Frances n'avait rien d'autre à proposer pour aider. Elle décida donc de rester à l'écart du comité de crochetage, composé de Ben, Jessica, Napoleon, Tony et Carmel. Ils avaient l'air de bien s'amuser à détruire son bracelet et à débattre de ce dont ils avaient besoin : « des piques pour pousser les goupilles », ou quelque chose dans le genre.

Elle rejoignit Zoe, assise les jambes ramenées contre la poitrine dans un coin de la pièce.

« Ça va ? » demanda-t-elle en s'asseyant à côté d'elle et en posant une main hésitante sur son épaule.

Zoe leva la tête et sourit. Elle avait les yeux clairs. Elle était ravissante. Pas comme quelqu'un qui a passé la nuit dans un état second sous l'effet du LSD. « Je vais bien. Comment vous avez vécu les choses, vous, cette nuit ?

– Je n'approuve pas ce qu'a fait Masha, dit-elle à voix basse. C'est scandaleux et tout et tout, votre mère a raison, la drogue, c'est mauvais pour la santé, c'est illégal, c'est mal, faut pas y toucher, blablabla… mais je dois avouer que… je partage l'avis de Steve Jobs : ç'a été une expérience pénétrante. Et toi ?

– D'un certain côté, c'était super, et d'un autre, pas top.

J'ai vu Zach. On l'a tous vu. Vous savez… en hallucination, pas en vrai.

– Je crois que je l'ai vu moi aussi », dit Frances sans réfléchir.

Zoe tourna la tête.

« J'ai vu un garçon. À côté de vous.

– Vous avez vu Zach ? demanda Zoe, rayonnante.

– Désolée. J'espère que tu ne me trouves pas irrespectueuse. Je n'ai pas connu ton frère, évidemment. Mon imagination a créé son image de toutes pièces.

– Ne vous inquiétez pas. J'aime bien l'idée que vous l'ayez vu. Il vous aurait plu. Je pense qu'il vous aurait parlé. Il parlait à tout le monde. » Elle marqua une pause. « Je ne dis pas ça méchamment.

– Je comprends ce que tu veux dire.

– Il s'intéressait beaucoup aux autres. Il était comme papa. Un grand bavard. Il vous aurait posé des questions sur, je ne sais pas, l'industrie du livre, par exemple. Il aimait apprendre des choses – un vrai intello. Il adorait regarder des documentaires. Écouter ces podcasts incompréhensibles. Le monde le fascinait. C'est pour ça que… » Sa voix se brisa. « C'est pour ça que je n'ai jamais imaginé qu'il choisirait de laisser tomber. »

Elle posa le menton sur ses genoux pliés. « Quand il est mort, on ne se parlait plus. Ça durait depuis, genre, des semaines. On avait de ces disputes ! Ça criait à propos de… plein de trucs : la salle de bains, la télévision, le chargeur. Ça me paraît tellement bête maintenant.

– C'est normal dans une fratrie, dit Frances qui revoyait le visage fermé de sa sœur.

– Quand on se fâchait vraiment fort, on ne s'adressait plus la parole et c'était à celui qui tiendrait le plus longtemps, parce que rompre le silence, c'était un peu comme s'excuser sans vraiment le faire, vous voyez ce que je veux dire, du coup je ne voulais pas craquer en premier. » Elle regardait Frances comme si elle venait de lui révéler l'inavouable.

« Un peu comme avec mon premier ex-mari, dit Frances.

— Mais je sentais qu'il y avait quelque chose qui clochait cette semaine-là, dit Zoe. Je le savais. Mais je ne lui ai pas posé de questions. Je ne lui ai rien dit. Je l'ai ignoré, c'est tout. »

Frances afficha un visage neutre. À quoi bon lui dire qu'elle ne devait pas se sentir coupable ? Évidemment qu'elle avait des regrets. Le nier reviendrait à nier sa perte.

« Je suis désolée, ma grande. » Elle résista à l'envie de la serrer fort dans ses bras – un geste probablement malvenu – et se contenta de poser une main sur son épaule.

Zoe jeta un œil vers sa mère. « J'ai été tellement en colère contre lui. Jusqu'à présent, j'avais l'impression qu'il l'avait fait exprès, pour que je me sente mal toute ma vie, et je ne pouvais pas lui pardonner. Comme si c'était la chose la plus méchante, la plus cruelle qu'il m'avait jamais faite. Mais hier soir... je sais, ça a l'air stupide, mais hier soir, j'ai eu le sentiment qu'on se parlait de nouveau.

— Je comprends. Moi-même j'ai parlé à mon amie Gillian qui est morte l'année dernière. Et à mon père. Ce n'était pas comme dans un rêve. Ça avait l'air plus net. Plus réel que la vie réelle, à vrai dire.

— D'après vous, c'est possible qu'on les ait vus pour de vrai ? demanda Zoe, le visage tremblant d'espoir.

— Possible, mentit Frances.

— C'est juste que... je pensais à Masha qui disait avoir perçu cette autre réalité après son expérience de mort imminente, et je me disais... peut-être qu'on y a eu accès.

— Possible », répéta Frances. Elle ne croyait pas aux univers parallèles. Elle croyait dans le pouvoir transcendant de l'amour, de la mémoire et de l'imagination. « Tout est possible.

— J'ai l'impression de l'avoir retrouvé, poursuivit Zoe d'une voix si basse que Frances dut se pencher pour l'entendre. C'est bizarre. Comme si je pouvais lui envoyer des textos si je voulais.

— Ah !

– Je ne suis pas en train de dire que je vais le faire.

– Non, bien sûr que non. Je comprends ce que tu veux dire. Tu as l'impression que vous n'êtes plus en train de vous battre.

– C'est ça. On est réconciliés. Et c'est un immense soulagement pour moi, comme chaque fois. »

Plusieurs minutes s'écoulèrent dans un silence confortable à observer les crocheteurs accroupis près de la porte.

« Au fait, reprit Zoe, j'ai oublié de vous dire : j'ai lu votre livre pendant le silence. J'ai adoré.

– Adoré ? Vraiment ? Ce n'est pas grave si ça ne t'a pas plu.

– Frances, dit Zoe d'une voix ferme, ça m'a plu. Ça m'a vraiment plu.

– Oh », fit Frances, émue aux larmes. Car elle voyait bien que Zoe était sincère. « Merci. »

48

Zoe

Elle avait menti. Le livre était tellement, tellement nunuche. Elle l'avait terminé la veille au matin (qu'y avait-il d'autre à faire ici ?) et ça allait, elle n'avait pas eu à se forcer, mais on devinait dès le début que les deux personnages principaux finiraient ensemble même s'ils s'étaient d'abord détestés, et qu'ils traverseraient moult épreuves et malheurs avant que tout s'arrange. Du coup, à quoi bon le lire ? À un moment, l'héroïne s'évanouissait dans les bras du héros. Romantique, soit, mais dans la vraie vie, ça arrive souvent qu'une femme tombe dans les pommes et qu'un homme soit justement là pour la rattraper ?

Et *quid* des scènes de sexe ? Il fallait lire au moins trois cents pages avant qu'ils échangent leur premier baiser ! Dans un roman qui s'appelait *Le Baiser de Nathaniel* !

Zoe préférait les thrillers d'espionnage international.

« Frances, j'ai trouvé votre livre fantastique », avait-elle dit, le visage impassible. *Le destin de votre pays est entre vos mains, Zoe.*

« Tu es peut-être encore sous l'effet du LSD. »

Zoe avait ri. Peut-être oui. « Je ne crois pas. »

Elle avait pris de la drogue avec ses *parents* ! Le truc complètement improbable ! D'ailleurs, c'était bien ça le plus bizarre dans ce qui s'était produit. *Oh ! Maman est là. Oh ! Papa aussi !* s'était-elle répété toute la nuit, témoin des étincelles volcaniques et des explosions supersoniques provoquées par la collision de deux mondes distincts.

Elle avait le sentiment qu'elle pourrait passer le reste de sa vie à se remémorer les événements de la nuit précédente. À moins que tout s'efface de sa mémoire. Les deux étaient possibles.

Mais il y avait une chose qu'elle garderait à jamais de son séjour à Tranquillum House : la révélation de sa mère.

Zoe et elle s'étaient à peine adressé la parole ce matin. En ce moment, elle faisait une série d'abdominaux avec moins de… combativité que d'ordinaire. D'ailleurs, elle s'arrêta et, les mains sur le ventre, resta allongée au sol en fixant le plafond.

Depuis des années, Zoe rêvait de trouver un autre responsable qu'elle-même à la mort de son frère. Au lendemain de son suicide, elle avait exploré minutieusement son téléphone, ses diverses boîtes électroniques, ses réseaux sociaux. Son obsession : trouver la preuve qu'il se passait quelque chose dans sa vie qui pourrait expliquer son geste – quelqu'un le harcelait, peut-être ? – pourvu que ça n'ait aucun lien avec elle. Mais elle n'avait rien découvert. Son père aussi avait cherché. Il avait rencontré tous les amis de Zach et leur avait posé mille questions dans l'espoir de comprendre. En vain. Tous étaient anéantis, aussi perdus que sa famille.

Et voilà qu'à présent émergeait la possibilité qu'il ne se passait rien de tangible. C'était dans sa tête. C'était à cause de ce traitement contre l'asthme qu'il avait momentanément perdu la raison.

Enfin peut-être. Elle ne le saurait jamais avec certitude.

La révélation de sa mère n'innocentait en rien Zoe, mais au moins, elle avait désormais quelqu'un avec qui partager la responsabilité de la mort de son frère. Pendant un bref instant, elle s'octroya le plaisir de détester sa mère. Sa mère qui n'aurait jamais dû le laisser prendre ces fichus médicaments. Qui aurait dû lire cette satanée notice comme tout parent responsable. D'autant qu'elle avait fait médecine.

Puis elle se souvint du cri que sa mère avait poussé ce matin-là et elle sut qu'elle ne pourrait jamais vraiment la blâmer.

C'était mal, mal et presque puéril de la part de sa mère de garder ça pour elle, mais Zoe trouvait du réconfort dans cette même puérilité. Car pour la première fois de sa vie, elle voyait sa mère comme une simple fille, une fille qui commettait des erreurs parfois magistrales, une fille qui inventait sa vie à mesure qu'elle avançait.

Oui, sa mère aurait dû lire les effets secondaires décrits dans la notice, tout comme Zoe aurait dû entrer dans la chambre de son frère quand elle l'avait vu allongé, le regard dans le vague. Elle aurait dû s'asseoir au bout de son lit, attraper ses grands pieds, les secouer et lui demander : « Qu'est-ce qui ne va pas, gros loser ? »

Il lui aurait peut-être parlé et, si ça lui avait semblé grave, elle serait allée trouver son père, elle lui aurait dit : « Faut que tu arranges ça, papa », et il aurait réglé le problème. Elle se tourna vers son père, seul innocent de la famille, qui examinait la serrure, à quatre pattes. Il allait les sortir d'ici. Il pouvait tout arranger, pourvu qu'on lui en donne l'occasion. Ce qui dans le cas de Zach n'était pas arrivé.

Non, ça n'allait pas, ça n'irait jamais, mais elle avait la sensation que des nœuds très serrés au creux de son estomac se détendaient et qu'elle ne résistait pas. Jusqu'à présent, chaque fois qu'elle avait commencé à se sentir mieux, qu'elle s'était surprise à rire ou même à avoir envie de quelque chose, elle s'était immédiatement refrénée. Comme si remonter la pente, c'était l'oublier, le trahir. Mais maintenant, il lui semblait qu'au lieu de ne garder en mémoire que les moments où ils se disputaient, refusaient de s'adresser la parole ou gardaient jalousement leurs secrets, elle pouvait peut-être se rappeler ceux où ils riaient si fort qu'ils en avaient mal aux zygomatiques, parlaient de tout et de rien et partageaient leur vie intime.

Zoe observa le profil de Frances, elle aussi tournée vers

l'équipe de crocheteurs. Elle avait l'air plus jeune aujourd'hui, sans tout ce rouge à lèvres carmin qu'elle portait en toutes circonstances, y compris pendant les séances de gym. À croire qu'elle considérait son rouge à lèvres comme un accessoire indispensable.

Et soudain elle perçut ce que Frances ressentait à être une auteure de romans sentimentaux qui venait d'être victime d'une arnaque amoureuse sur Internet à plus de cinquante ans. Après quoi elle se mit à la place de son père qui pleurait tout le temps sans s'en rendre compte et qui s'évertuait à crocheter une serrure ; puis de sa mère, qui en voulait au monde entier et surtout à elle-même pour les erreurs qu'elle avait commises ; puis de ce garçon sexy qui avait gagné au loto mais qui n'en était pas plus heureux ; puis de sa femme au corps splendide ; puis de cet avocat en droit de la famille qui était aussi beau qu'il était gay ; puis de cette dame convaincue qu'elle était grosse ; puis de cet homme qui avait cessé de sourire et de jouer au footy. Elle était chacun d'entre eux et elle était Zoe.

Waouh. Elle était encore sous l'effet du LSD, non ?

« Ça me touche beaucoup que tu aies aimé mon livre », dit Frances en se tournant vers Zoe. Elle avait les larmes aux yeux. C'était mignon. L'opinion de Zoe semblait vraiment compter pour elle.

Bien joué, p'tite sœur, dit Zach. *Radoteuse sauvage et sans cœur.*

Zach était toujours là. Il n'irait nulle part. Il allait rester dans le coin le temps qu'elle termine ses études, qu'elle parcoure le monde, qu'elle trouve un emploi, un mari et qu'elle devienne une vieille dame. Ce n'était pas parce qu'il avait choisi la mort que Zoe n'avait pas le droit de choisir la vie. Il demeurait dans son cœur et dans sa mémoire et resterait à ses côtés pour lui tenir compagnie jusqu'au bout.

49

Ben

Leur tentative de crochetage de la serrure ne menait nulle part. Ben l'avait compris dès le début. Ils n'avaient pas les bons outils pour forcer ce mécanisme dernier cri. Les jurons et les remarques grincheuses fusaient. « Essayez, vous, puisque vous êtes si fort ! »

Certains continuaient de proposer des codes de sécurité mais ce satané témoin lumineux passait invariablement au rouge, l'air de dire « encore raté ».

Il pensait que même Jake, son ami serrurier, ne parviendrait pas à ouvrir la porte. Un jour, il lui avait demandé s'il pouvait crocheter n'importe quelle serrure. Et Jake avait répondu : « Avec les bons outils. »

CQFD.

Au bout d'un moment, Ben jeta l'éponge. Il abandonna Carmel, Napoleon et Tony à leurs vains efforts et rejoignit Jessica qui, assise contre un mur, mordillait ses faux ongles. Elle le regarda et lui sourit timidement. Elle avait les lèvres sèches et gercées. La nuit dernière, ils s'étaient embrassés pendant des heures devant tout le monde. Parfois, Masha se tenait juste à côté d'eux, mais ils avaient continué, tels deux adolescents excités dans les transports en commun.

Mais Ben n'avait pas vécu les choses comme un adolescent en rut car il n'avait pas embrassé Jessica dans le but ultime de la mettre dans son lit. Le but ultime, c'était les baisers. Pas ceux qu'on échange quand on a trois grammes d'alcool dans le sang, baveux et dégoulinants, non. Des baisers hyperréalistes, comme si son être tout entier s'y consacrait. Ben aurait pu continuer jusqu'à la fin des temps. Il ne pouvait pas faire mine d'avoir détesté cette première expérience de la drogue. Il avait trouvé ça incroyable. Était-ce pour cela que sa sœur avait détruit sa vie ?

Ben serait-il capable de voler pour revivre ce moment ?

Il réfléchit. Non. Il ne voulait pas recommencer. Il n'avait pas changé d'avis. Ouf. Cette unique fois n'avait pas suffi à le rendre dépendant.

C'était pourtant ce qu'il n'avait cessé d'entendre, depuis l'âge de dix ans, dans la bouche de sa mère, exténuée à force de s'inquiéter pour Lucy. Elle lui serrait le bras et elle disait : « Il suffit d'une fois, Ben. Une seule fois et ta vie est foutue. » Il avait entendu ces mots, encore et encore, comme une histoire du soir. L'histoire de la jolie princesse, sa sœur, qui se faisait enlever par le méchant monstre, la drogue. « Jamais, tu m'entends ? Jamais, jamais, jamais. » Et elle le regardait d'un air si intense, si apeuré, qu'il n'avait qu'une envie : détourner les yeux, mais il savait qu'alors, elle reprendrait sa mélopée : « Jamais, jamais, jamais. »

Il n'avait pas besoin que sa mère lui parle des ravages de la drogue. Il en avait la preuve, juste sous ses yeux. Il n'avait que dix ans lorsque ça avait commencé, et Lucy, cinq de plus, mais il n'avait pas oublié l'ancienne Lucy, la première, la vraie, celle qui s'était fait enlever. La vraie Lucy jouait au football et, sur le terrain, elle se défendait vraiment bien. À l'heure du dîner, elle s'asseyait à table, mangeait, racontait des choses qui avaient du sens, riait aux plaisanteries et pas pour rien pendant des heures d'affilée ; elle pouvait se mettre en colère sans pour autant céder à la démesure et se transformer en démon aux yeux rouges et maléfiques. Elle ne volait pas, ne cassait rien, ne rentrait pas à la maison avec des garçons tout maigres à la face de rat et aux yeux pareillement démoniaques. Alors vraiment, il n'avait pas besoin qu'on lui répète « Jamais, jamais, jamais ». Il savait ce que le monstre faisait.

Sa pauvre mère ferait une crise de panique si elle apprenait que quelqu'un lui avait fait prendre de la drogue.

« Ne t'inquiète pas, Ben, dit Jessica doucement, comme si elle avait lu dans ses pensées. Tu n'es pas dépendant.

– Je sais. » Il posa la main sur les siennes en se demandant si peut-être les séances de thérapie conjugale avaient fonctionné. Si oui, pourquoi ne se sentait-il pas plus gai ? La descente, probablement. Voilà pourquoi les gens devenaient accros. Les montées étaient si géniales et les descentes si horribles qu'ils prenaient tous les risques pour revivre les montées.

Jessica et lui avaient parlé. Il s'en souvenait. Parlé de tellement de choses. De tout, en fait. Et probablement plus qu'ils ne l'avaient jamais fait. Ils avaient parlé de l'argent. Il se rappelait lui avoir dit qu'il n'aimait pas ce qu'elle avait fait à son visage et à son corps. C'était étrange, car avant, cela lui semblait vraiment très important – rien n'était plus important à vrai dire –, alors qu'à présent, la question lui paraissait tout à fait négligeable. Pourquoi en avait-il fait tout un drame ? Il n'aimait pas ses nouvelles lèvres bouffies ? Et alors ?

Et la voiture. C'était elle qui avait rayé la voiture. Ça non plus, ce n'était pas si important aujourd'hui. À croire que ces smoothies avaient dégonflé leurs disputes et qu'à présent elles étaient toutes ridées, raplapla, voire embarrassantes. Comme s'ils avaient tous les deux fait un tas d'histoires pour rien.

Ils avaient évoqué un autre sujet. Un sujet d'une portée beaucoup plus importante d'après ses souvenirs, encore vagues. Ça allait lui revenir.

Jessica tira sur sa chemise et se renifla. « Je pue. Je vais essayer de faire un brin de toilette au lavabo.

– Ça marche.

– J'ai besoin de me laver le visage, dit-elle en passant la main sur sa joue.

– D'accord. » Il se tourna vers elle. « Personne ici ne trouvera à redire si tu n'es pas maquillée, tu sais.

– Si, fit-elle en se levant. Moi. » Mais elle n'avait pas l'air en colère.

Il la suivit du regard tandis qu'elle se dirigeait vers les toilettes.

On est réparés ? On a les bons outils à présent ?

Il avait envie d'un McMuffin œuf bacon. D'être avec les gars, au garage, entouré de voitures, de leur refaire une beauté tout en écoutant la radio. Il reprendrait le travail dès leur retour à la maison. Ce n'était pas parce qu'il n'avait pas besoin d'un salaire qu'il pouvait se passer de travailler.

Combien de temps allait-on les laisser croupir dans ce sous-sol ? Il avait besoin de voir le ciel. Même lorsqu'il travaillait, il ne passait jamais une journée entière sans mettre le nez dehors, ne serait-ce que pour déjeuner.

Il repensa à une émission de télévision qu'il avait vue, sur un homme emprisonné, peut-être à tort, qui racontait à sa mère qu'il n'avait pas vu la lune depuis sept ans. Ben en avait eu des frissons dans tout le corps en entendant ça. Pauvre gars.

« Salut. Je peux m'asseoir ? »

C'était Zoe, la fille qui était venue avec ses parents.

Elle se posa à côté de lui.

Chaque fois qu'il l'avait croisée ces derniers jours, il s'était demandé ce qu'une fille de son âge, visiblement en pleine forme et sportive, pouvait bien faire dans un endroit comme Tranquillum House. À présent, il savait.

« Je suis navré pour ton frère. »

Elle le regarda. « Merci. » Elle tira sur sa queue-de-cheval. « Et moi pour ta sœur.

– Comment tu sais pour ma sœur ?

– Ta femme en a parlé hier – quand on a appris ce qu'il y avait dans les smoothies. Elle a dit qu'elle était toxicomane.

– D'accord. J'avais oublié.

– Ça doit être difficile à vivre, dit Zoe en s'étirant les doigts de pieds.

– Pour Jessica, ça l'est. D'entendre toujours la même rengaine surtout. Elle n'a pas connu Lucy avant qu'elle se drogue alors pour elle, c'est juste une junkie, une paumée.

– C'est dur de comprendre ce qui se passe dans la famille des autres. J'ai rompu avec mon petit copain parce qu'il voulait aller à Bali cette semaine, et quand je lui ai répondu que je ne pouvais pas partir avec lui, que je devais rester avec mes parents pour l'anniversaire de la mort de mon frère, il m'a dit : « Alors quoi, tu vas passer cette semaine de janvier avec tes vieux jusqu'à la fin de ta vie ? » Et moi j'ai dit… « Ben… ouais. »

– Il m'a tout l'air d'un abruti, ce garçon.

– Si tu crois que c'est facile de les reconnaître.

– Je parie que ton frère l'aurait compris tout de suite », dit Ben, parce que, pour les garçons, ce n'était pas compliqué d'identifier les pauvres types, mais la seconde d'après, il se serait mis des baffes. N'était-ce pas indélicat de dire une chose pareille le jour de l'anniversaire de sa mort ? Sans compter qu'il n'était peut-être pas le genre à faire attention à sa sœur.

Mais Zoe sourit. « Peut-être.

– Comment il était, ton frère ?

– Il aimait la science-fiction, les théories du complot, la politique et les musiciens dont personne n'a jamais entendu parler. Avec lui, impossible de s'ennuyer. Et on n'était jamais du même avis sur rien. » L'espace d'un instant épouvantable, Ben crut qu'elle allait se mettre à pleurer, mais non.

« Et toi ? Elle était comment, ta sœur, avant de tomber dans la drogue ? Ou quand elle n'était pas sous emprise ?

– Quand elle n'était pas sous emprise, répéta Ben, songeur.

C'était la personne la plus drôle du monde. Elle peut encore l'être. C'est toujours une personne. Les gens traitent les toxicomanes comme s'ils n'étaient plus des vraies personnes mais elle est... elle est toujours une personne. »

Zoe acquiesça d'un signe de tête pragmatique qui semblait vouloir dire qu'elle comprenait.

« Mon père voulait couper les ponts avec elle, la rayer de sa vie. Faire comme si... comme si elle n'avait jamais existé. Il disait que c'était une question de survie.

— Résultat ?

— Pour lui ? Ça a super bien fonctionné. Il est parti. Il y a eu le divorce. Et maintenant, quand je le vois, il ne me demande même pas de nouvelles de Lucy.

— Faut croire qu'on n'a pas tous la même façon de gérer les difficultés, dit Zoe. Après la mort de Zach, mon père voulait tout le temps parler de lui alors que ma mère ne pouvait même pas prononcer son nom... »

Ils restèrent assis en silence un moment.

« Tu as une idée de ce qui se passe ici ? demanda Zoe.

— Non. Pas du tout. »

Ben vit Jessica sortir des toilettes. Leurs regards se croisèrent et elle lui adressa un sourire pudique. Probablement parce qu'elle ne portait pas de maquillage. Ces derniers temps, il l'avait rarement vue sans cet épais magma dont elle se plâtrait le visage.

À l'observer ainsi, il sut qu'il l'aimait, et en même temps, l'idée lui vint à l'esprit que tous ces baisers échangés n'étaient pas une façon de renouer mais bien de se dire au revoir.

50

Frances

Personne ne venait. Les heures s'égrenaient aussi lentement que s'ils étaient coincés à bord d'un avion immobilisé sur le tarmac.

Les uns et les autres se succédaient près de la porte pour essayer de nouvelles combinaisons de chiffres sur le pavé numérique.

Frances privilégia les lettres avec divers mots : LSD, psychédélique (difficile à épeler), déverrouiller, ouvrir, clé, santé.

Chaque fois, le témoin lumineux passa au rouge. Elle trouva compliqué de ne pas le prendre contre elle.

Les humeurs commencèrent à fluctuer de manières étranges et inattendues.

Heather se tut et se renferma. Elle avait les membres tout mous. Elle s'isola dans un coin de la pièce, empila trois tapis de yoga et s'endormit en position fœtale.

Lars se mit à chanter. Indéfiniment. Il avait une voix grave et mélodieuse, mais il n'arrêtait pas de changer de chanson, comme si une main invisible tournait la molette d'un tuner à la recherche d'une station de radio particulière.

Au bout d'un moment, Tony l'interrompit sans ménagement au milieu de *Lucy in the Sky with Diamonds*. « Hé, mec, tu veux pas la mettre un peu en veilleuse ? » Lars eut l'air tout étonné, comme s'il chantait sans même s'en rendre compte.

Carmel faisait un bruit de langue à intervalles irréguliers et Frances s'était fixé le challenge de tenir le plus longtemps possible sans l'agresser. Elle en avait compté trente-deux quand Lars s'écria : « Tu vas continuer longtemps ? »

Certains restèrent en mouvement. Jessica et Zoe travaillèrent des postures de yoga ensemble. Ben fit un nombre incroyable de pompes. Quand il s'arrêta, il était haletant et trempé de sueur.

« Vous feriez mieux d'économiser votre énergie, fit remarquer Napoleon. On jeûne, je vous rappelle. »

Pour Frances, jeûner n'était pas le mot juste. Jeûner impliquait un choix.

Napoleon parla peu. À la suite de leur première rencontre, Frances s'était imaginé un grand bavard, mais il resta silencieux et pensif. De temps en temps, il consultait sa montre en fronçant les sourcils et regardait la caméra fixée au plafond d'un air interrogateur, comme pour dire : « Sérieusement ? »

« Et s'il leur était arrivé quelque chose ? dit Frances. Vous imaginez, s'ils ont été assassinés, enlevés ou s'ils sont tombés malades ?

— Ils nous ont enfermés, dit Lars. Ils ont vraisemblablement tout planifié.

— Peut-être bien, mais ça ne devait sûrement pas durer plus d'une heure ou deux, reprit Frances. Et, entre-temps, il leur est arrivé un truc terrible.

— Si c'est le cas, intervint Napoleon, quelqu'un nous trouvera ici tôt ou tard. Si on ne rentre pas chez nous après la retraite, nos amis et nos familles s'en rendront compte.

— Ça veut dire qu'on pourrait rester ici encore, quoi, quatre ou cinq jours ? gémit Frances.

— Ça en fera des kilos en moins, dit Carmel.

— Je vais devenir dingue », prévint Ben. Sa voix, mal assurée, semblait indiquer qu'il était déjà sur la mauvaise pente.

« Au moins, nous avons l'eau courante, dit Napoleon. Et les toilettes. La situation pourrait être bien pire.

– Mais ça pourrait être mieux, rétorqua Tony. Le room service par exemple, ce serait pas mal.

– J'adore le room service ! s'exclama Frances.

– Et un bon film », ajouta Tony.

Ils se regardèrent fixement. Au bout d'un moment, Frances détourna les yeux car elle s'imaginait bien malgré elle dans une chambre d'hôtel avec Tony sortant de la douche. Ces tatouages sur ses fesses… Et ce sourire.

Elle repensa à la phrase de son père : « Les garçons t'ont toujours fait tourner la tête. » Elle méritait des baffes. Cinquante-deux ans et toujours pas deux sous de jugeote. Ce n'était pas parce qu'ils aimaient tous les deux le room service qu'ils étaient compatibles. De quoi parleraient-ils en mangeant dans leur chambre d'hôtel ? De football ?

« Et si on leur proposait de l'argent, suggéra Jessica. Pour nous laisser sortir ! Si on met le prix…

– Combien ? demanda Ben. Un million ? Deux millions ?

– Doucement ! fit Lars.

– Vous croyez que votre parole va suffire à vous faire libérer ? » dit Tony. Mais Jessica s'était déjà postée au milieu du studio, les mains sur les hanches.

« Masha, fit-elle en regardant la caméra. Nous sommes prêts à payer une rallonge pour sortir d'ici. L'argent n'est pas un problème pour nous. On n'en manque pas. Sincèrement, nous serions ravis de payer pour… euh… une prestation de meilleure qualité. Il n'y a qu'à sauter cette partie du programme, d'accord, et on s'acquittera d'une amende. » Elle regarda les autres, mal à l'aise. « Pour tout le monde, bien sûr. Nous paierons ce qu'il faut pour que tout le monde sorte d'ici. »

Rien.

« Je ne crois pas que ce soit l'argent qui la motive », dit Napoleon doucement.

Trouver ce qui la motive… songea Frances.

Elle repensa à sa séance de thérapie individuelle avec Masha, à la façon dont ses yeux s'étaient allumés quand elle avait évoqué le magnétoscope, cette fenêtre sur un monde inconnu, mais il y avait fort à parier qu'elle n'avait plus le moindre intérêt pour les films. Elle avait aussi tenu à ce que Frances sache qu'elle était brillante, que c'était pour ça qu'elle avait pu immigrer en Australie. Que cherchait-elle ? L'approbation ? L'admiration ?

À moins que ce soit l'amour ? Se pouvait-il que ce soit aussi simple que ça ? Elle avait juste besoin d'amour, comme tout le monde. Les gens ont parfois une drôle de manière de manifester ce besoin.

« Nous ne sommes même pas sûrs qu'ils nous observent, fit remarquer Lars. Si ça se trouve, ils sont tranquillement installés devant la télé à regarder *Orange Is the New Black.*

– On n'a pas payé pour dormir en dortoir ! s'écria Jessica, en levant un index menaçant vers l'écran. Hors de question de passer une deuxième nuit ici ! Je veux retourner dans ma chambre ! J'ai faim ! Je suis fatiguée ! » Elle prit une mèche de cheveux et la renifla. « Et je veux me laver les cheveux ! Maintenant ! »

– Oh ! mon Dieu ! » Ben se prit la tête entre les mains et se mit à tourner en rond pour un effet des plus comiques. « Je me souviens, maintenant, de ce que tu as dit ! Tu es enceinte ! La nuit dernière, tu as dit que tu étais enceinte !

– Ah oui ! fit Jessica en se tournant vers son mari. Ça m'était sorti de la tête. »

51

Dalila

« Elle n'est pas enceinte, dit Yao, livide de panique. Elle ne peut pas être enceinte. »

Dalila se trouvait dans le bureau de Masha avec sa patronne et son collègue. Tous trois observaient leurs clients grâce aux images transmises en temps réel par la caméra de surveillance installée dans le studio de méditation.

« Jamais je n'aurais autorisé qu'on administre de telles substances à une femme enceinte, poursuivit-il. Jamais.

– Dans ce cas, pourquoi dit-elle le contraire depuis hier ? » demanda Masha.

Voilà plusieurs heures que Yao et Masha faisaient les cent pas tout en regardant le moniteur. Dalila, elle, avait fini par s'asseoir sur le fauteuil derrière le bureau.

Entre la fatigue et la faim, elle n'en pouvait plus. D'ailleurs, elle se demandait si elle n'avait pas fait le tour de son métier de conseillère bien-être. Voilà quatre ans qu'elle l'exerçait à présent, et les clients, tous aussi égocentriques les uns que les autres, commençaient à se mélanger. Elle avait parfois l'impression d'être un personnage secondaire dans une histoire qui parlait de tout le monde sauf d'elle.

Pendant toutes ces années, rares avaient été les clients qui s'étaient intéressés à elle. D'accord, soit, ils n'étaient pas obligés de lui poser des questions personnelles s'ils n'en avaient pas envie ! Mais pourquoi diable fallait-il qu'ils se croient si fascinants ? Les choses qu'ils lui racontaient ! Sur leur mariage, leur vie sexuelle, leurs troubles intestinaux ! Plutôt s'ouvrir les veines que d'en entendre un de plus lui parler de son syndrome du côlon irritable.

Ils se plaignaient de tout : la mollesse des oreillers, la température dans leur chambre, le temps. Comme si la météo était de son ressort.

C'était agréable quand les gens quittaient le centre convaincus d'être « métamorphosés », mais Dalila ne croyait pas en la métamorphose avec autant de ferveur que Masha et Yao.

Certes, elle aimait le yoga, jouissait d'une posture impeccable et d'abdominaux en béton – une véritable plaquette de chocolat ! –, trouvait la méditation relaxante et la pleine conscience vraiment géniale, et s'il fallait ajouter le LSD ou autre pour que le cocktail soit complet, pas de problème. Cela faisait le sel de la vie et pouvait sans aucun doute aider les gens à accéder à leur psyché, même si, honnêtement, la plupart d'entre eux n'étaient pas des êtres si… complexes. Enfin… ce qui se passait ici, ce n'était pas l'œuvre de Dieu. On était dans un centre de bien-être !

Dalila n'avait pas son pareil pour donner l'impression qu'elle se sentait aussi concernée que Masha et Yao. Elle adoptait le même discours, la même démarche. Elle avait été à bonne école quand elle travaillait comme assistante de direction. Dans l'industrie laitière auprès de Masha dans un premier temps – *Oh oui, c'est passionnant, les yaourts !* –, puis dans une compagnie d'assurances, après l'accident cardiaque de sa patronne. Une expérience qui lui avait permis d'acquérir toutes les compétences nécessaires pour faire une bonne conseillère bien-être : acquiescer, sourire, dire amen, agir dans les coulisses, poser le moins de questions possible. Masha payait bien. Dalila disposerait bientôt des économies nécessaires à son projet : prendre une année sabbatique pour voyager.

« J'ai mesuré le taux de bêta-HCG de toutes les femmes, dit Yao. Y compris les sujets plus âgés. Elle n'est pas enceinte.

– Alors, pourquoi a-t-elle dit qu'elle l'était ? répéta Masha.

– Je ne sais pas. » Yao était très contrarié. Au bord des larmes.

« On lui a administré de la drogue. Elle peut nous attaquer, dit Dalila.

– Elle n'a pas besoin d'argent. » Masha montra l'écran. « Comme elle l'a dit, l'argent n'est pas un problème. »

Dalila haussa les épaules et soupira. « Peut-être qu'elle veut juste enfoncer le clou. Genre, vous m'avez fait prendre de la drogue, imaginez si j'étais enceinte !

– Je vous le répète, elle n'est pas enceinte.

– Sauf que, dans son esprit, on n'est pas au courant, dit Dalila. Et la sœur de son mari est toxicomane, alors, c'est sûr, ils sont farouchement antidrogues. Si on l'avait su...

– Mais, fit Masha en se tournant vers elle, ils devraient être aux anges, leur thérapie a tellement bien fonctionné ! Ils se sont embrassés, que je sache !

– Parce qu'ils étaient sous MDMA. » Parfois, Masha faisait preuve d'une naïveté déconcertante. Croyait-elle vraiment que ces baisers voulaient dire quelque chose ?

« Ils se sont embrassés pendant des heures, insista Masha.

– Oui. Ce n'est pas pour rien qu'on appelle l'ecstasy la drogue de l'amour. »

La première fois qu'elle en avait pris, Dalila avait embrassé son petit ami de l'époque, Ryan, pendant deux heures non stop. Et quels baisers ! Jusque-là, elle n'avait jamais connu ça ! Mais de là à dire qu'elle voulait passer le reste de sa vie avec ce petit Anglais prétentieux qui portait des chemises violettes trop serrées...

« Ce n'était pas que la MDMA, dit Masha. Ils ont tellement avancé grâce à moi.

– Mmm », fit Dalila.

Comme tous les supérieurs hiérarchiques de Dalila avant elle, Masha était narcissique au dernier degré. Quand elle parlait aux clients de la dissolution de l'ego sur ce ton on ne peut plus solennel, Dalila avait juste envie de mourir de rire. Le sien, surdimensionné, ne risquait pas de se dissoudre ! Au contraire : au cours des dernières années, Dalila l'avait vu se développer, nourri par les clients qui buvaient ses paroles et par la dévotion inconditionnelle de Yao.

« J'ai un don pour ces choses-là », reprit Masha, impassible. Mais franchement, que savait-elle des relations de couple ? Dalila ne lui avait pas connu un seul petit ami depuis qu'elle l'avait rencontrée. Elle aurait été bien en peine de dire si elle était hétéro, homo ou bi. Si ça se trouve, elle n'avait pas d'orientation sexuelle du tout !

« J'aurais cru qu'ils seraient plus positifs à ce stade de leur cheminement. Plus *reconnaissants*. »

Dalila et Yao échangèrent un regard. Stupéfiant. C'était presque l'aveu d'une erreur. Tout du moins, l'aveu d'un moment de doute.

Yao avait l'air terrifié. Comme si son univers tout entier était en train de s'écrouler. Il était obsédé par Masha. Probablement amoureux d'elle. Dalila n'arrivait pas à savoir si son intérêt était d'ordre charnel. Il se comportait davantage comme un fan qui n'en revient pas d'avoir le droit de se trouver dans la même pièce que la rock star qu'il adule.

« Tout va bien se passer, lui dit Masha. Il s'agit juste de bien réfléchir à la façon de poursuivre.

– Il faut leur donner à manger », suggéra Dalila, forte de son expérience de serveuse. Un peu de pain à l'ail offert par la maison, et plus personne ne se plaignait de l'attente interminable avant l'arrivée des plats.

« Ça ne fait même pas quarante-huit heures ! protesta Masha. Ils étaient tous prévenus que la retraite incluait une expérience de jeûne.

« – Oui, mais ils ne savaient pas qu'on leur donnerait du LSD, ni qu'on les enfermerait », souligna Dalila.

Selon elle, Masha avait grandement surestimé l'implication de ses clients dans le processus de métamorphose. Quand ils disaient venir à Tranquillum House en quête d'éveil spirituel, il fallait comprendre en quête d'amaigrissement.

Pour autant qu'elle pouvait en juger, ces neuf-là n'avaient pas l'air particulièrement métamorphosés. Et il ne fallait pas espérer que Heather Marconi laisse un avis positif sur TripAdvisor quand elle sortirait de cette pièce.

Fidèle à elle-même, Masha n'avait pas douté un seul instant du succès de ce nouveau protocole. La question du consentement des clients ne lui avait causé aucun état d'âme. À quoi bon courir le risque qu'ils refusent ? avait-elle dit, convaincue que ceux qui en avaient le plus besoin opposeraient très probablement leur veto. La fin ne justifiait-elle pas les moyens ? Qui irait se plaindre une fois parvenu à la transformation personnelle tant espérée ?

« Concentrons-nous sur les solutions », reprit Masha tout en regardant ses protégés aller et venir dans leur prison momentanée. Elle n'avait même pas l'air tellement fatiguée.

Dalila repensa à un soir, voilà plus de dix ans, où un membre de l'équipe avait mis le doigt sur une grave erreur dans l'analyse budgétaire que Masha était censée présenter au conseil d'administration le lendemain. Elle avait travaillé trente heures d'affilée sans s'arrêter pour la corriger. Dalila était restée au bureau avec elle toute la nuit, non sans faire deux ou trois micro-siestes pour tenir le coup. La présentation avait été un triomphe.

Six mois plus tard, Masha faisait son arrêt cardiaque.

Cinq ans après, alors que Dalila avait oublié jusqu'à son existence, Masha l'avait appelée pour lui proposer une formation de conseillère bien-être assortie d'un poste dans un centre de soins qu'elle allait ouvrir.

Masha se plaisait à dire aux clients que le témoignage de

Dalila sur son chemin de bien-être valait le détour, mais personne n'en profitait jamais. Et pour cause : il se résumait à un trajet en train entre la gare centrale de Sydney – où Dalila avait démissionné de son poste de secrétaire personnelle auprès du crétin qui dirigeait sa boîte, une compagnie d'assurances – et Jarribong.

« Je crois qu'on devrait les libérer, dit Yao. Ils devraient déjà être sortis à l'heure qu'il est.

– Nous ne devons pas hésiter à adapter le protocole, dit Masha. Je vous ai prévenus dès le début l'un comme l'autre. À résultats spectaculaires, méthodes spectaculaires. Je sais bien que la situation est inconfortable pour eux, mais c'est le seul moyen de les amener à changer. Ils ont de l'eau, un toit au-dessus de leur tête. Nous les poussons à sortir de leur zone de confort, ni plus ni moins. Et c'est dans ces moments-là qu'on grandit.

– Je ne suis pas certain d'approuver, dit Yao, inquiet.

– Monte le son.

– On est d'accord qu'on signale tout ça à la police dès qu'on sera dehors, fit une voix féminine. C'est une obligation.

– Qui est-ce ? demanda Masha.

– Frances, là, de dos. Elle parle à Lars, répondit Yao, les yeux rivés sur l'écran.

– *Frances !* s'exclama Masha. Elle a adoré son expérience ! Elle m'a donné l'impression d'en tirer le maximum !

– Une obligation morale, confirma Lars. Et légale. Nous avons un devoir de prudence. Ils finiront par tuer quelqu'un si on ne fait rien.

– Je ne sais pas si j'ai vraiment envie qu'ils aillent en prison, dit Frances. Je crois qu'ils voulaient bien faire.

– Là, tout de suite, je suis privé de ma liberté, Frances. Si ça doit leur coûter un séjour en prison, aucun problème pour moi.

– Oh mon Dieu, gémit Yao, le poing dans la bouche. On est mal. Ils n'essaient même pas !

– N'exagérons rien, dit Masha. Ils vont trouver. Ça prend juste un peu plus de temps que prévu.

– La thérapie n'a pas l'air de les avoir transformés, dit Yao. Ils ont juste l'air… furieux. »

Dalila réprima un soupir. Qu'ils sont bêtes… C'est la descente.

« Du thé vert, ça vous dit ? proposa-t-elle.

– Comme c'est gentil, Dalila. Oui, merci. » Masha, pleine de reconnaissance, se fendit de son sourire d'ange tout en lui touchant le bras.

Masha avait toujours été charismatique. Même avant, quand elle n'avait pas ce physique de déesse, qu'elle n'était qu'une femme d'affaires mal fagotée. On avait envie de lui plaire. Dalila n'avait jamais travaillé aussi dur que pour cette femme, mais à présent il était temps de clore ce chapitre de sa vie.

L'intervention de la police ne faisait plus guère de doute. Dalila s'était elle-même chargée d'acheter la drogue sur le dark web, une tâche qui l'avait beaucoup amusée, sans parler de la plus-value sur son CV, ajoutée à la maîtrise de PowerPoint. Cela ne suffirait probablement pas à l'envoyer derrière les barreaux, mais elle n'allait pas prendre le risque. Son petit doigt lui disait qu'elle ne se plairait pas en prison.

Une partie d'elle-même avait toujours su que cette aventure finirait comme ça. C'était inévitable, depuis l'instant où Masha lui avait tendu le livre sur la thérapie psychédélique en disant : « Ça va révolutionner notre façon de travailler. » Dalila se souvenait d'avoir pensé que ça sentait le roussi, mais depuis quelque temps, elle s'ennuyait. Tester les effets de la drogue l'intéressait et quelque part, elle ne voulait pas manquer le désastre qui s'annonçait.

Ils pratiquaient le microdosage depuis un an et n'avaient constaté aucun effet indésirable. Les clients ne se doutaient de rien. Ils attribuaient leur sentiment de bien-être aux produits bio qu'on leur servait et aux séances de méditation. Et ils revenaient, parce que bien sûr, ce bien-être, ils voulaient le revivre.

Puis, un jour, Masha avait décrété qu'elle ne voulait pas s'en tenir au microdosage. Elle voulait donner dans l'inédit, repousser les limites, changer le cours de l'histoire. Yao avait protesté. Changer le cours de l'histoire ? Lui, ce qu'il voulait, c'était aider les gens, rien de plus. Justement, le protocole qu'elle envisageait aiderait tellement les gens qu'ils changeraient leur vie en profondeur et à jamais.

Ce qui avait fini de le convaincre ? Sa propre expérimentation de la thérapie psychédélique, avec Masha comme guide. Dalila ne se trouvait pas au centre – c'était son week-end de repos – mais quand elle avait revu Yao, elle avait décelé dans son regard une lueur encore plus folle et obsessionnelle qu'auparavant et il ne cessait de citer la littérature sur le sujet. Mais s'il avait changé d'avis, c'était à cause du pouvoir des drogues hallucinogènes et du pouvoir de Masha.

Bien sûr, Dalila avait également essayé la thérapie psychédélique. Une expérience absolument géniale, mais elle n'était pas assez bête pour accorder foi aux sensations et aux prétendues révélations qu'elle avait eues. Elle avait déjà pris des champignons hallucinogènes. C'était comme confondre le désir et l'amour, ou prendre pour vrai le sentimentalisme dans lequel certaines chansons nous plongent. Il fallait atterrir ! Tout cela était fa-bri-qué.

Et cet imbécile de Yao qui était intarissable sur ce qu'il avait soi-disant appris de ce moment ! Elle lui aurait donné des claques. Ce n'était, une fois de plus, que l'illustration de la fascination de ce gentil garçon pour Masha. Un cas désespéré. Et ce n'était pas près de changer.

Dalila rejoignit sa chambre sans passer par la cuisine pour préparer du thé vert. Elle prit ses papiers et laissa derrière elle tout ce qui touchait à cette tranche de vie – les uniformes blancs, son parfum aux notes de bois de santal, son tapis de yoga.

Depuis qu'elle était entrée sur le marché du travail, elle savait qu'elle avait l'âme d'une assistante personnelle. D'une facilitatrice. À l'instar d'un majordome ou d'une dame d'honneur. Quelqu'un qu'on voyait mais qu'on n'entendait pas. Elle n'était pas le capitaine de ce navire et il n'était pas question qu'elle coule avec.

Cinq minutes plus tard, elle roulait en direction de l'aéroport régional tout proche, à bord de la Lamborghini de Ben. Elle prendrait le prochain vol, quelle que soit sa destination.

Quel bijou, cette voiture !

52

Jessica

« À combien de semaines vous êtes ? » demanda Heather toujours dans un coin de la pièce. Elle se redressa et se frotta les yeux si fort que Jessica grimaça. La peau est si fragile autour des yeux, il faut faire attention.

« Euh, attendez… deux jours, répondit Jessica en posant la main sur son ventre.

— Deux *jours* ? répéta Carmel. Vous avez deux jours de retard, c'est ça que vous voulez dire ?

— Non, je n'ai pas encore de retard.

— Donc vous n'avez pas fait de test ?

— Non. » Oh là là, c'était pire que l'Inquisition. « Comment j'aurais pu ? »

Trop bizarre, tout ce petit monde qui se tenait dans cette pièce comme à une fête de bureau, à ceci près qu'ils parlaient de ses règles.

« Alors tu pourrais ne pas être enceinte ? » demanda Ben en laissant retomber ses épaules. De soulagement ou de déception, Jessica n'aurait su dire.

« Je le suis.

— Qu'est-ce qui vous fait croire que vous êtes enceinte ? demanda Carmel.

— Je le sais, c'est tout. Je l'ai su. Dès la première seconde.

— Comment ça ? Vous avez su au moment de la *concep-*

tion ? » Jessica surprit le regard que Carmel lança à Heather, l'air de dire : *Incroyable, ce qu'elle raconte.* Les femmes d'un certain âge pouvaient se montrer tellement condescendantes.

« Eh bien, il est vrai que certaines mères rapportent avoir su qu'elles étaient enceintes dès le moment de la conception, dit Heather gentiment. Il se peut que Jessica soit enceinte.

– Je parie qu'un tas de femmes pensent savoir pour finalement se rendre compte qu'elles se trompent, dit Carmel.

– C'est quoi, le problème ? » fit Jessica. Pourquoi cette étrange bonne femme aux cheveux crépus lui en voulait-elle autant ? « Je veux dire, je sais qu'on n'était pas censés se toucher pendant le silence. » Elle regarda en direction de l'œil sombre et silencieux de la caméra qui les observait. « Mais on n'était pas non plus censés prendre de la drogue. »

Ils avaient fait l'amour dans l'obscurité de leur chambre au cours de leur deuxième nuit à Tranquillum House. Des ébats aveugles, silencieux, puissants. Et non protégés. Ensuite elle était restée allongée, submergée par une vague de paix, parce que, si leur mariage était terminé, eh bien soit, mais un bébé était néanmoins en route, et même s'ils ne s'aimaient plus, il était le fruit d'un moment d'amour.

« Non, mais attendez, reprit Ben en se tournant vers Heather et Carmel comme si Jessica n'existait pas. Elle prend la pilule. C'est possible de tomber enceinte quand on prend la pilule ?

– L'abstinence est le seul moyen de contraception cent pour cent efficace, mais si elle… » Heather s'adressa à Jessica. « Si vous avez pris la pilule tous les jours à la même heure, il est peu probable que vous soyez enceinte. »

Jessica soupira. « J'ai arrêté de la prendre il y a deux mois.

– Ah, fit Heather.

– Sans m'en parler. Tu as arrêté la pilule sans m'en parler ?

– Oh oh, dit Lars à voix basse.

– Tu t'es bien gardée de me le dire hier soir, poursuivit Ben. Quand on se parlait "du fond du cœur". »

359

Son regard était dur et dans sa bouche, les mots de Masha vibraient de sarcasme. Jessica repensa à la nuit précédente, à leurs mots qui coulaient comme de l'eau. Elle ne lui avait pas révélé qu'elle ne prenait plus la pilule. Même sous MDMA, elle avait gardé le secret, car elle savait que c'était une trahison.

Elle aurait dû le lui avouer quand son visage n'était que douceur et qu'elle avait eu le sentiment qu'ils étaient les deux moitiés d'une seule et même personne – une merveilleuse révélation qu'elle avait eue sous l'emprise de la drogue, mais en réalité il s'agissait d'un beau mensonge.

« Tu as raison. » Elle leva le menton et se remémora les baisers échangés et cette unique pensée qui clignotait telle une enseigne lumineuse dans sa tête : *On va s'en sortir. On va s'en sortir. On va s'en sortir.*

Mais c'était illusoire. Rien de ce qui lui était venu à l'esprit la nuit précédente n'était réel. Ce n'était que l'effet de la drogue. La drogue ment. La drogue vous ravage. Ben et elle le savaient mieux que personne. Parfois la mère de Ben s'asseyait et pleurait en regardant les photos de Lucy avant qu'elle se laisse tromper par les mensonges de la drogue. Ça, c'était une « métamorphose ».

« Jessica, ne gaspille pas ton argent dans cette retraite à la noix, lui avait dit sa propre mère avant qu'ils viennent à Tranquillum House. Donne tout à des associations caritatives et remets-toi au travail. Ton mariage ne s'en portera que mieux. Vous aurez quelque chose à vous raconter en vous retrouvant le soir à la maison. »

Et sa mère était sincère. Elle imaginait tout à fait Jessica reprendre son boulot minable, même si, en un an, il ne lui rapportait même pas ce qu'elle gagnait aujourd'hui en intérêts bancaires en un mois. Jessica n'arrivait pas à lui faire comprendre que posséder autant d'argent vous changeait définitivement. Vous valiez mieux qu'avant. Il vous était impossible de revenir en arrière car vous ne pouviez plus vous imaginer comme vous étiez autrefois. Rationnellement, elle savait qu'elle devait sa fortune à un véritable coup de chance, rien d'autre, mais au plus profond d'elle-même une petite voix insistante lui disait : *Tu as ce que tu mérites, tu as ce pour quoi tu es née, cette personne, c'est toi et ça a toujours été toi.*

« Eh bien, dit Carmel, croyez-en mon expérience, un bébé, ce n'est pas le meilleur moyen de sauver un mariage.

— Eh bien, merci, répondit Jessica du tac au tac, mais je ne cherchais pas à sauver mon mariage.

— Qu'est-ce que tu cherchais à faire, Jess ? » demanda Ben doucement. Et l'espace d'un instant, comme la nuit précédente, il n'y avait plus qu'eux deux, à bord d'une petite barque qui flottait délicieusement sur une rivière d'ecstasy.

« Un bébé. »

Elle avait prévu de relater sa grossesse pas à pas sur Instagram. Des photos de profil de son ventre rebondi. Une fête super chic pour dévoiler le sexe du bébé. Elle voyait déjà ça d'ici : des ballons – bleus ou roses – qui s'envoleraient d'une boîte. Elle préférerait une fille. Les gens mettraient des petits cœurs dans leur commentaire.

« J'avais peur que tu ne sois pas d'accord. Je me suis dit que, au cas où on se séparerait, mieux valait que je tombe enceinte rapidement.

— Pourquoi j'aurais refusé ? On a toujours été d'accord pour fonder une famille.

— Oui, je sais, mais c'était avant qu'on commence à avoir… des problèmes, dit-elle en espérant qu'il ne jouerait pas les innocents.

— Donc que je sois le père n'a aucune importance ? Tu es partie du principe qu'on allait se séparer et tu voulais faire un bébé toute seule ?

— Tu te trompes, je voulais un bébé de toi et de personne d'autre. »

Elle vit son visage s'adoucir puis, bêtement, elle lança : « Tu es le père, tu peux le voir quand tu veux.

– Je peux le voir quand je veux ! » hurla Ben. À croire qu'elle n'aurait rien pu dire de pire. « Eh bien ! Je te remercie !

– Non, je ne voulais pas... Ce que je voulais dire, oh... »

Les mots ne coulaient plus. À présent, leurs conversations commençaient par de méchantes petites piques et s'arrêtaient brusquement.

« Il est probablement prématuré de parler droit de visite, dit Lars.

– Je parie qu'elle n'est même pas enceinte, fit remarquer Carmel.

– Puisque je vous dis que je le suis, insista Jessica. J'espère juste que la drogue n'a pas fait de mal au bébé.

– Vous ne serez ni la première ni la dernière à boire ou à prendre de la drogue en tout début de grossesse, dit Heather. Je suis sage-femme, et vous n'avez pas idée de ce que certaines femmes me confient, surtout quand leur partenaire s'éclipse ! Si vous êtes enceinte, il n'y aura pas de conséquences pour votre bébé.

– Super message, pour une militante antidrogues, maman, commenta Zoe.

– Eh bien, c'est trop tard maintenant, chuchota Heather même si Jessica était à portée d'oreille.

– J'ai pris des comprimés de vitamine B9, précisa Jessica.

– C'est très bien.

– Ouais, super : vitamine B9, LSD, ecstasy, fit Ben, amer. Un bon départ dans la vie.

– Ne vous en faites pas pour ça, dit Carmel à voix basse. Elle n'est même pas enceinte, si ça se trouve.

– Mais c'est quoi, votre problème, bordel ? » La voix de Jessica monta en flèche dans les aigus. Elle savait qu'elle ne devrait ni jurer ni laisser libre cours à ses émotions, mais elle était affreusement contrariée.

« Ça va, là… », fit Napoleon d'une voix apaisante.

Frances s'assit lourdement par terre, le visage rouge pivoine, comme si elle n'avait jamais entendu le mot bordel de sa vie.

« Désolée, dit Carmel, en baissant la tête. C'est probablement la jalousie qui me fait parler.

— La jalousie ? Vous êtes… jalouse de moi ? » dit Jessica. Cette femme n'avait-elle pas passé l'âge d'envier les autres ? « Jalouse de quoi ?

— Eh bien… » Carmel émit un petit rire.

L'argent, pensa Jessica. *Elle est jalouse de l'argent.* Il lui avait fallu un certain moment pour se rendre compte que les gens qu'elle considérait comme des adultes, quel que soit leur âge, ceux de la génération de ses parents par exemple, pouvaient manifester une étrange jalousie par rapport à sa fortune. Elle aurait pourtant imaginé qu'ils en feraient peu de cas, leur vie étant pratiquement derrière eux.

« Euh, vous êtes mince. Et belle. Je sais que c'est navrant d'admettre une chose pareille à mon âge – j'ai quatre magnifiques petites filles, ça devrait me passer au-dessus – mais mon mari m'a quittée pour une…

— Bimbo ? suggéra Lars.

— Si seulement. Mais non. Madame a un doctorat.

— L'un n'empêche pas l'autre, mon chou. Qui vous a représentée ? Je suppose que vous avez gardé la maison ?

— Tout va bien. Merci. Je n'ai pas à me plaindre du jugement. » Elle se tourna vers Jessica. « Vous savez quoi ? Je crois que je suis jalouse parce que vous êtes enceinte.

— Vous venez de dire que vous avez quatre enfants, dit Lars. C'est largement suffisant, non ?

— Je ne veux pas d'autres enfants, dit Carmel. Je voudrais juste revenir au temps où tout restait à accomplir. Une grossesse, c'est le plus beau commencement qui soit. » Elle posa la main sur son ventre. « Je me suis sentie belle à chacune de mes grossesses, même s'il faut bien admettre que mes cheveux, c'était n'importe quoi. J'ai beaucoup de cheveux et ils devenaient indomptables quand j'étais enceinte.

– Comment ça, indomptables ? » demanda Jessica qui n'avait aucune envie d'avoir une crinière. Il devait bien y avoir un shampooing ou un après-shampooing capable de régler le problème.

« On ne perd plus ses cheveux quand on est enceinte, expliqua Heather. Alors la chevelure s'épaissit. » Elle se toucha les cheveux. « J'adorais mes cheveux pendant ma grossesse.

– Je suis sûre que vous êtes enceinte, Jessica, reprit Carmel. Et je suis désolée. » Après un silence : « Félicitations.

– Merci », dit Jessica. Elle n'était peut-être pas enceinte. Elle s'était peut-être juste ridiculisée devant ces étrangers. Elle regarda Ben. Il observait ses pieds nus comme s'ils détenaient la réponse qu'il attendait. Il avait des pieds immenses. Leur bébé aurait-il ses pieds ? Pouvaient-ils vraiment élever un enfant ensemble ? Ils avaient l'âge. Ils avaient l'argent. Financièrement, ils pouvaient en assumer une bonne douzaine, des enfants. Pourquoi est-ce que ça semblait si inimaginable ?

Tony revint des toilettes avec une serviette humide qu'il tendit à Frances sans un mot. Elle la passa sur son front. Elle était en nage.

« Ça ne va pas, Frances ? demanda Carmel.

Tous les regards convergèrent vers elle.

« Si », fit-elle en esquissant un geste languissant. « C'est juste… Vous disiez à l'instant que l'idée d'un commencement vous manquait… Eh bien, moi, je suis plutôt du côté de la fin…

– Je vois, fit Heather. N'y pensez pas comme à une fin. C'est aussi le début de quelque chose.

– Quand j'étais ado, dit Carmel, ma mère portait un pin's

qui disait "C'est pas des coups de chaud ! C'est des coups de gueule !" J'avais honte ! »

Toutes trois partirent de ce petit rire autosatisfait qui caractérise les femmes mûres et qui fait dire aux plus jeunes : « Au secours ! Je ne veux pas vieillir ! »

53

Frances

« Ça va ? »

Tony s'assit par terre à côté de Frances, affichant un air emprunté, comme s'il ne savait pas où ranger ses jambes.

« Ma foi. » Frances s'épongea le front, laissant la bouffée de chaleur poursuivre son œuvre. Elle avait beau être enfermée dans une pièce avec des étrangers, subissant de plein fouet les effets de la ménopause de surcroît, elle se sentait étrangement optimiste. « Merci pour la serviette. »

Elle l'observa. Il avait le visage pâle et des gouttes de transpiration perlaient sur son front. « Et vous ? Ça va ? »

Il se tapota le front. « Je suis juste un peu claustrophobe.

– Claustrophobe… vraiment claustrophobe ? Ou juste envie de sortir d'ici ? » demanda Frances en abandonnant la serviette sur ses genoux.

Tony essaya de ramener ses genoux contre sa poitrine avant de renoncer. « Je suis vraiment claustrophobe. Pas au dernier degré, ça va aller, mais bon, je n'aimais pas descendre ici, même quand on pouvait sortir librement.

– Je vois. Il faut que je vous occupe, que je vous aide à penser à autre chose.

– Faites-vous plaisir ! dit-il en esquissant un demi-sourire.

– Alors… » Frances repensa à ce que Napoleon avait dit la veille, avant que leurs smoothies les emportent dans un monde parallèle. « Vous avez fait une dépression du sportif quand vous avez arrêté le football ?

— C'est gai, comme entrée en matière !

— Désolée. Je ne suis pas au meilleur de moi-même. Et puis, ça m'intéresse. Je crois que ma carrière s'approche gentiment de la fin.

— Eh bien, fit Tony avec une grimace, on dit qu'un sportif meurt deux fois. La première, c'est quand il quitte le terrain.

— C'est comme ça que vous l'avez vécu, comme une mort ? » Si elle devait arrêter d'écrire, Frances aurait l'impression de mourir.

« Euh, ben, un peu, oui. » Il prit une bougie à moitié consumée et détacha un bout de cire refroidie. « Sans vouloir en faire des tonnes, je n'ai connu que le football pendant toutes ces années. Ça me définissait. Je sortais tout juste du lycée quand je suis passé professionnel. Je n'étais encore qu'un gamin. À en croire mon ex-femme, rien n'avait changé quand j'ai arrêté. Elle disait que mon métier m'empêchait de grandir. Vrai pro en sport, amateur dans la vie réelle ! C'était devenu sa devise. Elle me le répétait tout le temps. » Il reposa la bougie et se débarrassa du morceau de cire d'une chiquenaude. « Enfin... chaque fois que je ne faisais pas les choses comme il fallait. »

Son regard peiné faisait mentir son ton léger et amusé. Il n'en fallut pas davantage pour que Frances place son ex-femme dans la catégorie des sorcières.

« Et puis, je n'étais pas prêt à arrêter. Je pensais avoir encore une saison devant moi, mais mon genou en a décidé autrement. » Il leva la jambe et montra le genou incriminé.

« Saleté de genou droit, dit Frances.

— Oui, j'étais furieux contre mon genou ! » Tony le massa. « Un ami médecin du sport m'a dit que mettre fin à sa carrière pro pour un sportif, c'est comme arrêter la cocaïne ; l'organisme est habitué à sécréter toutes ces molécules du bien-être, la sérotonine, la dopamine, et tout à coup, couic, c'est fini, et le corps doit s'adapter.

– Des molécules du bien-être en faisant du sport ? Ça n'a jamais dû m'arriver, à moi ! » dit Frances. Elle ramassa la bougie qu'il avait posée et plongea son pouce dans la cire encore molle près de la mèche.

« Ça dépend à quel sport vous pensez. »

Frances plissa les yeux. Euh… ce n'était pas un sous-entendu, ça ?

Tony poursuivit comme si de rien n'était. Elle avait dû mal interpréter.

« Vous allez peut-être trouver ça risible, mais il y avait des matches où on était tous à l'endroit où on devait être, on faisait tous ce qu'on avait à faire, et ça s'emboîtait à la perfection, comme dans une symphonie ou un ballet ou je ne sais pas… » Il la regarda et grimaça, prêt à être moqué. « Parfois, c'était transcendant. Comme quand on prend de la drogue. Vraiment.

– Je ne trouve pas ça risible ! Au contraire, ça me donne envie de me mettre au footy ! »

Il émit un gloussement grave empreint de reconnaissance.

« Mon ex-femme répétait tout le temps que la seule chose qui m'intéressait, c'était le football. Ça ne devait pas être très drôle de vivre avec moi.

– Je suis sûre que si », répondit Frances sans réfléchir avant de se surprendre à reluquer son imposante carrure. Elle s'empressa de changer de sujet. « Du coup, qu'est-ce que vous avez fait après avoir arrêté de jouer ? Comment vous êtes-vous réinventé ?

– Je me suis mis à mon compte comme consultant marketing sportif. Et ça marche plutôt bien. Enfin… pour un cabinet dirigé par un amateur ! Contrairement à ma femme, je trouvais que je m'en sortais pas mal. Mieux que la plupart de mes coéquipiers. Certains d'entre eux ont vraiment merdé – je veux dire… ils ont bousillé leur vie.

– Merdé, c'est le mot qui convient, je crois, ici. »

Cette fois, il lui sourit de toutes ses dents. C'était vraiment un drôle de sourire.

« Elle ne vous a rien fait, cette bougie », dit-il.

Elle regarda, penaude, les débris de cire sur ses genoux. « C'est vous qui avez commencé. » Elle secoua son pantalon. « Continuez. Donc vous avez monté ce cabinet conseil et…

– Un jour, un ami m'a dit : Tu n'en as pas marre que tout le monde te parle toujours de l'homme que tu étais avant ? Mais honnêtement, ça ne m'a jamais dérangé. J'aimais bien quand les gens me reconnaissaient. Enfin bref… ces derniers mois, j'ai commencé à avoir ces symptômes, je me sentais affreusement épuisé, j'avais l'impression que quelque chose clochait, avant même d'interroger Docteur Google. »

Frances retint son souffle. Elle se trouvait à un âge où, autour d'elle, les gens n'étaient pas simplement hypocondriaques. Ils tombaient vraiment malades.

« Alors j'ai rendu visite à mon généraliste. Il m'a fait faire une batterie d'analyses. Je voyais bien qu'il ne prenait pas les choses à la légère. J'ai fini par lui demander s'il suspectait un cancer du pancréas, parce que c'était à ça que je pensais – mon père en est mort et je sais que c'est héréditaire. Et là, le médecin, il m'a regardé – je le connais depuis trente ans – et il m'a dit "Je pare à toutes les éventualités". »

Oh non, pas ça.

« C'était juste avant Noël. Il m'a demandé de passer pour me donner les résultats. Il a sorti le dossier, et… ce n'est qu'ensuite que je me suis rendu compte que les mêmes mots revenaient dans ma tête, je me les répétais, et franchement, ça m'a retourné de prendre conscience que je pouvais penser une chose pareille…

– Quels mots ?

– Je me disais, *Pourvu que je sois en phase terminale.* »

Frances pâlit. « Et… mais… vous l'êtes ?

369

« – Oh non, je vais bien. Je ne suis pas malade. Mais je n'ai pas une bonne hygiène de vie, ce qui est plutôt évident. »

Frances ne put retenir un soupir de soulagement tout en espérant rester discrète. « Eh bien, tant mieux.

– Mais ça m'a remué – de me surprendre à espérer un pronostic vital. Je me suis dit : *Mon gars, qu'est-ce qui ne va pas dans ta tête ?*

– C'est clair, je ne vous félicite pas », osa-t-elle, stimulée par un accès d'autoritarisme typiquement féminin propre à rendre n'importe quel homme dingue. Mais comment lutter quand on sent monter en soi cette rectitude face à tant de bêtise ? « Franchement, il faut vous soigner. Vous avez besoin… »

Il leva la main. « Tout est sous contrôle.

– Vraiment, penser une chose pareille…

– Je sais, je sais… C'est pour ça que je suis ici.

– Donc vous avez probablement besoin de voir… »

Il posa un doigt sur ses lèvres. « Chut.

– Un psy ! plaça-t-elle malgré tout.

– Chut.

– Et…

– Bouclez-la. »

Frances obtempéra. Elle passa la serviette sur son visage pour dissimuler son sourire. Au moins, il ne se sentait plus oppressé à présent.

« Parlez-moi de ce sale type qui vous a arnaquée, enchaîna Tony. Et dites-moi où je peux le trouver. »

54

Yao

« Et elle, qu'est-ce qu'elle a ? Elle est malade ? Pourquoi elle se passe une serviette sur le visage comme ça ? »

L'accent de Masha, d'ordinaire très léger, sembla plus prononcé aux oreilles de Yao. Il avait remarqué le même phénomène chez ses parents : leur accent chinois s'entendait davantage lorsqu'ils s'angoissaient à propos de leur accès à Internet ou de leur santé.

Voilà ce qu'il devrait faire : appeler ses parents. « Tu perds ton temps avec cette femme ! » lui avait dit sa mère la dernière fois qu'ils s'étaient parlé.

« Yao ? » Assise derrière son bureau, Masha le regardait de ses grands yeux verts inquiets et vulnérables. Rares étaient les moments où elle se montrait fragile. Quelle exquise torture de la voir ainsi.

« Frances est en pleine ménopause. »

Masha frémit. « Sérieusement ? »

Yao savait que Masha avait, comme Frances, la cinquantaine, mais la ménopause n'avait vraisemblablement pas encore frappé à sa porte. Masha restait et resterait à jamais une énigme pour Yao. Elle qui échangeait volontiers sur le fonctionnement du système digestif dans ses détails les plus intimes, qui n'éprouvait aucune gêne par rapport à la nudité (de quoi rougirait-elle ?) et se promenait souvent dans le plus simple appareil lorsqu'il n'y avait pas de clients à Tranquillum House, frémissait pourtant en entendant le mot « ménopause », comme si une chose aussi déplaisante ne pouvait pas lui arriver.

Yao aperçut un petit bouton enflammé sur sa nuque, une piqûre de moustique. Étrange de voir une quelconque imperfection sur son magnifique corps.

Elle commença à se gratter.

« Tu la fais saigner », dit Yao en posant sa main sur la sienne. Elle l'écarta d'un geste agacé.

« Elle en met du temps, Dalila, dit-il.

– Dalila est partie, répondit Masha, les yeux rivés sur l'écran.

– Oui, elle va revenir avec le thé.

– Non, elle est partie. Elle ne reviendra pas.

– Qu'est-ce que tu racontes ? »

Masha soupira et planta son regard dans le sien. « Tu n'as toujours pas compris ? Dalila s'occupe avant tout d'elle-même. » Puis reportant son attention sur l'écran : « Toi aussi, tu peux t'en aller, si tu veux. J'assumerai l'entière responsabilité de la suite des événements. Le nouveau protocole, c'était mon idée, ma décision. »

Masha n'aurait jamais pu appliquer ledit protocole sans ses connaissances médicales. Si quelqu'un devait payer, c'était lui.

« Je ne vais nulle part, dit-il. Quoi qu'il arrive. »

Voilà un peu plus d'un an, Masha avait lu un article sur le microdosage. Les cadres de la Silicon Valley prenaient des microdoses de LSD pour être plus productifs, plus vifs, plus créatifs. La pratique donnait également de bons résultats pour traiter des troubles mentaux comme l'anxiété et la dépression.

Masha étant Masha, le sujet ne l'avait pas simplement intéressée ; il l'avait fascinée. Yao adorait son enthousiasme aussi soudain que démesuré et son intrépidité lorsqu'elle se lançait en terrain inconnu. Elle avait sans tarder trouvé et interrogé l'auteur de ce premier article, et découvert l'existence de la thérapie psychédélique où les patients se voyaient administrer des doses classiques d'hallucinogènes. Il ne lui avait guère fallu de temps pour en concevoir une véritable obsession, se procurant toute la littérature sur Internet et contactant tous les experts de la planète.

La voilà, la solution ! disait-elle. Ils allaient pouvoir franchir une nouvelle étape ! La thérapie psychédélique constituait le parfait raccourci pour atteindre l'éveil spirituel ! Magique ! L'imagerie médicale révélait que l'activité cérébrale d'un patient sous psilocybine présentait des similarités frappantes avec celle d'un adepte de la méditation profonde en pleine séance.

Au début, Yao s'était contenté d'un rire incrédule. En tant qu'ancien professionnel de la santé, il connaissait les effets terribles des drogues dures. L'homme qui l'avait menacé d'un couteau sous la gorge était sous l'emprise de la méthamphétamine et souffrait d'hallucinations. Et les junkies qu'il avait soignés ne lui avaient pas donné une image très positive de toutes ces substances illégales.

Mais, petit à petit, Masha avait érodé sa conviction.

« Tu n'écoutes pas. Ça n'a rien à voir. Ce n'est pas parce que l'héroïne est mauvaise qu'on doit renoncer à tous les produits de synthèse. Pense à la pénicilline, par exemple.

– La pénicilline ne modifie pas la chimie du cerveau.

– D'accord, et les antidépresseurs, alors ? Ou même les neuroleptiques ? »

Ce léger accent, ce murmure persuasif, ces grands yeux verts plongés dans les siens, ce corps, et cette exquise emprise qu'elle avait sur lui.

« Lis au moins l'étude. »

Alors il l'avait fait. Il y avait appris que des essais cliniques sur l'usage des drogues psychédéliques pour soulager l'anxiété des patients atteints de cancer en phase terminale – essais approuvés par le gouvernement – obtenaient d'excellents résultats. Idem dans le traitement du syndrome post-traumatique chez les anciens combattants.

Intrigué, il avait fini par accepter de se soumettre à l'essai.

Dalila s'était procuré les drogues et les kits de test sur le dark web. Yao s'était chargé de vérifier la composition des substances.

Tous deux avaient accepté de jouer les cobayes. Masha endosserait le rôle de thérapeute car, en raison de son passé médical, elle ne pouvait pas participer à l'essai. Ce n'était pas un problème car elle était familière de la transcendance grâce à la méditation et à son expérience de mort imminente.

Et, comme elle l'avait promis, la thérapie psychédélique avait induit une véritable métamorphose.

Ce que Yao ne regretterait jamais, même si droguer les clients à leur insu se révélait être une erreur.

Tout avait commencé par une descente dans un tunnel, un toboggan aquatique peut-être (mais, brillante idée, l'eau ne mouillait pas) qui avait fini par le cracher dans une salle de cinéma où, installé dans un fauteuil en velours, il avait dégusté du pop-corn caramélisé au beurre tandis que défilait sous ses yeux le film de sa vie, image après image, depuis sa naissance jusqu'à son arrivée à Tranquillum House en passant par ses années à l'école et à l'université. À ceci près qu'il n'était pas resté simple spectateur. Non, il avait vécu de nouveau chaque incident, chaque échec, chaque réussite, et ce faisant, il avait *tout* compris.

Il avait compris qu'il avait aimé sa fiancée Bernadette plus qu'elle ne l'avait jamais aimé. Qu'elle ne lui aurait jamais convenu. Que ses parents n'avaient jamais été faits l'un pour l'autre. Que lui-même n'était pas taillé pour être secouriste (les montées d'adrénaline, au lieu de le stimuler, lui faisaient perdre ses moyens).

Plus important encore, que sa peur panique de se tromper remontait à l'enfance.

À un incident dont ses parents ne lui avaient jamais parlé, dont il ne s'était jamais souvenu, il en était sûr ; un incident que les substances hallucinogènes lui avaient permis de revivre avec des détails saisissants.

Âgé de deux ou trois ans tout au plus, il se trouvait dans la cuisine de leur ancienne maison. Sa mère avait quitté la pièce un court instant et il s'était dit : *Je sais ! Je vais aider à remuer la sauce !* Alors il avait précautionneusement approché une chaise de la gazinière, pas mécontent d'être si futé, avant de monter dessus. Il tendait la main vers la casserole bouillonnante quand sa mère était revenue et lui avait hurlé dessus, hurlé si fort que son petit cœur avait failli s'arrêter, puis il était tombé de la chaise dans un vide intersidéral avant que sa mère l'attrape et le secoue sans ménagement. Enfin, il avait compris qu'il avait intériorisé la peur panique de sa mère, non à la suite d'une erreur qu'il aurait commise, mais bien à la suite d'une erreur qu'elle-même avait commise.

Dalila, qui n'avait pas voulu partager grand-chose de son expérience, n'avait guère été impressionnée par les révélations de Yao. « Alors quoi ? C'est la faute de ta mère si tu manques de confiance en toi ? Parce qu'elle ne t'a pas laissé t'ébouillanter ? Quelle horreur, une mère pareille. Voilà qui explique toutes tes névroses, Yao. »

Il avait préféré l'ignorer. Parfois, Dalila semblait en colère contre lui sans qu'il sache pourquoi. Mais peu importait, car le lendemain il s'était réveillé grisé par une liberté jusqu'alors inconnue : la liberté de se tromper.

Sa première erreur, il venait peut-être de la commettre.

Il regarda l'écran sur lequel apparaissaient neuf personnes qui ne semblaient en rien métamorphosées. Elles avaient l'air épuisées, agitées et furieuses. À l'heure qu'il était, ils auraient dû se trouver dehors, prêts à se lancer dans l'étape suivante de leur renaissance.

L'énigme du code aurait dû prendre une heure tout au plus. C'était censé être une activité de groupe amusante et stimulante pour les aider à créer des liens. À l'époque où elle travaillait dans le monde des affaires, Masha avait participé à un séminaire de cohésion d'équipe. On leur avait proposé un exercice similaire et tout le monde avait adoré. Elle avait raconté à Yao que les gens étaient sortis de la pièce en riant et en se tapant dans la main.

Masha disait avoir trouvé quelque chose d'élaboré, de subtil et de symbolique tout à fait dans la veine de leur expérience psychédélique. (« Jamais en reste quand il s'agit de se jeter des fleurs, celle-ci ! » avait commenté Dalila. Yao avait mis sa remarque sur le compte de la jalousie. Quelle femme ne serait pas jalouse de Masha ?)

Il s'était tout de même inquiété que ce soit *trop* subtil, mais ce n'était pas si grave puisque résoudre l'énigme du code ne faisait pas partie intégrante de la métamorphose des clients. S'ils ne trouvaient pas, il était prévu de les libérer au bout d'une heure et de les escorter jusqu'à la salle à manger où un petit déjeuner de fruits frais et de chocolat chaud bio sans sucre leur serait servi. Yao avait anticipé ce moment avec bonheur, imaginant les visages s'illuminer au moment où Masha, Dalila et lui-même entreraient dans la pièce tenant des plateaux à bout de bras. Qui sait ? Ils applaudiraient peut-être.

Yao avait mangé une nectarine après sa séance de thérapie psychédélique et encore aujourd'hui, il se rappelait la sensation de ses dents s'enfonçant dans la pulpe sucrée.

Après leur en-cas, les invités étaient censés partager ce qu'ils avaient appris au cours de leur expérience. Après quoi, ils recevraient chacun un magnifique carnet cartonné et seraient invités à y écrire ce qu'ils comptaient faire pour intégrer dans leur vie ce qu'ils avaient compris sur eux-mêmes.

Mais rien ne s'était passé comme prévu.

Les choses avaient commencé à déraper quand Heather avait posé la question qui tue : « Vous nous avez drogués ? » Du coup, Masha avait présenté le protocole sur la défensive (même si elle avait très bien répondu !). Les clients s'étaient mis dans une de ces colères ! Comme s'ils prêtaient à l'équipe de sinistres intentions alors que tout ça, c'était pour leur bien.

Yao avait vérifié et revérifié les dosages, les effets secondaires possibles, les dossiers médicaux des clients, leurs prélèvements sanguins quotidiens. Il ne devait en ressortir que du positif. Il avait passé la nuit à surveiller leurs constantes vitales. Il n'y avait eu aucun effet indésirable inattendu. Quand Napoleon s'était mis dans tous ses états, Yao lui avait donné un comprimé de lorazépam qui l'avait apaisé. Tout s'était bien passé.

À son sens, du point de vue strictement thérapeutique, l'expérience s'était révélée poussive. Certaines des visions que les invités avaient eues étaient d'une banalité fort décevante, surtout au regard de ses propres révélations transcendantales. Il n'empêche, Masha était aux anges. Après qu'ils s'étaient tous endormis, elle avait verrouillé la porte du studio de méditation, ravie du résultat.

Ils n'avaient pas imaginé ce qui allait suivre.

À mesure que le temps passait, Yao et Dalila avaient commencé à dire qu'il faudrait les laisser sortir. « Ou leur donner un indice. »

Mais Masha était convaincue qu'ils allaient trouver la solution. « C'est essentiel pour leur *renaissance*. Ils doivent trouver la sortie par tous les moyens comme un bébé qui se fraye un chemin dans le canal pelvi-génital. »

Dalila s'était raclé la gorge. À moins que ce soit un ricanement.

« On leur a donné tellement d'indices, répétait Masha. Ils ne sont pas si bêtes que ça, si ? »

Malheureusement, les heures passaient et leur bêtise augmentait proportionnellement à leur faim et à leur colère.

« Même s'ils finissent par trouver, dit Yao, je crois que leur principale émotion restera la colère.

– Peut-être, dit Masha en haussant les épaules. Nous allons devoir nous montrer plus créatifs. Voyons comment ça évolue. »

Yao se revit sur cette chaise, ses petites mains potelées tendues vers la casserole bouillonnante.

« Regarde ! s'exclama Masha. *Enfin !* On progresse. »

55

Frances

Dans le studio, tout le monde était assis à présent – Frances et Tony, restés côte à côte, partageaient un silence complice –, à l'exception de Napoleon qui faisait les cent pas. Plus personne n'essayait de trouver le code de sécurité de la porte du sous-sol.

Quelqu'un se mit à fredonner l'air de *Brille, brille, petite étoile*. Napoleon peut-être. Frances chanta dans sa tête avec lui : *Dans la nuit qui se dévoile, / Tout là-haut au firmament, / Tu scintilles comme un diamant.*

Elle repensa à cette séance de méditation au clair de lune puis à sa promenade en traîneau avec Gillian dans le ciel étoilé. Lars avait chanté *Lucy in the Sky With Diamonds* plus tôt dans le studio. Et c'était cette même chanson qu'elle avait écoutée lorsqu'elle avait mis le casque et s'était allongée sur la civière.

Elle passa en revue les morceaux de la playlist dans sa tête.
Starry Starry Night.
When You Wish Upon a Star.
Sonate au clair de lune.

Toutes avaient un rapport avec les étoiles, le ciel ou la lune.

Et Masha ? Qu'avait-elle dit au cours de cette méditation nocturne ? *Vous passez votre vie à regarder en bas. Il est temps de lever les yeux.* Quelque chose comme ça.

« Je crois qu'on est censés regarder en l'air. » Elle se leva.

« Quoi ? » Lars se redressa sur ses coudes. « Regarder en l'air ? Où ça ?

– Les chansons ! Elles parlaient toutes des étoiles, de la lune, du ciel. Et Masha a dit qu'on devait lever les yeux. »

Les plus jeunes comprirent tout de suite. Zoe, Ben et Jessica se levèrent d'un bond et se mirent à parcourir la pièce, la tête tendue vers le plafond pour étudier la voûte de pierre et ses chevrons en bois. Sceptiques, leurs aînés les imitèrent sans empressement.

« Et qu'est-ce qu'on cherche, à votre avis ? demanda Napoleon.

– Aucune idée », admit Frances.

Au bout d'un moment, elle ajouta tristement : « Je me trompe peut-être.

– Là ! s'écria Heather en montrant quelque chose. Vous voyez ? Vous voyez ? »

Frances suivit son regard. « Non, je ne vois strictement rien. Mais j'ai une très mauvaise vue.

– C'est un autocollant, dit Tony. Il représente une étoile qui brille.

– Une étoile qui brille ? À quoi ça nous avance ? fit Carmel.

– Regardez au-dessus de l'autocollant, dit Zoe. Il y a quelque chose au niveau des chevrons, là.

– Oui, c'est un paquet, dit Napoleon.

– Je ne vois toujours rien, dit Frances.

– Mais si, emballé dans du papier kraft. » Heather prit la main de Frances et montra l'endroit où se trouvait le paquet pour l'aider à regarder dans la bonne direction. « Là où se croisent les deux chevrons, dans le petit triangle.

– Ah oui, je le vois, mentit Frances.

– Bon, il faut le récupérer, dit Jessica. Ben, monte-moi sur tes épaules.

– Hors de question, tu es enceinte. Enfin, peut-être.

380

– Papa, dit Zoe, c'est toi le plus grand. Je vais monter sur tes épaules.

– J'ai bien peur que ça ne suffise pas, dit Napoleon en essayant d'évaluer la hauteur. Même sur mes épaules tu ne l'atteindrais pas.

– Le plus simple, c'est de le déloger en lançant des trucs dessus, dit Lars.

– Laissez-moi faire, je vais sauter, dit Tony, une lueur d'excitation dans les yeux. Les gars, je vais prendre appui sur vous.

– Vous ne pourrez jamais sauter aussi haut, objecta Frances.

– J'ai été sacré meilleur sauteur trois ans d'affilée.

– Jamais entendu parler de cette récompense, reprit Frances, mais un peu de sérieux, sauter si haut est impossible. Vous allez vous blesser.

– Vous avez déjà vu un match de football australien, Frances ? fit Tony. Ne serait-ce qu'une fois dans votre vie ?

– J'ai cru comprendre que vous adorez sauter partout…

– Sérieusement, intervint Lars. Il suffit de lancer quelque chose pour le déloger.

– Qu'on adore sauter partout, répéta Tony, plus pour lui-même.

– Et c'est très impressionnant », ajouta Frances qui venait de se rappeler la fois où elle s'était moquée de Henry quand il avait parlé de se mettre au deltaplane à l'âge de cinquante ans, provoquant la consternation de ses amies. *Frances, on ne dit jamais à un homme en pleine crise de la cinquantaine que les choses ne sont pas à sa portée.* Henry avait fréquenté une école de deltaplane pendant trois mois malgré une douleur chronique à la hanche par pur esprit de contradiction.

« J'ai frôlé les trois mètres soixante au cours d'un match. » Tony regarda les chevrons. « Je peux atteindre le paquet sans problème.

– La fois où vous avez pris appui sur le dos de ce joueur

de Collingwood, n'est-ce pas ? fit Heather. Jimmy Moyes, il s'appelait, non ? On était au stade ce jour-là, avec Napoleon.

— ... *atteindre le ciel, la gloire, la légende avant de retomber sur la terre ferme (Icare au maillot rayé) au chant strident du sifflet*, déclama Napoleon.

— C'est un poème sur le football ?

— Tout à fait, Frances, répondit Napoleon d'un ton professoral. Il s'agit d'un poème de Bruce Dawe, *Le Saut spectaculaire*, où le saut est vu comme le désir de l'homme de voler.

— C'est très beau, dit Frances.

— Bon sang, s'écria Lars, assez, avec la poésie et le football ! Concentrons-nous sur le moyen de sortir d'ici ! » Il prit une bouteille d'eau vide et la lança tel un javelot en direction du plafond. Elle toucha le chevron et retomba.

« Laissez-moi faire. » Tony gonfla la poitrine et tira les épaules en arrière tel un super-héros qui sort d'une cabine téléphonique.

56

Yao

« Qu'est-ce qu'ils fabriquent ? demanda Masha.

– Je crois que Tony va sauter en prenant appui sur leurs dos, comme au footy, répondit Yao d'un ton inquiet.

– C'est complètement dingue. Il est trop lourd ! Il va leur faire mal !

– Ils ont faim, ils sont fatigués, ils n'ont pas les idées claires.

– La solution est tellement évidente.

– Je sais », répondit Yao. Il fallait écouter Lars.

« Pourquoi ne pensent-ils pas à faire une pyramide humaine ? » s'agaça Masha.

Yao se tourna vers elle pour voir si elle était sérieuse.

« Ils ne sont pas futés, poursuivit Masha. Il est là, le problème, Yao. Ces gens ne sont pas futés. »

57

Frances

Napoleon et Ben s'étaient positionnés sous le chevron, tête rentrée dans les épaules, corps contracté.

« On saute en même temps pour que vous alliez plus haut ? proposa Napoleon.

– Non, dit Tony. Ne bougez pas.

– Je ne crois que ce soit une très bonne idée, intervint Carmel.

– C'est ridicule, dit Lars.

– Maintenant que vous le dites… », commença Heather, mais c'était trop tard.

Depuis la porte, Tony arrivait en courant à toute vitesse.

Il sauta en l'air, enfonça un genou dans le dos de Napoleon et l'autre dans l'épaule de Ben. Pendant une fraction de seconde, Frances vit en lui le jeune athlète qu'il avait été autrefois – dans la tension de son corps et la détermination de son regard.

Il monta, monta, monta, incroyablement haut ! Il allait y arriver ! Quel héros ! Il toucha le chevron d'une main, mais l'instant d'après, il retomba sur le côté avec un bruit sourd impressionnant. Napoleon et Ben s'écartèrent dans un équilibre précaire en étouffant un juron.

« Quelle surprise ! » fit Lars dans un soupir.

Tony se redressa, maintenant son épaule, pâle comme un linge.

Frances s'agenouilla dans un craquement d'articulations près de lui, soucieuse de le soutenir. « Est-ce que ça va ?

– Oui, dit-il sans desserrer les dents. Je crois que je me suis luxé l'épaule. »

Frances faillit tourner de l'œil en voyant son épaule qui ressortait, formant un angle drôlement inquiétant.

« Ne bougez pas, dit Heather.

– Au contraire, dit Tony. Il faut que je bouge. Elle va se remettre en place toute seule. »

Tony mobilisa son bras. Un clac se fit entendre.

Frances s'évanouit sur ses genoux.

58

Zoe

Zoe compatissait : son pauvre père se tenait le dos de douleur après qu'un nommé Smiley Hogburn avait pris appui sur lui de tout son poids. Elle était aussi quelque peu surprise que sa mère ait autorisé ce petit exercice. La faute au LSD peut-être, ou à la colère que cette histoire de drogue avait engendrée. À moins que ses parents soient tout simplement en admiration devant cette légende du football australien.

« Désolé, tout le monde, dit Tony. La nuit dernière, j'ai rêvé que je jouais de nouveau. J'ai eu le sentiment que... que ce serait facile. » Il tapota Frances sur la joue. « On se réveille, madame la romancière. »

Frances se redressa, gênée, et posa un doigt sur son front. Elle regarda autour d'elle. « On a réussi à faire tomber le paquet ?

– Presque, répondit Napoleon qui n'aimait pas que les gens se sentent nuls. Presque ! »

Zoe chercha un objet à lancer sur le chevron. Elle prit une bouteille d'eau remplie aux trois quarts au creux de la main et tira.

Dans le mille. Le paquet tomba dans les mains de Ben.

« Joli coup, fit-il en le lui tendant.

– Merci.

– Ouvre-le », fit Jessica, comme si Zoe avait besoin qu'on le lui dise.

Au toucher, le paquet semblait contenir un objet dur emballé dans du papier bulle. Zoe retira maladroitement le ruban adhésif et déchira le papier kraft.

« Attention, fit sa mère. C'est peut-être fragile. »

Zoe tira sur le scotch autour du papier bulle et se revit à une fête d'anniversaire, en train d'ouvrir un cadeau en même temps que Zach, sous le regard attentif de tous les invités. Le lendemain, ils auraient vingt et un ans. N'était-il pas temps de réclamer ses droits sur son anniversaire ? De retour à Melbourne, peut-être demanderait-elle à ses parents de l'emmener à la Fattoria, sa pizzeria préférée, pour le fêter. Tout à coup, il lui semblait possible de renouer avec certaines habitudes auxquelles ils avaient renoncé après la mort de Zach. Ce ne serait pas la même chose sans lui, ce ne serait plus jamais la même chose, mais ça semblait possible. Elle enlèverait les olives et les laisserait sur le bord de son assiette pour son frère, comme avant.

Une pizza. Elle en mourait d'envie, là, tout de suite. Au pepperoni. Rien que d'y penser, elle en salivait. Elle savourerait chaque bouchée la prochaine fois qu'elle en mangerait.

Elle défit le papier bulle. À l'intérieur, une figurine en bois peint représentant une fillette avec un fichu sur la tête et un tablier autour de la taille. Elle avait des ronds rouges sur les joues et ses sourcils interrogateurs lui donnaient l'air de dire un bonjour hésitant.

Zoe la tourna dans tous les sens.

« C'est une poupée russe, dit sa mère.

– Ah ! D'accord. » Elle sépara en tournant les deux moitiés de la figurine et révéla à l'intérieur une figurine de plus petite taille.

Elle tendit les deux parties de la première poupée à sa mère et ouvrit la deuxième.

Au bout de quelques secondes, cinq poupées de tailles décroissantes étaient alignées sur le sol.

« Attendez, fit Carmel, c'est la dernière ? Elle est vide. Normalement il y en a une dernière qui ne s'ouvre pas.

– Pas de message ? s'étonna Frances. J'espérais qu'on trouverait le code dans la dernière !

– Mais qu'est-ce que ça veut dire, enfin ? fit Ben.

– Aucune idée », dit Zoe en essayant de réprimer un bâillement. Tout à coup, elle se sentait épuisée. Tout ce qu'elle voulait, c'était son lit, son téléphone et une pizza. Que tout ça soit derrière elle.

« Bon, là, je commence vraiment à en avoir ma claque », fit Lars.

59

Masha

Le sourire de soulagement de Yao se dissipa sous les yeux de Masha.

« Attends, fit-il en se tournant vers elle, pourquoi le code n'est pas dans la poupée ? C'est ce qui était prévu ! »

Sur le clavier de Masha se trouvait la dernière figurine, minuscule. Masha la prit entre ses doigts. « Eh oui, c'est ce qui était prévu. Au départ.

– Mais… qu'est-ce qu'elle fait là ? demanda Yao, arborant le même regard interrogateur que la poupée.

– J'ai eu une révélation. Quand je méditais. Tout à coup, j'ai su ce qu'il fallait faire pour qu'ils arrivent à une véritable métamorphose après leur séance de thérapie psychédélique. Ce que tu vois à l'écran, ce qui arrive à ces neuf personnes en ce moment même, c'est l'exemplification d'un koan. Un koan mis en pratique. Absolument génial, tu ne trouves pas ? »

Yao la dévisagea sans comprendre.

« Un koan est un paradoxe qui conduit à l'éveil ! C'est la démonstration de l'insuffisance de la logique !

– Je sais ce qu'est un koan.

– Quand ils capituleront, qu'ils accepteront l'idée qu'il n'y a pas de solution, ils seront libres. C'est le paradoxe central de ce koan. *La solution est l'absence de solution.*

– La solution est l'absence de solution, répéta Yao.

– Exactement ! Tu te souviens de ce koan ? Un homme demande un jour à un maître qui vit en ermite dans la montagne : « Quel est le chemin ? – Quelle belle montagne, répond l'ermite. – Je ne vous parle pas de la montagne, dit l'homme, agacé. Je vous demande le chemin." Et l'ermite de répondre : "Tant que tu ne pourras pas aller au-delà de la montagne, tu ne pourras pas atteindre le chemin."

– Alors quoi, ici, la montagne, c'est… la porte ?

– N'oublie pas de prendre des notes, dit Masha sur un ton impatient en désignant son carnet. Détaillées, les notes. C'est super important pour notre livre.

– Ils sont là-dedans depuis trop longtemps, protesta Yao. Ils ont faim, ils sont fatigués. Ils vont perdre la tête.

– *Exactement* », dit Masha. Elle-même n'avait pas dormi depuis l'avant-veille et, de mémoire, elle n'avait jamais jeûné aussi longtemps. Elle posa un doigt sur son torse. Elle avait pleinement conscience du pouvoir de ses mains sur Yao, pouvoir qu'elle n'avait pas pleinement exploité jusqu'à présent. Elle n'hésiterait pas si nécessaire. « *Exactement*. Il faut les amener à perdre la tête. Tu le sais. Le moi est une illusion. Le moi n'existe pas.

– Oui, bien sûr, mais, Masha…

– Ils doivent *rendre les armes*.

– Je crois qu'ils vont nous dénoncer à la police. »

Masha s'esclaffa. « N'oublie pas les paroles de Rûmî, Yao. *Au-delà des idées du mal et du bien, il y a un champ. C'est là que je te retrouverai*. N'est-ce pas magnifique ?

– Tu iras dire ça à un juge…

– On ne peut pas les abandonner, Yao. Regarde, fit-elle en montrant l'écran. Ils ont déjà parcouru tant de chemin.

– Combien de temps comptes-tu les retenir encore ? » La voix de Yao était faible et lasse, comme celle d'un vieillard.

« Tu poses la mauvaise question », répondit Masha tendrement sans quitter l'écran des yeux. Plusieurs de ses petits protégés étaient à présent agglutinés autour de la porte du studio. Tour à tour, ils essayaient de nouvelles combinaisons de chiffres. Lars mit un coup de poing sur la porte, tel un gamin trop gâté.

« Je crois que je dois les libérer, dit Yao.

– Ils doivent se libérer tout seuls, rétorqua Masha.

– C'est impossible.

– Au contraire. »

Elle pensa à cette vie que ces neuf personnes s'étaient vu offrir à la naissance, cette vie sous le soleil de l'Australie, où on n'avait pas besoin d'être ingénieux parce qu'on trouvait toujours les rayons des supermarchés bien approvisionnés, où on pouvait se permettre d'éteindre son ordinateur à 17 heures pour filer à la plage parce qu'il n'y avait pas une centaine de candidats diplômés prêts à tout pour prendre votre poste.

« Oh oui, moi aussi, ça m'est arrivé quand j'ai voulu acheter des billets pour le concert de U2 », lui avait répondu une collègue australienne à qui elle racontait le calvaire des files d'attente de plusieurs jours à l'ambassade – Masha et son mari avaient dû se relayer tellement c'était long. Elle s'était contentée de lui dire : « Oui, c'est tout à fait pareil. »

Elle se souvenait du jour où son mari avait reçu par courrier une invitation à se présenter au KGB alors même qu'ils étaient en plein dans les démarches pour immigrer.

« Ça va aller, lui avait-il dit. Pas d'inquiétude. »

À croire qu'il se prenait déjà pour un Australien ! Pas d'inquiétude ! Ces mots avaient imprégné son psychisme avant même qu'il ne sache les dire en anglais. Mais durant l'ère soviétique, certains de ceux qui avaient reçu ce genre d'invitation n'étaient jamais rentrés chez eux.

Quand Masha l'avait déposé devant l'immense bâtiment gris qui abritait les bureaux des services de renseignement, il l'avait embrassée avant de lui dire « Rentre à la maison ». Mais elle l'avait attendu pendant cinq longues heures dans la voiture dont les vitres s'embuaient à cause de sa respiration saccadée par la peur. Elle n'oublierait jamais l'explosion de soulagement qui avait secoué son corps lorsqu'elle l'avait vu descendre la rue dans sa direction, arborant le sourire d'un adolescent sur une plage australienne.

C'était quelques mois à peine avant qu'ils remplissent leurs chaussettes de dollars américains et se rendent à l'aéroport où un douanier au sourire mauvais avait retourné la totalité de leurs bagages – cassant au passage le collier de sa grand-mère dont les perles s'étaient éparpillées comme autant de morceaux de son cœur – parce que partir, c'était trahir sa patrie.

Seuls ceux qui ont eu peur un jour de perdre tout ce qu'ils avaient sont vraiment reconnaissants de la chance qu'ils ont dans la vie.

« Tu sais de quoi ils ont besoin ? fit Masha. D'être face à leurs peurs les plus profondes.

– Leurs peurs les plus profondes ? » La voix de Yao tremblait. À cause de la faim et de la fatigue qu'il ressentait peut-être aussi. « Je ne crois pas que ce soit une bonne idée. »

Masha se leva. Il la regarda, comme s'il était son enfant, son amant. Il y avait entre eux une connexion spirituelle sacrée. Jamais il ne la défierait, elle le sentait.

« Ce soir ils vont connaître la nuit noire de l'âme.

– La nuit noire de l'âme ?

– Une expérience essentielle à un accès rapide à l'éveil spirituel. Tu as eu ta nuit noire, j'ai eu la mienne. Nous devons les briser pour qu'ils se retrouvent ensuite. Tu sais bien qu'il le faut, Yao. »

Elle vit une lueur de doute dans ses yeux. Elle s'approcha de lui, si près que leurs corps se touchaient presque.

« Demain, ils renaîtront.

– Je ne sais pas si... »

Masha s'approcha encore et, pendant une fraction de seconde, son regard s'arrêta sur ses lèvres. Laisser penser à cet adorable garçon que l'impossible pouvait arriver.

« Ce que nous faisons pour ces gens est extraordinaire, Yao.

– Je vais les faire sortir, répondit-il d'une voix sans conviction.

– Non, Yao. » Masha leva la main tendrement vers son cou, dissimulant le reflet argenté de l'aiguille. « Tu ne vas pas les faire sortir. »

60

Frances

Frances fit tomber la bouteille d'eau vide qu'elle s'amusait à faire tourner sur son doigt.

« Ça suffit maintenant », dit Carmel d'un ton sévère. Probablement celui qu'elle utilisait lorsqu'une de ses filles lui tapait sur les nerfs, devina Frances.

« Désolée », dirent-elles à l'unisson.

D'après la montre de Napoleon, il était 21 heures. Ils se trouvaient dans le studio depuis un peu plus de trente heures et jeûnaient depuis deux jours à présent.

Des plaintes avaient commencé à se faire entendre : maux de tête, vertiges, épuisement, nausées. Des vagues d'irritabilité balayaient la pièce par intervalles. Des querelles éclataient, suivies de mots d'excuse, puis de nouvelles chamailleries. Les voix tremblaient d'émotion et se transformaient en rires hystériques. Certains se laissaient gagner par le sommeil pour se réveiller haletants. Seul Napoleon gardait invariablement son calme, ce qui lui conférait, aux yeux de Frances, un statut de leader officieux quand bien même il ne donnait pas la moindre consigne au groupe.

« Ne forcez pas trop sur l'eau, avait conseillé Heather après que Frances était de nouveau allée remplir sa bouteille aux toilettes. Buvez uniquement si vous avez soif. L'excès d'eau entraîne un manque de sel dans l'organisme. On peut en mourir.

– D'accord, avait répondu Frances d'un ton résigné. Merci. »
Elle s'était dit que boire beaucoup d'eau dissiperait les tiraillements d'estomac même si elle n'avait pas aussi faim qu'elle l'aurait imaginé. L'envie de manger avait atteint un pic juste avant qu'ils trouvent ces stupides poupées russes pour peu à peu diminuer et devenir un désir plus abstrait ; elle avait l'impression d'avoir besoin de quelque chose, mais la nourriture ne lui apparaissait pas comme le moyen d'y répondre.

Son amie Ellen, adepte du jeûne intermittent, lui avait confié que cette pratique lui procurait toujours une intense sensation de bien-être. Sans être euphorique, Frances avait néanmoins l'impression d'avoir les idées hyper claires. Restait à savoir si c'était l'effet du LSD ou du jeûne !

Quoi qu'il en soit, cette lucidité n'était qu'illusion car Frances avait toutes les peines du monde à faire la différence entre ce qui s'était réellement passé depuis qu'elle était arrivée à Tranquillum House et ce que son esprit avait fabriqué. Ce saignement de nez dans la piscine, par exemple, réel ou irréel ? Et son père, elle l'avait vu ou pas, la veille au soir ? Elle ne l'avait pas vu, évidemment, mais le souvenir de sa conversation avec lui était bien plus net que celui de son saignement de nez.

Comment était-ce possible ?

Le temps ralentit.

Il ralentit.

Ralentit.

Au point.

Que la lenteur.

Devint.

Insupportable.

Bientôt le temps s'arrêterait, littéralement, et ils resteraient tous enfermés dans un seul moment pour l'éternité. Une idée pas si fantasmagorique que ça si l'on considérait la soirée de la veille où le temps s'était tantôt allongé, tantôt contracté tel un élastique que l'on tire et que l'on relâche sans cesse.

La question des lumières fit l'objet d'une longue et âpre discussion : fallait-il les éteindre ? Si oui, à quel moment ?

Frances ne s'était pas rendu compte qu'il n'y avait pas du tout de lumière naturelle dans le studio avant que Napoleon déclare avoir passé un bon moment à longer les murs à quatre pattes pour trouver l'interrupteur quand il s'était réveillé le matin même. Pour prouver ses dires, il avait actionné ledit interrupteur, plongeant ainsi la pièce dans une obscurité aussi impénétrable que funeste.

Frances était pour une extinction des feux à minuit. Elle voulait dormir. Ça ferait passer le temps et elle savait qu'elle ne trouverait jamais le sommeil sous la lumière éclatante de ces plafonniers. D'autres préféraient ne pas risquer de s'endormir pour être prêts à agir à tout moment.

« Qui sait ce qu'ils nous réservent encore ? » dit Jessica en lançant un regard hostile en direction de la caméra. À un moment, elle s'était complètement démaquillé le visage et paraissait dix ans plus jeune, plus jeune que Zoe, trop jeune pour être enceinte, trop jeune pour être riche. Sans maquillage, les marques laissées par le bistouri pouvaient passer pour de l'acné, un fléau de l'adolescence qui partirait en grandissant.

« Je ne crois pas qu'il nous arrive quoi que ce soit de bien méchant au beau milieu de la nuit, dit Carmel.

– On ne sait jamais, intervint Heather. Ça ne les a pas dérangés de nous réveiller en pleine nuit pour la méditation au clair de lune.

– J'ai bien aimé la méditation au clair de lune », reprit Carmel.

Heather soupira. « Carmel, il va vraiment falloir réviser votre vision de ce qui se passe ici.

– Je vote pour l'extinction des feux », dit Frances à voix basse. Napoleon leur avait montré les micros installés dans les angles de la pièce en précisant dans un murmure que, s'ils voulaient dire quelque chose sans être entendus par Masha, ils devaient s'asseoir au centre de la pièce, dos à la caméra, et parler le plus doucement possible. « Je crois qu'on devrait affecter de montrer une totale résignation.

– Je suis d'accord, dit Zoe. Elle est exactement comme ma prof de maths de seconde. Il fallait toujours lui laisser penser qu'elle avait gagné.

– Je crois qu'il est préférable de ne pas éteindre, dit Tony. On est en position de faiblesse si on ne voit rien. »

Au final, une majorité vota en faveur des lumières allumées.

Alors ils restèrent tous assis sous l'éclairage électrique des plafonniers. Entre deux longs moments de silence, des murmures discrets se faisaient entendre de temps à autre, comme dans une bibliothèque ou dans une salle d'attente chez le médecin.

Frances avait des mouvements compulsifs et chaque fois elle se rappelait qu'il n'y avait ni livre à prendre, ni film à lancer, ni lampe de chevet à éteindre. Parfois elle était déjà presque debout avant de se rendre compte que son corps était guidé par la seule intention de sortir de cette pièce. Son subconscient refusait d'accepter cette situation d'enfermement.

Carmel vint s'asseoir à côté d'elle. « Vous croyez qu'on est entrés en cétose ?

– En cétose ? Qu'est-ce que ça veut dire ? demanda Frances qui le savait pourtant très bien.

– C'est quand l'organisme commence à brûler des graisses parce que...

– Vous n'avez pas besoin de perdre du poids. » Frances tâcha de ne pas être trop abrupte mais elle avait réussi à oublier la faim depuis un moment et voilà qu'à cause de Carmel elle venait d'y repenser.

« J'étais plus mince avant. » Carmel étendit des jambes tout ce qu'il y avait de plus normal devant elle.

« Comme nous toutes, soupira Frances.

– Hier soir, dans mon hallucination, je n'avais pas de corps.

Je me dis que peut-être mon subconscient essayait de m'envoyer un message.

— Vraiment ? Et qu'est-ce que ça pourrait bien être, ce message ? C'est tellement obscur ! »

Carmel se mit à rire. « Je sais ! » Elle attrapa le bourrelet de son ventre. « Je suis embourbée dans ces mécanismes d'auto-dépréciation.

— Qu'est-ce que vous faisiez avant d'avoir des enfants ? » Frances se demandait si Carmel se résumait ou non à l'image qu'elle donnait, à savoir cette mère de quatre enfants qui détestait son corps. Au début de sa carrière de romancière, une de ses amies lui avait fait remarquer que, dans ses livres, les mères étaient des personnages unidimensionnels. Et Frances de penser : *Ce n'est pas conforme à la réalité ?* Par la suite, elle avait malgré tout essayé de leur donner davantage de profondeur. Certaines avaient même eu droit au rôle principal, même si ce n'était pas simple de savoir quoi faire des enfants quand leur mère s'abandonnait à l'amour. D'ailleurs, Jo écrivait souvent dans la marge : « *Qui garde les enfants ?* », ce qui obligeait Frances à reprendre le manuscrit et organiser les baby-sittings. La plaie.

« J'étais dans le capital-investissement. »

Oh là là, Frances n'aurait pas parié là-dessus, d'autant que… c'était quoi, exactement, le capital-investissement ? Un truc hyper éloigné des romans sentimentaux. Qu'allaient-elles trouver à se dire ?

« Et… ça vous plaisait ? » Question sans risque.

« Oui ! J'adorais ça ! C'était dans une autre vie, bien sûr. Aujourd'hui, je travaille à temps partiel histoire d'avoir un salaire qui tombe à la fin du mois et j'occupe un poste au ras des pâquerettes. En gros, je fais de la saisie de données. Mais à l'époque, je me défendais bien. J'étais promise à une brillante carrière. Je bossais du matin au soir, je me levais à 5 heures tous les jours pour nager avant d'aller au bureau, je pouvais manger ce que je voulais, et les femmes qui parlaient de leur poids m'ennuyaient à mourir. »

Frances sourit.

« Ironique, n'est-ce pas ? Ensuite, je me suis mariée, j'ai eu des enfants et je me suis laissé submerger par ce rôle de super maman. On n'en voulait que deux au départ, mais mon mari, il tenait à avoir un garçon, alors on a réessayé et au final, on a eu quatre filles. Et puis, un jour, sans prévenir, mon mari m'annonce qu'il n'a plus de désir pour moi et il me quitte. »

Frances songea un instant à la cruauté toute particulière de ces ruptures dont tellement de femmes étaient victimes autour de la quarantaine et à leur effet délétère sur la confiance en soi. « Et vous, vous aviez toujours du désir pour lui ? »

Carmel prit le temps de la réflexion. « Ça dépendait des jours. » Elle passa son pouce sur son annulaire, là où son alliance se trouvait autrefois. « Je l'aimais toujours. Je le sais parce que parfois, je me disais : Quel soulagement, je l'aime encore, ce serait tellement embêtant si je ne l'aimais plus. »

Frances pensa aux réponses qu'on peut faire dans ce genre de situation. Vous rencontrerez quelqu'un d'autre. Vous n'avez pas besoin d'un homme pour être épanouie. Votre corps ne vous définit pas. Il faut s'aimer soi-même. Assez parlé des hommes, Carmel, sinon on va rater le test de Bechdel.

Finalement, elle dit : « Vous savez quoi ? Je crois que vous êtes vraiment entrée en cétose. »

Carmel sourit, et à ce moment-là, la pièce fut plongée dans le noir.

61

Napoleon

« Qui a éteint les lumières ? » demanda Napoleon de sa voix de professeur en colère, celle qui faisait taire même les garçons les plus dissipés.

N'avaient-ils pas convenu de laisser allumé ?

« Pas moi.

— Ni moi.

— Ni moi. »

Les voix venaient des quatre coins de la pièce.

L'obscurité fut si totale que Napoleon perdit aussitôt tout sens de verticalité. Il tendit la main devant lui à l'aveuglette, comme il l'avait fait le matin même.

« C'est toi ? dit Heather en lui prenant la main.

— Oui. Où est Zoé ?

— Je suis là, papa, dit-elle de l'autre bout du studio.

— Personne n'était du côté de l'interrupteur », dit Tony.

Sentant son rythme cardiaque accélérer, Napoleon accueillit sa peur non sans un certain plaisir. Elle lui offrait un répit à la morosité qui l'avait envahi à l'instant où il s'était réveillé ce matin. Un épais brouillard avait déroulé ses lourds tentacules souples autour de son cerveau, de son cœur, de son corps si bien que tout était effort : parler, lever la tête, marcher. Il essayait de faire comme si tout allait bien. Il luttait contre le brouillard de toutes ses forces, tâchant de se comporter normalement, de se convaincre que son état allait finir par s'arranger. C'était temporaire. Juste pour aujourd'hui. Comme une gueule de bois. Demain, peut-être, il se réveillerait et redeviendrait lui-même.

« Peut-être que Masha veut nous signifier qu'il est l'heure de dormir. »

Il reconnut la voix légère et froide de Frances. Jusqu'à la veille, il aurait dit que Frances et lui avaient des personnalités similaires en ce sens qu'ils partageaient un certain optimisme, mais plus maintenant. À présent, l'espoir qui l'habitait avait tari, il s'était évaporé, comme la transpiration, le laissant vide et épuisé.

« Je ne suis pas fatigué », dit Lars. À moins que ce soit Ben.

« Quelle merde ! » Là, c'était Ben. Ou peut-être Lars en fait.

« Je crois que Masha prépare quelque chose », dit Jessica qui semblait plus intelligente quand on ne voyait pas son visage.

Un moment de silence s'ensuivit. Napoleon attendit que ses yeux s'adaptent à l'obscurité, que des formes apparaissent. En vain. Comme si l'obscurité s'assombrissait.

« Ça fiche un peu la trouille », dit Zoe avec un tremblement dans la voix. D'instinct, Napoleon et Heather commencèrent à se lever, comme s'ils pouvaient trouver leur chemin dans le noir pour la rejoindre.

« Il fait noir, c'est tout. Tu ne risques rien », dit Smiley Hogburn d'une voix réconfortante.

Napoleon songea qu'il aurait aimé pouvoir raconter à quelqu'un qu'il avait comme qui dirait joué au football avec Smiley Hogburn. Puis il se rendit compte que c'était avec lui-même qu'il aurait voulu partager cet événement. Avec cette partie de lui qui n'existait plus.

L'obscurité était profonde, sinistre.

Zoe avait raison. Ça fichait la trouille.

« Peut-être que Lars devrait chanter, suggéra Frances.

– Ah, enfin quelqu'un qui reconnaît mon talent, dit Lars.

— Nous devrions tous chanter, dit Carmel.

— Très peu pour moi, fit Jessica.

— Carmel, avec moi », dit Lars.

Il commença à chanter *I Can See Clearly Now* et Carmel le suivit. Elle chantait magnifiquement. Quelle surprise, cette voix qui s'élevait dans le noir, qui tenait la mélodie avec tant de grâce. Les gens étaient parfois étonnants.

Au réveil ce matin, Napoleon avait identifié le sentiment qui avait infiltré tout son être comme de la colère. Car n'avait-il pas le droit d'être blême de colère contre sa femme pour ce qu'elle lui avait caché et finalement révélé dans ce cadre des plus cauchemardesques, au moment même où son esprit se démenait pour distinguer la réalité de l'imaginaire – même s'il pensait à présent être débarrassé des effets de la drogue et n'avait aucun doute sur ce qui s'était passé. La présence de Zach appartenait à la fiction, mais la révélation de Heather, il ne l'avait pas rêvée.

Il ne se rappelait pas l'avoir interrogée à propos des effets secondaires du traitement contre l'asthme ; pourtant, il voyait tout à fait l'impatience assumée avec laquelle elle lui aurait répondu, parce que, dans la famille, c'était à *elle* que revenaient toutes les décisions relatives à la santé. En tant que professeur, son rayon à lui, c'étaient les devoirs. Elle se targuait de ne pas mettre en doute ses décisions concernant les études des enfants, même si Napoleon les aurait volontiers justifiées – il ne demandait pas mieux que d'échanger, quel que soit le sujet, alors que tout ce qui intéressait Heather, c'était cocher ce qui n'était plus à faire sur sa liste. Elle aimait se voir comme la personne efficace et pragmatique au sein de leur couple. Celle qui faisait avancer les choses.

Voilà à quoi ça nous a avancés, Heather.

Et elle avait raison quand elle disait que, si on lui en avait donné l'occasion, il aurait lu la notice du médicament, et oui, Napoleon aurait gardé un œil sur son fils, oui, il lui en aurait touché deux mots : « Il se peut que ce traitement modifie ton humeur, Zach, tu dois y prêter attention et m'en parler si ça arrive. » À quoi il aurait répondu, en levant les yeux au ciel : « Aucun médoc ne m'a jamais provoqué d'effets secondaires, papa. »

Napoleon aurait pu le sauver. Il l'aurait sauvé. Il aurait dû le sauver. Il l'aurait peut-être sauvé.

Tous les jours depuis trois ans, Napoleon se levait en se demandant : *Pourquoi ?* Heather, elle, connaissait la raison. Ou du moins, elle pouvait concevoir une des raisons possibles sans trop craindre de se tromper. Or elle l'avait délibérément privé du réconfort de savoir. Tout ça parce que Madame culpabilisait. N'avait-elle donc aucune confiance en l'amour qu'il avait pour elle ? S'était-elle imaginé qu'il la tiendrait pour responsable, qu'il la quitterait ?

Sans compter que c'était de leur devoir de faire savoir ce qui s'était passé, d'en informer les autorités. Et si d'autres enfants mouraient, bon sang ! Il ne fallait pas les prendre à la légère, ces effets secondaires, et tout le monde devait en être informé. Quel égoïsme de la part de Heather d'avoir gardé ça pour elle, de faire courir des risques à d'autres patients dans le seul but de se protéger. Il appellerait le docteur Chang dès qu'il sortirait d'ici.

Et Zoe. Sa fille chérie. Elle seule s'était rendu compte que quelque chose n'allait pas car elle connaissait Zach mieux que personne. « Papa, il y a un truc pas normal chez Zach. » C'était tout ce qu'elle avait à dire. Et il aurait réagi parce qu'il savait à quel point les émotions qui agitent un garçon peuvent être dangereuses.

Napoleon aurait pu le sauver. Il l'aurait sauvé. Il aurait dû le sauver. Il l'aurait peut-être sauvé.

Ils avaient déjà abordé le sujet de la dépression autour du dîner. Napoleon connaissait tous les sujets qu'il fallait aborder avec ses enfants et il ne se dérobait pas à la tâche. Ne dévoilez pas vos coordonnées sur Internet. Ne montez jamais en voiture avec un conducteur qui a bu. Appelez-nous à n'importe quelle heure de la nuit. Vous ne vous sentez pas bien ? Dites-le-nous. Quelqu'un vous harcèle au lycée ? Dites-le-nous. On peut arranger les choses. Promis, on peut arranger les choses.

Est-ce de la colère que je ressens ? Ce brouillard, n'est-ce pas simplement de la colère qui cherche à se faire passer pour autre chose ? Des questions qu'il s'était posées toute la journée. Mais le sentiment qui avait infiltré son corps jusqu'à la dernière cellule était à la fois bien plus et bien moins que de la colère. C'était un néant sans intérêt aussi lourd et visqueux qu'un ciment qui n'a pas encore pris.

Tandis qu'il était assis dans le noir, perdu, et qu'il écoutait Carmel chanter, l'idée lui vint à l'esprit que Zach s'était peut-être senti comme ça.

Que ce soit à cause du traitement contre l'asthme, du déchaînement de ses hormones, ou des deux, Zach avait peut-être senti un linceul de brouillard gris ensevelir son esprit, son corps, son âme. Comme si rien n'avait plus vraiment de sens. Comme si, aux yeux des autres, il était lui-même, alors qu'au fond de lui rien n'était plus pareil.

Mon pauvre garçon, tu n'étais qu'un gosse ; moi, je suis un homme, je ne vis ça que depuis vingt-quatre heures et déjà je ne pense qu'à une chose : que ça s'arrête.

Il revit le visage de son fils. Sa barbe de trois jours qui piquait. La courbe de ses cils lorsqu'il baissait les yeux, incapable de soutenir le regard de son père quand il avait quelque chose à se reprocher. Il détestait avoir des ennuis, mais il n'était pas très doué pour les éviter, le pauvre. Zoe était plus maligne. Elle tournait toujours les choses de manière à laisser penser qu'elle n'avait rien fait de mal.

Contrairement aux apparences, les filles savaient parfaitement contrôler leurs émotions. Elles en jouaient habilement, passant du rire aux larmes sur commande de sorte que personne ne savait jamais à quoi s'attendre. Celles des garçons les prenaient par surprise.

Ce matin-là, trois ans plus tôt, Zach n'avait pas fait un mauvais choix. Il avait fait ce qui à ses yeux devait sembler le seul choix. Que faire d'autre quand on se sent comme ça ? C'était comme demander à ces pauvres gens dans ces tours en feu de ne pas sauter. On ferait n'importe quoi pour ne pas s'asphyxier. Même sauter. Évidemment.

Il vit son fils le regarder avec des yeux qui suppliaient qu'on le comprenne.

Zach était un si bon garçon. Évidemment, Napoleon ne pouvait ni accepter ni pardonner sa décision – c'était une décision stupide, la pire qu'il ait pu prendre – mais, pour la première fois depuis trois ans, il avait le sentiment qu'il comprenait peut-être comment son fils en était arrivé à ce choix.

Il s'imagina en train de prendre son fils sur ses genoux comme il le faisait quand il était petit, de le serrer fort contre lui et de lui chuchoter à l'oreille :

Tu n'as rien fait de mal, Zach. Je suis désolé de t'avoir crié dessus. Je comprends maintenant. Tu n'as rien fait de mal, mon grand.

Tu n'as rien fait de mal.

Tu n'as rien fait de mal.

« Napoleon ? » dit Heather. Il lui faisait mal à la main. Il desserra son emprise.

L'écran au-dessus de leurs têtes s'alluma, affichant une image brouillée. Carmel arrêta de chanter.

« Qu'est-ce qui se passe ? » fit Lars.

Le visage de Masha apparut et sa voix retentit dans les haut-parleurs, obligeant presque Napoleon à se boucher les oreilles. Elle arborait un grand sourire et rayonnait d'amour. « Bonsoir, mes petits choux, mes chers *lapotchki.*

– Oh ! mon Dieu », murmura Heather.

62

Frances

Elle est folle. Elle est malade. Complètement cinglée. Déséquilibrée.

Pour Frances, jusque-là, tout cela n'était qu'une vaste rigolade. Elle trouvait Masha étrange, différente, passionnée, excessivement grande et exotique, aussi éloignée de Frances qu'une femme puisse l'être. Elle n'avait pas remis en question sa santé mentale. Une partie d'elle s'était demandé si Masha n'était pas un génie. Les génies sont tous un peu zinzins aux yeux des simples mortels, non ?

Même le coup de la drogue ne l'avait pas plus inquiétée que ça. Après tout, si Masha avait demandé : « Quelqu'un se laissera-t-il tenter par ce smoothie additionné de LSD ? », Frances aurait peut-être répondu : « Ah… Pourquoi pas ? » Elle aurait été impressionnée par le discours sur les recherches en cours, rassurée par le passé de secouriste de Yao, intriguée par la possibilité d'une expérience transcendantale. Et si quelqu'un d'autre avait accepté en premier, elle aurait encore moins hésité. Quand elle était adolescente, sa mère lui avait dit un jour : « Si toutes tes copines se jetaient d'une falaise, tu le ferais aussi ? » Et Frances de répondre, sans malice aucune : « Bien sûr. »

Mais à présent, pour elle, c'était clair : Masha avait un grain. Ses grands yeux verts brillaient d'une ferveur de fanatique que ni la logique ni la raison ne sauraient infléchir.

« Félicitations à tous ! Je suis si contente des progrès que vous avez accomplis. Vous avez tous tellement avancé depuis votre premier jour ici ! » Elle joignit les mains comme une actrice qui reçoit un Oscar. « Votre cheminement touche à sa fin. »

L'écran diffusait des taches de lumière blanche fantomatique qui éclairaient les visages tournés vers Masha.

« Vous allez nous faire sortir de là maintenant ! cria Jessica.

– Vous croyez qu'elle nous entend ? demanda Carmel.

– Inutile de crier, Jessica. Bonsoir, Carmel. Je vous entends, oui, et je vous vois aussi. Les merveilles de la technologie. Incroyable, n'est-ce pas ? »

Les yeux de Masha ne fixaient pas la caméra, ce qui aidait Frances à ne pas succomber à sa folie.

« J'ai été si heureuse de vous voir résoudre l'énigme et trouver les matriochkas !

– Mais on n'a rien résolu du tout ! dit Frances, profondément vexée par la chose. La preuve, on est toujours coincés ici. Il n'y avait pas de code dans cette fichue poupée.

– Exactement, dit Masha. *Exactement*.

– Comment ça ?

– C'était un bon travail d'équipe même si j'espérais mieux de votre part. Je pensais que vous feriez une pyramide humaine, tous ensemble, pas que vous joueriez au football. » Sa lèvre s'ourla d'un sourire narquois lorsqu'elle prononça le mot football. Frances eut aussitôt envie de défendre Tony.

« Quand j'étais à l'école à Serov, il y a de ça une éternité, nous avons fait une pyramide humaine plutôt impressionnante. Je m'en souviendrai toute ma vie », fit Masha, le regard dans le vague. Puis : « Bref, aucune importance. Vous avez fini par trouver la poupée, mission accomplie.

– Mais elle ne nous a rien appris, objecta Jessica. Elle était vide.

– C'est vrai, Jessica », dit Masha d'une voix patiente, comme si elle s'adressait à un enfant qui ne comprend pas la complexité du monde.

« Elle raconte n'importe quoi, chuchota Ben.

— Vous savez ce qui serait profondément transformateur, Masha ? dit Lars. Une bonne douche bien chaude. » Il lui adressa un sourire aussi puissant et rayonnant que s'il braquait une lampe torche en direction de l'écran. Un sourire qui avait dû lui ouvrir de nombreuses portes, songea Frances.

Mais pas cette fois. Masha se contenta de lui rendre son sourire. Une lutte épique entre la beauté et le charisme.

Lars finit par capituler. « Bon sang, Masha, je veux juste sortir de cette pièce.

— Ah, Lars… N'oubliez pas l'enseignement du Bouddha : *Rien ne dure à jamais, sinon le changement.*

— Précisément ! Ça a assez duré, là ! »

Masha ricana. « Je sais que vous avez besoin de solitude, Lars. C'est compliqué pour vous de devoir interagir avec des étrangers toute la journée, n'est-ce pas ?

— Tout le monde est adorable, dit Lars. Et ça n'est pas la question.

— Nous voulons juste retourner dans nos chambres, dit Heather d'un ton docile et raisonnable. La thérapie psychédélique a été une expérience fabuleuse, et nous vous en remercions, mais…

— Fabuleuse ? Vous avez changé de discours, alors, Heather ! » Une pointe d'agressivité perçait dans la voix de Masha. « J'espère que vous parlez du fond du cœur. Je vous ai entendue, quand vous avez parlé d'aller trouver la police. Je dois avouer que ça m'a vraiment blessée.

— J'étais contrariée, dit Heather. Comme vous le savez, c'est l'anniversaire de la mort de mon fils aujourd'hui. Je n'avais pas les idées claires. Mais maintenant, je comprends. » Dans son regard se lisait l'acceptation la plus totale. C'était impressionnant. « Nous comprenons tous. Nous vous sommes tellement reconnaissants de ce que vous avez fait pour nous. Nous n'aurions jamais eu une telle occasion dans la vie normale. Mais maintenant, nous aimerions retourner dans nos chambres et profiter du reste de la retraite. »

Frances essaya de se mettre à la place de Masha. Cette femme devait se considérer comme une artiste, et comme tous les artistes, elle avait probablement un besoin maladif d'éloges. Elle voulait simplement de la reconnaissance, du respect, des critiques dithyrambiques, de la gratitude.

« Ç'a été une expérience incroyable, et je crois parler au nom de tous quand je dis ça, commença-t-elle.

– C'est Yao que je vois derrière vous ? intervint Tony en se levant. Est-ce qu'il va bien ?

– Oui, c'est bien Yao », dit Masha.

Elle se décala un peu et montra Yao d'un geste gracieux, telle une hôtesse qui présente un prix dans un jeu télévisé.

Yao gisait, endormi ou inconscient, la joue écrasée contre le bureau de Masha, les bras formant un arc de cercle autour de sa tête.

« Qu'est-ce qu'il lui arrive ? Il respire ? » Heather se leva et s'approcha de l'écran. « Qu'est-ce qu'il a pris ? demanda-t-elle sans plus affecter la docilité. Qu'est-ce que vous lui avez donné ?

– Il est vivant ? demanda Frances, paniquée.

– Il fait juste une petite sieste, répondit Masha. Il est épuisé. Il vous a veillés toute la nuit ! »

Elle lui caressa les cheveux et montra un point précis de son crâne.

« Il a une tache de naissance, là. Je l'ai vue pendant mon expérience de mort imminente. » Son sourire fit frissonner Frances. « Quand je me suis retrouvée de la plus belle façon qui soit face à ma propre mortalité. » Ses yeux luisaient. « Ce soir, vous serez également face à votre propre mortalité. Malheureusement, je ne peux pas vous offrir le privilège de regarder la mort les yeux dans les yeux, mais je peux vous donner un aperçu ! Vous allez l'apercevoir pendant un bref instant qui... comment dire... qui fera fusionner toutes les expériences que vous avez vécues ici : le silence, la thérapie psychédélique, l'énigme du paquet.

– Il n'a pas l'air de faire la sieste, nota Heather. Vous l'avez drogué ?

– Ah, Heather, vous êtes pratiquement médecin, n'est-ce pas ? Mais je vous assure, Yao est simplement en train de dormir !

– Où est Dalila ? demanda Ben.

– Dalila n'est plus parmi nous.

– Comment ça, plus parmi nous ? Qu'est-ce que ça veut dire ?

– Elle nous a quittés, répondit Masha d'un ton désinvolte.

– De son propre chef ? » demanda Frances.

Elle repensa aux autres membres du personnel de Tranquillum House : la charmante cheffe de cuisine qui apportait toujours les repas avec le sourire, Jan et ses mains miraculeusement réparatrices. Où étaient-ils pendant que les clients croupissaient au sous-sol et que Yao était affalé, inconscient, sur le bureau de Masha ?

« Vous allez m'écouter attentivement maintenant. » Masha ignora la question de Frances et se remit devant la caméra, dissimulant ainsi le corps de Yao. « Nous allons faire une petite activité pour briser la glace !

– On a dépassé ce stade depuis un moment, Masha, dit Lars.

– Le Bouddha a dit *Laissons notre amour infini se répandre dans le monde entier*. Cet exercice est basé sur cet enseignement, sur l'amour, sur la passion. Il s'agit d'apprendre à se connaître les uns les autres. Je l'ai baptisé Peine de mort ! »

Elle marqua un temps d'arrêt, comme si elle espérait une avalanche de questions et de commentaires enthousiastes.

Personne ne réagit.

« Ça vous plaît, comme nom ? » Elle baissa le menton et les regarda d'un air presque aguicheur.

« Pas du tout, répondit Napoleon.

– Ah, Napoleon ! Vous êtes un homme sincère. J'apprécie beaucoup. À présent, laissez-moi vous expliquer le jeu. Imaginons que vous avez tous été condamnés à mort ! Vous êtes dans le couloir de la mort ! C'est peut-être comme ça que j'aurais dû l'appeler ! C'est mieux, non ? Le Couloir de la mort. » Elle fronça les sourcils. « Oui, c'est mieux ! On n'a qu'à l'appeler comme ça, tiens ! »

Carmel commença à pleurer doucement. Frances lui posa la main sur le bras.

« Donc, les règles, reprit Masha. Si vous êtes condamné à mort, vous avez besoin de quelqu'un pour vous défendre, oui ? Pour plaider la clémence, obtenir un sursis à l'exécution. Évidemment, il s'agit de votre… » Masha haussa les sourcils en guise d'encouragement.

« Avocat, termina Jessica.

– Oui ! s'écria Masha. Votre avocat ! Qui doit assurer votre défense, dire au juge : Non, mon client ne mérite pas de mourir ! C'est quelqu'un de bien, Votre Honneur ! Un membre respectable de la communauté qui a beaucoup à donner ! Vous voyez le topo ? Donc, vous êtes tous avocats et vous avez chacun un client à défendre. Compris ? »

Personne ne pipa mot.

« J'ai assigné à chacun un client. C'est sur ma liste, je vais vous la lire. Frances défend Lars. Lars défend Ben. » Elle leva les yeux de son calepin. « Vous m'écoutez ? Je ne répéterai pas.

– On vous écoute, dit Napoleon.

– Heather défend Frances, Tony défend Carmel, Carmel défend Zoe, Zoe défend Jessica, Jessica défend Heather, Ben défend Napoleon et… » Elle prit une longue respiration. « … Napoleon défend Tony ! Ouf ! Ça fait bien neuf ! Vous savez tous qui vous défendez ? »

411

Pas de réponse. Ils regardaient tous bêtement l'écran.

« Tony, qui est votre client ?

— Carmel, répondit-il d'une voix égale.

— Zoe ? Votre client ?

— J'assure la défense de Jessica, mais je ne vois pas de quoi elle s'est rendue coupable.

— Peu importe le crime. Nous avons tous des choses à nous reprocher, Zoe. Vous êtes bien placée pour le savoir. Personne n'est innocent. »

Heather s'avança. « Vous êtes complètement psycho…

— Je suppose donc que vous faites office de juge, Masha ? dit Napoleon d'une voix forte pour couvrir celle de sa femme.

— Exactement ! Vous disposerez de cinq minutes chacun pour plaider la cause de votre client. C'est peu mais suffisant. Ne vous perdez pas en verbiage. Faites en sorte que chaque mot compte. Frappez fort, dit-elle en fermant le poing. Vous avez la nuit pour vous préparer. Vous vous exprimerez à l'aube. La question que vous devez vous poser, c'est : Pourquoi mon client mérite-t-il de vivre ?

— Parce que tout le monde mérite de vivre, dit Tony.

— Mais pourquoi votre client en particulier ? Imaginez qu'il ne reste qu'un seul parachute. Ou une seule place dans le canot de sauvetage ! Pourquoi votre client y aurait droit plus qu'un autre ?

— Dans ce cas, ce sont les femmes et les enfants d'abord, dit Tony.

— Imaginez que vous êtes tous du même sexe et du même âge. Qui mérite de vivre ? Qui mourra ?

— On joue au Dernier Parachute en fait, ironisa Lars. Donc on va tous débattre de dilemmes éthiques comme des étudiants en première année de philosophie pendant que Yao comate sur votre bureau ? Génial, je sens qu'on sera tous complètement métamorphosés après ça.

— Hé, mollo ! chuchota Tony.

– Ne prenez pas cet exercice à la légère ! » s'emporta Masha. Les tendons saillants de son cou trahissaient l'étendue de sa rage.

Frances se sentit nauséeuse. Elle allait perdre à coup sûr. Ce genre de jeu, ce n'était pas son fort. Sans compter que son client s'était déjà mis la juge à dos.

« Masha, commença Ben d'une voix apaisante, pourriez-vous simplement nous expliquer, s'il vous plaît, ce qui va se passer, ce que vous allez décider en tant que juge, si nous ne défendons pas nos clients correctement ? »

Masha prit une longue inspiration par le nez. « Eh bien, comme vous vous en doutez, nous n'avons pas pour habitude d'exécuter nos clients ! Ce ne serait pas très bon pour les affaires !

– Donc tout cela est… pour de faux ?

– Ça suffit, les questions ! » Masha cria si fort que Carmel fit un pas en arrière et marcha sur le pied de Frances.

« Tout cela est totalement ridi… », commença Heather. Napoleon lui attrapa le bras.

« Nous allons tous participer à l'exercice, Masha. Ça me semble très… stimulant. »

Masha acquiesça gracieusement. « Bien. Vous allez trouver l'expérience très enrichissante, Napoleon, j'en suis certaine. Vous aurez besoin de lumière. » Elle tendit la main et les plafonniers du studio se rallumèrent, aveuglant les clients qui se regardèrent, hébétés.

« Quand on aura défendu nos clients, vous nous laisserez sortir ? demanda Carmel d'une voix rauque en se frottant les yeux.

– Vous ne posez pas les bonnes questions, Carmel. Vous seule pouvez vous libérer. Souvenez-vous de cette conversation que nous avons eue il y a quelques jours sur l'impermanence. Rien ne dure à jamais. Ne vous accrochez ni au bonheur ni à la douleur.

– Je veux juste rentrer chez moi, là », fit Carmel.

Masha émit un gloussement compatissant. « On ne s'éveille pas spirituellement sans effort, Carmel. »

Frances leva la main. « J'ai besoin d'un stylo. Je ne peux pas préparer la défense de mon client sans écrire. » Elle tapota les poches vides de son pantalon de jogging. « Je n'ai pas de quoi écrire ! »

Une fois encore, Masha l'ignora. « Maintenant, mes petits choux, je vous souhaite bonne chance. Je reviendrai à l'aube. N'oubliez pas : concentrez-vous, posez les bonnes questions à vos clients, écoutez avec votre cœur. Convainquez-moi que chacun d'entre vous mérite de vivre. »

Elle regarda Yao avec tendresse et lui tapota la tête, comme une mère avec son enfant. Puis elle fixa de nouveau la caméra. « Je vous laisse sur ces mots du Bouddha : *Fais ardemment aujourd'hui ce qui doit être fait. Qui sait ? La mort arrive demain.* » Elle joignit les mains en prière et baissa la tête. « Namasté. »

63

Lars

Regroupés au centre du studio, les clients de Tranquillum House chuchotaient tête baissée, tel un groupe de fumeurs bannis de leur bureau par une journée de grand froid. Des odeurs de transpiration âcre et d'haleine fétide se mélangeaient. Ben et Jessica se tenaient la main. Carmel et Frances se rongeaient les ongles. Tony tirait sur sa lèvre inférieure sans ménagement, comme si sa bouche pouvait, sous la torture, fournir les bonnes réponses. Zoe se massait le ventre tout en regardant ses pieds sous le regard observateur de ses parents.

« Je suis sûre que Yao va bien, pas vous ? Dalila aussi. Elle est incapable de vraiment faire du mal à quelqu'un, dit Frances. Incapable. Elle se voit comme une guérisseuse. »

De toute évidence, Frances essayait de se convaincre. Les longues heures passées dans le studio avaient eu raison de son rouge à lèvres carmin et de sa pimpante queue-de-cheval façon années quatre-vingt-dix. À présent, ses cheveux blonds tombaient à plat sur son front. Lars l'aimait bien, mais s'il avait eu le choix, il ne se serait pas tourné vers elle pour qu'elle le sorte du couloir de la mort. Difficile cependant de savoir vers qui il se serait tourné parmi cette bande hétéroclite. Sans compter que cela n'avait probablement aucune importance. Masha agirait comme elle l'entendrait.

« Il faut juste lui donner le change, lui faire croire qu'on la suit dans son délire, dit Lars.

– Je suis d'accord, dit Napoleon. Il faut jouer le jeu et sauter sur la première occasion pour trouver un moyen de sortir d'ici.

– J'y croyais, moi, dit Carmel tristement. En elle. En tout ça. Le yoga, la méditation. Je croyais vraiment que j'étais en train de me métamorphoser.

– Bon, c'est moi qui vous représente, Lars, dit Frances d'une voix anxieuse. Il faut qu'on parle. Bon sang, je ferais n'importe quoi pour avoir un stylo.

– Nous aussi, on doit parler, Frances, dit Heather, puisque je suis censée vous défendre dans ce jeu… grotesque.

– D'accord, oui, mais laissez-moi d'abord interroger mon client », répondit Frances, le souffle court. Elle posa la main sur sa poitrine pour essayer de se calmer. Lars lui sourit. Il l'imaginait tout à fait prendre part à un jeu de mime comme si sa vie en dépendait, manifestant un sérieux des plus touchants malgré sa gaucherie. À présent qu'elle était face à une véritable question de vie ou de mort – pourvu que non –, elle était bien capable de faire une crise d'hyperventilation.

« Allons papoter, Frances, lui dit Lars d'une voix qui se voulait apaisante. Ensuite vous pourrez convaincre Heather que vous méritez de rester en vie.

– C'est navrant, dit Heather tandis qu'ils se mettaient par deux.

– Nous sommes un nombre impair, remarqua Napoleon. Je vous laisse la priorité. » Il baissa la voix. « Je vais continuer à chercher un moyen de sortir. » Il s'éloigna les mains dans les poches de son short de papa.

Lars et Frances allèrent dans un coin.

« Bon. » Frances s'assit en tailleur en face de lui, le front plissé. « J'ai besoin de tout savoir sur votre vie, vos relations, votre famille.

– Dites-lui que je suis un philanthrope, que je suis très investi au sein de la communauté, que je fais du bénévolat...

– C'est vrai ?

– Vous écrivez des romans, oui ou non ? On n'a qu'à inventer ! Ce que vous direz n'a aucune importance du moment qu'on donne l'impression de se prêter à l'exercice. »

Frances secoua la tête. « Cette femme est peut-être folle, mais elle flaire le manque de sincérité à dix kilomètres. On va le faire comme il faut, cet exercice. Je veux tout savoir, Lars, et pas dans dix jours. Je ne plaisante pas. »

Lars grogna. Il se passa la main dans les cheveux. « J'aide les femmes. Je suis spécialisé dans les procédures de divorce et je ne défends que des femmes.

– Sérieux ? Ce n'est pas discriminatoire ?

– Je trouve de nouvelles clientes par le bouche à oreille. Elles se connaissent toutes. C'est le genre de femmes qui jouent au tennis ensemble.

– Donc vous ne représentez que des femmes fortunées ?

– Je ne fais pas ça par charité. Je gagne bien ma vie. Je m'assure simplement qu'une certaine catégorie de maris paient le prix pour leurs péchés. »

Frances tapota son pouce contre ses dents de devant comme elle l'aurait fait avec un stylo. « Vous êtes en couple ?

– Oui. Depuis quinze ans. Il s'appelle Ray et il préférerait sûrement que je ne sois pas condamné à mort. »

Tout à coup, Ray lui manqua terriblement. Il voulait rentrer chez lui, écouter de la musique, entendre le crépitement de l'ail dans la poêle, partager ses dimanches matin avec lui. Les cures, c'était terminé. Quand il sortirait d'ici, il réserverait un séjour pour deux, un voyage gastronomique en Europe. Ray avait tellement maigri. Ses yeux paraissaient beaucoup trop grands pour son visage à présent. La faute à son obsession pour le vélo. Il parcourait les collines de Sydney à la vitesse de l'éclair, pédalant toujours plus vite dans l'espoir de libérer

417

toujours plus d'endorphines pour oublier qu'il était en couple avec un homme qui prenait plus qu'il ne donnait.

« C'est un homme bon », dit Lars, au bord des larmes. Car, si lui mourait, Ray se ferait cueillir comme une étoile tombée du ciel par quelqu'un qui saurait l'aimer comme il le méritait.

« Pauvre Ray, murmura Frances comme si elle lisait dans ses pensées.

— Pourquoi vous dites ça ?

— Oh, simplement parce que vous êtes tellement beau. Plus jeune, j'ai été amoureuse d'un garçon beau comme un dieu et c'était horrible. Et vous, regardez-vous… vous êtes tellement… ridicule.

— C'est presque insultant ce que vous dites. » Il y avait tant de préjugés contre les gens comme lui. Il fallait le vivre pour s'en rendre compte.

« Ouais, je vais vous plaindre. Bon… des enfants ?

— Non. Ray en veut, mais pas moi.

— Je n'ai jamais voulu d'enfants, moi non plus. »

Lars repensa à ce que lui avait dit la mère de Ray à la fête d'anniversaire de son fils le mois précédent. Comme à son habitude, elle avait bu un petit coup de trop (à savoir, deux coupes de champagne). « Pourquoi tu ne le laisses pas avoir un enfant, Lars ? Pour ses trente-cinq ans ! Rien qu'un tout petit bébé. Tu n'auras pas à t'en occuper, je te le promets ! »

« Est-ce que votre séance de thérapie psychédélique vous a éclairé sur votre vie ? demanda Frances. Je suis sûre que Masha apprécierait que j'en parle. »

Lars avait vécu des choses frappantes la nuit précédente. À un moment, il s'était rendu compte que la musique sortait de son casque sous la forme d'ondes de couleurs iridescentes, qu'il la *visualisait*. Il avait échangé avec Masha, mais il ne pensait pas avoir eu de révélations. Il lui avait longuement parlé de la couleur de la musique et il avait eu le sentiment de l'ennuyer, ce qui l'avait blessé car il estimait s'être exprimé avec beaucoup d'éloquence et de poésie.

Il ne se souvenait pas d'avoir parlé à Masha du petit garçon qu'il avait vu à maintes reprises dans ses hallucinations. Elle aurait probablement apprécié.

Il savait que le gamin aux cheveux bruns et au visage sale qui n'arrêtait pas de lui attraper la main apparaissait pour lui rappeler quelque événement aussi important que traumatisant de son enfance, de ceux que les thérapeutes adorent faire remonter à la surface.

Mais il avait refusé de prendre la main du jeune Lars. « Je suis occupé », lui avait-il répété tandis qu'il profitait des couleurs de la musique, allongé sur une plage. « Demande à quelqu'un d'autre. »

Je n'ai aucune envie de savoir ce que mon subconscient essaie de me dire, merci bien.

À un moment donné, il avait discuté avec Dalila mais elle ne l'avait pas guidé dans sa thérapie. C'était plus un conciliabule. D'ailleurs il était presque sûr d'avoir vu des bulles s'envoler dans le ciel pendant leur conversation.

« Vous êtes comme moi, Lars, avait-elle dit. Vous n'en avez rien à faire, n'est-ce pas ? Vous vous en fichez complètement. »

Avait-elle une cigarette à la main à ce moment-là ? Sûrement pas.

« De quoi vous parlez ? avait-il dit d'une voix paresseuse.

– Vous le savez très bien », avait-elle conclu sur un ton catégorique, comme si elle le connaissait mieux que lui-même se connaissait.

Frances se tapota les pommettes de ses deux poings fermés.

« Arrêtez, vous allez vous faire mal, dit Lars.

– C'est la première fois que je défends quelqu'un au tribunal, fit-elle, en laissant retomber ses mains.

– On n'est pas au tribunal. Ce n'est qu'un jeu idiot. »

Lars regarda Jessica, soi-disant enceinte.

« Vous n'avez qu'à dire à Masha que Ray et moi, on veut un gosse, dit-il avec désinvolture.

– Hors de question de mentir », répondit Frances, clairement exaspérée.

Elle arborait la même expression que Ray lorsque Lars le contrariait. Lèvres pincées. Regard déçu. Port de tête résigné.

Il revit le visage espiègle du petit garçon de ses hallucinations et se rendit compte avec un sursaut qu'il ne s'agissait pas de l'enfant qu'il avait été. Ces yeux noisette, c'étaient les yeux de Ray. Mais aussi ceux de sa sœur et de sa mère. Des yeux qui lui donnaient envie de fermer les siens en criant au secours, tellement ils brillaient d'amour, de confiance et de loyauté.

« Dites-lui plutôt que, si je ne vis pas, je la poursuivrai pour erreur judiciaire irréparable. Et je gagnerai, je vous le garantis.

– Quoi ? Ça n'a aucun sens, ce que vous dites !

– Parce que ça a du sens, ce qu'elle nous fait faire ? »

Le petit garçon aux yeux noisette réapparut. Il lui tira la main et dit d'une voix insistante : *J'ai quelque chose à te montrer.*

64

Jessica

Jessica et Zoe étaient assises en tailleur l'une en face de l'autre sur un tapis de yoga, comme si elles s'apprêtaient à faire un exercice de Pilates en binôme.

Jessica aurait donné n'importe quoi pour être à un cours de gym plutôt que dans le studio de Tranquillum House. Même le cours minable auquel elle allait avant qu'ils gagnent au loto, dans cette salle municipale pleine de courants d'air avec les mamans du quartier.

« Tu crois que, euh… tu crois que c'est sérieux, tout ça ? » Zoe jeta un coup d'œil rapide en direction de ses parents. Jessica ne put s'empêcher de remarquer qu'elle avait des sourcils naturels parfaits.

« Euh, je crois, oui. J'ai l'impression que Masha est capable de tout. Elle m'a l'air très instable », dit-elle en essayant de contrôler sa respiration. La peur ne cessait d'enfler et de désenfler au creux de son ventre, comme lorsqu'on est pris de nausée dans un manège au parc d'attractions.

« Elle n'irait pas jusqu'à *exécuter* l'un d'entre nous, bien sûr ! s'exclama Zoe avec un grand sourire, comme si l'idée était vraiment ridicule.

– Non, bien sûr », répondit Jessica, mais comment savoir jusqu'où cette femme pouvait aller ? Elle les avait drogués à leur insu et le sort qu'elle avait réservé à Yao et Dalila restait un mystère. « C'est un exercice, rien de plus. Pour nous faire réfléchir. Juste un stupide exercice.

— J'ai peur que ma mère contrarie Masha. Elle ne prend pas assez les choses au sérieux.

— Ne t'inquiète pas, je vais bien la défendre. Ta mère est sage-femme. Elle met des enfants au monde. Et puis je faisais partie du club de débats et d'arts oratoires au lycée. J'étais la meilleure. » Jessica était une élève consciencieuse, épithète qui revenait souvent dans ses bulletins trimestriels.

« Moi aussi, je vais bien te défendre, dit Zoe en se redressant. Bon, alors, je pensais d'abord rappeler que tu es enceinte. On n'exécute pas les femmes enceintes. C'est sûrement contraire à une convention ou je ne sais quoi, non ?

— C'est vrai. » Dans la voix de Jessica perçait le doute, même si elle ne savait pas très bien pourquoi elle doutait. Parce que sa grossesse n'était pas confirmée, peut-être ? Ou parce qu'elle n'était pas fière de se servir de son bébé comme porte de sortie ? Ne méritait-elle de vivre que parce que son enfant avait le droit de venir au monde ?

Et si elle n'était pas enceinte, pourquoi devrait-elle vivre ? Juste parce qu'elle avait *envie* de vivre ? Parce que ses parents l'aimaient ? Parce qu'elle savait que sa sœur aussi l'aimait en dépit de la brouille qui les opposait en ce moment ? Parce que ses followers sur Instagram lui disaient souvent qu'elle avait embelli leur journée ? Parce que l'année dernière le total de ses dons aux bonnes œuvres était plus élevé que le salaire annuel qu'elle percevait avant ?

« Quand on a gagné cet argent, on a vraiment essayé de ne pas être égoïstes. De partager, de faire des dons. » Elle passa la main dans ses cheveux pour les démêler avant de reprendre d'une voix plus basse : « Mais on n'a pas tout donné.

— Qui pourrait légitimement vous demander une chose pareille ? dit Zoe. Vous l'avez gagné, cet argent.

— Tu sais ce qui me manque, de notre vie d'avant ? Avant

d'être riches, on n'avait jamais à se demander si on était des gens bien ; on n'avait pas le temps pour ça. On payait nos factures, on avait juste assez pour vivre. C'était plus facile en fait. » Elle grimaça. « Dit comme ça, on croirait que je me plains, mais je te promets que pas du tout.

— Certains gagnants du loto font tellement la noce qu'ils se coupent de leurs proches, ils perdent tout et finissent par vivre des aides.

— Je sais ! Quand on a gagné, j'ai fait plein de recherches sur les gagnants. Du coup, je connais bien les pièges.

— Je pense que tu as très bien géré tout ça.

— Merci. » La reconnaissance de Jessica était on ne peut plus sincère car personne ne lui avait jamais donné de bon point par rapport à sa façon d'utiliser le jackpot.

Elle n'avait pas ménagé ses efforts pour être une gagnante digne de son argent. Faire les bons investissements, partager de façon appropriée, écouter son conseiller fiscal, participer à des bals de charité huppés où des gens terriblement élégants sirotaient du champagne importé de France tout en plaçant des enchères indécentes sur d'obscures marchandises. « Mesdames et messieurs, c'est pour la bonne cause ! » Elle revoyait Ben tirer sur sa cravate en lui murmurant à l'oreille : « C'est qui, tous ces gens ? »

Ah ! ces soirées. Qu'aurait-il fallu faire ? Dépenser plus ? Moins ? Ne pas y aller ? Envoyer un chèque ? Qu'est-ce qui aurait fait d'elle une meilleure personne ? Quelqu'un qui méritait vraiment de vivre ?

Si Zoe avait eu à la défendre avant qu'elle gagne au loto, qu'est-ce qu'elle aurait pu dire ? Jessica mérite de vivre parce qu'elle travaille très dur alors que son boulot est ennuyeux comme la pluie, et elle n'a jamais voyagé en classe affaires – alors en première, n'en parlons même pas –, voyez un peu le genre de vie qu'elle a !

Aujourd'hui, l'argent la définissait. Elle ne savait même plus qui elle était avant d'en avoir.

« Ben ne voulait prendre aucune décision, sauf pour sa voiture. Il voulait que rien ne change, mais c'est tout bonnement impossible. »

Elle se toucha les lèvres, regarda ses seins, objectivement impressionnants.

Est-ce que son cas serait plus facile à défendre si elle n'avait pas ce physique ? Si elle n'avait pas dépensé autant d'argent en chirurgie esthétique ?

« Pourquoi diable veux-tu ressembler à une de ces abominables Kardashian ? » lui avait demandé sa mère un jour.

Parce qu'elle les trouvait superbes, les Kardashian. Et c'était son droit le plus strict. Avant de toucher le jackpot, Ben s'était extasié devant des photos de voitures de luxe et Jessica devant des photos de mannequins et de stars de la téléréalité. Elles étaient retouchées ? Et alors ! Il avait la voiture de ses rêves et elle, la silhouette de ses rêves. En quoi son rêve à elle était plus superficiel que celui de Ben ?

« Désolée. » Elle leva les yeux vers Zoe, se rappelant soudain que le frère de cette fille s'était suicidé. Zoe n'avait probablement jamais rencontré quelqu'un d'aussi superficiel que Jessica de toute sa vie. « Tout ça ne t'aide pas beaucoup à bâtir ta défense, hein ? Pourquoi cette fille devrait vivre, monsieur le juge ? Oh, parce qu'elle a fait de son mieux quand elle a gagné au loto. »

Zoe s'abstint de sourire. Au lieu de ça, elle gratifia Jessica d'un regard aussi sérieux que déterminé. « Ne t'inquiète pas, je vais présenter les choses sous un angle positif. »

Elle leva les yeux vers l'écran où Masha était apparue, menaçante. « Qu'est-ce qui va se passer d'après toi ? Une fois qu'on aura joué à ce jeu à la noix ?

– Aucune idée, répondit Jessica. Il pourrait arriver n'importe quoi. »

65

Masha

Masha alla récupérer un coussin dans le Salon lavande. Yao n'émit pas le moindre son lorsqu'elle le lui glissa sous la joue. Ses paupières à demi closes tremblotaient, laissant voir une mince partie du blanc de ses yeux.

Elle se revit remonter une couverture sur une petite forme endormie. Elle savait que c'était son souvenir mais il semblait appartenir à quelqu'un d'autre. Il n'avait ni texture, ni odeur, ni couleur ; comme les images des caméras de surveillance autour de la bâtisse.

Ce qui ne faisait pas justice à la réalité. Elle pouvait tout à fait donner de la couleur et de la texture à ce souvenir si elle le souhaitait.

La couverture était jaune. Dans ses narines, l'odeur du shampooing pour bébé No More Tears. La berceuse de Brahms qui tintait tandis que les jouets d'un mobile tournaient lentement. Et sous ses doigts, la peau douce et chaude.

Mais à ce moment-là, elle ne le souhaitait pas.

Elle éteignit l'écran pour ne plus voir ni entendre ses petits protégés. Ras le bol. Leurs voix lui faisaient le même effet que le crissement des ongles sur un tableau noir.

Le sédatif qu'elle avait donné à Yao n'était autre que celui qu'ils avaient préparé pour le cas où un client réagirait mal au smoothie et deviendrait si violent ou agité qu'il pourrait

425

être un danger pour lui-même ou pour les autres. Yao avait lui-même montré à Masha et Dalila comment faire l'injection en cas d'urgence. D'après ce qu'elle avait compris, il dormirait d'un sommeil réparateur pendant quelques heures et se réveillerait frais et dispos.

Elle n'avait pas prévu d'en arriver là, mais Yao n'adhérait plus totalement au protocole, ce qu'elle avait considéré comme un sérieux handicap. Il était devenu nécessaire de l'évincer temporairement du processus de planification stratégique et de décision. Elle avait dû agir rapidement, exactement comme autrefois lorsqu'il fallait se débarrasser d'un employé qui ne tenait pas ses objectifs, voire de tout un département. Sa capacité à prendre et appliquer les mesures qui s'imposaient face à un changement inattendu avait compté parmi ses forces tout au long de sa vie professionnelle. C'était de l'agilité. Sur les plans littéral et métaphorique, Masha était une femme agile.

Mais une fois Yao sous sédation, elle s'était sentie étrangement seule. Il lui manquait. Dalila aussi. Sans eux à ses côtés, elle perdait sa fonction de mentor, d'exemple ; il n'y avait plus personne à qui faire comprendre sa vision. Elle avait pourtant l'expérience de la solitude. À l'époque où elle rénovait Tranquillum House et élaborait minutieusement le plan de développement personnel qui avait abouti à son incroyable transformation physique et spirituelle, elle avait passé plusieurs mois d'affilée sans voir âme qui vive. Elle n'avait pas du tout souffert de l'absence de compagnie. Aujourd'hui, sa vie était différente. Elle était rarement seule. Il y avait toujours du monde dans la maison : les employés, les clients. Ce besoin d'avoir des gens autour d'elle était une faiblesse dont elle devait s'affranchir. Le travail sur soi était sans fin.

Rien n'est immuable.

Elle avait élaboré une mise en situation fictive pour ses clients mais, pour que l'exercice fonctionne, leur peur devait être réelle. Or ce qu'elle avait observé chez eux n'était pas tant de la peur que du cynisme et du doute. Quel manque de respect. Et de gratitude. Pour être honnête, ils n'étaient pas très intelligents.

Sans parler du coût des drogues. Leur achat avait sérieusement réduit les marges de profit de Masha, mais que n'aurait-elle pas fait pour le bien de ses clients ? Yao non plus n'avait pas compté les soirées passées à s'assurer que chaque client aurait le dosage adéquat.

Le nouveau protocole était censé être un tournant dans la carrière de Masha. Elle était prête à se plonger de nouveau dans un monde plus vaste. La reconnaissance publique qu'elle avait connue dans sa vie de femme d'affaires lui manquait : les portraits dans la presse économique, les invitations à prononcer des discours inauguraux. Elle voulait publier des articles, donner des conférences, organiser des événements. Elle avait déjà tâté le terrain pour un éventuel contrat d'édition et elle avait eu un retour positif. *L'intérêt pour le développement personnel ne faiblit pas*, avait écrit un responsable éditorial. *Tenez-nous au courant.*

Masha s'était plu à imaginer ses anciens collègues assister à sa réincarnation. Dans un premier temps, ils ne la reconnaîtraient probablement pas, mais leur admiration et leur jalousie ne se feraient guère attendre. Pour quelqu'un qui avait fui la jungle du monde des affaires, voyez ce qu'elle avait accompli ! Elle ferait la une des magazines spécialisés, enchaînerait les interviews télévisées, engagerait un attaché de presse. Elle n'oublierait pas de mentionner Yao dans les remerciements de son livre. Elle envisagerait même de lui déléguer davantage de responsabilités à Tranquillum House de sorte qu'elle puisse partir en tournée de conférences.

Elle était promise à un brillant et glorieux avenir et voilà que cette bande d'abrutis doublés d'ingrats se mettait en travers de son chemin. Elle avait anticipé de longues listes d'attente une fois la nouvelle de leur succès rendue publique. Face à une demande croissante, elle augmenterait les prix. Ces gens avaient pu bénéficier de ce programme incroyable à prix cassé et ils ne trouvaient rien d'autre à faire que gémir.

Ils s'imaginaient être affamés ! N'avaient-ils donc jamais connu la véritable faim ? Avaient-ils seulement eu à faire la queue pour acheter les denrées les plus élémentaires, ne serait-ce que cinq minutes ?

Masha se tourna vers l'écran de l'ordinateur et songea à le rallumer, mais elle ne voulait pas les voir. Pas maintenant. Elle était trop en colère contre eux. Contre cette Heather Marconi notamment. Elle était tellement irrespectueuse. Masha ne l'aimait pas du tout.

Si au moins l'un d'entre eux avait un tant soit peu de jugeote, ils seraient déjà dehors à l'heure qu'il était. En route pour le commissariat, même ! Pour se plaindre de la façon honteuse dont ils avaient été traités alors qu'en réalité elle les avait choyés comme une mère.

Masha prit une clé dans son tiroir et ouvrit le meuble de rangement situé sous son bureau.

Un instant elle en observa le contenu. La salive lui monta à la bouche. Elle jeta son dévolu sur un paquet de Doritos et un pot de sauce salsa. Le sachet rebondi et lisse craqua dans sa main.

Elle se remémora la femme qui rentrait chez elle tard le soir après une journée de seize heures au bureau et qui, assise dans le noir devant la télévision, avalait comme un robot tout un paquet de Doritos trempés dans la sauce salsa. Son repas du soir. À l'époque, Masha ne faisait pas attention à son corps. Il n'était rien pour elle. Elle se contentait d'acheter des vêtements plus grands quand c'était nécessaire. Son unique préoccupation, c'était son travail. Elle fumait, ne faisait pas de sport. Comme ce docteur le lui avait dit, tous les voyants étaient au rouge. Cette crise cardiaque, ce n'était qu'une question de temps.

Elle ouvrit le sachet et sentit les arômes de synthèse de fromage et de sel. Elle en saliva d'avance mais déjà le dégoût de soi était sur ses lèvres, lui donnant la nausée. Cela faisait plus d'un an qu'elle n'avait pas cédé à cet acte répugnant et malsain. Tout ça à cause de l'ingratitude de ses clients.

La dernière fois aussi, c'était à cause d'un client. Il avait laissé un avis minable sur TripAdvisor. Un tissu de mensonges. Il avait parlé de punaises de lit, photo de ses piqûres à l'appui, mais c'était faux. Il avait tout inventé parce que le dernier jour, Masha lui avait dit qu'il était le candidat parfait à une crise cardiaque ou un accident vasculaire cérébral s'il n'adoptait pas définitivement les changements amorcés à Tranquillum House une fois rentré chez lui. Elle le savait car elle avait reconnu en lui la femme qu'elle avait été autrefois. Mais Monsieur s'était vexé parce qu'elle avait utilisé le mot « gros ». Comme si c'était une découverte ! Il était gros et c'était même la raison de sa venue à Tranquillum House.

Masha posa la première chips de maïs sur sa langue et elle frémit de tout son être. C'était chimique. Elle savait exactement combien de calories elle allait consommer et combien d'heures de sport elle allait devoir faire pour les brûler. (Autrement, elle pouvait se faire vomir.)

Elle fit craquer la chips entre ses dents et fit sauter le couvercle du bocal à la force du poignet. Autrefois, elle aurait bataillé pour ouvrir ce pot. La grosse femme triste qui passait ses soirées devant la télévision jurait et tapait sur le couvercle avec une petite cuillère en espérant lui donner du jeu.

Et dans une vie encore plus lointaine, il y avait eu un homme pour ouvrir les bocaux. Son mari, qu'elle appelait d'un ton brusque comme s'il était son serviteur. Il s'exécutait, lui souriait, lui faisait une caresse. Il avait toujours un geste tendre pour elle. Pendant des années et des années, quelqu'un l'avait couverte de gestes tendres, jour après jour.

Mais ce n'était pas la même femme. Voilà des décennies qu'on ne l'avait pas touchée avec amour.

Elle pensa un instant à la main de Yao sur les siennes

quelques heures plus tôt et prit une autre chips qu'elle plongea dans le pot de salsa rouge et luisante.

Yao émit un petit bruit, comme un enfant. Il avait les joues roses. On aurait dit un nourrisson fiévreux.

Masha lui passa la main sur le front. Oui, il était chaud.

Elle mit le Doritos dans sa bouche et mâcha de plus en plus vite, des miettes jaunes tombant sur son bureau et sur sa robe, tandis qu'elle s'autorisait à se remémorer le dernier jour de cette vie si lointaine.

C'était un dimanche. Son ex-mari était de sortie, s'adonnant au mode de vie décontracté des Australiens. Ils se plaisaient à être « décontractés », les Australiens. Comme si c'était une bonne chose. Il avait accepté une invitation de ses collègues à participer à un jeu qui consistait à se tirer dessus avec des billes de peinture. La promesse d'une « franche partie de rigolade ».

Courir partout en se tirant dessus, c'était ce qu'ils appelaient « décontracté » ? Les autres épouses s'étaient jointes aux hommes, mais Masha était restée à la maison avec le bébé. Elle n'avait rien en commun avec ces femmes. Elles s'habillaient tellement mal que ça la déprimait. Elle en avait même le mal du pays. Masha n'était pas mère au foyer. Elle travaillait. Et elle avait du pain sur la planche. Elle était dix fois plus intelligente que ses collègues masculins, mais devait travailler dix fois plus dur pour obtenir la reconnaissance qu'elle méritait.

Elle était trop grande. Parfois, ses collègues faisaient semblant de ne pas la comprendre. Parfois, ils ne faisaient pas semblant alors qu'elle parlait mieux anglais qu'eux. Elle n'aimait pas leur humour – elle riait toujours avec un temps de retard – et eux n'appréciaient pas le sien. Quand elle faisait une plaisanterie, souvent des plus drôles, recherchées et intelligentes, ils la dévisageaient d'un air interdit.

Elle avait tellement d'amis au pays. Étrangement, ici elle éprouvait une certaine timidité, ce qui la remplissait de colère et d'amertume car chez elle, on ne l'aurait jamais qualifiée de timide. Elle se tenait raide parce qu'elle ne supportait pas qu'on rie d'elle et, ici, il y avait toujours le risque de mal comprendre ou d'être mal comprise. Son mari, lui, s'en moquait complètement. Ces méprises l'amusaient. Il s'était courageusement plongé dans la scène sociale avant même d'en connaître les règles et les gens l'appréciaient beaucoup. Masha en tirait fierté même si elle était un peu jalouse.

Une fois, le patron de Masha les avait tous les deux invités chez lui. Masha avait supposé qu'il avait organisé un dîner. Elle s'était habillée en conséquence : robe sexy et talons hauts. Toutes les autres femmes avaient enfilé une paire de jeans.

L'invitation stipulait : « Chacun apporte sa viande ». Sûre d'elle, Masha avait dit à son mari : Mais non, c'est une blague ! Une blague australienne. Pas vraiment drôle, mais une blague quand même ! Ils n'allaient pas commettre la bévue de prendre la consigne au pied de la lettre.

Mais c'était on ne peut plus sérieux, en réalité. Les femmes en jeans tenaient des sacs de courses à la main. Dedans, des barquettes de viande à cuire. Juste assez pour un couple. Deux steaks. Quatre saucisses. Masha n'en revenait pas.

Son mari avait réagi au quart de tour. « Oh, non ! On a oublié la viande à la maison ! s'était-il écrié en se tapant le front de la main.

– Ce n'est pas grave, avait répondu leur hôte. Il y en a largement assez. »

Quelle générosité d'avoir prévu un peu de viande en plus pour ses invités !

À l'instant où ils avaient passé la porte d'entrée, les femmes et les hommes s'étaient séparés en deux groupes comme s'ils n'avaient pas le droit de se parler. Ces messieurs avaient passé ce qui avait semblé des heures autour d'un barbecue à faire cuire la viande. Résultat, elle était immangeable. Il n'y avait pas de chaises. Du coup, les gens s'asseyaient n'importe où. Trois femmes avaient opté pour un mur de soutènement.

À compter de ce jour, Masha ne se préoccupa plus de tisser des liens à Sydney. À quoi bon ? Son bébé de onze mois, son travail et son mari l'accaparaient déjà suffisamment. Sa vie bien remplie la satisfaisait pleinement, elle se sentait comblée, plus heureuse qu'elle ne l'avait jamais été. Elle se flattait d'avoir un bébé objectivement plus beau et plus intelligent que les autres. C'était un fait. Son mari était d'accord avec elle. Quand les autres mamans regardaient son fils, elle avait de la peine pour elles. Il se tenait si fièrement dans sa poussette ! Ses cheveux blonds brillaient d'un tel éclat sous les rayons du soleil quand tant d'autres bébés ressemblaient à des vieillards avec leur crâne chauve. Et sa façon de tourner sa petite tête de-ci, de-là pour observer le monde de ses grands yeux verts ! Lorsque quelque chose l'amusait, et c'était souvent le cas – il tenait ça de son père –, il gloussait d'un rire étonnamment profond qui venait du ventre. Tous ceux qui se trouvaient à portée de voix ne pouvaient que rire aussi, l'occasion pour Masha d'échanger des sourires avec eux, de vrais sourires, pas des sourires de politesse, et de ne plus se sentir isolée. Dans ces moments-là, elle était comme chez elle à Sydney, une maman qui sort son enfant.

Ce dimanche-là, elle avait presque terminé son travail lorsque le bébé avait signalé qu'il était réveillé, non plus en pleurant, mais en émettant un « ah » musical, qu'il modulait gaiement, comme s'il jouait avec sa voix. Comme son père qui chantait en remuant une marmite sur le feu, il n'avait aucune oreille.

À un moment, il avait appelé, « Ma-ma ! Ma-ma ! » Il était tellement intelligent. Bon nombre d'enfants de son âge n'avait aucun vocabulaire.

« J'arrive, mon *lapotchka* ! » avait-elle répondu. Encore quelques minutes et elle aurait fini.

Il avait cessé ses vocalises. Elle avait bouclé son travail en moins de cinq minutes. Quatre peut-être.

« Tu t'es lassé de m'attendre, mon petit lapin ? » avait-elle dit en ouvrant la porte de sa chambre, pensant qu'il s'était peut-être rendormi.

Il était déjà mort.

Il s'était étranglé en jouant avec le long cordon blanc du store. Un accident qui n'était pas rare, apprendrait-elle plus tard. D'autres femmes avaient vu la même image qu'elle ce jour-là. D'autres femmes avaient libéré le cou de leur précieux bébé de leurs doigts tremblants.

Aujourd'hui, il y avait des avertissements sur les cordons des stores. Masha ne pouvait pas s'empêcher de les voir quand elle entrait dans une pièce, même de très loin.

C'était un accident, il n'y avait rien à pardonner, avait dit son mari dans sa salopette éclaboussée de peinture quand il l'avait rejointe à l'hôpital. Elle revoyait les fines gouttelettes bleues sur sa joue, comme une pluie couleur azur.

Elle se rappelait aussi ce moment étrange quand, regardant tous ces inconnus autour d'elle, elle s'était rendu compte que la personne qu'elle voulait auprès d'elle, c'était sa mère, une femme qui ne l'avait jamais vraiment appréciée – alors aimée… – et qui ne lui aurait apporté aucun réconfort. Pourtant, pendant un instant, dans son chagrin, Masha aurait donné n'importe quoi pour qu'elle soit là.

Elle avait refusé le pardon de son mari. Son fils l'avait appelée et elle n'était pas venue. C'était inacceptable.

Elle avait laissé son homme partir, insistant pour qu'il refasse sa vie, ce qu'il avait fini par faire, même s'il avait mis beaucoup, beaucoup plus de temps qu'elle l'avait espéré. Quel soulagement, après son départ, d'être libérée de cette douleur de voir le visage qui lui rappelait tellement celui de leur magnifique enfant.

Elle avait beau avoir supprimé sans les lire les mails qu'il lui avait envoyés – elle ne voulait rien savoir sur lui –, elle avait découvert par hasard voilà plusieurs années que son mari se portait comme un charme. D'après cet homme qu'elle avait croisé dans l'espace restauration d'une grande surface – un homme qu'il fréquentait toujours, un de ceux avec qui il avait joué à ce jeu qu'ils appelaient paintball –, il avait épousé une Australienne et eu trois fils.

Masha espérait qu'il chantait toujours quand il cuisinait. C'était probablement le cas. Au cours de ses recherches, elle avait lu que, selon la théorie de l'adaptation hédonique, les gens revenaient à un niveau de bonheur prédéfini quels que soient les événements, positifs ou négatifs, qui se produisaient dans leur vie. Son mari était programmé pour être un homme simple et heureux. Elle, au contraire, serait toujours une femme complexe et malheureuse.

Le fils de Masha aurait fêté ses vingt-huit ans au mois d'août. Elle aurait probablement entretenu des rapports difficiles avec lui s'il avait vécu. Ils se seraient sûrement disputés comme Masha s'était autrefois disputée avec sa mère. Parce qu'il était mort, il resterait à jamais son bébé qui chantait et riait, et le beau jeune homme à la casquette qui traversait un lac de couleurs pour la rejoindre.

Pourquoi ne l'avait-on pas autorisée à rester avec lui ?

Masha regarda le paquet de Doritos vide. Elle avait les bouts des doigts jaunes. Comme son père autrefois, mais lui, c'était à cause de la nicotine. Elle s'essuya la bouche du creux de la main et ralluma l'écran pour observer ses clients.

Ils étaient tous éveillés. Assis en petits groupes, ils discutaient en toute décontraction. De bons Australiens, en somme. Ils auraient aussi bien pu se trouver à un barbecue. Pas un ne croyait vraiment risquer la peine de mort. Rien à voir avec la nuit noire de l'âme que Masha avait anticipée.

Dans son travail, personne ne l'avait jamais défiée de la sorte.

L'écran émettait des pulsations, comme s'il était en vie. Pourquoi ne fonctionnait-il pas correctement ? Elle le toucha du bout du doigt et le sentit frémir comme un poisson à l'agonie.

Elle resta perplexe un instant avant de se rappeler qu'elle avait pris soixante-quinze milligrammes de LSD un peu plus tôt pour être plus lucide et plus efficace dans sa prise de décision. Ce n'était qu'une hallucination. Il fallait qu'elle se détende et qu'elle laisse son cerveau établir toutes les bonnes connexions.

Elle regarda autour d'elle et aperçut un aspirateur dans un angle de son bureau. Il ne vibrait pas. Il était bien réel. Simplement, elle ne l'avait pas remarqué jusqu'alors. Les employés de ménage avaient dû le laisser là. Elle en était très satisfaite. Elle ne recrutait que les meilleurs. N'était-il pas primordial de garantir la qualité dans tous les aspects de votre entreprise ?

Cet aspirateur lui semblait si familier.

« Oh ! » fit-elle en voyant son père le prendre des deux mains – c'était un objet encombrant – avant de se diriger vers la porte.

« Non, non, non ! s'écria-t-elle. *Papotchka* ! Pose ça ! Ne t'en va pas ! »

Mais il se tourna vers elle tristement, sourit et partit. Aucun homme ne l'aimerait jamais comme son père l'avait aimée.

Elle l'avait imaginé. Elle en avait conscience. Ce n'était pas difficile de faire la différence entre le réel et l'irréel. Elle avait l'esprit très vif, suffisamment vif pour ne pas s'y tromper.

Elle ferma les yeux.

La voix de son bébé l'appelait. *Non. Irréel.*

Elle ouvrit les yeux et le vit traverser son bureau à quatre pattes en gazouillant.

Elle referma les yeux aussitôt. *Non. Irréel.*

Elle rouvrit les yeux. Une cigarette, voilà ce qui la calmerait.

Elle se tourna vers sa cachette et en sortit un paquet de cigarettes non entamé et un briquet. La forme du paquet, ce rectangle parfait, ses quatre angles droits, la ravirent.

Elle prit une cigarette, cylindre tout aussi parfait, et la roula entre ses doigts. Le briquet était d'un orange incroyablement profond et beau.

Elle actionna sa minuscule roulette striée avec son pouce. Une flamme dorée jaillit aussitôt. Quelle obéissance.

Elle retira son pouce et recommença.

Le briquet produisait des flammes parfaites à la demande, telle une usine miniature. Quelle efficacité dans la production de biens et de services ! C'était splendide !

Une pensée lui vint, claire comme de l'eau de roche : elle devrait laisser derrière elle l'industrie du bien-être et retourner dans le monde des affaires. Au diable, le virage qu'elle croyait amorcer ! Il fallait sauter ! Ne lui suffisait-il pas de réactiver son profil sur LinkedIn ? Les chasseurs de tête ne mettraient pas beaucoup de temps à la contacter et elle n'aurait plus qu'à répondre aux offres qu'on lui présenterait.

Assis de l'autre côté de son bureau, le jeune homme à la casquette. À ses pieds se formaient des flaques de couleurs iridescentes.

« Qu'est-ce que tu en penses ? lui demanda-t-elle. C'est ça, que je devrais faire ? »

Il ne répondit pas mais c'était une bonne idée, elle le voyait dans ses yeux.

Fini, les clients ingrats convaincus que tout leur est dû. Elle intégrerait une nouvelle entreprise au sein de laquelle elle dirigerait d'une main de maître la moitié des services : comptabilité, paies, ventes, marketing. Ça lui revenait en mémoire, la glorieuse et irréfutable tangibilité d'un organigramme avec son nom tout en haut. Elle pratiquerait le microdosage pour optimiser sa productivité. Idéalement, le personnel aussi, même si les ressources humaines formuleraient mille objections.

Elle avait commencé une nouvelle vie lorsqu'elle avait immigré, lorsque son fils était mort, lorsque son cœur s'était arrêté. Elle pouvait repartir de zéro une nouvelle fois.

Vendre cette propriété et acheter un appartement en ville. Ou…

Elle étudia la minuscule flamme vacillante. La réponse était là, juste sous ses yeux.

66

Ben

« Bon, dit Ben en rejoignant Napoleon qui faisait les cent pas dans la cave. On dirait bien que je suis votre homme. Enfin, je veux dire, c'est moi qui vous défends. »

Ben se demanda s'il ne devrait pas l'appeler Mr Marconi ou monsieur. Il en imposait. C'était le genre de professeur qu'on a toujours envie d'impressionner quand on le croise dans la rue des années après le lycée même s'il paraît désormais étrangement petit. Cela dit, Napoleon pouvait difficilement paraître petit.

« Merci, Ben, répondit-il, comme si son avocat avait eu le choix.

– Donc… » Il passa la main sur son ventre. Il n'avait jamais eu aussi faim de sa vie. « Je crois que les raisons pour lesquelles vous méritez un sursis à l'exécution sont assez simples. Vous êtes mari et père, et, euh, j'espère que vous m'autorisez à le dire dans ma défense, mais votre femme et votre fille ont déjà assez souffert comme ça, non ? Elles ne peuvent pas vous perdre aussi.

– Oui, vous pouvez dire ça, fit Napoleon en souriant tristement. C'est vrai.

– Et puis, vous êtes professeur. Alors il y a des gamins qui dépendent de vous.

– Encore vrai, oui. » Pour la centième fois depuis qu'ils

438

étaient coincés dans le studio, Napoleon sonda le mur avec son poing comme s'il espérait trouver une brique branlante qui leur offrirait une issue. Ben savait que c'était peine perdue. Le seul moyen de sortir, c'était cette porte.

« Autre chose que je devrais dire ? » La voix de Ben se brisa. Lorsqu'il avait dû porter un toast au mariage de Pete, il avait cru s'évanouir, et voilà qu'aujourd'hui, il devait défendre la vie de cet homme ?

Napoleon se tourna vers lui. « Mon cher Ben, à mon avis, ce que vous direz n'a pas vraiment d'importance. Ne prenez pas les choses trop à cœur. » Il lui mit une tape sur l'épaule. « Ce serait une erreur de ne pas prendre Masha au sérieux, mais ce jeu...

– Vous vous êtes dégoté un avocat complètement nul, j'en ai bien peur. J'ai eu de la chance, moi, avec Lars. Il sait ce que c'est, un tribunal. »

Lorsque Lars s'était entretenu avec Ben, il s'était contenté de lui poser deux ou trois questions rapides avant de lui dire : « Voilà ce que je propose. » Puis il s'était lancé dans un plaidoyer des plus éloquents, on se serait cru à la télévision, expliquant que Ben était un jeune homme intègre, à l'aube de sa vie d'adulte, qu'il allait bientôt devenir père, qu'il était un mari dévoué, qu'il avait beaucoup à offrir, à sa femme, à sa famille, à la communauté, et ainsi de suite. Le tout était sorti avec la plus grande fluidité, sans la moindre hésitation.

« Ça fera l'affaire, vous pensez ? avait-il demandé à la fin.

– Carrément ! »

Puis Lars était allé aux toilettes pour s'arranger les cheveux en prévision de son apparition devant le juge.

« Je suis mort de trouille quand je parle en public, je peux à peine respirer, reprit Ben.

– Savez-vous que c'est l'expiration qui fait toute la différence entre la peur et l'excitation ? dit Napoleon. Quand on a peur, on retient l'air dans la partie supérieure des poumons. Il faut expirer. Comme ça. » Il posa la main sur sa poitrine et expira longuement. « *Ahhhh*. Vous voyez le son qu'on fait quand une fusée de feu d'artifice a explosé ? Eh bien, c'est la même chose. *Ahhhh*. »

Ben le fit avec lui. « *Ahhhh*.

– C'est ça. Vous savez quoi ? Je vais passer en premier. Je défends Tony. Je vais parler de sa carrière de football en long en large et en travers. Mon plan, c'est de revenir sur tous ses matches. Elle va s'ennuyer à mourir, Masha. Ça lui apprendra. » Il s'arrêta au niveau de la poutre où se trouvait la brique avec l'inscription. « Vous avez vu ça ?

– Le graffiti des bagnards ? » Dalila le leur avait montré quand ils avaient visité la maison mais ni Ben ni Jessica n'avaient trouvé l'anecdote particulièrement intéressante.

Napoleon sourit de toutes ses dents. « Fascinant, hein ? J'ai lu tout ce qu'il y a à lire sur cet endroit avant de venir. Ces frères ont fini par obtenir une libération conditionnelle et ils sont devenus de respectables tailleurs de pierre, des artisans très demandés. Ils n'auraient jamais aussi bien réussi en Angleterre. Ils ont des milliers de descendants dans le coin. Quand ils ont été condamnés à l'exil en Australie, ils ont dû être anéantis. Pour eux, c'était sûrement la fin du monde. Et finalement leur succès est parti de là. Le pire peut engendrer le meilleur dans la vie. Je trouve ça incroyablement… » L'espace d'un instant, il eut l'air immensément triste. « Intéressant. »

Ben dut refouler une inexplicable envie de pleurer. La faim peut-être. Il songea qu'en rentrant chez lui, il rendrait visite à son père. Il ne méritait pas que son fils l'abandonne, même s'il avait lui-même abandonné Lucy.

Ben toucha l'inscription du bout des doigts. Il pensa à ce que disaient les gens. Qu'ils avaient eu une chance fantastique de gagner le jackpot. Mais parfois, ce n'était pas comme ça qu'il voyait les choses.

Il regarda Jessica. Allait-il vraiment devenir papa ? Comment pouvait-il guider un enfant sur le chemin de la vie alors qu'il n'avait pas encore trouvé le sien ?

« N'oubliez pas d'expirer, Ben, dit Napoleon. Évacuez la peur en expirant. »

67

Heather

« Je peux me targuer d'être une bonne amie, dit Frances. Vous pourriez le mentionner, Heather. » Elle se mordilla un ongle. « Je n'oublie jamais les anniversaires.

– Moi, tout le temps », répondit Heather. À vrai dire, Heather n'était pas très douée en amitié et, depuis la mort de Zach, elle ne voyait pas l'intérêt de faire des efforts. L'amitié, c'était un luxe.

Frances grimaça. « J'ai complètement zappé l'anniversaire d'une amie cette année, mais bon, j'étais engluée dans cette histoire d'arnaque, ça me rendait dingue, minuit est arrivé et là j'y ai pensé, Zut ! Monica ! mais il était trop tard pour lui envoyer un texto alors…

– Parlez-moi de votre famille », l'interrompit Heather peu encline à entendre Frances déballer la vie de cette Monica. Qu'est-ce qu'elle était excentrique ! « Vous avez de la famille ? »

Heather jeta un coup d'œil à sa propre famille derrière Frances. Zoe était assise avec Jessica. Têtes penchées l'une contre l'autre, elles semblaient partager leurs secrets telles deux amies. Napoleon allait et venait aux côtés de Ben qui l'écoutait attentivement et acquiesçait respectueusement. On aurait dit un professeur et son meilleur élève. C'était étrange, ce qui se passait avec Napoleon. Comme si un imposteur jouait son rôle avec brio, disant et faisant tout ce que Napoleon aurait fait

442

sans que rien y paraisse, et pourtant, il y avait quelque chose qui clochait.

« Oui… j'en ai, dit Frances d'un air incertain. Quoique… je ne suis pas très proche de ma famille immédiate. Mon père est mort et ma mère s'est remariée. Elle est partie vivre à l'étranger. Dans le sud de la France. J'ai une sœur, mais elle a beaucoup à faire. Il n'y aurait pas grand changement dans leur vie si je venais à mourir.

– Comment pouvez-vous dire une chose pareille, enfin ?

– Eh bien… » Frances jeta un regard nerveux sur l'écran. « Je ne dis pas qu'ils danseraient sur ma tombe. »

Heather l'observa, surprise. Frances semblait réellement effrayée. « Vous avez bien conscience que vous n'êtes pas vraiment dans le couloir de la mort, Frances ? Tout cela n'est qu'un jeu de pouvoir stupide.

– Chut ! Elle nous écoute peut-être.

– Je m'en moque, dit Heather avec insouciance. Je n'ai pas peur de cette folle furieuse.

– Vous devriez peut-être, dit Frances, anxieuse.

– Ne vous inquiétez pas, je vais jouer le jeu, dit Heather pour la réconforter. Je ne pense pas que vous méritiez la peine de mort.

– Merci.

– Qu'est-ce que je dois dire d'autre d'après vous ?

– Je pense que vous devez flatter son ego. Commencez par dire que jusqu'à présent, en effet, ma vie n'avait pas tellement de sens, mais que maintenant que j'ai fait cette retraite, je suis réhabilitée.

– Réhabilitée.

– Oui. » Frances était aussi nerveuse qu'une junkie. « Réhabilitée. Veillez à utiliser ce mot. Je crois que ça lui plaira. Insistez sur le fait que j'ai pris conscience de m'être fourvoyée dans l'excès. Je vais faire du sport. Manger sain. Fini, les conservateurs ! Je vais me fixer des objectifs.

– Bonjour, mes petits choux ! »

443

La voix de Masha résonna dans la pièce tandis que son visage emplissait de nouveau l'écran.

Frances sursauta et laissa échapper un juron en s'agrippant au bras de Heather.

« L'heure est venue ! » s'écria Masha. Elle aspira une longue bouffée de tabac et souffla la fumée sur le côté. « On va jouer à la Peine de mort. Attendez. Ce n'est pas comme ça qu'on l'appelle, n'est-ce pas ? On va jouer au Couloir de la mort. Oui, c'est bien mieux, comme nom ! Qui l'a trouvé, déjà ?

– Ce n'est pas encore l'heure ! »

Heather regarda l'écran. Après tout ce qui s'était passé, elle n'aurait pas dû s'étonner de voir Masha fumer, mais c'était choquant et pénible, comme de voir une bonne sœur soulever son habit et révéler des jarretelles.

« Vous fumez ! » cria Jessica d'un ton accusateur.

Masha rit et tira de nouveau sur sa cigarette. « Oui, Jessica, je fume. Dans les moments de stress, il m'arrive de m'en griller une.

– Elle plane », dit Ben d'un ton las et triste qui témoignait de longues années de déception et de résignation aux côtés d'un proche qui se drogue. Et il avait raison. Masha avait le regard dans le vague, sa posture était raide et étrange, comme si elle craignait que sa tête se détache de son corps.

Elle montra un verre de smoothie vide. « J'ai pris des dispositions pour atteindre un niveau de conscience supérieur.

– Comment va Yao ? » Heather s'efforça de parler le plus respectueusement possible en dépit de la haine qui lui serrait la gorge. « On peut le voir ? »

La caméra n'était pas orientée de la même façon que quelques heures plus tôt. Masha se tenait devant une fenêtre dans ce qui semblait être son bureau, même si c'était impossible d'en être sûr car il faisait noir dehors.

« Ne vous en préoccupez pas pour le moment, dit Masha. Il est temps pour vous de plaider la cause de vos clients.

Vivront-ils ? Mourront-ils ? L'exercice invite à la réflexion, c'est tellement stimulant, je trouve.

– Il n'est que 3 heures du matin, Masha ! dit Napoleon en tapotant le cadran de sa montre. Ce n'est pas l'aube. Vous aviez dit à l'aube. »

Masha s'avança vers la caméra et pointa sa cigarette vers lui. « On ne porte pas de montre quand on fait une retraite ! »

Napoleon recula d'un pas incertain. Il montra son poignet. « Je la porte depuis le début. Personne ne m'a dit de l'enlever.

– Vous auriez dû donner votre montre en même temps que vos autres appareils. Qui était votre conseiller bien-être ?

– C'est ma faute, Masha. Je suis le seul responsable, dit Napoleon en retirant l'objet du délit.

– C'était Yao, je parie ! » hurla-t-elle en éclaboussant l'écran de salive. Une lueur diabolique passa dans ses yeux.

« Jamais vu ça », murmura Tony.

Zoe rejoignit sa mère et lui prit la main, ce qu'elle n'avait pas fait depuis qu'elle était toute petite. Dans la pièce, tout le monde retenait son souffle.

Heather lui serra les doigts et, pour la première fois depuis qu'ils étaient enfermés dans ce sous-sol, se laissa envahir par la peur.

Elle pensa à tous ces moments dans sa vie professionnelle où la tension montait d'un cran dans la salle de travail parce que la vie d'une mère ou d'un bébé était menacée, et tous les membres de l'équipe avaient conscience qu'il fallait prendre la bonne décision. Sauf que, dans le cas présent, elle n'avait ni compétences ni expérience. Elle ne demandait qu'à agir, mais elle se sentait totalement impuissante, comme dans ce moment cauchemardesque où elle avait trouvé Zach et lui avait pris le pouls tout en sachant qu'elle ne sentirait rien sous ses doigts.

« Je suis très déçue par Yao ! ragea Masha. C'est une faute professionnelle inacceptable. Je ne manquerai pas de prévenir

445

les ressources humaines ! Il se verra notifier par écrit un avertissement en bonne et due forme, lequel sera versé à son dossier. »

Napoleon balança sa montre entre ses doigts. « Je l'ai enlevée, regardez. »

Zoe serra la main de Heather convulsivement.

« Je suis désolé, c'est ma faute, poursuivit Napoleon en parlant lentement et prudemment, tel un négociateur qui essaie d'amadouer un bandit armé. Je vais la détruire. » Il laissa tomber sa montre par terre et leva le pied pour l'écraser.

« Oh, Napoleon, ne soyez pas si théâtral ! Vous pourriez vous couper ! » dit Masha en gesticulant gaiement comme si elle prenait part à une conversation animée à une soirée.

Heather entendit Zoe prendre une respiration tremblante et l'idée que sa fille soit tétanisée par la peur lui donna envie de se jeter à la gorge de cette forcenée.

« Je ne suis pas une maniaque des règles de la bureaucratie, je suis flexible ! Je vois les choses dans leur ensemble ! » Masha tira de nouveau sur sa cigarette. « D'après le test de personnalité de Myers-Briggs, je suis du type Commandant ! Ce qui ne devrait pas vous surprendre. »

La main sur le visage, Lars regarda l'écran entre ses doigts écartés. « Je ne le sens pas du tout.

— Elle est complètement frappée, dit Tony.

— Rien n'est éternel, poursuivit Masha sans raison. N'oubliez pas ça. C'est important. Bien, qui passe en premier ? » Elle regarda autour d'elle, cherchant visiblement quelque chose. « Tout le monde a du café ? Non ? Pas encore ? Ne vous inquiétez pas. Dalila va s'en occuper. »

Elle sourit et tendit les bras, comme si elle présidait une réunion de collaborateurs autour d'une table de conférences.

Heather frémit, soudain envahie par la peur. *Elle a des hallucinations.*

À ce moment-là, Masha remarqua la cigarette entre ses doigts. Elle la fixa pendant plusieurs minutes.

« Qu'est-ce qu'elle fabrique ? demanda Carmel à voix basse.

– C'est le LSD, répondit Lars. Elle est subjuguée par la beauté naturelle de la cigarette. »

Masha finit par lever les yeux. « Qui se jette à l'eau ? » demanda-t-elle calmement en faisant tomber sa cendre sur le rebord de la fenêtre d'une pichenette.

« Moi, fit Tony.

– Tony ! Parfait. Qui défendez-vous ?

– Carmel. » Il désigna sa cliente qui fit un mouvement maladroit des plus étranges, hésitant manifestement entre faire une révérence ou se cacher derrière Lars.

« Allez-y, Tony. »

Il se racla la gorge et joignit les mains en posant un regard respectueux sur l'écran. « Je représente aujourd'hui Carmel Schneider. Ma cliente, trente-neuf ans, est divorcée et mère de quatre petites filles. Elle en a la garde principale. Elle est également très proche de sa sœur aînée, Vanessa, et de ses parents, Mary et Raymond. »

Masha renifla. Elle semblait s'ennuyer ferme.

La voix de Tony chancela. « La mère de Carmel n'est pas en bonne santé, c'est Carmel qui l'emmène à ses rendez-vous médicaux. Carmel dit être une femme ordinaire qui fait du mieux qu'elle peut, mais personnellement, je pense que quiconque élève seul quatre petites filles n'a rien d'ordinaire. » Il tira sur le col de son tee-shirt, comme s'il resserrait une cravate. « Carmel fait également du bénévolat à la bibliothèque de quartier, elle enseigne l'anglais à des réfugiés. Elle y va une fois par semaine depuis qu'elle a dix-huit ans, ce que je trouve très impressionnant. Merci. »

Masha bâilla théâtralement. « C'est tout ?

– Bon sang, s'agaça Tony, c'est une jeune maman ! Qu'est-ce qui vous faut d'autre ? C'est évident qu'elle ne mérite pas de mourir !

– *Quid* de votre avantage unique ? demanda Masha.

447

– Mon quoi ? fit Tony d'un air ébahi.

– C'est le b.a-ba, Tony. Quel est votre avantage unique ? Qu'est-ce qui fait de Carmel un être unique et spécial ?

– Eh bien, fit Tony au comble du désespoir, Carmel est unique parce que…

– Je m'étonne également que vous ayez fait l'impasse sur l'analyse des forces, faiblesses, occasions et menaces. Ce n'est quand même pas sorcier ! Vous ne proposez même pas d'aides visuelles. Un simple PowerPoint vous aurait aidé à soutenir vos arguments. »

Heather et Napoleon échangèrent un regard. *Qu'est-ce qu'on fait ?* Elle décela le trouble et la peur sur son visage, ce qui ajouta encore à sa panique car, si Napoleon ne savait pas quoi faire, alors ils avaient vraiment de quoi s'inquiéter. Elle pensa à ces fois où, aux urgences avec Zach, ils s'étaient regardés en comprenant que l'infirmière de triage était une gourde, sachant exactement ce qu'il fallait dire ou faire pour que leur fils soit pris en charge rapidement. Mais ils n'avaient jamais eu affaire à cet étourdissant manque de logique.

« Je suis désolé, marmonna Tony humblement. C'est vrai, j'aurais dû prévoir un PowerPoint.

– Être désolé ne suffit pas, lança Masha sur un ton hargneux.

– Je peux passer maintenant ? » l'interrompit une voix forte.

Heather tressaillit en voyant Carmel, menton levé, regard déterminé.

« J'ai procédé à une analyse stratégique au nom de Zoe Marconi, et fait un point sur les moyens de passer à l'étape suivante ; je souhaiterais m'assurer de votre adhésion au projet, Masha. »

Le visage de Masha se radoucit. « Je vous écoute, Carmel », dit-elle en l'invitant à poursuivre d'un geste de la main.

Carmel se dirigea à grands pas vers le centre de la pièce, puis lissa ses vêtements, comme si elle portait une veste de tailleur. « Je me suis vraiment appliquée et j'ai tâché de sortir des sentiers battus, comme vous le souhaitiez, Masha. »

Cette femme pleine d'assurance n'avait rien en commun avec la Carmel qui quelques heures plus tôt avait demandé à rentrer chez elle en chouinant pitoyablement. Elle avait beau porter un caleçon long et un débardeur à paillettes où on pouvait lire le mot Hawaï, on voyait presque sa tenue de guerrière du marketing. À croire qu'elle était comédienne ! À moins qu'elle ait sévi dans un grand groupe dans une vie antérieure. Quoi qu'il en soit, c'était impressionnant.

« Parfait. Incisif, tranchant, tout à fait dans l'esprit. Il faut dépasser les limites. Formidable, Carmel. »

Si elle n'avait pas eu si peur, Heather aurait presque trouvé la scène amusante.

« De mon point de vue, nous avons une véritable ouverture ici pour tirer profit des compétences fondamentales de Zoe et parvenir à... de bonnes pratiques.

– Oh, bravo, murmura Frances.

– Excellent, dit Masha. Les bonnes pratiques, un objectif à ne jamais perdre de vue. »

C'était étrange de voir à quel point Masha était réceptive à ce jargon d'entreprise vide de sens. Exactement comme un nourrisson réagit à la voix de sa mère.

« Reste à savoir si tout cela est en accord avec les valeurs de l'entreprise, dit Masha astucieusement.

– Exactement. Et une fois la situation bien en main, nous devons nous demander si c'est évolutif.

– Et ?

– Sans aucun doute. Donc, ce que nous cherchons, ce sont... » Elle hésita.

« Des synergies, souffla Lars.

– Des synergies ! dit Carmel, soulagée.

– Des synergies, répéta Masha d'un ton rêveur, comme si Carmel lui proposait une escapade à Paris au printemps.

– Donc, pour résumer, nous avons besoin d'une solution synergique qui concorde...

– J'en ai assez entendu, l'interrompit Masha brusquement. Carmel, exécution.

– Comptez sur moi. »

Masha écrasa sa cigarette sur le rebord de la fenêtre avant de s'y appuyer. « Bienvenue à Tranquillum House. »

Oh là là, pensa Heather. *On l'a encore perdue.*

Masha fit un large sourire. Personne ne le lui rendit. Autour de Heather, les mâchoires pendaient, les traits étaient tirés, les regards désespérés. Comme lorsqu'on annonce au bout de trente heures de travail à une femme qui s'est préparée à un accouchement naturel qu'on va lui faire une césarienne.

« Je vous en fais la promesse : dans dix jours, vous ne serez plus les mêmes, dit Masha.

– Putain, fit Jessica. Putain, putain, putain.

– C'est juste la drogue, dit Lars. Elle ne sait pas ce qu'elle dit.

– Ce qui m'inquiète, dit Ben, c'est qu'elle ne sait pas ce qu'elle fait. »

Masha baissa la tête et toucha l'encolure de sa robe du bout des doigts.

« Nous allons faire des pompes maintenant ! annonça-t-elle. Il n'y a pas mieux comme exercice de résistance fonctionnelle. Ça fait travailler tous les muscles de votre corps. Allez, c'est parti pour une série de vingt ! »

Personne ne bougea.

« Pourquoi vous faites comme si vous ne m'aviez pas entendue ? fit-elle en pointant un doigt vers eux. Allez ! Vingt pompes ! Et que ça saute ! Ne m'obligez pas à sévir. »

Sévir ? Que pouvait-elle bien faire ? Ils n'avaient pas envie de le savoir. Tous se jetèrent au sol comme de bons petits soldats.

Heather essaya de contracter son corps fatigué et affamé, en haut, en bas, tandis que Masha comptait à voix haute. « Une, deux, trois ! On baisse le bassin ! On ne sort pas les fesses ! »

Était-elle encore en proie à une hallucination où elle pensait qu'ils étaient tous sous ses ordres ? Allait-elle tous les tuer ?

Heather sentit la panique monter en elle. Elle avait emmené sa fille dans ce satané centre. La vie de Zoe était peut-être entre les mains d'une folle doublée d'une droguée.

Elle regarda autour d'elle. Frances faisait l'exercice sur les genoux. Jessica pleurait et renonça aussi à continuer sur la pointe des pieds. Tony suait à grosses gouttes en exécutant des pompes parfaites deux fois plus vite que les autres alors qu'il venait de se luxer l'épaule. Heather remarqua que son mari, l'adorable Napoleon, tenait la cadence.

« Dix-huit, dix-neuf, vingt ! Repos. Parfait ! »

Heather s'écroula sur le ventre et leva les yeux. Masha s'était tellement approchée de la caméra que seul le bas de son visage apparaissait à l'écran.

« Question ! fit l'énorme bouche désincarnée. Vous sentez ou pas encore ? »

Napoleon répondit d'une voix calme et posée, comme s'il s'adressait à un tout-petit. « Sentir quoi, Masha ?

– La fumée. »

68

Tony

L'écran devint blanc de neige mais la voix de Masha continua de résonner dans le studio.

« Une métamorphose profonde est possible, mais il faut cesser de faire des suppositions et se libérer de ses croyances !

— C'est vrai ! Ça sent la fumée, dit Zoe, pâle comme un linge.

— Eh oui, Zoe, car en ce moment même, les flammes consument cette maison, ma maison, dit Masha. Les biens matériels ne sont rien ! Vous relèverez-vous de vos cendres ? Souvenez-vous de l'enseignement du Bouddha : *Personne ne peut nous sauver, à part nous-même !*

— Regardez », dit Frances.

De fines volutes de fumée noire passaient en dansant sous la lourde porte en chêne.

« Laissez-nous sortir ! cria Jessica d'une voix enrouée. Vous m'entendez ? Masha ? Laissez-nous sortir ! Maintenant ! »

L'écran devint noir.

L'absence de Masha se fit aussi terrifiante que sa présence l'avait été quelques minutes plus tôt.

« Il faut empêcher la fumée d'entrer », dit Tony, mais déjà Heather et Napoleon revenaient des toilettes avec des serviettes imbibées d'eau qu'ils roulaient en boudins, comme si, en bons professionnels, ils avaient anticipé cette situation.

Au moment où ils atteignirent la porte, le volume de fumée

augmenta effroyablement, inondant la pièce. Tout le monde se mit à tousser. Tony sentit sa poitrine se serrer.

« Reculez ! » cria Napoleon avant de coincer les serviettes mouillées sous la porte.

La sensation de claustrophobie que Tony était parvenu à contenir depuis qu'ils avaient découvert qu'ils étaient enfermés menaçait de se transformer en peur panique. Sa respiration se fit saccadée. Oh non, il allait perdre les pédales devant tous ces gens. Si encore il avait quelque chose à faire. Mais Heather et Napoleon s'occupaient déjà d'étanchéifier la porte. Comment aider ? Enfoncer la porte ? Non, elle s'ouvrait vers l'intérieur. Et personne contre qui se battre.

Il toussa si violemment que les larmes lui montèrent aux yeux.

« Éloignez-vous de là », dit Frances en le tirant par la main.

Il n'opposa pas de résistance et laissa sa main au creux de la sienne.

Ils se réfugièrent avec les autres le plus loin possible de la porte.

Napoleon et Heather les rejoignirent, les yeux injectés de sang. Napoleon prit Zoe contre lui et elle enfouit son visage contre sa chemise. « La porte n'était pas chaude, dit-il. C'est plutôt bon signe.

– Je crois que j'entends les flammes, dit Carmel. J'entends les flammes. »

Tout le monde se tut. Tony crut d'abord reconnaître le bruit d'une pluie battante, mais au bout d'un moment il identifia le crépitement caractéristique des flammes.

Un horrible vacarme se fit entendre au-dessus de leurs têtes. L'effondrement d'un mur au rez-de-chaussée ? Puis un violent souffle d'air, comme une rafale de vent pendant une tempête. Le bruit des flammes s'intensifia.

Jessica émit un son.

« On va tous mourir ici ? » demanda Zoe. Elle leva des yeux

incrédules vers son père. « Elle va vraiment nous laisser mourir ici ?

– Certainement pas », répondit-il avec tellement d'assurance et de pragmatisme que Tony se prit un instant à espérer que Napoleon était dans le secret des dieux. Mais il ne fut pas dupe longtemps.

« On va tous se mettre une serviette mouillée sur la tête et le visage pour se protéger des inhalations de fumée, dit Heather. Et on va attendre que ça s'arrête. »

Sa voix était aussi calme et confiante que celle de son mari. Tony adopterait peut-être la même attitude si un de ses enfants ou petits-enfants était dans la pièce.

Il pensa à ses deux fils et à sa fille. Ils auraient du chagrin. Oui, bien sûr qu'ils pleureraient leur père. Ils n'étaient pas prêts à le perdre, même s'ils ne se voyaient pas si souvent ces temps-ci. Cette certitude le surprit, comme si depuis quelques années il s'était convaincu que ses enfants ne l'aimaient pas, alors qu'il savait parfaitement que c'était faux, bon sang. Il le savait. Quelques mois plus tôt, Will l'avait appelé au beau milieu de la nuit depuis la Hollande sans penser deux secondes au décalage horaire pour lui annoncer sa dernière promotion. « Désolé, avait-il dit. Je voulais que tu sois le premier à le savoir. » Trente ans, et toujours à chercher les louanges de son papa. James, lui, n'arrêtait pas de poster des photos de la carrière de Tony sur ses réseaux sociaux. Enfin, d'après ce que lui disait Mimi. « Tu lui sers de faire-valoir, lui avait-elle raconté, en levant les yeux au ciel. Il exploite ta célébrité pour attirer les filles. » Et puis il y avait Mimi, son bébé, qui s'affairait chez lui et remettait les choses à leur place. Chaque fois qu'elle rompait avec un de ces crétins, elle lui rendait visite, prétextant lui donner un coup de main. Elle avait encore besoin de son papa.

Tony n'était d'ailleurs pas prêt à mourir. Cinquante-six ans, ce n'était pas assez. Sa vie lui semblait tout à coup incroyablement précieuse et pleine de possibilités. Il voulait repeindre sa maison, prendre un nouveau chien, un bébé. Ce ne serait pas trahir Banjo que d'adopter un chiot. Il finissait toujours par le faire. Il avait envie d'aller à la plage, de lire le journal tout en dégustant un bon petit déjeuner au café du bout de la rue, d'écouter de la musique – il se rendait compte qu'il avait presque oublié que la musique existait ! Il irait en Hollande pour voir sa petite-fille sur scène lors d'une de ces stupides compétitions de danse irlandaise.

Il regarda Carmel qu'il avait prise pour une intellectuelle farfelue à cause de ses lunettes. Quand il lui avait demandé comment elle en était venue à donner des cours d'anglais à des réfugiés, elle lui avait expliqué que son père était lui-même arrivé de Roumanie dans les années cinquante et que sa voisine avait pris l'initiative de lui enseigner l'anglais. « Mon père n'était pas très doué en langues. Ça n'a pas dû être une partie de plaisir pour la voisine car, quand il n'arrive pas à faire quelque chose, il s'énerve vite. Du coup, ma sœur et moi, on donne des cours d'anglais aux nouveaux arrivants pour rendre hommage à Tante Pat. »

Et lui, à qui diable rendait-il hommage ? À qui rendait-il service ? Il n'apportait même pas sa contribution, quelle qu'elle soit, au sport qui lui avait donné tant de joie. Mimi le harcelait depuis des années pour qu'il entraîne une équipe de gosses du quartier. « Tu pourrais même te surprendre à aimer ça », lui avait-elle dit. Pourquoi est-ce que l'idée l'avait tant rebuté ? À présent, rien ne lui ferait plus plaisir que d'être sur un terrain ensoleillé à initier une bande de gosses au football, à sa musique et à sa poésie.

Il croisa le regard effrayé de la femme dont il tenait toujours la main. C'était une cinglée, doublée d'une bavarde invétérée, elle n'avait manifestement jamais vu un match de footy de toute sa vie, elle gagnait sa vie en écrivant des romans à l'eau de rose,

Tony n'avait pas lu de fiction depuis le lycée. Ils n'avaient rien en commun.

Il ne voulait pas mourir.

Il voulait l'inviter à boire un verre.

69

Frances

Regroupés dans le coin du studio le plus loin possible de la porte, tous se protégeaient la tête avec des serviettes mouillées pendant que le feu réduisait Tranquillum House en cendres.

Frances écoutait le bruit des flammes affamées en se demandant si le fracas qui venait d'ébranler le plafond au-dessus de leurs têtes provenait de l'effondrement du magnifique escalier qui lui avait fait penser au *Titanic* quelques jours plus tôt. « Nous ne coulerons pas », avait plaisanté Yao. Elle imagina les ondulations du feu dévorant le splendide bois de cèdre.

« Notre Père, qui êtes aux cieux, que Votre nom soit sanctifié », murmurait en boucle Jessica, la tête posée sur ses genoux.

Jessica, croyante ? Étonnant, songea Frances. Cela dit, elle ne l'était probablement pas car elle ne semblait pas pouvoir aller au-delà de ces premières phrases.

Frances, elle, avait été élevée dans la foi anglicane, mais elle s'était détournée de la religion quelque part au milieu des années quatre-vingt. Elle songea qu'il serait sûrement déplacé de prier pour la délivrance dans la situation présente alors qu'elle n'avait pas rendu grâce à Dieu depuis si longtemps. Il aurait peut-être apprécié une petite carte au fil des ans.

Merci, Seigneur, pour ce long été torride passé en Europe avec Sol à s'envoyer en l'air.

Merci pour cette première année de mariage avec Henry qui, honnêtement, a été une des plus heureuses de toute ma vie.

Merci pour cette carrière qui ne m'a apporté presque que du plaisir et pardon d'avoir fait tant d'histoires à propos de cette critique. Je suis sûre que la femme qui l'a écrite est aussi un enfant de Dieu.

Merci de me garder en bonne santé, c'est généreux de Votre part, et je regrette d'avoir autant râlé pour ce mauvais rhume.

Merci pour mes amis qui sont comme ma famille.

Merci pour mon père, même si Vous l'avez repris un peu vite.

Merci pour le Bellini et tous les cocktails à base de champagne.

Pardon de m'être plainte de cette coupure au pouce alors que d'autres vivent des atrocités. Même si, franchement, c'est à cause de ça que j'ai arrêté de croire en Vous – quelle injustice, des coupures pour certains, des atrocités pour d'autres.

Le visage enfoui dans sa serviette mouillée, Carmel pleurait et sursautait à chaque bruit d'effondrement.

Frances visualisa le balcon de sa chambre qui s'affaissa puis s'écrasa sur le sol dans un jaillissement de braises.

Elle imagina des tourbillons de fumée noire illuminés par les flammes se détachant sur un ciel de nuit d'été.

« La fumée ne rentre pas plus, dit-elle à Carmel d'un ton qui se voulait réconfortant. Napoleon et Heather ont bien calfeutré la porte. On va peut-être s'en sortir, poursuivit-elle d'une voix hésitante.

– On *va* s'en sortir, dit Napoleon, assis entre sa femme et sa fille, leur tenant la main. Ça va aller. »

Dans sa voix perçait une assurance que contredisait le désespoir que Frances lut sur son visage lorsqu'il replaça sa serviette sur sa tête.

Elle vient nous chercher, songea-t-elle. *Elle vient nous chercher et il n'y a nulle part où se cacher.*

Elle repensa à la question de Masha : « Avez-vous le sentiment d'avoir été véritablement mise à l'épreuve dans votre vie ? »

Jessica leva la tête et dit, d'une voix étouffée : « Elle n'a même pas écouté nos plaidoyers. »

Comme s'il y avait eu la moindre logique dans l'attitude de Masha... Jessica en était touchante. Elle devait faire partie des enfants qui ne supportaient pas que la maîtresse oublie de faire le quiz promis.

« Vous croyez que Yao est toujours en vie ? » demanda Zoe.

70

Yao

Yao rêvait de Finn.

Finn tenait vraiment à ce qu'il se réveille.

« Réveille-toi », dit-il sur un ton insistant. Il percuta deux cymbales l'une contre l'autre, fit sonner un cor dans son oreille. « Il faut vraiment que tu te réveilles, mon pote. »

Yao reprit conscience tandis que Finn s'éloignait. Il sentit quelque chose de doux sous sa joue. Il leva la tête. Sur le bureau de Masha, un coussin. La sensation de la piqûre dans son cou lui revint en mémoire. L'étonnement aussi, car comment respecter une telle décision ?

Il perçut le bruit et l'odeur de quelque chose qui brûlait.

Il tourna la tête et la vit en train de fumer une cigarette à la fenêtre en regardant dehors.

Elle se retourna et lui sourit. Elle avait l'air triste et émue mais résignée, comme sa fiancée lorsqu'elle avait rompu leurs fiançailles.

« Bonjour, Yao. »

C'était terminé, il en avait conscience, mais il savait aussi qu'il n'aimerait jamais plus personne comme il aimait cette étrange femme.

« Qu'est-ce que tu as fait ? » dit-il d'une voix râpeuse.

71

Frances

Et ça continuait. L'odeur de brûlé. Le fracas.

La peur de Frances atteignit son paroxysme puis se stabilisa. Les pulsations de son cœur ralentirent. Une immense fatigue l'envahit.

Elle s'était toujours demandé ce qu'elle ressentirait si sa vie était en danger de mort. Comment réagirait-elle si son avion commençait à piquer vers le sol ? Si un forcené pointait un revolver sur sa tempe ? Si elle était véritablement mise à l'épreuve ? À présent, elle savait : elle n'y croirait pas. Elle continuerait à penser jusqu'au dernier mot que son histoire ne prendrait jamais fin parce qu'il ne pouvait pas y avoir d'histoire sans elle. Les péripéties continueraient de s'enchaîner. Il était impossible de vraiment croire qu'il y aurait une dernière page.

Un autre bruit d'effondrement. Carmel sursauta.

« Attendez, dit Lars brusquement. Ce bruit, là, c'est le même que tout à l'heure. Exactement le même. »

Frances le regarda sans comprendre.

Napoleon se redressa. Il enleva la serviette de son visage.

« Ah ! Il y a bien un motif, avec des éléments qui se répètent, dit Jessica. Je le savais. Crépitement, souffle d'air, petite explosion, crépitement, crépitement, crépitement, grosse explosion qui fait peur.

– Désolée, mais je ne vous suis pas, là, dit Frances.

– Ça fait une boucle, expliqua Tony.

461

– Qu'est-ce que vous voulez dire ? demanda Ben. C'est un enregistrement, c'est ça ?

– Euh... il n'y a pas le feu ? » dit Frances, incrédule. Elle visualisait les flammes si nettement dans sa tête.

« Mais il y avait de la fumée, et on a senti le brûlé, dit Heather. Il n'y a pas de fumée sans feu.

– C'est peut-être un feu prescrit, suggéra Zoe. Elle veut qu'on croie qu'on est en danger.

– Voilà comment elle s'y prend pour nous faire regarder la mort en face, dit Tony.

– Je savais qu'elle ne nous laisserait pas mourir », fit Carmel.

Lars jeta sa serviette mouillée au sol et alla se poster devant l'écran. « Bravo, Masha ! cria-t-il. Vous nous avez fichu à tous la trouille de notre vie et on ne sera plus jamais les mêmes. On peut retourner dans nos chambres maintenant ? »

Rien.

« Vous ne pouvez pas nous garder ici à jamais, Masha, reprit-il. C'est quoi, ce mantra que vous répétez tout le temps, déjà ? Rien ne dure à jamais. » Il sourit d'un air contrit et repoussa ses cheveux humides de son front. « Ça paraît déjà une éternité pour nous, là. »

Rien ne dure à jamais, songea Frances. Masha avait mis un point d'honneur à répéter cette phrase le plus souvent possible. *Rien ne dure à jamais. Rien ne dure à jamais.*

Elle se souvint de la réaction de Masha quand elle lui avait fait remarquer qu'il n'y avait pas de code dans la poupée russe. « Exactement », avait-elle dit.

« Depuis quand personne n'a essayé d'ouvrir la porte ? demanda-t-elle.

– Je crois sincèrement que nous avons essayé toutes les combinaisons possibles, dit Napoleon.

– Je ne parle pas du code. Je veux dire, essayer de l'ouvrir, avec la poignée. Depuis quand personne n'a essayé d'ouvrir cette porte avec la poignée, tout bêtement ? »

72

Yao

« Bien dormi ? » demanda Masha. Elle tira une bouffée de cigarette.

Yao l'observa. Diagnostic : pupilles dilatées, front luisant de sueur, agitation.

« Tu as bu un smoothie ? » Il prit un paquet de Doritos vide sur le bureau, le secoua et regarda les miettes jaunes tomber. Elle ne devait pas être dans son état normal pour avoir mangé des chips. C'était encore plus troublant que de la voir avec une cigarette.

« Oui. » Masha expira la fumée et lui sourit. « Il était délicieux et j'ai eu des révélations incroyables. »

C'était la première fois qu'il la voyait fumer. Elle le faisait avec naturel et sensualité, les volutes languissantes de fumée naissant au bout de ses doigts offraient un tableau magnifique. Yao n'avait jamais essayé et, à présent, il en mourait d'envie.

Il repensa à leur première rencontre, dix ans plus tôt, dans cet immense bureau, l'odeur de tabac qui émanait d'elle.

Il regarda l'écran de l'ordinateur. Dessus, la vidéo d'une maison à étage en feu. Une corniche qui s'effondrait sur le sol.

« Tu m'as mis sous sédation. » Yao passa la langue sur ses lèvres sèches. Son esprit fonctionnait au ralenti. Il était sous le choc, ne comprenant pas tout à fait qu'elle ait pu lui faire une chose pareille.

« Oui. Je n'avais pas le choix. »

Le ciel derrière elle commençait à s'éclaircir.

« Les clients… ils sont toujours enfermés ? »

Masha haussa les épaules d'un air boudeur. « Je ne sais pas. Les clients, l'industrie du bien-être, j'en ai ma claque. » Elle tira de nouveau sur sa cigarette et s'égaya. « J'ai pris une décision ! Je retourne dans le secteur des PGC.

– Des PGC ?

– Les produits de grande consommation.

– Comme le dentifrice ?

– Exactement. Tu viendrais travailler avec moi ?

– Quoi ? *Non.* » Il la regarda fixement. C'était toujours Masha, avec ce corps extraordinaire, cette robe extraordinaire, et pourtant, il sentait que le pouvoir qu'elle exerçait sur lui se délitait à mesure que la dirigeante d'entreprise refaisait surface. Comment était-ce possible ? Quelle trahison ! Comme un aveu d'infidélité de la part d'une amante. Tranquillum House n'était pas seulement un travail pour lui. C'était sa vie, sa maison, sa religion presque, et voilà qu'à présent elle lui demandait de tout quitter pour aller vendre du dentifrice ? Les produits de grande consommation n'appartenaient-ils pas au monde auquel ils avaient justement tourné le dos ?

Elle n'en pensait pas un mot. C'était la drogue qui parlait. Une révélation transcendantale ? Pas du tout. Vu son passif médical, elle n'aurait pas dû consommer ce smoothie. Mais puisqu'elle avait pris ce risque, maintenant il fallait l'allonger, lui mettre le casque sur les oreilles et guider son expérience psychédélique sur un autre chemin que celui du dentifrice.

Mais ne devait-il pas s'occuper de ses neuf clients ?

Il se tourna vers l'écran, éteignit la vidéo de l'incendie et se connecta à la caméra de surveillance installée dans le studio de yoga et de méditation.

Personne. Des serviettes traînaient partout sur le sol de la pièce désertée.

« Ils sont sortis, annonça Yao. Comment ont-ils pu s'échapper ? »

Masha renifla. « Ils ont fini par comprendre. La porte était déverrouillée depuis des heures. »

73

Carmel

Les hommes insistèrent tous pour passer devant ces dames en remontant les escaliers du studio de yoga, prêts à tuer tout lion qui se mettrait en travers de leur chemin ou, plus vraisemblablement, tout conseiller bien-être qui voudrait leur donner un smoothie. Un geste aimable et chevaleresque que Carmel, pas mécontente d'être une femme, apprécia même s'il n'était pas nécessaire car ils trouvèrent la maison silencieuse et vide.

Carmel n'arrivait toujours pas à croire qu'il n'y avait pas le feu. Les images dans sa tête lui avaient semblé si réelles. Elle avait cru ne plus jamais revoir ses enfants.

« Parce que vous imaginez qu'elle va s'ouvrir comme par enchantement ? » avait dit Heather quand ils s'étaient tous approchés de la porte et que Napoleon avait posé la main sur la poignée en leur répétant de surtout bien rester en arrière.

La porte s'était ouverte, comme si elle n'avait jamais été verrouillée. Derrière, une poubelle en acier.

Napoleon l'avait inclinée pour leur en montrer le contenu. Au fond, des fragments de papier journal brûlé et au-dessus un tas de bouteilles d'eau en plastique déformées et fondues. Il y avait encore quelques braises rougeoyantes mais c'était tout ce qu'il restait du terrible brasier qu'ils avaient imaginé.

Ils entrèrent ensemble dans la salle à manger et regardèrent la longue table autour de laquelle ils avaient partagé leurs repas en silence. La lumière grise du matin remplissait la pièce. Des pies gazouillaient et un kookaburra glougloutait. Le refrain de l'aube n'avait jamais été si lyrique. La vie semblait délicieusement ordinaire.

« Il faut trouver un téléphone, dit Heather. On doit appeler la police.

– On devrait juste s'en aller, dit Ben. Récupérer nos voitures et ficher le camp d'ici. »

Personne ne bougea.

Carmel tira une chaise et s'assit, les coudes sur la table. Elle ressentait le même soulagement stupéfait et heureux qu'après ses quatre accouchements. Toutes ces consignes criées à tue-tête. Toute cette peur. Toute cette agitation. Ouf, c'était terminé.

« Vous croyez qu'il y a quelqu'un dans la maison ?

– Attendez. J'entends quelqu'un arriver », dit Lars.

Des bruits de pas approchaient dans l'entrée.

« Hé, bonjour ! » Yao portait un immense plateau de fruits tropicaux. Il avait l'air fatigué mais en parfaite santé. « Asseyez-vous, je vous en prie. On va vous servir un délicieux petit déjeuner ! » Il posa le plateau sur la table.

Non ! songea Carmel. *Il ne va quand même pas faire comme si de rien n'était !*

Zoe éclata en sanglots. « On a cru que vous étiez mort ! »

Le sourire de Yao vacilla. « Mort ? Mais pourquoi êtes-vous allés imaginer une chose pareille ?

– Vous n'aviez pas l'air au meilleur de votre forme, dit Tony.

– On a dû jouer à un jeu, Le Couloir de la mort », expliqua Frances, assise sur un fauteuil près de la porte. En l'entendant, Carmel pensa aussitôt à une de ses filles qui serait en train de rapporter sur une de ses sœurs. « C'était affreux, comme jeu… » Sa voix faiblit.

Yao replaça une grappe de raisin noir qui glissait du plateau. Il fronça les sourcils.

Carmel prit le relais. « On a dû jouer le rôle d'avocats. » Elle repensa à l'euphorie qui l'avait envahie quand elle avait débité ce jargon totalement dénué de sens qui était pourtant tellement important aux yeux de Masha. Un moment à la fois terrifiant et fabuleux. Comme un tour de manège qui vous secoue dans tous les sens. « Et tâcher d'obtenir un sursis à l'exécution de nos clients. Moi, j'ai défendu… Zoe. »

Elle se rendit compte en le racontant que tout cela était grotesque. Un jeu, rien de plus, évidemment. Comment se faisait-il qu'ils l'avaient tous pris tellement au sérieux ? Une histoire qui allait bien faire rire la police.

« Au final, elle ne nous a même pas laissés finir l'activité, dit Jessica d'un ton plaintif.

— C'est vrai, dit Frances. Moi, j'attendais mon tour avec impatience.

— Menteuse ! » dit Heather.

Carmel prit un grain de raisin sur le plateau, mais elle ne ressentait pas spécialement le besoin de manger. Elle était sans doute au-delà de la faim. Elle croqua dedans, le jus explosa dans sa bouche et toutes les cellules de son corps frémirent de gratitude. Elle eut soudain la sensation de toucher du doigt une révélation à la fois incroyablement compliquée et étonnamment simple sur la véritable et précieuse beauté de la nourriture. La nourriture n'était pas son ennemie, c'était la vie.

« Je sais que certaines activités de la nuit passée ont pu vous paraître… inhabituelles. » Yao était un peu enroué mais il forçait le respect : il continuait à jouer sa partition tel le violoniste sur le *Titanic* qui coulait à pic. « Mais tout ce qui vous a été proposé a été conçu pour votre propre développement.

— Arrêtez vos conneries, Yao, l'interrompit Lars. C'est terminé. On ne peut pas laisser ce qui s'est passé ici hier soir se reproduire.

— On va vous faire mettre la clé sous la porte, ajouta Tony.

— Et on va s'assurer que la folle qui vous sert de patronne soit enfermée dans une unité psychiatrique sécurisée, dit Heather.

– On ne m'enfermera nulle part. »

La voix de Masha glaça le sang de Carmel.

Elle se tenait sur le seuil de la porte, vêtue d'un tailleur pantalon rouge démodé depuis dix ans et trois tailles trop grand pour elle. « Mon travail m'attend.

– Elle est toujours complètement perchée, dit Ben.

– Masha, dit Yao, je croyais que tu te reposais.

– Vous avez l'air en pleine forme ! s'exclama-t-elle en les regardant. Plus minces, plus sains. Vous devez être ravis de ces bons résultats ! »

Heather émit un rire railleur. « Ravis, Masha, absolument ravis ! On a passé un moment tellement relaxant ! »

Les narines de Masha se dilatèrent. « Je ne tolérerai pas vos sarcasmes ! Vous travaillez sous mon autorité. Je peux tout à fait vous…

– Ça suffit, dit Heather. Vous vous prenez pour mon chef, c'est ça ? Vous êtes notre chef à tous ? Il faut qu'on prépare une présentation PowerPoint, sinon vous allez nous exécuter ? poursuivit-elle en imitant l'accent de Masha.

– Chérie, fit Napoleon, ça n'aide pas.

– Je sais tout sur vous, Heather, dit Masha lentement. J'étais là hier soir. J'ai entendu vos secrets. Vous m'avez tout raconté. Vous dites que j'ai drogué votre fille, que ça fait de moi un être infâme, alors que tout ça, je l'ai fait pour vous aider, vous et votre famille. Alors, dites-moi un peu, Heather, vous, qu'est-ce que vous lui avez laissé prendre, à votre fils ? »

Masha avait les poings fermés. Carmel vit qu'elle tenait quelque chose dans la main droite, mais quoi ?

« Quel genre de mère êtes-vous, Heather ? » demanda Masha. Carmel ne s'expliquait pas la très forte animosité qu'il y avait entre les deux femmes.

« Ça suffit », dit Napoleon.

Yao se dirigea vers Masha tandis que Heather accueillait sa

remarque avec un rire méprisant. « Je suis une bien meilleure mère que vous ne le seriez jamais. »

Masha émit un cri animal et s'élança vers Heather, brandissant une dague en argent.

Napoleon s'interposa au même moment que Yao tandis que Frances saisissait un candélabre sur le buffet et l'abattait de toutes ses forces sur la tête de Masha.

Elle s'écroula au sol et resta immobile aux pieds de Frances.

« Oh ! mon Dieu », dit-elle, le candélabre dans la main. Elle regarda les autres, une expression d'horreur sur le visage. « Est-ce que je l'ai tuée ? »

74

Frances

Par la suite, Frances essaierait de comprendre comment elle en était arrivée à prendre cette décision. En vain. C'était comme si son cerveau se mettait en court-circuit.

Elle avait aperçu le coupe-papier dans la main de Masha.

Attention. Ce coupe-papier est aussi tranchant qu'un poignard. Vous pourriez tuer quelqu'un avec, Frances.

Vu Masha s'élancer vers Heather.

Senti la lourdeur inattendu du candélabre dans sa main.

L'instant d'après, Masha gisait à ses pieds et Frances tenait les mains en l'air telle une criminelle car un grand gaillard en uniforme pointait son arme sur elle en disant : « Plus un geste ! »

Le policier n'était autre que Gus, le petit ami de la masseuse, Jan. Il se révéla aussi charmant que Frances l'avait imaginé, surtout après avoir rengainé son pistolet. Frances ne fut pas accusée du meurtre de Masha pour la simple et bonne raison qu'au bout de quelques instants terrifiants, elle se redressa, la main derrière la tête, et dit à Frances qu'elle était renvoyée, avec effet immédiat.

Debout près de Gus dans une robe d'été, se tenait Jan, tout excitée de ce qui s'était passé sur son lieu de travail. Apparemment, tandis que le couple discutait au beau milieu de la nuit (après l'amour, au vu de leurs regards), Gus avait mentionné qu'à la fin de son service il avait verbalisé une femme pour excès de vitesse. Elle conduisait une Lamborghini jaune. À la description qu'il en avait faite, Jan avait vite compris qu'il ne pouvait s'agir que de Dalila, et comme il était peu probable qu'il y ait deux Lamborghini jaunes dans le coin, elle en avait déduit que sa collègue avait peut-être volé la voiture d'un client. Jan ayant déjà trouvé suspect que Masha ait congédié la quasi-totalité du personnel en pleine retraite, ce qui d'après la cheffe n'était jamais arrivé, elle avait convaincu Gus de passer d'un coup de voiture à Tranquillum House pour s'assurer que tout allait bien.

« Elle a probablement une commotion, dit Yao après avoir examiné sa patronne. À moins qu'elle soit toujours en plein trip. »

Gus annonça que Frances ne serait pas poursuivie pour coups et blessures car tous les témoins s'accordaient à dire que son geste avait sans aucun doute permis de sauver la vie à Heather, même si Frances savait qu'en réalité seuls Napoleon et Yao avaient été réellement en danger puisqu'ils s'étaient interposés entre Masha et Heather.

Heather remercia Frances. Elle porta la main à son cou en regardant l'arme potentielle. « Ça aurait pu très mal finir. »

Elle n'adressa pas même un regard à Masha qui fut finalement transportée à l'hôpital le plus proche en ambulance. « Merci de votre visite ! N'oubliez pas de laisser un avis sur TripAdvisor ! » s'écria-t-elle gaiement tandis que les deux secouristes en uniforme bleu l'emmenaient.

D'autres officiers de la police locale arrivèrent pour fouiller les lieux et découvrirent bientôt d'importantes quantités de drogues, suite à quoi une seconde équipe fit son apparition, composée cette fois d'hommes aux chaussures luisantes et aux regards perçants. Contrairement à Gus, ils ne s'intéressèrent guère aux détails extrinsèques.

Yao fut emmené dans une voiture de police pour faire sa déposition au commissariat.

Avant de partir, il se tourna vers eux et dit simplement : « Je suis vraiment désolé. »

Il arborait un air triste, vaincu et contrit, tel un adolescent qui aurait laissé une soirée dégénérer en l'absence de ses parents.

La Lamborghini de Ben fut localisée dans le parking de l'aéroport régional à deux heures de route. Elle n'était paraît-il pas endommagée mais Ben dit qu'il s'en assurerait lui-même. Dalila demeurait introuvable.

Chacun dut ensuite déposer séparément, exercice long et fastidieux.

Il fut parfois difficile de rapporter les événements sans paraître insensé. Le scepticisme des policiers était d'ailleurs perceptible.

« Donc vous pensiez être enfermés ?

— Nous l'étions, dit Frances.

— Mais ensuite vous avez ouvert la porte et vous êtes partis ?

— Eh bien, en fait, nous avions arrêté d'essayer d'ouvrir avec la poignée. Je crois que c'était précisément ce que Masha voulait nous montrer : parfois, la réponse est juste sous nos yeux.

— Je vois. » Mais le visage du policier exprimait tout le contraire et même plus : il semblait certain qu'il ne se serait jamais laissé enfermer dans cette pièce. « Et vous avez cru qu'il y avait le feu.

— Il y avait de la fumée, dit Frances, se régalant d'une mangue dont la pulpe était aussi fraîche et sucrée qu'un matin d'été. Et les bruits caractéristiques d'un incendie.

— Qui venaient en réalité d'une vidéo YouTube diffusée en boucle à l'interphone.

— C'était très convaincant, se défendit Frances sur un ton qui ne l'était pas.

— Oui, aucun doute. » Le policier faisait un effort surhumain pour ne pas lever les yeux au ciel. « Vous avez... » Il montra sa bouche.

Frances essuya son menton collant. « Merci. J'adore les fruits d'été. Pas vous ?

– Je ne suis pas spécialement fan.

– Vous n'aimez pas les fruits ? »

Lars, seul membre du groupe familier du droit, essaya de s'assurer que tout le monde donne la même version.

« On nous a piégés. Nous ignorions totalement qu'il y avait de la drogue dans le centre, dit-il à haute et intelligible voix avant d'être isolé pour déposer. Nous ne savions pas ce que les smoothies contenaient. »

« Je n'étais pas au courant qu'il y avait de la drogue ici, répéta Frances. J'ai été piégée. Je ne savais pas ce qu'il y avait dans les smoothies. »

– Ouais, j'ai compris. » Le policier finit par lever les yeux au ciel. « Personne ne savait. » Il ferma son calepin. « Je vous laisse à votre mangue. »

Un des officiers de la police locale reconnut Tony et fit un aller-retour chez lui pour récupérer un maillot des Carlton et lui demander de le signer. Il était tout ému.

Les substances illégales furent emportées comme pièces à conviction et, la journée touchant à sa fin, on leur annonça qu'ils étaient libres de partir, à condition de rester à la disposition de la police pour les besoins de l'enquête.

« On peut partir, mais est-ce qu'on peut rester ? » demanda Frances. Il était trop tard pour faire six heures de route.

Gus n'y vit aucune objection. Les lieux avaient été fouillés, la drogue évacuée, personne n'était mort, ils avaient payé pour dix jours, donc techniquement, ils étaient toujours clients… autant d'éléments qu'il passa en revue pour s'assurer du bien-fondé de sa décision. Jan leur fit à tous un petit massage de dix minutes pour relâcher les tensions et leur suggéra de se rendre à l'hôpital le plus proche s'ils souhaitaient qu'on leur fasse un bilan. Tous déclinèrent, y compris Tony qui déclara que son épaule allait parfaitement bien. Personne n'avait envie de croiser Masha.

« C'était à ça que vous pensiez quand vous m'avez dit de ne rien faire qui me mette mal à l'aise ? demanda Frances pendant que Jan la massait.

– Mon Dieu, non ! Je voulais dire, évitez les fentes sautées ou les burpees ! Il faut avoir de bons genoux pour faire des fentes, et les burpees sont très mauvais pour les gens qui ont des problèmes de dos. » Elle secoua la tête. « Si j'avais soupçonné ce genre de choses, j'en aurais tout de suite informé la police. » Elle regarda Gus avec adoration. « J'aurais prévenu Gus.

– Il est du genre à siffler ? » demanda Frances en suivant son regard.

Non, pas plus qu'il ne faisait de taille au couteau, d'ailleurs, mais il était presque parfait.

Une fois Gus et Jan partis, le petit groupe rejoignit la cuisine pour préparer quelque chose à manger. Ivres de liberté, ils se mirent à ouvrir tous les placards et il y eut un silence émerveillé quand ils découvrirent l'abondance de steaks, poulet, poisson, légumes et œufs que contenait l'énorme réfrigérateur en acier inoxydable.

« C'est mon anniversaire aujourd'hui », annonça Zoe.

Tous les regards se tournèrent vers la jeune fille.

« Et celui de Zach, aussi. » Elle prit une longue inspiration fébrile. « C'est notre anniversaire aujourd'hui. »

Ses parents vinrent se mettre à côté d'elle.

« Je crois qu'un petit verre de vin s'impose ce soir, dit Frances.

– Il nous faut de la musique aussi, dit Ben.

– Et un gâteau », ajouta Carmel. Elle se remonta les manches. « Je suis la reine des gâteaux d'anniversaire.

– Une pizza, ça vous dit ? proposa Tony. S'il y a de la farine, je peux faire la pâte.

– Vous savez faire ça ? s'étonna Frances.

– Bien sûr », dit-il en souriant.

Zoe alla dans sa chambre récupérer la bouteille de vin qu'elle avait réussi à faire entrer dans le centre pendant que Frances fouillait la maison et finissait par trouver dans une petite pièce derrière l'accueil un véritable trésor – sans doute des produits interdits apportés par des clients avant eux – à savoir six bouteilles de vin dont quelques-unes plutôt bonnes. Ben mit la main sur leurs téléphones portables et tous se reconnectèrent sans tarder au monde extérieur pour découvrir qu'il ne s'était pas passé grand-chose au cours de la semaine écoulée : un scandale dans le monde du sport qui laissa Napoleon et Tony sans voix, une rupture chez les Kardashian que seules Jessica et Zoe relevèrent, une catastrophe naturelle dont les quelques victimes avaient délibérément ignoré les consignes de prévention, alors franchement... Ben fit office de DJ grâce à son téléphone et passa toutes les chansons qu'on lui demanda, vieilles, récentes, rock, rap, jazz.

Jessica fit griller de succulents steaks à point. Tony fit tourner la pâte à pizza. Frances servit de commis à quiconque avait besoin d'aide. Carmel prépara un gâteau incroyable qui lui valut tant de compliments qu'elle ne put s'empêcher de rougir. Tout le monde mangea et but plus que de raison. On dansa et on pleura.

Lars se révéla un piètre danseur. Un spectacle fort amusant.

« Vous faites exprès ou quoi ? demanda Frances.

– Pourquoi tout le monde dit ça ? » s'offusqua-t-il.

Tony en revanche avait le rythme dans la peau. Il raconta qu'à la grande époque il avait pris des cours de danse classique avec certains de ses coéquipiers dans le cadre de leur entraînement. « Parfait pour les muscles ischio-jambiers », dit-il tandis que Frances et Carmel riaient comme des baleines dans les bras l'une de l'autre en imaginant Tony en tutu. Il ne se démonta pas et exécuta une pirouette parfaite.

Frances n'avait jamais fréquenté un homme capable de faire une pirouette ou de la pâte à pizza. Elle se fit la remarque comme ça, en passant. Ce n'était pas une raison pour laisser Tony l'embrasser. Car elle savait qu'il en mourait d'envie. Elle en savoura la certitude avec autant de plaisir que la première fois qu'elle avait vécu ça. Elle avait alors quinze ans. C'était à la fête d'anniversaire de Natalie, de quelques mois son aînée. Une sensation qui rendait tout plus intense. Exactement comme une drogue hallucinogène.

Ils trinquèrent à Zoe et Zach.

« Je ne voulais pas de jumeaux, dit Heather en levant son verre de vin rouge. Je ne vais pas vous mentir, quand le médecin me l'a annoncé, j'ai laissé échapper un juron.

— Eh bien, ça commence bien, ce discours, maman, dit Zoe.

— Je suis sage-femme, poursuivit Heather. Je connaissais les risques d'une grossesse gémellaire. Mais finalement je n'ai pas eu de souci et j'ai accouché par voie basse. Évidemment, une fois qu'ils étaient là, ça s'est corsé ! »

Elle regarda son mari et lui prit la main.

« Les premiers mois ont été difficiles mais ensuite, quand ils ont eu six mois, je ne sais pas, ils se sont calés, et je me souviens, après ma première vraie nuit de sommeil, je me suis réveillée, je les ai regardés et je me suis dit : Eh bien, vous êtes assez extraordinaires, tous les deux. Ils n'ont jamais fait les choses en même temps. C'était chacun son tour. Zach est né en premier mais Zoe a marché avant lui. Il s'est mis à courir plus tôt aussi. » Sa voix s'affaiblit. Elle porta son verre à la bouche mais se rappela qu'elle n'avait pas terminé son toast. « Zoe a eu son permis de conduire en premier. Comme vous pouvez l'imaginer, Zach en était malade. »

De nouveau, une pause. « Et ces bagarres ! C'était à peine croyable ! Ils étaient prêts à s'étrangler, je les mettais dans deux pièces différentes et cinq minutes plus tard, ils étaient de nouveau à jouer et à rire ensemble. »

Frances se rendit compte que Heather aurait fait exactement le même discours si Zach n'était pas mort, le discours ordinaire

477

d'une maman fière de ses enfants, dans un jardin, avec les jeunes qui lèvent les yeux au ciel et les aînés qui écrasent une larme.

Heather leva son verre. « À Zoe et à Zach : les enfants les plus intelligents, les plus drôles et les plus beaux du monde. Papa et moi, on vous aime.

– À Zoe et à Zach », reprirent-ils tous en chœur.

Il n'y eut pas d'autres discours.

Napoleon préféra allumer les bougies que Zoe souffla tandis que tout le monde lui chantait *Joyeux anniversaire*. Personne ne l'invita à faire un vœu, chacun ayant la même chose en tête. Frances le voyait si clairement, ce garçon qui aurait dû être là, tout contre sa sœur, à jouer des coudes pour souffler les bougies, ayant tous les deux la vie devant eux.

À la demande de Zoe, Ben passa une chanson que Frances n'avait jamais entendue. Les trois jeunes se déhanchèrent ensemble.

On se promit de rester en contact. On devint amis sur Facebook et followers sur Instagram. Jessica créa un groupe sur WhatsApp et ajouta les numéros de tout le monde.

Carmel fut la première à succomber à la fatigue et à dire bonne nuit. Tous rentraient chez eux le lendemain matin. Ceux qui étaient venus en avion avaient avancé leur vol de deux jours. Carmel était d'Adelaide, les Marconi et Tony vivaient à Melbourne. Tony était le seul à avoir loué une voiture, il déposerait Ben et Jessica à l'aéroport pour qu'ils récupèrent la Lamborghini que Dalila y avait abandonnée. Lars et Frances, tous deux de Sydney, avaient annoncé leur intention de faire la grasse matinée et de prendre tranquillement leur petit déjeuner avant de partir.

Frances savait déjà qu'au matin les choses seraient différentes.

Ils entendraient tous l'appel de la vie qu'ils avaient laissée derrière eux. Elle avait déjà participé à des voyages en groupe ou à des croisières. Elle connaissait bien le processus. Plus ils s'éloigneraient de Tranquillum House, plus ils se diraient :

Attends, c'était quoi, cette histoire ? Je n'ai rien en commun avec ces gens ! Et les quelques jours passés ensemble commenceraient à revêtir le caractère d'un songe. « Moi, j'ai fait une petite danse hawaïenne au bord de la piscine ? », « J'ai vraiment essayé de faire deviner le mot Kama Sutra pour que mon équipe gagne ? », « J'ai consommé du LSD et je suis resté enfermé avec des étrangers ? N'importe quoi ! »

Enfin, Frances et Tony se retrouvèrent seuls autour de la longue table.

Tony leva la bouteille. « Un petit dernier ? »

Frances regarda son verre, réfléchit un instant. « Non, merci. »

Il s'apprêtait à remplir le sien mais se ravisa.

« Me voilà métamorphosée, dit Frances. En temps normal, j'aurais dit oui.

– Moi aussi », répondit Tony.

Il la regardait de cet air déterminé que prennent les hommes quand ils ont décidé de passer à l'attaque. Il allait l'embrasser.

Frances repensa à ce premier baiser à la fête d'anniversaire de Natalie, un baiser incroyable, magnifique, avec ce garçon qui avait fini par lui dire qu'il préférait les petits seins. Elle repensa à Gillian lui disant d'arrêter de se comporter comme les héroïnes de ses romans. Tony vivait à Melbourne et y avait sans aucun doute une vie bien établie. Elle se remémora toutes les fois où elle avait déménagé pour un homme et se revit quelques semaines plus tôt, prête à quitter l'Australie pour un homme qui n'existait même pas.

Elle repensa à la question de Masha : « Vous voulez vraiment être une personne différente à la fin de votre retraite ? »

Elle regarda Tony. « En temps normal, j'aurais dit oui. »

75

Une semaine plus tard

« Bon, annonça Jessica, je ne suis pas enceinte. Il n'y a jamais eu de bébé. Tout ça, c'était dans ma tête. »

Ben leva les yeux vers elle. Assis sur le canapé où il regardait *Top Gear*, il prit la télécommande et éteignit le téléviseur.

Elle vint s'asseoir près de lui, posa la main sur son genou et pendant un moment ils n'échangèrent pas un mot. Pourtant, tous deux savaient ce que cela signifiait.

Si elle avait été enceinte, ils seraient restés ensemble. Il y avait encore suffisamment d'amour entre eux pour rester ensemble pour un bébé.

Mais elle ne l'était pas et il n'y avait plus assez d'amour entre eux pour réessayer, ou pour toute autre chose qu'un divorce à l'amiable.

Deux semaines plus tard

Dans la maison flottait un parfum de pain d'épices, de caramel et de beurre. Carmel avait préparé toutes les douceurs préférées de ses filles pour leur retour à la maison.

Au bruit d'un moteur dans l'allée, elle alla sur le perron.

Les portières s'ouvrirent à la volée, quatre petites filles jaillirent de la voiture et se jetèrent sur elle, la faisant tomber sur les genoux. Elle enfouit son nez dans leurs cheveux, le creux de leurs bras. Elles se lovèrent contre elle et commencèrent à se la disputer comme si elle était une peluche.

Lizzie prit un coup de coude dans l'œil et se mit à pleurnicher. Lulu cria à Allie : « Laisse-moi lui faire un câlin. Elle n'est pas qu'à toi ! » Sadie mit la main sur les cheveux de Carmel et tira dessus, provoquant des larmes de douleur.

« Laissez votre mère se relever, bon sang ! » ordonna Joel à qui les vols longs-courriers n'avaient jamais réussi.

Carmel parvint à se relever en chancelant.

« Je ne te laisserai plus jamais, maman ! s'écria Lulu farouchement.

— Lulu, aboya son père, ne sois pas si ingrate. Tu viens de passer les meilleures vacances de ta vie.

— Inutile de la gronder, dit Sonia. On est tous fatigués. »

Entendre la nouvelle petite amie de son ex le critiquer la mit dans le même état d'euphorie que le smoothie au LSD.

« Rentrez, les filles, dit Carmel. Il y a des surprises pour vous à l'intérieur. »

Les filles se précipitèrent dans la maison.

« Vous avez une mine superbe, dit Sonia qui, elle, avait le teint gris et souffrait visiblement du décalage horaire.

— Merci, dit Carmel. Je me suis octroyé un break vraiment agréable.

— Vous avez perdu du poids, non ?

— Je ne sais pas. » Elle ne s'était pas pesée. Ça ne semblait plus si important.

« Eh bien, je ne sais pas à quoi c'est dû, mais vous paraissez transformée, vraiment, dit Sonia avec chaleur. Votre peau est sublime, vos cheveux… tout. »

Je ne l'aurais pas cru, mais on va finir par être amies toutes les deux ! songea Carmel.

Elle se rendit compte que Joel ne remarquerait pas le moindre changement en elle. Les femmes ne se métamorphosent pas pour les hommes, non, elles le font pour les autres femmes, car elles seules repèrent les variations de poids ou de teint, habituées à les traquer sur leurs propres corps ; elles seules sont prisonnières de ce ridicule manège dont elles ne veulent ou ne peuvent descendre, l'obsession de l'apparence. Même si elle avait fait du sport tous les jours, arboré un teint parfait et des ongles manucurés, Joel serait parti. Son absence de désir n'avait rien à voir avec elle. Il ne l'avait pas quittée pour mieux qu'elle. Ce qu'il recherchait, c'était la nouveauté.

« On était assis juste à côté des toilettes sur le vol, dit Joel. Il y a eu du va-et-vient toute la nuit. Je n'ai pas fermé l'œil.

– Inacceptable, commenta Carmel.

– Comme tu dis. J'ai voulu utiliser mes miles pour obtenir un surclassement mais ça n'a pas marché. »

Carmel vit Sonia lever les yeux au ciel. Oui, elles allaient devenir amies !

« Dis-moi, Joel, je pensais que ce serait bien si tu pouvais m'aider à faire le taxi pour les activités extrascolaires à la rentrée. Je me suis épuisée l'année dernière à tout gérer toute seule et je voudrais vraiment poursuivre le programme d'entraînement que j'ai commencé.

– Bien sûr, dit Sonia. Nous sommes coparents !

– J'ai un goût horrible dans la bouche, murmura Joel. Je crois que je suis déshydraté.

– Envoyez-moi leurs plannings, dit Sonia. On va trouver une solution. À moins que vous vouliez qu'on en parle toutes les deux autour d'un café ? » Elle ne semblait pas très à l'aise, craignant peut-être d'avoir dépassé les limites.

« Bonne idée.

– J'organise mon temps de travail comme je veux, alors je suis très flexible, poursuivit Sonia d'une voix enthousiaste. J'adorerais donner un coup de main pour leurs cours de danse, les coiffer par exemple ! C'est quand vous voulez ! J'aurais adoré avoir une petite fille, mais comme vous savez, je ne peux pas avoir d'enfants, alors je ne pourrai...

– Vous ne pouvez pas avoir d'enfants ? l'interrompit Carmel.

– Euh, je croyais que vous étiez au courant, fit Sonia en lançant un regard de biais à Joel qui se tâtait les gencives.

« Je l'ignorais. Je suis désolée.

– Oh, ça va, je me suis faite à l'idée. » Elle regarda de nouveau Joel et Carmel comprit que la situation n'était pas si simple pour Sonia, mais qu'elle convenait parfaitement à Joel. « Bref, j'adorerais pouvoir participer. Sauf si vous tenez à vous occuper de la danse vous-même, bien sûr.

– Vous pouvez les emmener à la danse sans problème », dit Carmel qui, loin de rêver à un avenir de ballerine pour ses filles, n'arrivait jamais à leur faire ces chignons lisses et brillants que leur professeur, miss Amber, exigeait.

« C'est vrai ? » Sonia frappa dans ses mains comme si on ne pouvait pas lui faire de plus beau cadeau. En voyant son regard joyeux et plein de reconnaissance, Carmel faillit se mettre à pleurer. De reconnaissance, elle aussi. Ses filles n'auraient pas à subir l'arrivée déroutante d'un demi-frère ou d'une demi-sœur et Carmel allait pouvoir échapper aux contraintes liées à la danse. Sonia se porterait sans aucun doute volontaire pour coiffer et maquiller les élèves à l'occasion des spectacles. Miss Amber allait l'adorer. Carmel était tirée d'affaire pour de bon !

Plus tard dans la journée, Carmel n'oublierait pas de demander à Lulu de ne jamais, jamais corriger quiconque lui dirait qu'elle ressemblait à sa maman quand elle se promenait avec Sonia.

« Je vais trouver la meilleure application d'agenda partagé », dit Sonia en se faisant un mémo sur son téléphone portable.

Carmel sentit une autre bouffée d'euphorie enfler dans sa poitrine. Elle avait perdu un mari, certes, mais elle venait de se trouver une *épouse*. Une jeune épouse dynamique et efficace. Un net progrès ! Une aubaine !

Elle serait là pour cette pauvre Sonia quand, d'ici dix ans, Joel décréterait qu'il était temps de passer à la nouvelle version de la femme de sa vie.

« On pourrait parler de la danse une autre fois, dit-il, parce que là j'ai vraiment besoin d'une douche. » Il commença à regagner sa voiture.

« Attends ! On va dire au revoir aux filles !

– Bien sûr. » Il soupira. De toute évidence, les vacances avaient été longues.

« Dites-moi tout, qu'est-ce que vous avez fait ? murmura Sonia à l'oreille de Carmel. Le régime paléo ? Le jeûne intermittent 5/2 ? Le 18/6 ?

– Une retraite, répondit Carmel. Dans un centre de bien-être hallucinant. Ça m'a changé la vie. »

Trois semaines plus tard

« Tu es tout essoufflée, dit Jo.

– Je faisais des pompes, répondit Frances, à plat ventre sur le sol de son salon, le téléphone contre l'oreille. « Ça fait travailler tous les muscles du corps.

– Des pompes ? À d'autres ! Oh ! mon Dieu, je t'ai interrompue en plein coït !

– Je suppose que je devrais être flattée que tu m'imagines davantage m'envoyer en l'air que faire des pompes à 11 heures du matin ! » Frances s'assit en tailleur.

Au cours de son séjour à Tranquillum House, elle avait perdu trois kilos qu'elle avait aussitôt repris, mais elle essayait de modifier son mode de vie : un peu plus de sport et de respiration en conscience, un peu moins de chocolat et de vin. Elle se sentait plutôt bien. Et d'après son amie Ellen, qui avait été abasourdie par le récit de Frances, le blanc de ses yeux était vraiment plus blanc.

« Quand je t'ai dit qu'ils avaient une approche peu conventionnelle, je voulais parler des menus personnalisés, pas de LSD ! » s'était-elle écriée. Elle avait marqué un temps d'arrêt puis, sur un ton mélancolique : « J'aurais adoré essayer le LSD. »

« Bon, et ta nouvelle vie de retraitée alors ? demanda Frances.

– Je reprends le travail, annonça Jo. C'est plus facile de bosser. Tout le monde s'imagine que je n'ai rien à faire de la journée. Mes frères et sœurs par exemple. D'après eux, c'est à moi de m'occuper de nos vieux parents. Et mes enfants voudraient que je garde les leurs. J'adore mes petits-enfants, mais ce n'est pas pour rien qu'on a inventé la garderie.

– Je te l'avais dit que tu étais trop jeune pour prendre ta retraite », dit Frances en essayant de toucher ses genoux avec son nez. C'était tellement important de s'étirer.

« Je lance ma propre maison d'édition.

– C'est vrai ? » Une lueur d'espoir vit le jour en elle. « Félicitations.

– Naturellement, poursuivit Jo, j'ai lu ton nouveau roman et, naturellement, il m'a plu. Mais avant de te faire une offre, je voulais juste savoir si tu envisagerais d'y ajouter un peu de sang. Voire un meurtre. Pour une fois.

– Un meurtre ! Je ne sais pas si j'ai ça en moi.

– Oh, Frances, tu es une romantique dans l'âme, mais tu caches à n'en pas douter bien des impulsions meurtrières.

– Tu crois ? » Frances plissa les yeux. « Peut-être, oui. »

Quatre semaines plus tard

Lars n'avait pas imaginé prononcer ces mots jusqu'à ce qu'ils sortent de sa bouche.

Depuis son retour à la maison, le petit garçon aux yeux noisette ne cessait de s'inviter dans ses pensées au moment où il s'assoupissait, et tout à coup, comme c'était agaçant, il était tout éveillé et la même idée revenait dans sa tête, lui apparaissant chaque fois comme une révélation : le gamin ne cherchait pas à pointer du doigt un traumatisme de son enfance. Il voulait lui montrer un bonheur à venir.

Absurde, se répétait-il sans cesse. *Je ne suis pas différent. C'était une hallucination. Pas une putain de révélation. À cause de la drogue. Comme chaque fois que j'ai pris du LSD.*

Mais ce jour-là, tandis que Ray rangeait les courses (y compris une série de boissons protéinées) dans le garde-manger, Lars se surprit à dire : « J'ai réfléchi à l'idée d'un bébé. »

La main de Ray s'immobilisa. Comme suspendue dans les airs, une conserve de tomates. Il ne prononça pas un mot. Ne fit pas un geste.

« On pourrait peut-être essayer, poursuivit Lars. *Peut-être.* » Il se sentit nauséeux. Pourvu que Ray ne se tourne pas, pourvu qu'il ne lui saute pas au cou, qu'il ne le regarde pas de son regard plein d'amour, de bonheur et de désir, sinon il allait vomir. Inévitablement.

Mais Ray le connaissait bien.

Il resta face aux placards. Posa lentement la boîte de tomates. « D'accord, dit-il, comme si cela n'avait pas la moindre importance pour lui.

— On en parlera plus tard, fit Lars en frappant avec désinvolture le plan de travail en granite. Je sors faire les boutiques.

— Pas de souci. »

Quelques instants plus tard, Lars revint dans la maison pour récupérer ses lunettes de soleil et entendit le bruit caractéristique d'un homme d'un mètre quatre-vingts qui saute sur place en hurlant dans le téléphone : « Oh, mon Dieu, oh, mon Dieu, tu ne devineras jamais ce qui vient de se passer ! » C'était sûrement sa sœur.

Lars marqua un temps d'arrêt, les lunettes dans la main, et sourit avant de ressortir sous le soleil.

Cinq semaines plus tard

À la télévision, un documentaire sur l'histoire du footy. Frances le regarda jusqu'au bout. Fascinant.

Elle appela Tony. « Je viens de passer une heure devant la télé à regarder un film sur votre sport !

— Frances ? fit Tony d'une voix essoufflée. Je faisais des pompes.

— J'arrive à en faire dix d'affilée ! Et vous ?

— Cent.

— Vantard. »

Six semaines plus tard

Napoleon était assis dans la salle d'attente du psychiatre conseillé par son médecin généraliste. Voilà six semaines qu'il avait sollicité un rendez-vous, signe indéniable de la crise de la santé mentale.

Depuis qu'il était rentré de Tranquillum House, il n'avait fait que survivre : enseigner, faire à manger, parler à sa femme et à sa fille, animer son groupe de soutien. Tout le monde le traitait exactement comme avant, ce qu'il trouvait tout bonnement stupéfiant. L'état dans lequel il se trouvait lui rappelait cette sensation d'oreilles bouchées après un vol, sauf que, dans le cas présent, tous ses sens étaient émoussés. Sa voix résonnait dans sa tête. Le ciel avait perdu ses couleurs. Il ne faisait rien qu'il ne soit obligé de faire car vivre était en soi un effort épuisant. Il dormait quand il pouvait. Se lever chaque matin était une épreuve, comme se mouvoir dans une épaisse boue.

« Tout va bien ? lui demandait parfois Heather.

— Impeccable », répondait-il.

Heather aussi avait changé depuis leur séjour à Tranquillum House. Elle n'était pas vraiment plus heureuse, mais plus calme.

Elle s'était inscrite à un cours de tai-chi dans le parc au bout de la rue. Les autres participantes avaient toutes soixante-dix ans ou plus, mais Heather s'était parfaitement intégrée au groupe. C'était d'autant plus étrange qu'elle n'était pas le genre à entretenir des amitiés féminines.

« Elles me font rire. Et elles ne me demandent rien, avait-elle dit à Zoe.

– Tu plaisantes ? Elles te sollicitent tout le temps ! » De fait, Heather passait beaucoup de temps à emmener ses nouvelles amies à leurs rendez-vous médicaux ou à aller chercher leurs médicaments à la pharmacie.

Zoe, elle, semblait très occupée entre son nouveau job à mi-temps et ses études. Napoleon gardait un œil sur sa fille, mais elle allait bien. Un matin, tandis qu'il passait devant la porte de sa salle de bains environ une semaine après leur retour, il l'avait entendue, pour la première fois depuis trois ans, chanter sous la douche – faux, mais que c'était beau !

« Mr Marconi ? dit une petite femme blonde qui lui rappelait un peu Frances Welty. Je suis Allison. Entrez. »

Elle l'invita à s'asseoir et prit place en face de lui. Sur la table basse, un livre sur les jardins anglais et une boîte de mouchoirs en papier parfumés à l'aloe vera.

Napoleon ne perdit pas de temps en civilités. Il lui parla de Zach, de la drogue qu'il avait absorbée à son insu, de la dépression dont il pensait souffrir depuis. Son généraliste lui avait proposé des antidépresseurs dont il avait probablement besoin mais il savait que trouver le dosage adéquat pouvait être compliqué, ce n'était pas une science exacte, il en avait pleinement conscience car il avait fait des recherches sur le sujet, il connaissait tous les médicaments, leurs noms, leurs effets secondaires, il s'était fait un tableau, il pouvait le lui montrer si elle le souhaitait, il savait qu'en début de traitement les patients ne se sentaient pas forcément mieux, au contraire, ils pouvaient avoir des pensées suicidaires, et il parlait d'expérience, il connaissait des gens qui avaient perdu un proche dans ce type de circonstances, il savait par ailleurs qu'il était particulièrement réactif aux drogues, que son fils l'était peut-être aussi, et, oui, les gens dans ce centre avaient sûrement les meilleures intentions du monde, il couvait probablement cette dépression depuis longtemps, mais il avait le sentiment que, s'il y avait une personne à qui il n'aurait jamais fallu donner ce smoothie, c'était bien lui.

Épuisé, il avait conclu en disant : « Allison, j'ai peur de commettre une… »

Elle n'insista pas pour qu'il finisse sa phrase.

Elle posa la main sur son bras. « Nous formons une équipe à présent, Napoleon. Vous et moi, nous sommes une équipe, et nous allons mettre une stratégie au point pour en finir avec cette dépression, vous entendez ? »

Elle le regarda avec la même intensité passionnée que son ancien entraîneur de football. « Nous allons nous battre. Et nous allons gagner. »

Deux mois plus tard

Frances et Tony marchaient d'un bon pas chacun de leur côté. Neuf cents kilomètres les séparaient.

Ils avaient pris l'habitude de se tenir compagnie pendant leurs promenades respectives.

Au début, ils sortaient de ces conversations l'oreille tout endolorie mais, sur les conseils de Mimi, la fille de Tony, ils s'étaient munis de casques et pouvaient rester au téléphone encore plus longtemps.

« Tu es dans la côte ? demanda Tony.

– Oui, mais tu entends ? Je ne suis pas du tout essoufflée !

– Quelle athlète ! Tu es au top ! Bon, et ce meurtre ?

– C'est fait ! J'ai zigouillé un personnage pour la première fois de ma vie hier.

– Ça t'a plu ? Hé, salut, Bear. » Tony gratifia le labrador couleur chocolat d'une caresse. Il le croisait régulièrement au cours de ses promenades sans pour autant avoir sympathisé avec son maître.

« En Hollande ? Je n'y suis jamais allée, dit Frances quand Tony lui raconta qu'il allait bientôt rendre visite à son fils et à ses petits-enfants.

– Vraiment ? Moi, je n'y suis allé qu'une fois. J'espère qu'il fera moins froid cette fois.

– Moi, le froid ne me dérange pas trop… »

Un long silence s'ensuivit. Frances s'arrêta et sourit à une dame qui arrosait son jardin, coiffée d'un chapeau de paille.

« Est-ce que tu aimerais venir avec moi, Frances ?

– Oui, j'adorerais. »

Ils échangèrent leur premier baiser dans le salon d'attente de l'aéroport.

Trois mois plus tard

Assise au pied du lit, Heather se passait de la crème sur les jambes tandis que Napoleon réglait le réveil de son téléphone portable.

Il voyait un psychiatre depuis quelque temps et semblait apprécier ses séances, même s'il en parlait peu.

« Je crois que ça te ferait du bien de me crier dessus, lui dit-elle.

– Quoi ? fit-il, interloqué. Non, pas du tout.

– On n'en a jamais vraiment reparlé après la cure… le traitement de Zach.

– J'ai écrit toutes les lettres qu'il fallait, c'est signalé. » Bien sûr, par l'intermédiaire du docteur Chang, Napoleon avait pris contact avec les bonnes personnes – autorités, industrie pharmaceutique – et apporté un témoignage solidement documenté. Il n'avait jamais eu l'intention d'entamer des poursuites judiciaires mais il avait tenu à s'assurer que les choses se sachent. *Mon fils, Zachary Marconi, a mis fin à ses jours alors qu'il prenait…*

« Je sais, dit Heather. Mais tu n'es jamais revenu sur… ce que j'ai fait.

– Tu n'es pas responsable du suicide de Zach.

– Je ne veux pas que tu me tiennes pour responsable. Je dis juste que tu as le droit d'être en colère contre moi. Contre Zoe, aussi, mais tu ne vas pas te fâcher contre elle…

– Non, c'est hors de question, se récria-t-il, horrifié.

– Mais moi, tu peux me hurler dessus. Si ça te fait du bien. » Elle vit son visage déformé par la douleur, comme s'il venait de se cogner un orteil.

« Hors de question, répéta-t-il de son ton le plus pompeux. C'est ridicule. Et inutile. Tu as perdu ton fils toi aussi.

– Et si ça me faisait du bien, à moi, que tu me cries dessus ?

– Quelle idée. C'est… insensé. » Il se détourna. « Tu arrêtes maintenant.

– S'il te plaît. » Elle se mit à genoux sur le lit pour le regarder bien en face. « Napoleon ? »

Elle pensa au foyer dans lequel elle avait grandi, cette maison où il n'y avait jamais ni cris, ni rires, ni larmes, où personne n'exprimait jamais ses sentiments, en dehors peut-être d'une envie de thé.

« S'il te plaît ?

– Arrête de dire n'importe quoi, dit-il entre ses dents. Arrête.

– Laisse-la sortir, ta colère.

– Non. Je n'en ai pas besoin. Qu'est-ce que tu vas me demander après ? De te frapper ?

– Je sais que tu ne lèverais jamais la main sur moi. Mais je suis ta femme, Napoleon, et tu as le droit d'être furieux contre moi. »

Tout à coup, quelque chose céda et il monta dans les tours, laissant la colère inonder son visage et secouer son corps de tremblements.

« Bien sûr, Heather, tu aurais dû vérifier les effets secondaires de ce putain de médicament. C'est ça que tu veux entendre ? » Il cria plus fort qu'elle ne l'avait jamais entendu crier, plus fort encore que le jour où Zach, alors âgé de neuf ans, avait failli passer sous une voiture pour récupérer un ballon, n'avait-il donc aucun bon sens, ce gosse, d'autant qu'on le lui avait dit de le laisser, ce ballon, et Napoleon avait hurlé « Stop ! » si fort que tous les gens alentour s'étaient figés.

Le cœur de Heather accéléra tandis que Napoleon la prenait par les épaules et la secouait brutalement, si brutalement que ses dents s'entrechoquèrent, sauf qu'en réalité il ne posa pas le petit doigt sur elle.

« Ça te fait du bien, vraiment ? Oui, je suis en colère, Heather, parce que, quand je t'ai interrogée sur les effets secondaires du médicament que tu faisais prendre à mon fils, tu aurais dû vérifier.

— J'aurais dû vérifier, dit-elle à voix basse.

— Et je n'aurais jamais dû activer la répétition d'alarme de ce putain d'appareil ! » Il prit son téléphone sur la table de chevet et le jeta contre le mur. De minuscules tessons de verre volèrent dans la pièce.

Pendant un long moment, ils n'échangèrent pas un mot. Elle regarda sa poitrine se soulever et s'abaisser et la colère le quitter.

Il se laissa tomber sur le lit, dos à Heather, enfouit son visage dans ses mains et dit d'une voix rauque à peine audible où ne perçaient que la douleur et le regret : « Et notre fille aurait dû nous dire que quelque chose clochait chez son frère.

— Tu as raison. » Heather posa la joue contre son dos et attendit que leurs cœurs reprennent un rythme normal.

Il prononça quelques mots incompréhensibles. « Quoi ?

– Et c'est tout ce qu'on saura jamais, répéta-t-il.

– Oui.

– Et ça ne suffira jamais.

– Non, ça ne suffira jamais. »

Cette nuit-là, pour la première fois depuis la mort de Zach, Heather dormit d'un sommeil profond et sans rêves pendant sept heures. Au réveil, elle se sentit aussi proche de Napoleon qu'au premier jour, comme si le fossé invisible et infranchissable qui les avait séparés ces trois dernières années n'avait jamais existé. Au cours de sa vie, elle avait pris de mauvaises décisions, mais pas le jour où elle avait accepté d'accompagner ce géant au look un peu ringard au cinéma pour voir *Danse avec les loups*, un film qui n'avait que de bonnes critiques.

Les parents ne sont pas censés penser à leurs enfants lorsque, retranchés dans leur chambre porte verrouillée, ils font l'amour, mais ce matin-là, quand Napoleon la prit tendrement dans ses bras, elle pensa à la famille qu'ils formaient avec leurs deux enfants, à ce petit garçon qui ne deviendrait jamais un homme, à cette petite fille qui était déjà une femme, et aux puissants liens d'amour qu'ils avaient tissés pour toujours les uns avec les autres. Tout ça parce qu'elle avait accepté d'aller au cinéma.

Ensuite elle arrêta de penser parce que son géant savait toujours aussi bien s'y prendre.

Un an plus tard

Ben pensait que sa mère et lui seraient prêts le jour où ça finirait par arriver. Ils y avaient songé tellement de fois. Mais il n'en fut rien.

Lucy mourut d'une overdose pendant une de ses périodes d'abstinence, pile au moment où tout le monde commençait à se dire que cette fois elle allait peut-être s'en sortir. Classique.

Elle avait commencé une formation de décoratrice d'intérieur, emmenait ses enfants à l'école, avait même participé à la rencontre parents-professeurs, ce qui était une première. Elle semblait regarder vers l'avenir.

D'après la mère de Ben qui la trouva morte, elle avait l'air étrangement paisible, comme une petite fille en pleine sieste, ou une femme de trente ans renonçant à se battre contre le monstre qui refusait de la laisser vivre en paix.

Ben songea d'abord à appeler Jessica. Ils étaient restés en très bons termes, même s'il était toujours très gêné en repensant au message qu'elle avait posté sur Instagram pour annoncer leur rupture, comme s'ils étaient un couple de stars et devaient la vérité à leur public avant que la presse ne s'acharne contre eux. *Le temps est venu de nous séparer avec tendresse, nous serons toujours amis.*

Jessica était en plein casting pour la prochaine saison du *Bachelor*, non pas qu'elle cherchait l'amour – elle n'y croyait plus vraiment – mais elle pensait à son image et aux milliers de followers supplémentaires que sa participation lui garantirait. Il gardait ses commentaires pour lui car elle représentait de nombreuses associations caritatives et postait sur son compte Instagram des tonnes de photos de déjeuners, bals et autres petits déjeuners ultrachics qu'elle avait eu l'immense honneur d'organiser avec ses nouvelles amies de la haute société.

Ben, quant à lui, avait repris le travail au garage de Pete. Au début, les gars ne l'avaient pas ménagé – « Tu as tout perdu au jeu, mon pote ? » –, mais ils avaient fini par se détendre et oublier qu'il était riche. Il avait gardé sa voiture, acheté une jolie maison et consacré une bonne partie de sa fortune au financement d'une fondation d'aide aux familles de drogués dirigée par sa mère.

Lars les avait aidés à partager leurs biens sans heurt et sans juge. Un super avocat en droit de la famille, voilà ce qu'ils devaient à leur séjour à Tranquillum House.

Ben décida de ne pas informer Jessica du décès de Lucy tout de suite, conscient que l'absence de surprise dans sa voix lui serait insupportable. Il préféra composer le numéro de Zoe. Depuis la cure, ils s'étaient parlé sur les réseaux et par texto, mais jamais par téléphone.

« Salut, Ben, dit-elle gaiement en décrochant. Comment vas-tu ?

– J'appelle… » Sa voix se brisa. *Respire*, songea-t-il. *Respire.*

« Quoi ? fit-elle d'un tout autre ton. C'est ta sœur ? C'est Lucy ? »

Elle vint à l'enterrement. Il passa la cérémonie à la chercher du regard.

76

Cinq ans plus tard

En temps normal, Yao n'aurait pas allumé la télévision en pleine journée, mais il venait juste de vivre un moment aussi gênant que terrifiant à la garderie où sa fille de deux ans avait mordu un de ses camarades au bras avant de partir d'un rire diabolique, la tête en arrière.

« Ah oui, je peux te dire que tu ne perdais pas une occasion de mordre quand tu étais petit. Elle tient ça de toi », lui avait dit sa mère au téléphone d'un ton satisfait, comme si ce genre d'hérédité était un don fabuleux.

Quand Yao avait mis sa fille à la sieste, il l'avait grondée en pointant un index sévère vers elle : « Ne fais plus jamais ça. »

Et la petite de l'imiter en répétant : « Ne fais plus jamais ça. »

Puis elle s'était allongée, le pouce dans la bouche, les yeux fermés. Il revoyait ses fossettes sur ses joues, signe qu'elle faisait semblant de dormir et qu'elle avait toutes les peines du monde à contenir son hilarité.

Il était resté là un moment à admirer ses joues rondes et à s'émerveiller comme souvent d'avoir été parachuté dans un quartier résidentiel pour mener cette nouvelle vie de père au foyer.

Il avait été condamné à quatorze mois de prison avec sursis

après avoir plaidé coupable pour son rôle dans les événements qui avaient eu lieu à Tranquillum House. Masha avait soutenu à la police qu'elle seule devait être tenue pour responsable du protocole qu'ils avaient expérimenté, que ses employés n'étaient que des imbéciles inconscients et dociles. Elle avait déclaré avoir préparé les smoothies en personne, ce qui était vrai, mais Yao avait vérifié et revérifié les dosages à ses côtés. La mère de Yao avait dit qu'à la place du juge il n'y aurait pas eu de sursis qui tienne. Ses parents avaient vu rouge, ne comprenant pas comment il avait pu agir ainsi. La plupart du temps, Yao ne comprenait pas lui-même. Les choses lui avaient semblé tout à fait sensées à l'époque. Ces chercheurs on ne peut plus prestigieux ! Ces articles on ne peut plus sérieux dans la presse spécialisée !

Et sa mère d'ajouter : « Cette femme t'avait ensorcelé. »

Elle avait farouchement nié la véracité de l'incident que son fils avait revécu au cours de sa séance de thérapie psychédélique.

« Jamais ! Je ne t'aurais jamais laissé seul dans la cuisine avec une casserole sur le feu. Pour qui tu me prends ? Une imbécile ? Tu ferais ça avec ta fille, toi ? Tu n'as pas intérêt ! »

Selon elle, sa peur de se tromper ne venait que de lui. « Tu es *né* comme ça ! On s'est donné du mal pour que tu comprennes que ce n'était pas grave de se tromper. On t'a répété mille fois d'arrêter d'essayer d'être parfait. On a même poussé le vice à commettre des erreurs exprès pour que tu te rendes compte que tout le monde en faisait. Ton père cassait des trucs, se cognait dans les murs… Il en faisait un peu trop, mais ça l'amusait. »

Yao avait-il mal compris ses parents toute sa vie ? Quand ils disaient préférer ne pas avoir trop d'attentes pour s'éviter des déceptions, ils essayaient en fait de le protéger. Et son père n'était pas l'homme maladroit qu'il avait toujours pensé.

Dalila n'avait pas été inquiétée par la justice, et pour cause, personne n'avait réussi à la localiser. Yao pensait parfois distraitement à elle, se demandant où elle était – sur une île lointaine à restaurer un bateau, comme le héros de son film préféré, *Les Évadés* ? (« C'est le film préféré de tous les hommes de la planète », lui avait dit un jour une des mères de la garderie – une certitude acquise grâce à son expérience des sites de rencontre). Mais Dalila s'était certainement fondue dans une grande ville où elle sévissait de nouveau comme assistante personnelle. Il la revoyait encore dans cette jupe moulante à l'époque où elle travaillait pour Masha. Une éternité s'était écoulée.

Yao avait perdu le droit d'exercer son métier de secouriste ou tout autre activité relative au monde médical. Après le procès, il s'était installé dans un studio à équidistance des logements de ses parents et avait fini par retrouver du travail. Il traduisait des documents juridiques du chinois vers l'anglais, une activité aussi ennuyeuse que laborieuse, mais cela payait les factures.

Un jour, tandis qu'il prenait son triste dîner, seul dans son triste appartement, le téléphone avait sonné et un frisson de pressentiment lui avait parcouru l'échine. Un coup de fil qui va changer le cours de votre vie a-t-il une sonnerie particulière ? se demanderait-il plus tard.

C'était Bernadette, son ex. Elle voulait lui faire un coucou. Ces derniers temps, elle pensait à lui. Souvent.

Parfois, la vie change si lentement, si imperceptiblement que l'on ne s'en rend pas compte jusqu'à ce qu'un jour on se réveille et on se demande : *Comment en suis-je arrivé là ?* Mais d'autres fois, elle change à la vitesse de l'éclair qui frappe pour le meilleur ou pour le pire. On gagne au loto. On traverse la rue au mauvais moment. On reçoit un coup de fil d'un amour perdu. Et, tout à coup, la vie vous projette sur une trajectoire totalement nouvelle.

Ils s'étaient mariés dans l'année et sa femme était tombée enceinte dans la foulée. Ils avaient tout naturellement décidé qu'elle retournerait au travail tandis que Yao resterait à la maison pour s'occuper du bébé et continuer de traduire, métier qu'il trouvait désormais intéressant et stimulant.

Une fois certain que sa fille dormait vraiment, il rejoignit le salon où il s'affala sur le canapé et alluma la télévision. Son idée : s'accorder vingt minutes de télé-poubelle pour se remettre de l'incident de la garderie avant de consacrer une bonne heure à son travail. Ensuite, il serait temps de penser au dîner.

Il laissa échapper la télécommande.

« Masha », murmura-t-il.

Au même instant, à l'autre bout de la ville, un homme muni d'une clé à molette restait pantois devant la télévision. « Masha. » Ce n'était pas non plus dans ses habitudes d'allumer le petit écran en journée, mais il était venu faire quelques travaux chez son fils qui n'avait pas son pareil pour les nombres mais était incapable de changer une ampoule.

« Vous la connaissez ? demanda sa belle-fille en mettant son bébé sur son épaule pour lui faire faire son rot.

– Elle me rappelle quelqu'un », répondit-il en évitant soigneusement de la regarder (elle avait le sein nu – allaitement oblige –, mais surtout, il était incapable de détacher le regard de son ex-femme.)

Masha resplendissait. Ses cheveux châtain foncé avec quelques mèches blondes lui tombaient sur les épaules et elle portait une robe dans un camaïeu de verts qui donnait à ses yeux l'éclat d'une émeraude.

L'homme s'assit sur le canapé à côté de sa bru. Elle lui lança un regard curieux, mais s'abstint de tout commentaire. Ils regardèrent l'interview ensemble.

Masha avait écrit un livre sur un programme de développement personnel de dix jours. Au menu de cette thérapie innovante, drogues psychédéliques, enfermement dans une pièce avec des étrangers, expositions à ses peurs, résolutions d'énigmes.

« Vaste fumisterie, murmura la jeune femme.

– De toute évidence, dit la journaliste, les drogues dont vous parlez sont illégales.

– Malheureusement, oui, répondit Masha. Mais cela ne durera pas éternellement.

– J'ai cru comprendre que vous aviez fait de la prison pour avoir administré ces mêmes drogues à un groupe de personnes quand vous avez voulu tester ce programme. »

L'homme serra la clé à molette dans ses mains. *De la prison ?*

« C'est exact. Mais je ne regrette pas un seul instant cette période de ma vie. Ç'a été un moment très important. » Masha leva le menton. « J'en suis ressortie métamorphosée. J'ai appris énormément de choses. C'est pourquoi j'ai voulu partager toutes mes expériences dans ce livre, disponible dans toutes les bonnes librairies. » Elle montra ledit livre.

La journaliste se racla la gorge. « Masha, on raconte que vous organisez des stages dans des lieux tenus secrets aux quatre coins du pays et que vous fournissez du LSD et d'autres drogues hallucinogènes aux participants. Que répondez-vous à ces rumeurs ?

– C'est complètement faux, dit Masha. Je démens formellement.

– Donc vous n'organisez pas de retraites dans des lieux tenus secrets ?

– J'organise des programmes de développement personnel taillés sur mesure pour des petits groupes de gens triés sur le volet. Les résultats sont prodigieux, mais je ne fais rien d'illégal, je peux vous l'assurer.

– On dit aussi qu'il y a une liste d'attente et que les tarifs sont exorbitants.

– Il y a une liste d'attente, c'est vrai. J'invite les gens qui souhaitent s'inscrire à consulter mon site Internet ou à appeler le numéro gratuit qui s'affiche à l'écran. Il y a une offre spéciale pour tous ceux qui appelleraient dans les prochaines vingt-quatre heures.

– S'il n'y a rien d'illégal dans vos programmes, on peut

légitimement se demander pourquoi tenir les lieux secrets, et pourquoi en changer régulièrement.

– C'est une question ? fit Masha en regardant la caméra, un sourire irrésistible sur les lèvres.

– Complètement tarée, dit la jeune femme. Je parie qu'elle gagne des millions. » Elle se leva et tendit le bébé à son beau-père. « Vous pouvez la prendre ? Je vais nous préparer du thé. »

Il prit sa petite-fille sur les genoux et regarda sa belle-fille s'éloigner.

Masha évoquait la respiration holotropique, thérapie psyché-délique sans prise de drogues.

« Cette technique de respiration qui implique une phase d'hyperventilation et qui plonge les gens dans une sorte de transe ? dit la journaliste sur un ton peu amène et sceptique.

– C'est beaucoup plus complexe que ça », dit Masha.

Une image de Masha arpentant une scène avec un petit micro à l'oreille dans une salle de conférences apparut à l'écran. L'auditoire semblait captivé.

L'homme souleva le bébé et lui murmura à l'oreille, dans sa langue maternelle : « Cette folle est ta grand-mère. »

Il repensa à la naissance de leur deuxième fils, seulement trois mois après la mort tragique de leur premier.

« Il est tout à toi. » Les cheveux collés sur le front, elle lui avait tourné le dos sans même regarder le nourrisson. On aurait dit un visage sculpté dans le marbre. « Je n'en veux pas. »

« L'instinct maternel va revenir », avait dit une infirmière à l'hôpital. Le chagrin. Elle était toujours en état de choc, sans aucun doute. Une telle épreuve, perdre son fils aîné à six mois de grossesse. C'était mal connaître Masha et la force qu'elle avait en elle.

Masha avait signé une décharge pour quitter la maternité. En partant, elle avait déclaré son intention de reprendre le chemin du travail le jour même et promis de lui envoyer de l'argent.

Assez d'argent pour qu'il élève le bébé, mais elle ne voulait rien avoir à faire avec lui.

Elle s'était exprimée très calmement, comme s'il s'agissait d'un accord entre deux partenaires économiques. Elle avait perdu son sang-froid à un seul instant : quand il était tombé à genoux et l'avait suppliée, en lui attrapant la main, de leur donner une chance de former à nouveau une famille. Elle lui avait hurlé au visage : « Je n'ai rien d'une mère ! Tu ne peux pas comprendre ça ? Je n'ai rien d'une mère ! »

Alors il l'avait laissée partir. Quel choix avait-il ? Elle avait tenu sa promesse, lui faisant parvenir toujours plus d'argent à mesure que sa carrière progressait.

Il lui avait envoyé des photos. Elle n'y avait jamais réagi. À croire qu'elle ne les regardait même pas. Elle était femme à déplacer des montagnes et pourtant, elle était aussi fragile qu'un enfant.

Deux ans plus tard, il s'était remarié. Il avait eu deux autres garçons avec sa nouvelle femme, que son fils appelait « maman » sans le moindre accent russe. Tous ensemble, ils vivaient à l'australienne, jouant au cricket sur la plage à Noël, utilisant le ramassage scolaire et courant vers la piscine à l'arrière de la maison en arrachant leurs vêtements quand il faisait chaud pour y plonger en caleçon. Ils avaient un large cercle d'amis, certains passaient chez eux sans téléphoner. Sa seconde épouse, qui avait grandi dans une petite ville, parlait avec ce fort accent traînant typique du bush et disait « pas grave » à tout bout de champ. Il l'aimait, mais parfois, tandis qu'il faisait griller des steaks dans son jardin, une bière à la main, dans cette atmosphère si caractéristique – le chant des cigales, le rire d'un kookaburra, les ploufs de ses fils dans la piscine, l'odeur de l'insecticide, la chaleur du soleil couchant sur son cou –, le visage de Masha lui apparaissait sans prévenir avec ses narines dilatées et ses magnifiques yeux verts qui brillaient d'un mélange de mépris et de désarroi enfantin, et il la revoyait dire : *Ces gens ! Ils sont tellement bizarres !*

Pendant des années, il avait cessé toute tentative de communication avec Masha. Il n'avait pas pris la peine de lui envoyer des photos du mariage de leur fils. Mais cinq ans plus tôt, à l'occasion de la naissance de leur premier petit-enfant, rempli de cet amour inconditionnel et dévorant de grand-père, il lui avait envoyé des photos du bébé par mail. En objet : *Ouvre, Masha, s'il te plaît.* Elle avait choisi de ne pas être mère, d'accord, il comprenait, mais à présent, si elle en avait envie, elle pouvait être grand-mère, n'était-ce pas merveilleux ? Il n'avait jamais eu de réponse.

Il regarda sa petite-fille, croyant déceler dans la forme de ses yeux une ressemblance avec Masha. Il sortit son téléphone de sa poche et, tenant la délicieuse enfant endormie d'une main, la prit en photo.

Il ne renoncerait pas. Un jour, Masha répondrait. Un jour, elle rendrait les armes ou trouverait la force, et elle répondrait.

Il la connaissait mieux que personne.

Un jour, elle répondrait.

Cher lecteur, ils ne convolèrent pas en justes noces mais vécurent heureux à Sydney où Tony la rejoignit et assista à la résurgence de sa carrière lorsque sa première incursion dans le suspense romantique lui valut un succès inattendu. Inattendu pour tous, sauf pour Jo, qui l'appela le lendemain de la réception du manuscrit révisé pour lui dire : « Frances, tu as assuré grave ! » N'est pas grand-mère qui veut.

Frances eut un tel succès auprès de ses petits-enfants en Hollande – ils l'appelèrent « mamie Frances » – que Tony se plut à croire qu'elle n'était pas étrangère au retour de la famille à Sydney. Mais il se trompait : son fils Will avait été muté, point à la ligne. Cela dit, Frances était dingue de ces gosses et toutes ses amies s'accordaient sur un point : c'était du Frances tout craché de s'éviter les soucis liés à l'éducation des enfants et d'aller directement à l'étape où on peut les chérir, les gâter et les rendre à leurs parents.

Bien sûr, personne ne lui en tenait rigueur.

Évidemment, les choses ne peuvent pas se finir bien pour tout le monde. Ce serait trop facile. Helen Ihnat, auteure de la critique sur *Les Élans du cœur*, en est la parfaite illustration. Elle perdit les économies de toute une vie dans une arnaque aux monnaies virtuelles aussi gênante que médiatisée. Elle vécut le reste de sa vie dans un état de profond malheur.

Mais comme elle n'avait que du dédain pour les dénouements heureux bien ficelés, elle s'en contenta.

Oh, et connaissant Frances, vous vous doutez bien qu'elle finit par l'épouser. Elle attendit ses soixante ans, porta du turquoise, s'entoura de onze demoiselles d'honneur, toutes âgées de plus de quarante-cinq ans, et de treize petites filles d'honneur. Un garçon qui apprenait tout juste à marcher suivait le cortège, serrant une petite voiture dans chaque main. Il s'appelait Zach.

Dans la salle de réception, d'énormes nœuds en satin blanc décoraient le dos des chaises.

Ce fut le plus beau et le plus ridicule mariage de tous les temps.

REMERCIEMENTS

Comme toujours, j'ai eu beaucoup de soutien pendant l'écriture de ce livre et je tiens à n'oublier personne dans ces remerciements, à commencer par mes talentueux éditeurs : Maxine Hitchcock, Georgia Douglas, Cate Paterson, Amy Einhorn, Ali Lavau et Hilary Reynolds. *Neuf parfaits étrangers* vous doit beaucoup !

Merci également à Elina Reddy, qui m'a accordé tellement de temps pour m'aider à développer le personnage de Masha. Elina est une artiste merveilleuse, capable de peindre des portraits saisissants avec ses mots. Merci à Maria (Masha) Dmitrichenko qui, après avoir remporté le prix de la vente aux enchères organisée au gala de la Starlight Children's Foundation, à savoir la possibilité de prêter son nom à un de mes personnages, m'a effectivement autorisée à l'utiliser.

Merci au docteur Nikki Stamp qui compte parmi les rares chirurgiennes cardiaques dans notre pays et a répondu à toutes mes questions. Les propos prêtés à la chirurgienne de Masha dans le roman sont extraits de son livre fascinant *Peut-on mourir d'un cœur brisé ?*.

Je remercie également Kat Lukash et Praveen Naidoo pour leur aide précieuse concernant le russe et le footy ; Lucie Johnson pour avoir partagé avec moi ses expériences des centres de bien-être ; mon beau-frère Rob Ostric pour la tête qu'il a faite quand je lui ai demandé comment il se sentirait s'il devait conduire une Lamborghini sur une route non goudronnée. Merci à ma sœur Fiona d'avoir répondu du tac au tac à mes questions par texto. Merci aux adorables clients du centre de bien-être Golden Door avec qui j'ai partagé une très agréable semaine. Assister au lever du soleil a été une magnifique expérience mais je ne la renouvellerai pas de sitôt, j'ai trop besoin de sommeil !

Merci également à mes agents : Kate Cooper à Londres, Fiona Inglis et Ben Stevenson à Sydney, Faye Bender à New York, Jonathan Lloyd et Jerry Kalajian à Los Angeles. Merci à mes attachés de presse pour leur patience et tout ce qu'ils font pour moi : Gaby Young à Londres, Tracey Cheetham à Sydney et Marlena Bittner à New York. Sans oublier Conor Mintzer, Nancy Trypuc et Katie Bowden.

Je remercie Adam qui m'a aidée à créer Tranquillum House, qui a sagement ignoré mes questions aussi bizarres qu'impromptues, qui m'a apporté du café au saut du lit, qui a pris soin de moi et qui m'a soutenue. Merci à ma mère, Diane Moriarty, pour ses relectures et aussi pour n'avoir jamais envisagé d'aller vivre dans le sud de la France. Merci à George et Anna, mes magnifiques enfants qui ont pointé du doigt chaque gros mot dans le tapuscrit.

Écrire est un métier solitaire alors je tiens à remercier mes « collègues », à commencer par mes sœurs Jaclyn Moriarty et Nicola Moriarty, mais aussi mes amies Dianne Blacklock, Ber Carroll, Jojo Moyes et Marian Keyes. Merci à la talentueuse Caroline Lee pour ses magnifiques lectures dans les livres audio.

Merci à Nicole Kidman, Per Saari et Bruna Papandrea pour la confiance placée dans ce livre avant même d'en avoir lu un mot.

Merci à mes lecteurs. Comme Frances, j'ai les plus adorables lecteurs du monde et je vous en suis très reconnaissante.

Je dédie ce livre à ma sœur Kati et à mon père Bernie Moriarty, car ils ont su être forts, courageux et drôles face à l'adversité pendant toute cette année passée. Je suis certaine que même dans les moments les plus difficiles, ils étaient capables de faire plus de pompes que Masha.

Les livres suivants m'ont été très utiles : *No Time to Say Goodbye* de Carla Fine, *Acid Test : LSD, Ecstasy and Power to Heal* de Tom Shroder, *Therapy with Substance* du docteur Friederike Meckel Fischer et *Les Portes de la perception* d'Aldous Huxley.

Aux Éditions Albin Michel

Composition : Nord Compo
Éditions Albin Michel
22, rue Huyghens, 75014 Paris
www.albin-michel.fr
ISBN : 978-2-226-44296-3
N° d'édition : 23542/01.
Dépôt légal : février 2020
Imprimé au Canada